尚小云全传

李伶伶／著

中国青年出版社

目　录

序一 春露秋荣

故府君小云公，20世纪初年生于北京，六岁从艺，七岁坐科，十四岁膺选“童伶大王”，名动京华。嗣后十余年，敏思苦练，精勤求艺，终成一代宗师。于30年代，名列京剧“四大名旦”之一。

先君视培蓄专业人才为京剧传承大计，遂于30年代末创办科班“荣春社”。其间殚精竭虑，艰辛备尝。心血所系凡十余年，以至毁家办学亦在所不惜。40年代后，荣春长喜四科弟子渐次学成从业，多为业界中坚，先君之功于此可见，于京剧教育史亦留其名焉。

先君热心公益，济危扶困，声名素著。凡业内同道有求，无不慨然解囊以应，病则施之以药，亡则葬之以棺。于国族危亡之际，先君更以侠义自任，为梨园公会会长多年。于百业萧条中提振国粹、凝聚人心，为三四十年代京剧行业规范之确立与维护，出力尤多。

余尝以“严父慈母”四字概括先君一生。盖因先君治家，无处弗严；而氍毹化身巾帼，则于豪爽侠烈之中，蕴含温婉淑雅。此亦即先君平生为人之道焉。

李君伶伶为先君作传，问序于余。扬先人之美，启后辈之思，弘国粹之光，余焉能辞其责！

春露熠熠，缅吾先君；秋荣郁郁，慰吾前人。

是为序。

尚长荣

戊子年正月于长立书屋

序二

中国是一个有着悠久文明史的国度，在那蜿蜒曲折的历史长河中，产生和积淀了十分丰富的民族文化。在中华民族精彩纷呈的文化殿堂里，有一颗光芒夺目的宝石，这就是中国戏曲艺术。

中国戏曲是与古希腊悲剧喜剧、印度梵剧并列的世界三大古老戏剧。中国戏曲剧种灿若繁星，其中有一颗星分外耀眼，它便是有“国剧”之誉的京剧。

京剧在深厚的民族文化养分的滋润下，逐步形成了以演员为中心，以写意性、程式化为特征的表演艺术体系，并且造就了一代代个性独特、才华卓越的表演艺术家，形成一座座令人崇敬而仰为观止的艺术高峰。尚小云先生，就是这样一位令后人敬仰的艺术家，一位在京剧史上独具风采的艺术大师。

尚小云先生是20世纪的同龄人，他的舞台艺术生涯与20世纪京剧史起伏相连，伴随着京剧艺术的发展以至巅峰。他所创建的艺术流派博大精深，尤其是他的舞台艺术所表现出来的审美理想和审美价值，丰富了20世纪京剧艺术，并对后世产生了深刻的影响，成为20世纪中国京剧艺术史的重要篇章。

尚小云先生对京剧艺术的传统精神极为敬重，他自幼受传统艺术的熏陶和浸润，磨砺出坚实的艺术功底。在长期的舞台实践中，在纷繁的世事变迁中，他博采众长，开创了文武兼备、刚健矫捷、洒脱大方、气韵生动、同时又恪守着京剧传统艺术精神的表演艺术流派。

尚派艺术风格的形成，来自尚小云先生的思想开放与勇于创新，他是一位对艺术真谛有着独到见解与深切感悟的艺术家。他依据自身的艺术天赋，发挥嗓音刚劲、武功深厚的特点，坚持走自己的艺术发展道路，不为潮流所左右，以此构成了尚派艺术风格的坚实基础，同时也表现出一个艺术家坚持艺术原则的宝贵品格。

尚派艺术是一个完整的表演艺术体系，有着蓬勃旺盛的生命力。其塑造人物、表现情感的手段丰富多样，又与京剧艺术本体及其艺术精神高度地统一和谐。他所塑造的一系列性格迥异的女性形象，大都既符合传统京剧的程式与审美，却又蕴含尚派艺术的韵味，表现出尚派艺术的特点。

在他创作与表演的众多人物中，尤以一批性情刚毅的烈女或急公好义的侠女最为典型与成功，这不仅因为尚小云先生崇尚正义，对那些不让须眉的巾帼英雄充满敬佩与理解，也反映了他感时忧国、仁义博爱的人生情怀。

尚小云先生毕生致力于京剧艺术的继承和发展，他精心琢磨、整理演出了大量的传统剧目，又主持编演了大批新戏。从《汉明妃》、《梁红玉》、《乾坤福寿镜》、《银屏公主》、《墨黛》，到《御碑亭》、《虹霓关》、《打渔杀家》、《武家坡》等，无不因渗透了他对京剧艺术的深刻认识与独特眼光，散发着尚派艺术隽永的艺术魅力而垂范后世。

尚小云先生还是一位杰出的京剧教育家。他深知京剧艺术的传承与光大，必以优秀人才为依托，所以他在个人事业如日中天，演务与社会活动十分繁忙之时，却还要分出时间精力来开办培养京剧人才的科班。对于教务活动他事必躬亲，为荣春社的生存与发展，甚至不惜耗尽资产。在他的苦心经营下，荣春社一度成为中国最著名的戏曲艺术教育机构之一。在他的晚年，更是对戏曲教育事业情有独钟，对继承与发展京剧艺术倾尽心血。他严格施教，尽心育人，把自己毕生积累的宝贵经验和艺术财富，毫无保留地传授给年轻一代。

对这样一位杰出的京剧艺术大师，我们应如何更好地学习他，更深入地了解他，更仔细地研究他，在他远离我们已逾三十年之后，在振兴京剧刻不容缓的今天，这个问题的提出，更有特别的意义。《尚小云全传》付梓，可喜可贺，衷心希望今后有更多研究尚小云先生的著作问世。

尚小云表演艺术研究会

2008 年 3 月

第一章
族门之外的尚氏后人

尚可喜的后代，是“罪”

“我，尚小云，是个唱戏的。”

唱戏的，意味着什么？在旧时代，在传统观念中，它是下九流，是被轻视的对象，是耻辱。然而，尚小云在说这句话的时候，语气平淡。这样的态度，所传达出的意思是：唱戏的，其实就是一种职业而已，是三百六十行中的一种，与其他职业并无不同，既不高贵，也不低贱。

在旧社会，尚小云以这样不亢不卑的态度，对抗着人们的封建观念，维护着京剧艺人起码的自尊，也坦然面对自己的职业。

尚小云的话，所传达出的另一个意思是他对自己身份的定位。简简单单三个字“唱戏的”，固然拒绝了泼向京剧艺人的污水，实际上也婉谢了心理各异的人们加在京剧艺人头上的光环。京剧艺人以唱戏立身，他抓住了这一本质。他只要这简单的三个字。可是，他没有料到——

1966年的时候，尚小云竟无法保持“唱戏的”这份简单，首先是他的身份一下子变得复杂起来。不但复杂，而且有罪，罪名还不小。

初夏，“文革”开始。随着气温的升高，疯狂也在急剧升级。盛夏时分，尚小云被大字报淹没了。无论是在他的工作单位——陕西省京剧院，还是在他的居所——菊花园，仿佛菊花在一夜之间绽放，批判他的大字报如花盛开，铺天盖地。他很奇怪，他缘何会有那么多可以用来批判、斗争和打翻在地再踏上一只脚的事实与理由。于是，他很想凑近一些，仔仔细细地看个清楚。

尚小云还没有看清大字报上的内容，还没有弄清自己的“罪状”，就被揪了出来。那一天，造反派们冲进 “菊花园”，以其特有的居高临下命令的口气，不容分说让尚小云交出所有房门的钥匙。尚小云交出钥匙，意味着他和夫人被扫地出门。除了他们身上的衣服，寸草片瓦也没有带出来——什么都不准带。然后，他被四个粗壮大汉分别拽着四肢，像扔一件不怕摔坏的货物一样，扔到一辆卡车上，拉出去游街示众。一番折腾后，他又被拉了回来。卡车停下，他被车上的造反派像踢一块碍事的碎石子一样，一脚踢了下来。

走完游街示众的程序，尚小云和所有被打倒的知识分子一样，接受批斗。他被拉上用三张桌子临时拼成的“戏台”，他的胸前被挂上一块大牌子，牌子上是粗黑的“尚小云”三个大字，两条交叉成“×”的粗黑红杠覆盖着“尚小云”。这样的牌子，在那个时候，是街头的一道“风景”。

站在“戏台”上，一眼望过去，人海里，密密匝匝森林般的臂膀、因激动而扭曲的汗津津的每张脸。他们挥舞着臂膀，摇摆着；他们撕扯着嗓子，叫喊着。尚小云有些木然，心底却很纯净。于是，眼前的一切居然幻化成了戏院里那早已熟悉的一切：鼓掌声、叫好声。有一句唱熟了的戏词涌向喉咙口，几乎冲出口腔：

遭陷害，逃出门，飘零路上，
投远亲，避灾难，渺茫堪伤。

那是尚派名剧《乾坤福寿镜》里女主人公胡氏的一句唱词。尚小云习惯了：站在戏台上，就有唱的冲动，就有舞的热情。只是眼下这脚底下的台子，不是戏院里的戏台，是人生的戏台。不知为什么，他想起了四大名旦之一的程砚秋说过的一句话：“人生就是演悲剧。”此时，他正在演人生的悲剧，而他长达半个世纪的舞台生涯中，却很少演悲剧。这是讽刺吗？

与尚小云同时挨批斗的还有一个人，他是有“五大名旦”之一称号的另外一位“唱戏的”——徐碧云。让尚小云、徐碧云站在一起，不仅仅因为他们都是名旦，更因为他们是陕西省京剧院的掌舵人，尚小云是院长，徐碧云是副院长。

他们被迫站在“戏台”上，也不仅仅是因为他们站惯了戏台，那用三张桌子拼成的“戏台”另有功用：当他俩不能按要求大声呼喊出“打倒尚小云”、“打倒徐碧云”时，造反派们会猛然踹倒桌子，让他俩从“戏台”上滚下去。从地上爬起来，他们得重新站上去。如此一而再、再而三。对造反派来说，这是斗争，也是乐趣；对尚小云和徐碧云这两位六旬老人来说，是折磨，也是屈辱。

是否踹倒桌子，取决于他俩侮辱自己是否真心诚意；而是否真心诚意，取决于他俩的呼喊声是否足够响亮。相对而言，尚小云的喊声要比徐碧云符合要求。尚小云强壮一些，徐碧云柔弱一些，又沉疴在身，无甚中气。一向侠骨柔肠的尚小云，即便在这个时候，也秉性难移。为避免老友一次次被踹下“戏台”，他突然挺起腰杆，大声呼号“打倒尚小云”，也帮着徐碧云高喊“打倒徐碧云”。在戏界，他有“铁嗓钢喉”的美誉，于是，他的喊声，震天动地，穿云裂帛。在群情激昂的气氛之中，在震耳欲聋的口号声中，他的“打倒”声混杂其中，掩盖了他“冒充”徐碧云的真相。

如果说，批斗开始时，尚小云还十分不情愿地公开侮辱自己的话，那么，随着时间的推移，当他发现这样的批斗越来越接近闹剧时，特别是他为了徐碧云少摔几次而拼尽全力呼喊“打倒”自己、“打倒”徐碧云后，忽然有了喜剧的感觉。于是，呼喊声变得越来越自然，甚至在有的时候，连他自己都听得出来，那里面有戏谑、有嘲讽，也有玩世不恭，是演戏，是叫板。

就这样，尚小云和徐碧云总算是在“戏台”上站稳了。批斗在继续，“罪名”也在不断扩大。突然有一个年轻的造反派跳上台去，指着尚小云，指尖几乎落在尚小云的鼻尖上。不知是他正在发育、处于“倒仓”[①]期，还是因为他声嘶力竭，总之，声音是变了调的。

“你说！你要彻底交代！说出你的出身，彻底交代你与封建尚王府的关系。”

这个问题似乎很尖锐，引来鼓噪声一片。“对！彻底交代！”“不准隐瞒！”

说起“尚王府”，尚小云很想这样“交代”：我早就被逐出尚氏族门了。这句话几乎要脱口而出，但是，他咽了回去。他知道，这样的回答显然不能使对方满意。其实就连他自己也感好笑。“被逐出尚氏族门”，就意味着他不再是尚门之后了吗？就意味着他的血管里不再有尚氏血液了吗？何况，他自己不是一直自号“平南裔子”么。也就是说，他从来没有否认过他是尚门之后。于是，他只有选择沉默。

尚小云是清初“平南王”尚可喜的后代，这不是“被逐出尚氏族门”而能改变得了的。

1981年深秋的一个早晨，辽宁省鞍山市博物馆馆长刚上班，就接待了一位中年男子。他说他有一幅画要交给国家收藏。然后，他从随身携带的包里取出一个画轴，小心翼翼地展开。这是一幅纵长269.5厘米、横宽127.5厘米，绢本锦裱的工笔重彩描金人物肖像画。画中人物身穿御赐四团龙马褂，头戴王冠，足蹬朝靴，端坐在虎皮太师椅上，颇有王者风范。在画的上端有金地楷书题跋的261个字，简洁地记述了画像主人的生平。他就是清朝初年的著名人物——平南王尚可喜。捐赠这幅画的那位中年男子，是尚可喜的第十二代孙尚德欣。

尚可喜这个人，一生颇具传奇。在中国历史上，他得以留名的理由有二：

一、随清兵入关，战功显赫，被封“平南王”；

二、襄助康熙皇帝平定“三藩之乱”，死后被加封“平南敬亲王”。

正因为如此，他也给后人留下争议：

一、身为明朝将领，投奔清军，是否属于汉奸行为？

①倒仓：京剧名词，又说倒嗓、变嗓、变声，是演员在青春发育期，嗓音由童声变为成人声的必经过程。

二、作为“三藩”之一，他真的没有参与三藩之乱？

据尚氏族人介绍，尚可喜的祖籍在山西洪洞县，后迁至辽东。1604年，尚可喜出生于辽宁海城，字震阳。其父是明朝东江游击尚学礼，常年戍守边关。可能是因为出身军人家庭，尚可喜似乎天生具有军事才能，他少时随父从军，19岁时就领兵出征，驻防海上。1625年，尚学礼战死，尚可喜顺理成章承继父业，由东江总兵毛文龙委任为列将，统帅尚学礼的部队。

还是因为这样的出身，加上他自小征战沙场，因而生性耿直、嫉恶如仇。在明朝末年党同伐异、争权夺利的政府腐败环境中，他很不适应，又遭人陷害而失却信任。不得已之下，1634年，他率部起义，弃明投靠后金。

在这之前，在旅顺被后金攻占时，他率部在海上顽强抵抗，以至他的两位夫人及其家人数百口人葬身海底。越是如此，他就越对明朝的政治黑暗和人心不古深恶痛绝。他也曾多次上书崇祯皇帝，规劝他重贤人、远小人，并为救百姓于水火而勤政、远奢靡淫乐，但是，这一切忠告都不入崇祯帝之耳，反而招致小人更疯狂的挑唆和迫害。眼见无力回天，又因担心由崇祯帝的不信任而可能造成对身家性命的威胁，他只有走为上了。

在后金，尚可喜的军事才能得以充分发挥，他的部队被封为“天助兵”，他自己因此很快升迁至总兵，然后又被封为“智顺王”。1644年，也就是尚可喜40岁那年，他随清摄政王多尔衮、英亲王阿济格、豫亲王多铎等八旗兵入关。他和他的部队足迹遍及十余个省，征战七十多次，为清王朝最终征服中原立下汗马功劳。

当时，汉军八旗有八大姓之说，尚姓就是其中之一。大清建都北京之初，为清军“开路先锋”册封王位，尚可喜被封为“平南王”，又被皇太极赐金册、金印。不久，尚可喜奉命同“靖南王”耿仲明进攻广东。攻陷广州后，他镇守广东长达二十余年，直至死在那里。

康熙皇帝平定“三藩之乱”的行为，一直被认为是他的功绩之一。“三藩之乱”的发生是由驻守云南的“平西王”吴三桂率先挑起的，接着，福建的“靖南王”耿精忠（耿仲明之子）、广西将军孙延玲、潮州总兵刘进忠相继举起反清大旗，加入叛乱。见广东的尚可喜迟迟没有响应，吴三桂特别派信使来到尚可喜府上，要尚王一起参加反清。

此时的尚可喜态度很明确，坚决站在清朝政府一边。不仅如此，他还将吴三桂的信使押解至官府，以表明自己的立场。然后，尚可喜向朝廷上奏折，请求派兵以助平定叛乱。康熙深感尚可喜的一片忠心，下达谕旨：“王实心为国，计虑周详，朕与王情同父子、谊若手足。”

接着，尚可喜不顾老迈，亲自率军痛击叛军。在清政府的援军未到之际，他几次准备在兵败时举火自焚或上吊自杀，誓死抗击。然而，壮士未捷身先死。在康熙十五年时，尚可喜病入膏肓，再也无力征战了。临终前，他让家人搀扶着，遥拜北方，喃喃道：“不能杀贼，死有余辜。”

从尚可喜起兵阻击叛乱，到他去世，在广州坚守了三年，不仅阻止了吴耿叛乱，也对清政府最后平定叛乱起到了关键作用。

康熙得知尚可喜病逝后，特遣太监前往致祭，并御赐祭典、祭文，赐谥号为敬。可以说，这是历朝政府对大臣的最高礼遇。不仅如此，在平定叛乱以后，康熙下旨将尚可喜骸骨迁往海城下葬，并派两名四品、五品官佐领守墓。

据说，尚可喜一生共娶了24个妻子，育有32个儿子、32个女儿，是真正意义上的多妻多子。虽说尚可喜本人并没有参与“三藩之乱”，但他的长子尚之信却在三藩之乱初期起兵响应吴三桂，还被委任“招讨大将”。当然，他招讨未成，后来反正。“三藩之乱”被平定后，他被康熙赐死在广州。

⊙少年时代的尚小云（1910年）

尚氏后人经考证后认为，尚小云是尚可喜七房所生儿子尚之隆的后裔。1658年，尚之隆奉顺治帝的圣旨，迎娶和硕公主。尚可喜因此与皇室联姻。这恐怕也是他执意不参与“三藩之乱”的又一个原因。

尚可喜弃明投清，是因为痛恨崇祯帝；他襄助平定“三藩之乱”，是因为报答康熙帝对他视若“父子”、“手足”的信任与尊重，以及对吴三桂出尔反尔背叛行为的鄙视。他的人生，可以用“波澜壮阔、叱咤风云”来概括。他历经大明崇祯帝、大清皇太极、顺治帝、康熙帝数个朝代，一生戎马。然而，正是因为他这样的历史，给三百多年后的后裔尚小云带来了很大的麻烦。1966年的时候，“出身”好与不好是个大问题。尚小云是尚可喜的后代，便成为“罪”。

尚小云最初不叫“尚小云”

批斗会终于结束了。也不知道为什么，原本是被批斗的对象，在被批斗后，却能够从造反派手里拿到三分钱。这三分钱是个什么概念？在“文革”前，尚小云月收入1200元，被扫地出门后，一家三口（当时，夫人王蕊芳的姐姐、孩子们的七姨王仲芳和他们生活在一起），每人发给12元生活费，总共36元。这三分钱又有什么用处？尚小云用其中的一分钱买咸菜，用剩下的两分钱换一碗白糖水。一碗热腾腾的糖水下肚，他感觉郁闷顷刻间被消融，曾经的羞辱也被荡涤。于是，他重新抖擞起精神回家去。被赶出“菊花园”后，他们一家人不得不蜗居在京剧院宿舍中一间不足十平方米的小屋里。

嗜吃甜食的尚小云每次站在批斗台上，高呼着打倒自己的口号，心里却憧憬着那三分钱和那碗糖水。1966年底，经历了无数次批斗的尚小云已老迈羸弱，这不是区区一碗糖水能够补回来的。隆冬一日，他又被强迫去接受陕西省文艺界的批斗。照例，他的胸前挂着沉甸甸的大牌子，站着、低头，还时不时地要喊几句口号。照例，他想象着批斗后的糖水，唯有如此，他才能捱过折磨。

然而，那天的批斗会好像特别激烈，造反派们似乎是为了驱赶严寒而一反常态地怒吼、咆哮。长期的营养不良、长期的精神摧残、长期的神经衰弱，因为无法抵御的寒冷，因为耳膜被鼓噪声无情地冲击，也因为饥饿，尚小云没有能够熬到喝糖水的时候，突然就晕倒在地。

尚小云醒来的时候，发现自己躺在医院里。站在他的病床前焦急地俯视着他的是小儿媳高立骊的三哥高立纲和他的妻子。高立纲的妻子在这家医院眼科工作，尚小云被送入医院时，高立纲恰好正在医院。当他俩听说尚小云在批斗现场晕倒被送到这里来以后，立即就赶了过来。尚小云苏醒后的第一个感觉，就是嗅到蛋糕的香味。这种味道，让他想起了他的糖水。他太渴望了。他挣扎着坐起来，高立纲已经将一包鸡蛋糕捧到了他的面前。双方无语，却彼此心灵相通。高立纲断定尚小云的晕倒是因为低血糖。于是，在尚小云被医生抢救时，就急急地跑出去，在附近的小店里买回来一包鸡蛋糕。

一阵狼吞虎咽。吞咽下最后一块蛋糕，尚小云这才拉过高立纲的手，说："您的蛋糕，真正救了我的命。"语气中，既有对高立纲的感激，更有无尽的感伤。这种饥饿的感觉，尚小云不是没有体验过。他的母亲张文通曾经说："我的德泉（尚小云的本名叫尚德泉）小时候最爱吃干撒面粥。唉，倒也不是他天生喜欢的，是那时没东西给他吃。”曾经的饥饿让他落下一个“病”，那就是中午临近吃饭时，最听不得鸡叫。

据尚氏后裔介绍，原名尚德泉的尚小云曾被逐出尚氏族门。他被逐的原因很简单，就是因为他选择了京剧，选择成为“唱戏的”。无论尚可喜的历史功过后人如何评价，就尚氏族门而言，因为尚可喜，故而尚氏门第显赫，血统高贵。也因为如此，如何能够容忍尚门出了这么一个在他们看来地位卑贱的唱戏的？于是，他们认为尚小云有辱家门，反复劝他放弃。但是，尚小云酷爱唱戏，深爱京剧，就像他坦荡平淡而毫不隐讳地宣称“我，唱戏的”一样，他坚持认为：“我学的是青衣，唱的是青衣，我托祖师爷的庇荫，能够在梨园行里吃饭，我不引为耻辱。”劝说无果，尚氏族人为维持尚门正统，“开除”尚小云。

一般来说，旧时孩子学戏，无外乎两个原因：一是因为出身梨园世家。继承祖业，不仅是习惯，也是不得已。自宋代起遗留下来的“唱戏的子女只能从事唱戏”的户籍陋习一直延续到大清。清末，这样的祖制虽然已不再具有强制性，但它的余毒仍然左右着人们的思想。因而，梨园世家在戏曲界是常见的。二是因为贫穷。程砚秋曾经说过这样一句话：“人们确实没有了活路，才不得不卖身学戏的。万一有一线生路，也决不会狠心把儿女送进火坑。”

就四大名旦而言，除了梅兰芳出身梨园世家外，其余三人都是因为家贫而走上唱戏这条路的。比较而言，尚小云与程砚秋有些相像，都出身于官宦人家，都是因为家道中落、生活陷于困顿后被迫卖身学艺。不可否认，尚小云初入戏门，的确有热爱戏曲的成分，但是，那时他只不过7岁，与其说他是因为热爱戏曲而投身戏门，不如说是一个孩子对五彩斑斓的舞台充满了好奇。

尚可喜的原籍在山西，后迁往辽宁，他又镇守广东数十年，因此，他的后裔逐渐没落后，散布在全国各地。尚之隆这一支的后裔后来定居河北南宫县大慈家村。如今在论及尚小云的祖籍时，习惯上都说是河北南宫县。

尚可喜之后，尚氏为官的有不少。就尚小云家族来说，他只知道他的祖父尚志铨曾任清朝广东清远县县令。他没有见过祖父，在他出生时，祖父已故。尚志铨虽然为官数年，但一生廉洁，只靠俸禄生活，没有给子孙留下殷实家财。尚小云的父亲尚元照只能自谋生路，19岁时走出河北老家，来到北京，在位于安定门附近的宝钞胡同的清廷蒙古那（彦图）王爷的王府里谋到一份更夫的差事。

也许是养家糊口不易，也许是尚元照本就是个老实本分之人，总之，他对他的更夫工作尽心尽力，不久就被提升了。至于他提升后的职务，目前有两种说法：一是执役（或称主计，即总管）；二是负责管理府中书籍（即图书管理员）。

尚元照升了职，收入不错又很稳定。然后他娶望族之后张文通为妻，不久生了女儿尚金环、儿子尚德海，一家人过着并不奢华但幸福快乐的日子。1900年，对于尚家来说，既福又祸。福，在于尚家又添丁。这年的元月7日，尚家次子诞生在北京北城地安门外法通寺草厂大坑附近的一座大杂院的西屋里。尚元照为这个孩子取名尚德泉，字绮霞（即尚小云）。

当时的北京城有东富、西贵、南杂、北穷旗之说。“东富”，即富人聚居在城东；“西贵”，即达官贵人聚居在城西；“南杂”，即小商小贩、城市贫民聚居在城南；“北穷旗”，即穷困的满族旗人聚居在城北。从尚小云的出生地来说，尽管他的祖上既富且贵，但到了他父亲这一辈，家道早已中落而不得不沦为穷旗。不过，“穷”是相对的，尚小云出生时，家里的生活还算过得去。

然而，小康之家经不起动乱和战火。尚家的祸，来自于什么呢？即“拳匪构乱”[①]，也就是“庚子国变”。从八国联军自天津大沽口入侵的消息传到北京始，京城就陷于恐慌与混乱之中。紧接着，慈禧太后、光绪皇帝和众臣逃离北京，北京失陷。八国联军在京城烧杀抢掠。在这一系列的动荡中，和千万普通京城百姓一样，尚家也未能避过劫难，有限的家财尽毁于兵火。

可以说，尚小云生不逢时。

庚子年间的人祸使尚家元气大伤。如果说，之前的尚家还算得上小康的话，如今已近于赤贫。老实本分的尚元照一蹶不振，忧郁成疾。但是，妻儿要吃饭，特别是嗷嗷待哺的幼子，他得尽父责。于是，他勉强支撑着，继续讨生活。从尚小云出生到5岁时父亲尚元照病逝，他的母亲又为他生了三个弟弟，依次是尚德福、尚德来、尚德禄。人多嘴多，日子更加艰难了。也许正因为沉重的生活负担压垮了尚元照的身体，摧毁了他的精神意志，他终日郁郁又悲愤，最后一病不起。很快，他就撇下了妻子和六个儿女，撒手而去。

从那以后，北城的大小胡同里，多了一个背着篓筐、举步蹒跚的妇人。她混杂在卖菜的、卖花的、换绿盆儿的、送水的、倒土的、淘茅房的人当中，很不起眼。在冬日里，她戴着一顶绒布帽子，手上套着露出手指的手套，不急不徐地呼唤着：“换洋取灯儿咧！”“换榧子儿咧！”

“取灯儿”就是火柴。“洋取灯儿”也是火柴。“榧子儿”又称“肥子儿”，是将一种像桂圆核的名叫皂荚的植物果实，捣烂后泡在水里，浸出黏液后揉搓成圆球，用于妇女梳头后搽抹（相当于现在的发胶），以使头发光亮服帖。许多年以后，这一带的人们都说，在“换取灯儿”、“换肥子儿的”的妇人中，只有一位好命。她就是尚小云的母亲张文通。

①一得轩主：《现代名伶小史——尚小云》，《立言画刊》1940年，总第68期。

父亲去世这一年，5岁的尚德泉刚刚入私塾。作为尚可喜的后代，也算是名门之后，尚家世代注重子孙的教育，尚元照也不例外，尽管家境不算富裕，他还是咬紧牙关送儿子去读书。尚元照去世后，全家的生活重担自然落在女主人张文通的肩头。一个旧时代的弱女子，无所依托，只能靠捡废纸、换取灯儿、换肥子儿、替人缝补衣服养育大小六个孩子。

应该说，这样的生活状况，是无力供德泉继续读书的。但是，张文通实在不忍心将刚刚入私塾的德泉拽回来。德泉天资聪慧，又勤奋好学，不要说讨得家人邻居的喜爱，就是刻板的私塾先生也认为他将来定有出息。就这样，德泉在父亲去世后，继续在私塾读书。

在接下来的两年里，家中又频遭变故。起先，德泉的大姐金环、四弟德来先后染病，因无钱医治而相继夭亡。接着，大哥德海莫名离家出走，下落不明，从此再无音讯。大哥走了，大姐死了，德泉一下子就成了家中长子，他自觉长大了，有责任分担母亲的辛劳。尽管他此时不过7岁。

关于学戏的一则传说

尚小云小的时候，家中揭不开锅是常有的事。当他饿得前胸贴后背时，邻居家的鸡偏偏叫了起来，而且叫得欢实。仿佛是应和似的，这个时候，他的肚子随着鸡叫也叽叽咕咕地叫个不停。这样，他就更觉饥饿难耐了。虽然家中少了几张嘴，但仅仅依靠母亲那微薄的收入，全家人还是无法吃饱肚子。早熟又自视家中长子的尚德泉，眼见母亲起早贪黑日夜劳作，又时不时忍辱含羞而不得不四处借米求油时，他的自尊心受到很大伤害，便萌发了辍学学戏的念头。

⊙尚小云之《金山寺》

关于尚小云是如何走上戏路的问题，有这样一则传说：

……等到小云长到十岁左右，长得虽然眉清目秀，可是生活越过越艰难，万般无奈，乃经人介绍，（尚老太太）就把小云典给那王府当书僮了。

小云做事便捷伶俐，颇得那王府上下的欢心，可是他有个毛病，整天到晚喜欢哼哼唧唧唱个不停，那王看他是个唱戏的材料，于是把尚老太太找来，说明典价不要，把小云送到戏班学戏，问她愿意不愿意。尚老太太一琢磨，当王府书僮将来不见得有什么大出息，如果在戏班里唱戏，他们母子可就有了出头之日了。不过她有个要求，就是小云身子羸弱，最好让他学武生，锻炼一下身体。戏班的学生，本来是由教师们量才器使，决定归哪一工，现在由那王保荐指定学武生，当然照样无误……①

“尚老太太”张文通一直牢牢记得那王爷和福晋的寿诞。在小云唱戏成名后，她总是在王爷福晋生日前一个月，就紧念着让小云去那王府唱一个晚上的堂会戏，作为祝寿。小云自己在排演新戏后，也总是在对外公演前，先在那王府露演，而且从不收分文，以示孝敬。特别是在那王爷60寿

①唐鲁孙：《故都梨园三大名妈》，《菊坛旧闻录》（丁秉著），中国戏剧出版社1995年10月版，第510页。

辰举办盛大的堂会时，大轴就是小云新排的《玉堂春》。这场堂会戏，长期以来被戏迷津津乐道，更被戏曲研究者认为是20世纪最值得称道的精彩堂会戏。

这一切，被有的研究者认为是尚老太太对那王爷“送小云去学戏”的感恩戴德毕生不忘的表现。事实上并非如此。如果说尚小云和母亲的这些行为是在对那王爷报恩的话，报的也只是那王爷对尚小云父亲尚元照曾经的好，以及多年赏尚家饭吃的“恩”，与小云学戏应该是无关的。

至少有三个方面可以看出，这则“传说”只是传说而已。

首先，传说小云是在10岁左右时被人典给那王府当书僮的，实际上，尚小云自己说他是在9岁开始学戏的。他所说的“9岁”，实则是7周岁。旧俗，诞生之日即算一岁，过年之后再算一岁，这被称为“双虚岁”。尚小云出生于1900年1月7日，算一岁，过了年后，又算一岁。也就是说，他出生这年，就算是两岁了，到1907年的时候，就算9岁。也就是说，他早在7岁时就开始学戏了，怎么可能在10岁时才被典去当书僮？

其次，它说尚小云之母很快就答应送小云去学戏，这也是不大可能的。张文通自己也是望族出身，又嫁给了名门之后尚元照。就她一个传统的妇人而言，怎么可能那么轻易地送儿当“戏子”？

再者，文中说小云初学武生是小云母亲的要求，实际上，尚小云学戏之初并非学武生，而是习老生。

在辍学学戏方面，四大名旦中的尚小云、程砚秋两人的经历有几分相像，都是因为父亲早逝，仅靠母亲维持生计，家贫而不得不自请卖身学戏。选择学戏的原因，两人也有相似点，都是因为住大杂院时有一个唱戏的，受其影响，早早认识了戏曲。与程砚秋同住的是一位花脸，尚小云的邻居则是一位弹唱老艺人。耳濡目染，他们也就爱上了戏曲。当时北京的戏曲环境，如《燕都名伶传》作者张次溪所说："时北京重声歌，鬻曲所入，骤可致富。"

尽管国势风雨飘摇，但京剧艺术却仍然按照其自身发展规律稳步朝前。到了清末，京剧进入逐步成熟的阶段，无论是演员表演技艺的丰富，还是剧目的多样，以及音乐、舞美，甚至观众群体、演出场所等，都前所未有地极大丰富。更重要的是，演员的社会地位也在悄然提高。这似乎要归于清廷对艺人的关注。

早先，娼、优、隶、卒四种职业被归于贱业，伶人的地位不及娼妓。清乾隆年间，清廷设立升平署，专门负责传名伶入宫唱戏，并每月发俸禄，因此在客观上抬升了伶人的身价，伶人也视被挑选进升平署为荣光。与此同时，戏班的体制正由"集体制"[①]向"名角挑班制"过渡。名角儿越来越成为社会的偶像而被追捧，收入也大幅提高。这时的名角儿有老生汪桂芬、谭鑫培，旦角有陈德霖、路三宝、王瑶卿等。

简单地说，戏园林立、名角齐聚、新腔迭出、剧目纷繁，的确是"重声歌"的表现。程砚秋接触京剧，是因为他有一个爱戏如命的母亲，他自小就随母亲流连于戏园。而尚小云接触京剧，是因为他家旁边有一座很著名的戏园，即天和园戏园。这里的欢乐热闹让他好奇，在这里出出入入走路昂首挺胸的名角儿，让他羡慕。当然，他没有钱，不可能时时进入天和园。在他家的另一边，有一个市场，那里有唱戏的、说书的，更加热闹。在这里，他认识了京剧，并且一下子就对它新颖别致的装扮和咿咿呀呀的唱腔着迷不已。

张次溪在《燕都名伶传》中这样记述程砚秋说服母亲让他去学戏："儿请学歌，冀减亲累，即以体亲心也。母年老，儿安忍坐食？儿闻学歌甚易，获效好，为之二三年，可有成，不忧贫矣。"

①集体制：即演员个人位居于群体之中，无论是每场演出中戏码的排列次序，演员之间、演员和乐师之间的关系，都没有什么个人的突出地位。

实际上，这句话同样适用于尚小云。他如程砚秋，为减轻家累，为解脱母亲于辛劳，主动要求辍学去学戏。从近处说，去学戏，吃住在师傅家，家中便可少了一张嘴；从长远来说，学戏成名角儿，“骤可致富”，虽然致富的是少数，但如果努力，不是没有可能。如果致富，将使母亲和两个弟弟从此摆脱“家无隔夜粮”的窘困苦难生活。

尚小云的母亲张文通一听儿子要去学戏，当即就哭了。程砚秋的母亲对儿子学戏的请求最先答复是，不同意，然后，她哭得很伤心。两位母亲何以有如此相似的反应？尽管尚小云的先祖尚可喜已离他三百余年，但他毕竟是名门之后，正如程砚秋身为官宦后裔一样。张文通不免感慨：身为名门之后，怎么能沦为优伶戏子？不是说，戏子是阔佬们的“玩意儿”吗，她怎么忍心将名门之后送去做“玩意儿”？再者，学戏极苦，不是普通孩子能够承受得了的，德泉是她的心头肉，她又怎么忍心让孩子去吃那炼狱般的苦痛？

但是，张文通的眼泪中除却不忍、不舍外，还有无奈、挣扎。俗话说，“家有半亩地，不让孩子去唱戏”，“家有隔夜粮，孙子不当唱戏郎”。然而，在家无半亩地，家无隔夜粮的生活状态下，孩子不去唱戏，不当唱戏郎，又何以生存？在生存面前，自尊和高傲都是奢侈品。她无以表述她的内心，唯有哭泣。

年幼的尚德泉无法体察母亲复杂的内心，他只知道，学戏是唯一出路。所以，他一再坚持，甚至以孩子特有的纠缠方式，反复请求母亲首肯。张文通不得已，只好说：“外人都说，唱戏的最丢人。”这个时候，尚德泉终于了解了母亲不停哭泣的原因，他爽直地说：“唱戏能挣钱，能让家人吃饱饭，不丢人。”这句话可能就是他日后宣称的那句“我不否认我是唱戏的，我也不引为耻辱”的来源。

张文通一方面为儿子懂事和善良倍感欣慰，更为儿子面对苦难和世俗偏见所表现出的不忧不惧而感自豪。她被儿子打动了，难道生存不比守护着那无谓的世俗偏见更有意义？何况，唱戏，也是一门手艺，学成了，学好了，也是有作为的。于是，她勉强同意了，不仅同意德泉去学戏，也同意三儿子德福与德泉同去。

一得轩主在其《现代名伶小史》“尚小云”一节中，这样概括尚小云的学戏缘由：“绮霞以舞象之年，遽丁大故，变乱之余，支持益难，乃请于母，愿求师学艺，现身红氍毹上，藉博升斗，作菽水资。母初不许，经绮霞力请，哀其遇，嘉其志，颔之，是为绮霞投身剧界之始。”

几十年后，尚小云自己在回忆他是如何走上戏路的时候，这样说：“光绪三十四年（实为三十二年）——那正是封建王朝日益腐朽没落的年代，正是艺人的社会地位处于‘鹌鹑、戏子、猴’的悲惨年代，而我，正是在这个年代里被迫去做‘戏子’的一个年方九岁的苦孩子。”①

卖身学戏

1907年，尚小云7周岁，春天到来的时候，他辍学了。

当时，京剧演员的培养方式主要有四种：科班学艺、拜师做手把徒弟、请师傅到家中传艺、票友学艺。对于初入戏门的孩子来说，票友学艺，自然不谈。一般来说，只有那些家境比较好的，才有能力出钱请师傅到家中传艺。因此，尚小云初学戏，只有前两种方式可供选择。

起初，张文通执意要送两个孩子去科班学艺。科班的教学方法是普遍施教和重点培养相结合，而拜师做手把徒弟的教学方法则是

①尚小云：《真理的道路——为纪念毛主席〈在延安文艺座谈会上的讲话〉发表20周年而作》，《延河》1962年第3期，第39页。

徒弟学什么行当，就请什么行当的老师教，也就是说专门工某一行当。因此，在科班学艺，无论将来主工哪一个行当，之前总是有相当长的一段时间进行基本功的训练。

科班，早在清咸丰、同治年间就已经出现了。庚子年后，科班更如雨后春笋。尚小云准备学戏时，京城较有名的科班，是喜连升（后改名喜连成，1912 年又改为“富连成”），尽管它成立不过三年。这所科班由安徽人叶春善得吉林富绅牛子厚支持，于1904年在北京创立。由于叶春善恪守“不为发家致富，只为传留戏班后代香烟，为教好下一代艺术人材，传流不息地把戏剧事业接续下去”[②]的办班宗旨，吸引了大批卓有成就的老艺人来做老师，也因此吸引了大批孩子前来学戏。

张文通领着 7 岁的德泉和 5 岁的德福来到喜连升，恳求叶春善收留两个孩子入班学艺。在这前一年，喜连升的学生们已经正式在前门外肉市街广和楼茶园演唱，又招收了一批带艺入科的学生，参加学习和演出。经过一年的演出实践，名声渐显，连外地各大商埠也都知道北京有个喜连升科班。同时，慕名前往要求学艺的孩子也成十上百地蜂拥而来。也许正是因为这个原因，科班不愁招不到新学员，因而挑剔起来。

叶春善上下打量了德泉、德福两个孩子一会儿，然后，他挥了挥手，颇有些不屑地说：“他们骨架过大，不是学艺的材料。”就这一句话，算是定了性。也就是说，他拒绝接受他们进入喜连升。叶春善无论如何也不会想到，这个“骨架过大”的孩子，日后会成为扬名大江南北的四大名旦之一。在他看来，此时他拒绝的，不过是一个渴望学戏吃饭的孩子而已。他也不会想到，他的“不是学艺的材料”的草率结论，险些埋没了一位京剧天才。

如果此时尚小云能够进入喜连升的话，那么，他将有机会与梅兰芳、与周信芳同台献艺。因为在前一年，叶春善招收的一批带艺

②叶龙章：《喜（富）连成科班的始末》，《京剧谈往录》，北京出版社 1985 年 2 月版，第 5 页。

入科的学生中，就有梅兰芳、周信芳。所谓“带艺入科”，就是他们开始学艺时并不在科班。入喜连升，只是借班参加学习，更参加演出实践。梅兰芳在搭喜连升班学习演出的同时，继续随他的启蒙老师吴菱仙学戏。

如果此时尚小云能够进入喜连升的话，那么，他也算得上是梅兰芳的同学。梅兰芳此时13岁，尚小云此时只有7岁。从这个角度说，尚小云比梅兰芳具有更早的学艺起点。

如果此时尚小云能够进入喜连升的话，那么，他有可能更早地出名走红。因为他将有机会更多地观摩到戏界前辈的表演。梅兰芳就曾经回忆，他在“喜连升”学习期间，将剩余时间全部用来观摩，常常“每天总是不等开锣就到，一直看到散戏才走。当中除了自己表演以外，始终在下场门的场面上、胡琴座的后面坐着看”。所以，他说他在艺术上的进步与深入，很大程度上得益于看戏。

世事难料。尚小云与喜连升的缘分，并未因叶春善的拒之门外而尽。二十多年后的1935年，在富连成因各种原因难以为继时，一向侠义的尚小云献出自己的本戏，助其一臂之力。毫不夸张地说，是他挽救了富连成。

在喜连升碰了壁，本就不大情愿儿子学戏的张文通在有些沮丧的同时，也不免暗自有些庆幸。她以为，这是祖师爷不赏尚家这碗饭吃，既然如此，也就无所怨怼。尚德泉却并不灰心，他耳濡目染邻居老艺人的弹唱技艺，又常流连在家附近的大市场，对五光十色的舞台早有了向往。叶春善对他“骨架过大”的评价，并没有打击他学戏的决心。这也可以看出，他自小就不是个敏感又自卑的人。

张文通拗不过，只好四处打听还有哪里适合儿子学戏。经人介

⊙《庆顶珠》，尚小云饰萧桂英

绍，她带着两个孩子来到李春福的门前。李春福是著名京剧演员李洪春的父亲，幼年时曾在山东曲阜衍圣公府孔家办的科班学过艺，工净行，与著名武净李连仲、著名旦角演员路三宝是师兄弟。出科后，他先后搭谭鑫培的同庆班、余玉琴和俞菊笙的福寿班、田际云的玉成班，改唱老生。然后，他应邀分别在陆华云的长春班、李际良的三乐班等担任教职。与此同时，他也收徒。

客观地说，叶春善所说并非完全没有道理。李春福初见尚氏昆仲，也觉两个孩子的天生条件并不好，也有不予接受的想法。但是，他很善良，也很心软。张文通眼圈红红的将家中的困苦一五一十地说给李春福听，毫不隐瞒让孩子学戏，就是为了减轻家庭负担。当然，她也说德泉如何懂事。最后，她言辞恳切，几乎是央求着，请李春福收留两个苦命的孩子。听了张文通的一席话，李春福十分同情这孤儿寡母的遭遇，答应收他俩为徒，教他们学老生戏。

终于找到了学戏的地方，也就是说，终于站在了戏门口，德泉的心，飞了起来。然而，母亲张文通的心却是酸酸的。德泉拜李春福为师学戏，这种方式就是拜师做手把徒弟。照规矩，手把徒弟拜师时，要订立文书字据。这个程序常常被称为“写”、“写字”，也就是说，写字据。这种字据，通俗地说，实际上就是“卖身契”。因而，与师傅立字据，常被说成“写”给师傅。

一般来说，字据上主要是约定学艺年限，一般为七年，当年不算，出师后还要无偿帮师一年，实则为九年。除此，还要约定必守的一些规矩：学艺期间，为师傅承担所有杂务，如果有演出，收入全部交给师傅，任师傅打骂，生老病死、觅井投河，师傅概不负责等。师傅也有义务，那就是负责徒弟学艺期间的衣食住行，除此之外，便是教戏。张文通在字据上画了押，将两个儿子“写”给了李春福，也算是“卖”给了李春福。

从此，尚德泉，也就是后来的尚小云开始了他的艺术人生。除却“文革”期间被剥夺登台权利，甚至一度被剥夺人身自由外，他没有离开过他钟爱一生的舞台。

进了三乐班

每次被拉出去批斗，尚小云都被要求交代家庭出身问题，交代他和封建王爷尚可喜的关系。如果说，他最初对这样的要求有些莫名其妙的话，那么后来，在如此三番五次之后，他开始变得无动于衷起来。心情不好的时候，他不出声地在心里一遍遍地唱着戏，有一种“管他呢，随他去”的消极；心情好的时候，他会在心底嘀咕几句：老王爷死了几百年，我和他能有什么关系？有时，他也会想：别说尚可喜，我连爷爷尚志铨都没有见过呢。无论是心情好还是心情不好，总之，对“出身”问题，他总是沉默以对。

但是，随着批斗的升级，尚小云发现他的罪状也多了起来。除了“出身不好”，以及文艺界普遍存在的“反动学术权威”、“文艺黑线的代表人物”之外，他又多了一项罪名：与慈禧太后有不正常的关系。如果其他“罪名”还可以论一论、辩一辩的话，那么，这条所谓的“罪名”，就太荒诞无稽了。这样近于人身侮辱人身攻击的“罪名”，激起尚小云内心强烈的怒火。依他的火爆脾气，他几乎要破口大骂起来。不过，他得忍着，他不能开骂，否则，他将是“对抗”。在失去理智的人们面前，对抗是无济于事的，甚至是愚蠢的。

关于“出身”问题，尚小云无话可说，因为他的确是尚可喜的后代，所以他沉默。可是，关于“与慈禧太后”的问题，他感觉他不能再沉默，否则，岂不是默认？他知道在气头上开口，语气一定是强硬的，是“态度不好的”。所以，他强抑住自己内心冲天的火气，然后，和缓地、平顺地开口说了一句话，言简意赅的一句话，算是为自己辩解。这是他自从被批斗以来第一次开口，他说："慈禧死的那年，我刚满8岁。"

8岁时的尚小云，姓名已经由尚德泉改为尚三锡。他已经不再随李春福学习，而是入了三乐班科班。他也不再学习老生，而改学武生，又转习旦角。也是在这一年，他登台了。

实际上，李春福并没有教授德泉太长时间。他本是唱老生的，自然教授徒弟学老生。在德泉、德福两个徒弟之前，他已经收张文斌、张永安为徒，也教他们老生戏。但是，二张学了一段时间后，李春福见他们不适合唱老生，便让他俩改学小花脸[①]了。对尚氏兄弟，李春福发现，他们的身材、嗓音也都不适合唱老生。不过，他觉得尚德泉非常聪明，反应快，悟性高，最重要的是，这孩子显然非常爱唱戏，因此相当用功。对一个有志学戏的孩子来说，无论他适合工哪一个行当，用功，能吃苦，有潜力，是日后成好角儿的必备条件。李春福觉得，德泉符合这样的条件。既然德泉不适合学老生，又有学戏的志向和潜力，理应将他放在能够培养他的地方。这个"地方"，应该就是科班。

进喜连升科班，是想都不要想的了。李春福想到了三乐班。他是三乐班的教师，与创办人之一李际良交情匪浅。提及李际良，就不能不说到慈禧身边的大太监李莲英。李莲英净身入宫，自然不可能有子嗣。他在宫中得宠，飞黄腾达后提议他的四个兄弟每人选一个儿子过继给他。

李际良本名叫李福德，是李莲英最小的弟弟李世泰（李莲英原名叫李英泰，五兄弟中排行第二）的次子。为使各房不绝长门，四兄弟中，除了老三过继的是三儿子外，其他三人，每人都将次子过

①小花脸，是京剧行当名，是丑行的俗称。化装时，鼻梁上用白粉抹一个粉块，所以称"小花脸"，主要演喜剧人物或反面角色。

⊙李春福——尚小云的第一位京剧老师。

继给李莲英。这样，李际良就成了李莲英的继子。李际良得以留名，原因有二：一是他对佛学颇有研究，在当时北京的佛教界相当出名，人称“一清居士”；二是他酷爱京剧，出钱和梆子名角孙佩亭（艺名十三红）、薛固久（艺名十二红）合办了三乐班。而三乐班在多如牛毛的科班中，能够占有一席之地，就是因为四大名旦中的两位，都是从三乐班中走出来的。这两位就是尚小云和荀慧生。

由李春福推荐，尚德泉终于要进入正规的科班学戏了。母亲张文通得知后，为德泉高兴，也为德福担忧。德福既然不合适再随李春福学老生，如果没有其他学戏机会，那么他岂不是无路可走？张文通又去找李春福，这次，她是带着德福去的。她再三央求李春福也能将德福推荐到三乐班去，一来让德泉有个伴，二来也让德福有条活路走。望着眼前这个被生活压弯了腰的妇人，李春福深叹一口气，表示愿意去说一说。就这样，德泉、德福兄弟俩一起入了三乐班。

犹如拜师做手把徒弟要与师傅订立“字据”一样，入科班要签“关书”。“关书”的形式是大红纸摺子，外写“关书”两字，摺内的具体内容，与“字据”相仿，也相当于“卖身契”。据说，尚小云在上世纪30年代自己创立科班时，常常将早年他进三乐班时的“关书”拿出来给学生们看，用来说明当时艺人的卑贱身份和学艺的凄楚。

“关书”立过之后，尚德泉、尚德福就算是三乐班的正式学生了。按照规矩，每个进入科班的孩子都得另起名字。名字是以科班班名中的某个字作为名字中间的字，然后再另择一字作为最后一个字。三乐班便以“三”字作为中间的字。封建味儿浓郁的科班里，取名字也含封建性。当时，无论是戏班还是科班，都供奉着梨园祖师爷——一说是唐玄宗李隆基，一说是后唐庄宗李存勖。凡遇大事，都在祖师爷面前进行。取名字也是大事，所以得请祖师爷赐。

刚刚进入三乐班的尚德泉、尚德福被带到祖师爷的面前，先磕头跪拜，然后在一个装有事先写着名字字条的筒子里自行抽取。尚德泉抽到的字条上写着“三锡”，尚德福抽到的字条上写着“三霞”。于是，他们的新名字分别是“尚三锡”、“尚三霞”。

科班生活，往往被称为“七年大狱”。数十年后，尚小云回忆他的科班生活时，只用了一句话：“我接受了生活的挑战。”

尚三锡初入三乐班时，由班主李际良安排著名京剧武功教练赵春瑞教授其习武生。表面上看，李际良这样的安排显然欠妥。三锡是李春福介绍来的，就李际良和李春福的交情，他不可能不知道三锡不适合习老生。既然如此，又怎么可能习武生？老生，武生虽然有不同的要求，但都属于生行这个行当。三锡不适合习武生，除了天生条件，比如体形不够健硕外，他的体力是个大问题，因为家贫，

食不果腹是常事，自小营养不良，他的体质很差。习武生，练武是很重要的课程，而练武，又需要强劲的体力。这方面，偏偏是三锡的弱项。于是，他的演技在冲上一个高峰后，日渐下降。为此，赵春瑞常常摇头叹息。

从师赵春瑞，尚三锡练拿顶、下腰、劈叉、耗山膀、跑圆场、毯子功、把子功、架子功、水袖功、翎子功、帽子功、甩发功、靠功、扇子功等。虽然尚小云最终未能在生行方面有所成就，但这段时期的习武生经历，让他打下了相当坚实的武功底子。这样的武功底子给他的影响主要体现在三个方面：

一、他在转习旦角后，因为已经具有相当的功夫，所以成绩上升得很快。他曾经这样回忆说："自从改旦角以后，总算没有受什么挫折，好在腰腿功夫是已经练了两年，不过是学身段，吊嗓子，进步还不太慢。成绩哩，据一般人的批评，都还不太坏。常言道，一分耕耘，一分收获，这话实在是没错的。"

二、由于武功扎实，以至于他在六十多岁演出《昭君出塞》的趟马舞蹈时，演出《御碑亭》的避雨圆场时，无论是舞姿，还是摔屁股坐子，都能做到步履矫健、身体轻盈，不觉吃力，没有气喘如牛的疲惫之态。

三、他在转行旦角后，将武功带到旦行领域，创造性地文戏"武"唱，从而丰富了旦行的表演，也为他最终形成刚健挺拔的尚派艺术，奠定了基础。

⊙《昭君出塞》，尚小云饰王昭君，萧盛萱饰王龙，萧长春饰马童

慈禧太后死的那年，8岁的尚小云初次登台，以武生的身份演出京剧传统剧目《鄚州庙》，饰演主角黄天霸。这时，距他入三乐班刚刚九个月。在四大名旦中，尚小云与荀慧生都是在8岁时首次登台，比梅兰芳10岁登台、程砚秋13岁正式登台要早。实际上，尚小云比梅兰芳早一年开始学戏，他7岁时学戏，而梅兰芳是在8岁时学的戏。即便是梅兰芳，初次登台时，在《天河配》中演织女，只是一个配角。尚小云初次登台，演的却是主角。从这个角度说，他的演艺起点是比较高的，甚至高过了梨园世家出身的梅兰芳。

尽管尚三锡很能吃苦，夏练三伏，冬练三九，从不抱怨，也很聪明，接受能力强，学什么都快，但天生的体质抑制了他在武生行当的发展。基于这种情况，李际良改变初衷，让他改学花脸，并派净行名演员、绰号"陈四"的负责教授。就这样，尚三锡又转行习花脸了。但是，他只跟着陈四学了一出《空城计》，就又转行了。

这次转行，完全依赖于陈四的独具慧眼。在陈四看来，三锡这孩子相貌英俊，嗓音娇脆，是个难得的旦角人才。有一天，他对三锡说："这么好的模样，怎么唱花脸了？喊喊小嗓吧。"三锡喊了喊。陈四点头："嗯，小嗓还真不错。"于是，他向赵春瑞提议："不如让三锡改学旦角吧。"赵春瑞教了三锡大半年的武生戏，是三锡在三乐班里最亲近的师傅。赵春瑞对三锡也最了解，他觉得陈四所言极是。然后，得李际良同意，尚三锡终于转到了旦行这条"正道"上。

尚小云学过生行戏、净行戏，最终成为旦行演员。有意思的是，他的三个儿子尚长春、尚长麟、尚长荣，分别工老生、旦角、花脸。有意无意之中，尚小云将他幼时三个行当的所学分成三份，遗传给了他的孩子们。

“七年大狱”的科班生活

进了科班。一天三遍功，是雷打不动的。从天不亮起床到晚上睡觉，几乎没有片刻得闲。与四大名旦中的其他三位一样，尚小云小时候的练功经历，也十分枯燥、十分艰苦，甚至是十分惨烈的。

跷功，是花旦的基本功。所谓“跷”，又叫跷板，是一种木制的小脚形，类似于旧时妇女的三寸金莲。也正因为如此，辛亥革命后，激进人士主张废除跷功。其实，首倡花旦不踩跷的，是梅兰芳的祖父梅巧玲，他主张改穿彩鞋。梅兰芳父亲梅竹芬演花旦戏时，也从不踩跷。梅兰芳自称他在台上始终没有踩跷表演过，但他幼时也练过跷功，因为跷功对增强演员腿部的肌肉力量是有极大益处的。

尚小云改习旦行后，他的老师是唐竹亭（字茂）。唐竹亭按照旦角的通常练功模式，首先让小云练习跷功。他将跷（即木制假脚）用长长的像小脚女人的裹脚布一样的带子牢牢地绑在小云的脚趾前，然后让他穿上特制的小鞋，使他脚尖向下，死死顶着跷，一动不动地、笔直地站着，这叫做“站跷”。站立时间一点点增加。等到能够站稳了，站的时间够长了，难度也就增加了，得踩着跷站在一张长板凳上的一块长方砖上，一站便是一炷香的时间，直站得汗如雨下眼泪汪汪。在长方砖上能够站稳了，难度进一步加大，必须将长方砖侧立在长凳上，踩着跷站在侧立着的砖上。无论是站在方砖上，还是站在侧立的砖上，最初总是很难站稳的，尚小云不知道从上面摔下来多少次。

练习站跷时，尚小云和程砚秋一样，都遭受过师傅的“酷刑”，即为了防止乘人不备悄悄将膝盖弯起来，师傅会将一根两头都削尖了的竹筷子绑在膝盖后的膝窝处。只要不慎弯了膝盖，就会被竹筷子的尖狠扎一下。弯得厉害了，竹尖直接刺进肉里，疼痛难忍。为了不被刺中，就得直直地站着。

也许正是这样的“刑罚”刺激了尚小云，激发了他的倔强，使他暗下决心，一定要争口气。于是，当他在侧立着的方砖上也能站稳后，又为自己加了“小灶”，更进一步提高难度：踩跷站在水缸沿上。方砖虽然侧立，但好歹棱角分明，是平的，水缸边沿却是窄而呈半圆形，又是湿滑的，空脚站立都很难，何况还要踩着跷站上去，难度可想而知。一次次地摔跤，只有8岁的尚小云日日在摔跤摔得头昏眼花中度过。晚上躺在床上，他因为疼痛几乎无法动弹。好在无数的跤没有白摔，终于有一天，他稳稳地站在了水缸边沿。

站过了，就得跑。跑圆场①，是京剧演员的基本功；踩跷跑圆场，又是旦行演员无法逃避的练功项目。寒冬腊月里，尚小云踩着跷在冰面上跑圆场。最初练习的结果，还是一个摔字，摔得鼻青脸肿，摔得头破血流。由于标准的跑圆场是快、稳、美，跑动时碎步，两腿不得分开，上身不得摇摆。于是，尚小云被师傅唐竹亭要求在两腿之间夹一枚铜板。如果铜板落地，说明两腿拢得不够。直到几个圆场跑下来，铜板仍然“粘附”在两腿间，就算是功成了。

后来，尚小云这样回忆他当年是如何练功的：“练起跑圆场来，在雪地上跑，要快，又要有尺寸，摔倒了爬起来再跑；练扑跌的功夫，同学们一股劲儿一个挨一个的尽摔尽起，不摔得真爬不起来不歇。”

男人演女人，不在于单纯地模仿生活中女人的一举一动一颦一笑，而更在于恰如其分地表现角色的内心情感。旧时妇人以含蓄内敛为美，所以，眼神的灵活传神，是表现人物的极其重要的手段。梅兰芳以养鸽子训练眼力，而尚小云则以看香的方式练。每天晚上，

①跑圆场：是京剧专有名词，意即在舞台上按圆形路线跑行。

他点燃一支香，一只手举着，一会儿上一会儿下一会儿高一会儿低一会儿前一会儿后，他的眼珠随着上下左右高低前后不停地转。初练的时候，他的眼睛酸酸胀胀的，眼泪滚滚。慢慢地就习惯了，眼珠也越转越灵活，越来越传神了。

京剧“四工”中的唱、念是最重要的，是做、打的基础。一般来说，开头发音较重，相当于有力度地喷放，所以被称为“喷口”。喷口有力是演员的基本功。尚小云练喷口的方式很有趣：对着窗户纸练。如果唱、念时，窗户纸上没有从口中喷出的唾沫星，就算是练到家了。当然，初练时，他面前的窗户纸不一会儿就被唾沫打湿打烂。重新糊上，再接着练。最终，一段唱腔结束，或者一段戏词念完，窗户纸仍然像新糊上去的。

与所有学戏的孩子一样，尚小云的技艺是在师傅的棒打之下渐进的。如同传统家长教育孩子的观念“棒下出孝子”一样，戏界前辈一直认为：“不打不出功。”学戏，在那个时候还有一个替代词，“打戏”。无论是科班的学生，还是手把徒弟，学戏期间免不了挨打，这就是所谓“七年大狱”的来历。尽管孩子们小心翼翼，但终究是孩子，哪能丝毫不犯错呢，一犯错就得挨打。更多的时候，师傅打通堂。

所谓“打通堂”，有两种含义：一、一人犯错，全部学生挨打；二、学生几乎每天都要挨打，“唱功不到家挨打，做功不合要求挨打，台上出漏洞挨打……”②。打完后，学生还得给老师磕头，感谢老师的严加管教。由于科班学生常常趴在板凳上挨老师打，所以，他们自嘲是“啃板凳出身”。自然的，尚小云也是啃板凳出身。不仅如此，他还险些被打死。

尚小云虽说是北方人，但不知为什么，自幼就爱吃甜食，诸如炒年糕、冰糖水冲泡红枣的“元宝茶”等。当然，在他入科学艺时，这些食物在他眼里绝对是奢侈品，不是经常能够吃到的。那个时候，他

② 马少波:《刚阳不阿　艺如其人》,《京剧艺术大师尚小云》,陕西人民出版社1990年4月版，第6页。

⊙《桑园会》，尚小云饰罗敷

最常吃的甜食是果子干。但是，科班是不允许学生私自吃零食的。憋了很久，他实在忍不住，有一天吃午饭时，他悄悄将果子干藏在米饭下面，以备吃米饭时，顺便将果子干塞进嘴里。可是，他的运气实在不好，实际上也是因为他太小，既不懂得巧妙隐藏，又因为“做贼心虚”而使行为有些怪异，终于引起了老师的注意，并被发现了秘密。于是，一顿暴打是免不了的了。

由武生改行习旦角后，尚小云的旦角师傅是唐竹亭，他的脾气极为暴躁，所以有“唐扒皮”的绰号。脾气暴躁的师傅，在那个时代并不少见。比如，梅兰芳的祖父梅巧玲曾被师傅杨三喜用木板打平了手纹；程砚秋曾被师傅荣蝶仙打得大腿后侧淤结了许多血疙瘩长达数十年，最后不得不通过手术方式去除。尚小云虽然天资聪慧，但也没有少挨打。初次练习踩跷时，他自然是站不稳的，总是不自觉地伸手扶墙。这个时候，唐竹亭手中的藤条就抽了过来。冬天在冰面上跑圆场时，唐竹亭拿根藤条在后面赶。如果不慎滑倒在地，藤条即刻打在屁股上。

唐竹亭最常用的“刑具”是戒方。戒方，木质的，长尺余，宽寸把，两三分厚。一般来说，它有两个用途：一、用来拍板，指挥唱腔节奏。从这个角度来说，几乎每个师傅手中都有一把戒方。二、用来责打思想不集中的学生。

改行学旦角以来，尚小云已经随唐竹亭学会了几出旦行的传统老戏：《桑园会》、《彩楼配》、《芦花河》、《二进宫》等。出事那天，他正跟唐竹亭学习一出新剧目《落花园》。依惯例，唐竹亭示范性地唱一句，尚小云跟着唱一句。有一句词，“一阵风刮到了老夫人的花园”，因为唱腔宛转多变，尚小云总也唱不准确。起初，唐竹亭像以往教戏时那样，躺坐在靠椅上，眯缝着双眼，手里拿着戒方，有节奏地击打着桌面。尚小云唱了几遍，仍然唱不准。唐竹亭有些恼，睁开眼睛，很不高兴地瞅了一眼弟子。这一瞅，更

加让他恼火，他发现，尚小云的思想不太集中，一副无精打采的样子。他当然无法了解，体弱的尚小云连续练功学戏，早已精疲力竭。

再唱，还是不行。唐竹亭终于火了，突然间，他大喝一声："你干什么呢？"尚小云被吓得不轻，精神却更加紧张，唱得也就更加生硬了。唐竹亭暴跳如雷，一下子从靠椅上跳了起来，一边怒吼道："你笨得要死！"一边随手用戒方向尚小云捅去。唐竹亭的本意，可能只是习惯性地用戒方责打尚小云，或者说，只是想戳他一下、捣他一下、捅他一下。但是，由于他在极度气愤之下力大无比，戒方竟然像一把尖刀一样，一下子捅进了尚小云的腹部。

尚小云蒙了，一时也不知道痛。无知的唐竹亭此时又用力将戒方从尚小云的肚子里拔出来。这一拔，尚小云的直肠也随着戒方流出腹外，鲜血喷涌，染红了他身上的小褂。剧痛，让他瞬间昏倒在地。其他学生被吓得不轻，不过好在没有吓傻，他们赶紧七手八脚地将尚小云抬起来，心急火燎地送往附近的医院。这个时候，唐竹亭也许是为掩饰自己的残暴，竟还在高声叫骂："真是笨死了！笨死了！"

在医院里，医生小心掀开尚小云的布褂，只见他的肚皮上有一个洞，肉皮翻开，像一个人张着的嘴，直肠外露，还夹杂着戒方上的木刺，血水汩汩往外冒，真是惨不忍睹。幸好送医及时，尚小云的命总算保住了。肚子上的伤口，也随着时间的推移日渐好转。但这次伤害给他留下了打嗝的后遗症，终生未愈。

似乎是命中注定尚家的孩子必有一人会死在科班的棒打之下。尚小云这次幸免于难，未被唐竹亭打死，但是，与尚小云同时学艺的三弟尚德福就没有哥哥幸运了。1916年，也就是在尚小云终于熬过了"七年大狱"的科班生活出科时，尚德福在一次学戏时，被师傅暴打后，没有能够抢救过来，死了。

世界上有两种人，一种人在经历了百般磨难后，自尊心受到伤害而可能变得消沉颓废、敏感多疑、内向孤僻；另一种人不但不会被艰难困苦所打倒，反而有可能更加坚定了意志，更要强、更果决。尚小云属于后者。

因"果子干"被毒打的时候，倔强的尚小云一边尽力忍受着板子打在身上的疼痛，一边暗自下决心："等我走红了、成名了，我天天吃果子干，吃给你们看。" 自己动手做果子干吃，后来成了他的一大业余爱好。他做的所谓"果子干"，是用柿饼或酸杏干、苹果干等原料以水浸泡，加入切成片状的嫩藕后，同煮，黏稠后，就成果子干了。这样的烹饪技艺，算是尚小云的独门。

后来，他果然走红成名，虽然不至于真的天天吃果子干，但他时不时要在孩子们面前露一手。但是，这样类似于杂烩的果子干，实在不能算是美味。他小的时候之所以那么爱吃，只是因为那时吃的东西太少。为不驳他的面子，家人当着他的面，捧着果子干，大呼"好吃"，背着他，实话实说"不好吃"。

被唐竹亭捅破肚皮后，在养伤期间，尚小云就忍痛开始继续练功了。每每伤口作痛时，他都会想到他是因为唱不好才被打的，所以，他就更努力地练唱。伤好后，他的技艺大增，就连挑剔的唐竹亭都感吃惊，问他："你小子现在怎么学得那么快？"尚小云感慨又不乏幽默地回了一句："都是老师您的戒方教训的结果啊！"这句话令唐竹亭颇尴尬，但他从心底里欣赏"这小子"的毅力和韧劲儿。于是，他由衷地对尚小云说："有志者事竟成，你是有出息的。"

正如尚小云自己所说，"生活的磨练，没有把我打倒，相反，它给了我一副顽强的性格和一腔朴素而热烈的理想和愿望。"他所说的"朴素而热烈的理想和愿望"，在当时，就是为了生活，"为了孤苦的妈妈能过好日子"。那个时候，他倔强、坚韧、刚毅、豪气，为理想而顽强且坚持不懈的性格特征已经显现。

师承名师学戏

将莫须有的“与慈禧太后有不正常关系”的所谓“罪名”强扣在尚小云的头上，令人啼笑皆非，也令人难以理解。那么，它究竟因何而来呢？细细探寻尚小云的生平经历，似乎与他和三乐班班主李际良之间的关系有关。李际良是李莲英的继子，李莲英是慈禧身边的红人，于是，有人便想当然地认为，尚小云也与慈禧有关。

尚小云入三乐班后，的确深得李际良的赏识和栽培。不仅如此，尚小云曾经拜李际良为义父。许多年后，也就是在尚小云成名后，李际良病逝，其子李祥凤去给尚小云报丧，尚小云当即拿出两千元作为丧礼。然而，李祥凤却不领情，认为尚小云如此阔绰，是对李家落魄的讥讽。实际上，尚小云素来有“侠伶”之称，不要说是对义父李际良，对潦倒同人，就是对戏界外普通贫苦穷人，他一样也是慷慨不吝。只是李祥凤太好面子了，才冷淡地拒绝尚小云的好意。尚小云无奈，又不能不为义父尽些力，就买了两千元钱的纸钱，在义父的坟前烧了。

自李际良听从陈四的建议，让尚小云由习武生改习旦角后，先是令唐竹亭作为尚小云的旦行启蒙老师。唐竹亭虽然性格暴躁，对弟子时时拳脚棍棒相加，但他的严于执教，客观上也使尚小云的基本功非常扎实。从这个角度说，尚小云并不怨恨唐竹亭，也很感激李际良这样的安排。

旦行，是个广义的名称，它又因角色的年龄、性格、身份的不同，分为正旦（俗称“青衣”）、花旦、刀马旦、武旦、老旦、花衫等专行。在唐竹亭为尚小云开蒙后，李际良又为尚小云聘请了诸多老师：李敬山、田桂凤负责教授花旦戏，丁连升、张朱麟教授刀马旦戏，戴韵芳、孙怡云教授青衣戏。不仅如此，李际良还请在清廷内教授昆曲的方秉忠教唱小云昆曲。其中值得说一说的老师有三位，他们分别是方秉忠、田桂凤、孙怡云。

清光绪年间最享盛名的京剧笛师，就是方秉忠（1856—1927）。他是京剧形成时期著名笛子手方国祥之子，受家学熏陶，自幼爱好音乐，更喜品箫弄笛，16岁时就随父进宫吹下手笛。之后，在父亲的安排下，他拜王进贵为师。当时的宫中，有“鼓刘、笛王、喇叭张”之说，其中的“笛王”就是王进贵。方秉忠拜师笛王，吹奏技艺日增。在父亲去世后，他顺理成章顶替父亲进入升平署①，更时常入宫，为同治皇帝吹笛。有一次，同治帝演出《黄鹤楼》，太监安来顺吹上手笛，吹下手笛的就是方秉忠。由于其技艺出众，声誉广达宫内外。所以，正如《清代伶官传》中所说，“其有组织科班者，昆曲一席，亦必聘秉忠担任，始觉光彩。”其中，三乐班也聘其为昆曲教习。这样，方秉忠做了尚小云的昆曲启蒙老师。

田桂凤（1867—1931）是北京人，却出身于天津科班，返京后曾与谭鑫培同演于同春班。在同治至光绪年间，他的声望极盛，有“古今第一花旦”之美称。早年，按梨园旧规，花旦戏不能担当大轴。一次，田桂凤与谭鑫培同台，依事先的戏码安排，田桂凤的《拾玉镯》是倒二，谭鑫培的《失街亭》是大轴。但是那天，田桂凤迟到了，谭鑫培只好先唱。观众见大轴都开演了，估计田桂凤的戏被取消了，纷纷离座。正在这时，田桂凤来了，观众又陆续回座。就这样，花旦戏《拾玉镯》意外地成了大轴。

尚小云受田桂凤的影响有两个方面：首先，他的花旦戏，自然是随田桂凤所学。可以说，田桂凤为他打下了花旦戏的基础。其次，田桂凤喜欢收集古董。在他晚年技艺下降、号召力锐减之后，靠买

①升平署：清时负责宫中演剧事宜和其他娱乐事务的专门部门，原称“南府”，道光七年时改为“升平署”。

⊙《金山寺》，尚小云饰小青

卖古董发了财。尚小云受其影响，日后痴迷古董，收藏颇丰，曾在解放后一次性捐出名人字画、玉器等多达66件。

提及“小云”这个名字，就不能不说到尚小云的恩师孙怡云。尚三锡改名尚小云的原因，有三种说法：第一种是，三锡在随唐竹亭习旦角后，唐竹亭发现这孩子的相貌，特别是化装后的扮相，像极了名旦孙怡云，便做主为三锡取了个艺名“小云”。第二种是，孙怡云在教授三锡习青衣时，见他聪明伶俐，又好学上进，很喜欢他，特别是觉得他的唱腔、扮相与自己有几分神似，对他更加喜爱，大有扶助其承继自己衣钵的想法。有一天，他对三锡说：“你的名字不太响亮，你跟我学戏，就借我一个‘云’字，叫小云吧。”第三种是，三锡受班主李际良之命，拜孙怡云为师。在拜师仪式上，三锡对孙怡云磕头后，恳请老师重赐艺名。孙怡云见其扮相酷似自己，便将其改名“小云”。无论这三种说法哪一种最为准确，总之，尚小云之所以取名“小云”，都与孙怡云有关。

孙怡云出身梨园世家，其父孙心兰专工青衣，后自营乐安堂。1875年，孙怡云出生于位于北京城南的韩家潭（后来的韩家胡同）乐安堂寓所，自幼习皮黄青衣。因其扮相秀丽端庄、表演细腻传神，极善刻画人物，在20岁时被选入升平署进宫演戏，技艺深得慈禧的赏识，常被赏银十五至三十两不等。之后，他常与老生“后三鼎甲”谭鑫培、孙菊仙、汪桂芬，及早年的名旦陈德霖、王瑶卿，以及著名净行演员黄润甫、金少山等合作演出，声名显赫。

尚小云入三乐班时，已近中年的孙怡云正执教于此。与田桂凤相仿，孙怡云也在两个方面给尚小云很深的影响：从艺术专业上说，尚小云拜孙怡云为师后，即随孙学艺，甚至一度住在大吉巷内的孙宅。孙怡云是正宗青衣，一些如《玉堂春》等传统青衣戏，尚小云得孙怡云亲授。如果说尚小云在扮相俊美、嗓音畅朗方面与孙怡云极为相似，是天赋所致的话，那么，最初尚小云在唱法上多遵传统青衣的“口紧字松”（即重腔不重吐字），在表演上多守传统青衣的端庄细腻，就应该和受孙怡云教诲有关。从艺术素养上说，孙怡云酷爱书画，也极善书画。在名旦陈德霖六十大寿时，他还曾亲笔书画寿屏一幅，作为贺礼。尚小云善画，在梨园界非常有名，恐怕与他早年与孙怡云学艺有关。

抗战时期的1944年五月初一，孙怡云病逝于北京潘家河沿（后来的潘家胡同）甲50号寓所。发丧当日，尚小云身着重孝，亲率他所创立的荣春社众弟子前往孙宅吊唁。孙怡云最后一程，有四大名旦之一的弟子相送，也算走得风光。

无论是方秉忠、田桂凤，还是孙怡云，在当时，都是梨园界在其行当有着赫赫名声的一代大家。尚小云能够跟随他们学习昆曲、花旦和青衣，应该算是他的幸运。他的天赋是促其成名的一个原因，师承名师则为他最终成功奠定了基础。

另外一个方面，方秉忠、孙怡云都曾被选入升平署进宫唱戏。他们与清宫、与皇帝、与慈禧因戏而不可避免地有着联系。以“文

⊙尚小云的好朋友——荀慧生剧照

革”时的思维方式，尚小云和与慈禧有关系的人有关系，那么，他也就与慈禧有关系。这或许是他的“与慈禧关系不正常”“罪名”的又一个来源。

“正乐三杰”

1912年，对于中国人来说，意义重大。因为在这一年，清政府覆灭，民国建立。然而对于12岁的尚小云来说，变化似乎只是在于剪掉了脑后的小辫子而已。对朝代的更迭、时代的变迁，他不可能有太清晰的认识，他一如既往地练功、唱戏、演出，仅仅为了吃饭，为了生活。

然而，1912年，对于尚小云来说，也是很有纪念意义的。因为在这一年，他在京城舞台上开始有了些名声。从现存的戏单上可以发现，尚小云早在1912年，他12岁的时候，就已经频繁出现在舞台上了。比如，9月6日，在广和楼戏院，他和赵凤鸣合演《芦花河》，戏码位列第三。其实早在4月30日，也是在广和楼戏院，他和赵凤鸣的《芦花河》，就已经位列第五了。到了10月29日，还是在广和楼戏院，由他主演的《别宫祭江》，戏码已列第七出了。戏码排列逐渐靠后，显示出其戏份趋重的势头。

也在这一年，尚小云结识了荀慧生，生平有了第一个真正意义上的好朋友。

与一般的科班只授皮黄不同，三乐班既教皮黄，也授梆子。正因为如此，它在招收皮黄学生时，也兼招梆子学生。1912年，学梆子的荀慧生随他的师傅庞启发进入三乐班。他在三乐班的性质与尚小云不同，尚小云是入科学习，与科班签有“关书”；荀慧生是他的师傅庞启发的手把徒弟，只是与庞启发签过“契约”，算是“写”给了师傅。他加入三乐班，是因为师傅被三乐班聘为教习，他是带艺入科，类似梅兰芳入喜连升班。

论及尚小云在三乐班时最要好的朋友，非荀慧生莫属。两人之所以很快成为好朋友，很大程度上缘于两人是同乡，都是河北人，又同岁。他们同年同月出生，生日仅仅相差两天。荀慧生出生于1900年1月5日，比尚小云只长两天。这样的巧合，使他俩感觉颇有缘分。

相比而言，尚小云成熟稳重得多，荀慧生还像个孩子，更单纯一些。但是，依年龄而论，尚小云还得恭敬地称呼荀慧生一声“荀二哥”（荀慧生在家排行第二）。不过，两人相处久了，熟了，在一起时玩笑不断。尚小云就常笑让荀慧生称他为“大哥”。他俩本就只相差两天，与双胞胎也差不了多少。尚小云比荀慧生高大粗壮一些，荀慧生秀气文弱得多。在外人看来，尚小云比荀慧生年长。尚小云本就是个好打抱不平，又常仗义执言的人，与荀慧生站在一起，的确更像大哥。渐渐地，尚小云不再叫荀慧生“荀二哥”，而荀慧生真的叫尚小云“大哥”了。有人为此不解，就问荀慧生。荀慧生笑说：“既然他喜欢攀大辈儿，我在家里又本来是行二，那我就叫他大哥吧！”

在荀慧生日后的回忆录里，曾经这样说，尚小云入三乐班比他稍晚一些，而且在尚小云入科后不久，尚小云最早的师傅李春福的两个儿子李洪春、李洪福因长春班解散而同时转入三乐班。他还说，他在三乐班时，曾经与李洪春合作演出过梆子《三疑计》。实际上，尚小云比荀慧生早五年进入“三乐班”。在尚小云入“三乐班”的那一年，即1907年，长春班解散，李洪春、李洪福兄弟俩并没有加入其他科班，而是在家由其父李春福教授继续学戏。

荀慧生加入三乐班时，尚小云已经在三乐班学习了多年，有名师指点，又有频繁的演出实践，其技艺日渐成熟。在加入三乐班之前，荀慧生早就搭班演出，又从天津唱到了北京，演艺也大有进展。

比较四大名旦，最早出外“跑码头”的，应该就是尚小云。

梅兰芳在1913年首次出京赴沪，演出于丹桂第一台时，已经实足19岁了。程砚秋第一次出京演出是到天津，演出于新明剧场，时间是1922年8月，此时，他也满18岁了。荀慧生是在1910年10岁的时候由天津到北京。但是，他到北京唱戏，是因为师傅到北京的科班任教习，他是跟随师傅而来，所以，严格说来，他离津赴京，并非真正意义上的外出“跑码头”。

尚小云是在1911年，也就是11岁时，随三乐班赴天津演出，在广和茶楼，他演出了《别宫祭江》、《桑园会》、《芦花河》、《朱砂痣》等传统青衣戏。从他8岁登台，到他最早离京赴外埠演出，都可以看出，他在四大名旦中，起点是比较高的。如果从年龄来看，他也应该算是最早成名的。

在三乐班，习皮黄的尚小云与习梆子的荀慧生，彼此影响都很大。尚小云从荀慧生那里学梆子，荀慧生从尚小云那里学皮黄。最终，两个人在一出戏里，都能做到皮黄、梆子“两下锅”（即一出戏里兼有皮黄、梆子的演法）。而三乐班里还有一位擅长“两下锅”的，他就是赵桐珊（艺名芙蓉草）。赵桐珊比尚小云、荀慧生小一岁，也

⊙赵桐珊之《四郎探母》

是河北人，他8岁时由家乡河北武清县赴京学艺，初学梆子，后习青衣。在荀慧生入三乐班后一年，即1913年，赵桐珊也入三乐班。祖籍相同、年龄又相仿的三个孩子，很快就玩到了一起。

准确地说，赵桐珊加入的是正乐班，而非三乐班。因为在这年年初，三乐班进行了改组：当初参与创办该科班的孙佩亭、薛固久退出了“三乐”。从此之后到1916年该科班解散，负责人就只剩下李际良一个人。“三乐”之名，缘自于该科班是三人合作创办的，如今走了两人，“三乐”也就名不副实了。于是，李际良乘改组之机，将三乐班更名为正乐班。同时，他将原来位于宣武门外大石桥赶驴市染房内的班址，迁到崇文门外五老胡同的一个大院。

赵桐珊扮相俊俏、嗓音清亮，又聪明好学，10岁时就与梆子名角崔灵芝、丁灵芝、李灵芝、任灵芝、还阳草被列为“梆子六草”。他是“芙蓉草”，长得又比较黑，荀慧生长得白，此时的艺名叫“白牡丹”，因此，人们戏称他俩在台上是“花草争艳”，在台下是“黑白襄助”。这个时候的尚小云，在名师的指点下，在唱、念、做、打等方面的技艺，进步显著，不仅能演《祭塔》、《别宫祭江》、《起解》、《红鬃烈马》等传统唱工戏，也能演《泗州城》、《红桃山》、《攻潼关》、《取金陵》等武旦戏，还能演《十三妹》、《穆柯寨》、《梁红玉》等刀马旦戏，

又能演载歌载舞的昆曲戏。他在主演全本戏《义烈奇缘》时，已经能够做到文武昆挡不乱，因而被人赞誉为“独步九城，万众倾倒”。

在正乐班，尚小云、荀慧生、赵桐珊的艺术是比较出众的，又因为三人都是旦角演员，常常同台竞技而不分伯仲，所以最初被人称为“正乐三艳”。后来，有人认为，以“艳”字形容三个男孩子不太雅，便改为“正乐三杰”。

助荀慧生逃跑

荀慧生后来在回忆录中，这样回忆“三杰”的关系：“我们虽然是同行，却能通力合作，彼此关照，有着很深的感情。甚至在关键的时候，还都能雪中送炭。一直到我们中年、老年都能真诚相待，友好往来。”的确如此，他们三人的感情是在一起练功一起生活中积累起来的。那时，一人有了成绩，其他两人跟着高兴；一人挨了打，其他两人跟着掉眼泪；一人有了难，其他两人帮着想办法、出点子。

1915年，荀慧生遇到了一个很大的麻烦。按照他“写”给师傅庞启发的契约，他应当在这年满师，可以离开师傅回到父母身边。也就是说，他就要自由了。每当想到他再不会挨打受骂了，他的心都要飞起来了。每当他和尚小云、赵桐珊说到这事，他的眼睛就会发光。尚小云、赵桐珊羡慕荀慧生，更为他高兴。

然而，三个孩子都没有想到，荀慧生根本走不了。他的师傅庞启发只给了他一句话：“你要敢走，我就把你的腿砸折了，让你这辈子也别想再唱戏。”荀慧生蒙了，他不明白，契约上定的学艺期限是七年，外加帮师一年，从他于1907年“写”给师傅到现在，期限的确已经满了，师傅为什么不让他走，而且这样的理直气壮？同样不明白的，当然还有尚小云和赵桐珊。

实际上在这之前，庞启发也认为荀慧生满师了，要走了。为此，他有一阵子心情很郁闷，并不是他舍不得慧生这个孩子，而是舍不得银子。这个时候，“正乐三杰”是金字招牌，“三杰”之一的荀慧生在庞启发的眼里，就是赚钱工具，是摇钱树，甚至就是银子。放走慧生，实际上就是眼睁睁地看着白花花的银子从手指间流走，他不甘心。但是，他又是知道梨园规矩的，期限已满，又不能不让慧生走。

庞启发将那份契约找出来，看了又看，指望着能看出点什么破绽，却真的让他找到了漏洞。他发现：这份契约根本没有注明订约日期。换句话说，慧生是从哪一年开始学艺的，说不清楚。也就是说，契约到期没有？慧生满师没有？可以任由庞启发说。

望着那份既没有写他何时开始学艺，也没有写他何时满师的契约，又有师傅“砸折腿”的威胁，生性柔弱的荀慧生一句话也说不出来。这时，赵桐珊去保定演戏去了，荀慧生唯一能依靠的只有尚小云了。在好朋友的面前，他哭得很伤心，也很无奈。尚小云一听，气得脸红脖子粗，还直跳脚。从此，他无心练功，无心演戏，满脑子想的都是如何替慧生找到办法。

也许可以说，尚小云一辈子的侠肠义胆和豪气，就是从为荀慧生两肋插刀、为他想办法开始显现的。

办法终于想出来了。所谓的“办法”，就是一个字：逃。与荀慧生柔弱温和的性格相反，尚小云天生的脾气急躁性格刚烈，因而有着很强烈的反抗斗争性。既然契约白纸黑字无法辩驳，就他的个性而言，只能是自我救赎，一逃了之。

一听这个“逃”字，荀慧生就被吓住了。他首先想到的就是，万一被师傅抓回来，岂不会被打个半死？事实上，庞启发早就防着这一手，他对慧生严加看管，日夜跟着盯着。好在慧生虽然并不住在正乐班而住在师傅家，但他必须每天到正乐班学戏、演戏。

⊙尚小云与荀慧生

尚小云的逃跑计划和安排，就是在学戏、演戏时一一交代给慧生的。在这之前，他已经到慧生的住处进行过实地考察，他发现在慧生住的屋子后面有一扇窗子，窗下有一堆煤堆，煤堆旁有堵墙。于是，他的计划是：慧生于夜半时分庞启发入睡后，跳出窗子，爬上煤堆，然后翻过那堵墙。到时候，他会与正在正乐班搭班唱戏的李洪春在墙外接应。

荀慧生这件事最终得以解决，与尚小云筹划的逃跑计划，是大有关系的。他这一跑，实际上是将事情推到了绝境，逼使庞启发在太阳光底下解决，而不是任由他于阴暗处以威胁恐吓的方式说什么是什么。当然，当时年仅15岁的尚小云，在安排逃跑计划时，并没有想那么多，他只是出于反抗的本能。

事实上，庞启发在发现荀慧生跑了之后，起初气急败坏，逼问正乐班的孩子，包括尚小云。其他的孩子根本不知道，知道内情的尚小云死活不开口。这个时候，庞启发有些慌了，人都没有了，手里握着那份契约又有什么用？他的口气也软了，放出风去，说只要荀慧生回来，双方可以协商。

事情闹到这个地步，也引起正乐班班主李际良以及“白社”（专门捧白牡丹的团体）成员的关注。他们出面作为中间人，为庞、荀师徒进行了调解。最终达成协议：庞启发将“契约”还给荀慧生，算是出师了，但是，荀慧生再为庞启发效力两年，即在两年内的唱戏收入，一半归庞启发。虽然附带了条件，但荀慧生终究是出师了。与其说荀慧生终于赢了，不如说是尚小云胜利了，这缘于他的侠义、勇敢和机智。

尚小云对荀慧生如此，对赵桐珊也是一样。赵桐珊的艺术造诣很深，能戏多、戏路广，精于青衣、花旦、刀马旦，也通其他各行，曾以“多才多艺、生旦净丑无一不能”而闻名。但是，在艺术实践中，他却很少自己挑班唱头牌，更多的时候，他为别人“挎刀”，甘当绿叶。尽管他自身演艺出众，但与主角配戏时，从不喧宾夺主，却又能添彩，所以无论哪一个班社的头牌，都争相邀其配戏。有人一言以蔽之："他是个好演员，更是个好配角。"

然而，真正给赵桐珊这样的配角以尊重、真心欣赏他的艺术的，尚小云是其中一人。那个时候的戏曲舞台上，特别是名角挑班制以后，名角成为真正意义上的主角，配角绝不能抢了主角的风头，他得压着唱，得陪着唱。这对于像赵桐珊这样才艺卓然的人来说，是很有压抑感、也很有寂寞感的。

不过，有一次，赵桐珊正在台上唱着，忽听得上场门台帘后头有人喊好，细听之下，那洪亮清朗的声音，分明是尚小云的。原来，装扮好了正等着出场的尚小云，掩着台帘看赵桐珊的戏，看到精彩处，他忍不住叫起好来。这个时候，尚小云已荣膺"四大名旦"。听到这叫好声，赵桐珊的心热乎乎的。这不仅仅是因为尚小云是四大名旦之一，更是因为在这出戏里，尚小云是主角，他赵桐珊只是配角。尚小云为赵桐珊叫好，实则主角为配角叫好，这是极其少见的。赵桐珊在这叫好声中，听到了尊重和真诚。于是，他更来劲了，唱得更加出彩。

对于尚小云来说，他为赵桐珊叫好的时候，思想中完全没有主角配角、红花绿叶之分，他只是单纯地认为赵桐珊唱得好，值得叫好而已。他没有"我是主角，你是配角，我为你叫好，是提拔你，是抬举你"的意思。如果说，他的行为确有"提拔、抬举"的成分，那么，他的侠义则是由内而外的自然流露。

"第一童伶"

有一句话，很多人深以为然，那就是：成名要趁早。这句话中的"要"字，实际上是一种期望和追求的心理状态。换句话说，人们是期望追求早早出名的。然而生活中，不是所有人期望和追求的东西，都能得以实现。成名，也就不是想要趁早就能早得了的。尚小云是幸运儿，他早早地就成名了。

有些京剧研究者认为，尚小云成名于1925年，也就是他开始排演新戏之后。如果没有一定的积累，没有一定的知名度，演员是不可能排演新戏的。试想，一个默默无闻的人排演的新戏，有谁会去关注？除非一个演员凭借一部戏突然为人所知而成名，否则，出名总是一个渐进的过程。就以四大名旦之首梅兰芳来说，习惯上，人们将他于1913年赴沪演出成功作为他成名的时间划分，实则也不确切。在这之前，他在京城舞台上已经有了相当的名声。

如果非要给尚小云出名确定一个时间的话，那应该是1914年，他14周岁时。

目前已很难考证“正乐三杰”之称是何时叫响的。从荀慧生于1912年加入三乐班，赵桐珊于1913年加入正乐班，可以推测，“正乐三杰”起始于1914年。如果以“正乐三杰”之名作为尚小云成名标志的话，1914年就是他成名的时间，虽然他在12岁时频繁出演于广和楼，已经渐有名声。

不过，说1914年是尚小云的成名年，“正乐三杰”被叫响，只是其中的一个原因。另外还有两个原因：一是与京剧老前辈孙菊仙合作；二是通过“菊选”而被选为“童伶博士”，又称“第一童伶”。

尚小云早早出名，有幸运的成分，但这份幸运，并非凭空而来，是他长期能量积蓄后自然而然喷发后的回馈，也是对他刻苦砥砺的报偿。

相对于1912年，1914年对于尚小云来说，更加值得纪念。这年，他倒嗓了。有人说，倒嗓如倒命。这个“命”并非自然生命，而是艺术生命。对于艺人来说，嗓子是本钱，是饭碗，是命，一旦倒不过来，本钱没有了，饭碗没有了，命也就没有了。科班学生最怕三句话："倒仓（嗓）了，平糟了，逢高不起冒嚎了。"所以，倒嗓，对于任何一个演员来说，都是一个关口。

在倒嗓之前，尚小云每天天不亮就到城外法塔寺喊嗓。因为天黑，他常常要提着灯笼。无论刮风下雨、寒冬酷暑，他从不间断，即便是被师傅捅破了肚皮，他也只是在受伤初期停了短短几天，就又练上了。

在倒嗓之后，他的这个习惯没有改变，只是在喊嗓时，小心着不要将嗓子喊破。他听从梨园老先生、戏曲编剧松茂如的恳切劝导："倒了嗓子，千万不要只管苦喊。"的确，很多学戏的孩子在倒嗓后，为了早日恢复，往往经常苦喊"啊——"，这样反倒有害。因为喊不出来，反而容易成为"左嗓"（就是有高低音而无中音），一成"左嗓"，唱到中间就连接不上了。那么究竟如何办好呢？尚小云从松茂如那里懂得了，在这个时候，应当尽量多念白。所谓"千斤话白四两唱"，念白中五音皆有，嗓子经过念白出来以后，高中低各音便会完整。如此比较科学地练嗓后，尚小云的倒嗓期？过得很平稳。

嗓子是演员的第二生命，对于嗓子的保护，尚小云是非常注意的，甚至在梅兰芳之上。他终生不抽烟不喝酒，不吃生冷及刺激性食物，特别是在演戏前四小时之内，任何凉东西和有刺激性的食物，他都绝对不吃；演戏后，同样在一段时间内不吃这些东西。另外，他也很注意嗓子的保暖，避免受风寒侵袭。与其说他的"铁嗓钢喉"是天赋所赐，不如说，是他长期坚持不懈地练出来的。

坚持不懈练嗓的同时，尚小云也坚持不懈地练功。据其夫人王蕊芳回忆："小云练起功来，从不惜力。"因为"不惜力"，他累得不轻，以至于有一次他和正乐班其他孩子排队去戏院演出，走在路上，他就趴在同学的身上边走边睡。就这样坚持了七个月，他的嗓子终于顺利地倒过来了。

⊙孙菊仙

就在这时，尚小云遇到了一次机会。这年8月，他有幸被京剧老前辈孙菊仙选中，与之搭档。这件事成为尚小云演艺生涯的转折，也是他成名的关键所在。

在京剧老生行，有“前三鼎甲”、“后三鼎甲”之称，孙菊仙（1841—1931）就是后三鼎甲之一。他是天津人，名濂，又名学年，号宝臣，人称“老乡亲”，因身材颀长，又被称“孙大个儿”。他出生于1841年，比尚小云年长近六十岁。他45岁时，被选入宫廷升平署，时常进宫唱戏，长达十六年。在宫中，他不但戏唱得好，也很会说笑话，所以非常受慈禧宠爱，常被赏赐。

民间传说，光绪皇帝也很欣赏孙菊仙。因为孙菊仙也能反串老旦，所以赞他为“老生、老旦第一人”。每逢孙菊仙入宫唱戏，光绪皇帝总是亲自入座乐池，替孙打板伴奏。这样的“待遇”，恐怕只有孙菊仙享有。庚子年，他的家在八国联军的战火中被焚毁，两个妻子随后相继去世。国破家败，孙菊仙心灰意冷，携子孙南下上海，与人合办天仙茶园、春仙茶园等。这个时候，他基本脱离了舞台。民国以后，他偶尔重返北京，参加一些义务戏的演出。

不知是命中注定，还是纯粹巧合，在为人豪爽、侠义，特别是热心公益事业，积极投身赈灾扶弱、养老恤孤这些方面，日后的尚小云与孙菊仙有着惊人的相似。晚年的孙菊仙很少演出，难得一次露演，几乎都是为了赈灾义演。尚小云在14岁时被孙菊仙选中与之配戏，这次演出，也是一场赈灾义演。当时，孙菊仙的戏码确定为传统戏《三娘教子》，他需要有一位旦角与他合作。

据说，尚小云是有人推荐给孙菊仙的。之所以推荐尚小云，恐怕与尚小云的嗓子、唱工有关。孙菊仙以唱工闻名，其嗓音洪亮，故有“孙大嗓”之美誉。这个时候的尚小云，在唱工上，已显穿云裂石、大气磅礴之象，加上他天赋歌喉，“在发音用嗓上清亮激越，吐字行腔上洒脱爽朗，棱角分明，又于刚阳中见柔媚”。[①]这样的嗓子，这样的唱工，足以与孙大嗓相配。

另一方面，尚小云在表演上所显示出的豪爽大气和英姿旷达，与孙菊仙本身的性格也是很相配的。难怪孙菊仙在听了尚小云的唱、看了尚小云的表演后，微微颔首，算是认可。综合而论，能够与孙菊仙配戏的旦角，非尚小云莫属，这也给了尚小云一个展示自我的机会。

被人推荐，又有孙菊仙的认可，说明此时的尚小云已经的确有了些名声。自然地，孙菊仙认可尚小云的方式，就是同意他与自己合作《三娘教子》。年届七旬的孙老前辈，竟然与年仅14岁的还未出科的后辈同台，自然颇为引人关注。那天的演出在北京庆乐园，观众云集，剧场爆满。

起初，尚小云是有些紧张的，尽管之前他已经是舞台的常客，但那个时候，他的演出，更多的是实习，是锻炼，是一种经历，而此时此刻，他备受瞩目，在某种意义上，也算是主角。因此，他有些颤抖，手心冒汗，甚至初展歌喉时，嗓子一时有些打不开。曾祖父辈的孙菊仙对尚小云很宽容。他的眼神让尚小云感觉到温暖，更受到了鼓励。唱着唱着，他就找到了感觉；唱着唱着，他越来越有信心。整出戏，一老一小配合得很默契，尽管他俩之前从来没有合作过。

① 马少波：《刚阳不阿　艺如其人》，《京剧艺术大师尚小云》，陕西人民出版社1990年4月版，第8页。

荀慧生说这场演出“在当时的北京剧坛，是非常引人注目的事情”[②]。戏剧家马少波说尚小云因为这次演出，“成为京剧爱好者津津乐道的人物”[③]。剧评家一得轩主直接说尚小云“一鸣惊人，顿露头角”[④]。简言之，尚小云因此而成名。所以，尚小云终身未忘孙菊仙的提携，时常提及此次演出。每次说到孙菊仙，他都肃然起敬。他曾说：“谈起我与名伶合演的往事，我首先忘不了‘老乡亲’。那时，他老人家已经是 80 岁（实则为 73 岁—引者注）的老人了，论辈分，要长我们两辈；论声望，我们是初出茅庐的，差得远，他要我跟他配旦角，完全是认为‘孺子可教’，存心提携的意思。”

接下来的美誉似乎就是实至名归的了。秋天，《国华报》主编穆辰公、富华峰决定效仿当时京城媒体常见的做法：举办菊选。《国华报》的菊选与以往不同，它侧重于童伶，也就是说是童伶菊选。另一个不同之处在于，它将授予被选出的童伶以“博士”、“学士”的名义，并赠金菊徽章。这次童伶菊选，分为男、女、社团三个部分，额定男伶博士两名、学士五名，女伶博士两名、学士四名，社团部博士两名、学士一名。菊选开始于尚小云与孙菊仙合作演出之后，从时机上来说，这对他是极为有利的。年底，菊选结束。次年元月，经戏迷投票，菊选结果公布：

男伶部：博士，正乐班青衣尚小云、富连成青衣李连贞。

学士，富连成老生刘荣升、小生程连喜、武生赵连升，正乐班武生“小小八岁红”、武生王三黑。

女伶部：博士，维德班老生李桂芬、庆和班旦角张小仙。

学士，维德班老生双兰英、老生王玉如、老旦尚俊卿，蓉仙班

② 和宝堂整理：《戏苑宗师荀慧生》，辽宁美术出版社 1999 年 12 月版，第 29 页。

③ 马少波：《刚阳不阿　艺如其人》，《京剧艺术大师尚小云》，陕西人民出版社 1990 年 4 月版，第 9 页。

④ 一得轩主：《现代名伶小史　尚小云》，《立言画刊》1940 年，总第 68 期。

旦角富竹友。

社团部：博士，维德班旦角杜云红、正乐班花衫白牡丹（即荀慧生）

学士，富连成花衫筱翠花。

所谓“社团部”，指该演员并不隶属于某一个具体的科班，他在某科班只是带艺学戏。比如，白牡丹荀慧生，他虽然与尚小云同在正乐班，但他并非正乐班的入科学生，所以，他被划到社团部。

尚小云当选男伶部博士，被当时的北京报刊认为是“众望所归”。如果以票数论，他的票数排列首位。所以，他虽然与李连贞同为博士，却排名第一，故又有“第一童伶”之称。事实上，在菊选过程中，尚小云之名就已经是人们茶余饭后挂在嘴边的对象了。某报刊这样说：“当时九陌歌尘，高接星汉，茶温酒熟之夜，豆棚瓜架之间，谭士促膝，则皆津津以小云为俊语之柄。”足可见尚小云在当时确实已声名鹊起了，而他当选博士，更将他引入成名大道。

旧时京城，达官贵人、文人雅士争相热捧自己钟情的艺人，甚至为此另组专社专团。比如，捧白牡丹荀慧生的有“白社”，捧筱翠花的有“翠花堂”，捧杜云红的有“杜社”等等，不一而足。尚小云在得领“博士”衔后，也有许多欣赏其艺术的文人，为他组织了“云社”，常常口头宣传、诗文揄扬。由此，尚小云名声益炽。

遭受冷遇

可以说，尚小云的成名，与“老乡亲”孙菊仙大有关系。而孙菊仙与慈禧和光绪的关系，可能又是日后尚小云被认为“与慈禧有关系”的来源之一。然而对于尚小云来说，孙菊仙于他，不仅有提携之恩，也有艺术熏染之功。继那次合作之后，也就是在1914年年底，应某名流之邀，孙菊仙再次由沪返京，出演堂会戏。这次，他直接点名让尚小云陪他唱《朱砂痣》。此后，一老一少的合作渐多，剧目有《三娘教子》、《朱砂痣》等传统老戏。

尚小云与孙菊仙合作，客观地说，的确可以通过傍名角儿而让自己迅速提高知名度。也许正因为如此，在1915年的时候，也就是在尚小云出科前一年，他的演出越加频繁，其戏码也逐渐后移，甚至一度演大轴戏了。从现存戏单看，5月28日，他演的《四五花洞》位列第三；6月12日，他与正乐班的刘凤奎、沈三玉合作的《取金陵》已位列大轴；7月16日，他演的《宇宙锋》位列压轴；九天后，他与正乐班的王三黑、康黑儿（即“一阵风”）、刘凤奎合作的《金山寺》位列大轴；8月5日，他的《马蹄金》位列压轴。

不过这似乎并不是最重要的。最重要的是，在与孙菊仙的合作中，尚小云明显发现了自己在艺术上的不足。比如，孙菊仙在演唱技巧上有其独门秘诀：讲究“三讲”，即讲气口、讲音色、讲抑扬。在此基础上，他的表演又十分注重表达角色思想感情的起伏变化。技术层面上，好学，模仿、照搬、苦练即可；表达人物思想感情，是由内而外的，是一种情绪，这就不是单靠技术学习所能达到的。为此，尚小云一度很苦恼。他向孙菊仙请教，孙菊仙只说了一句话：“要通达文墨。”聪明的尚小云立即就明白了：通达文墨，才能“腹有诗书气自华”，才能够理解角色，体会人物的性格、思想、感情，与角色心灵相通，才能恰如其分地表达人物。

在孙菊仙的身上，尚小云体会到这样一句话：人皆可师。他认为每一位老前辈、老艺人，都有擅长之处。一个人的艺术要想达到十全十美，完美无瑕，是非常难的事情，这就要虚心向别人请教。

一个只有15岁的孩子，能够通过与名师合作而生发出这样的理论总结，是难能可贵的，也极显他的智慧和悟性。

因为有“人皆可师”的思想，所以，尚小云于正乐班出科后，在四处演出的同时，也四处拜师。1917年他拜张芷荃为师学习青衣，1918年拜名丑陆金桂为师学习昆曲，又拜著名旦角陈德霖为师。其中特别值得一提的是拜陈为师。

在旦行这个领域，陈德霖（1862—1930）的地位举足轻重，他被称为“青衣泰斗”。如果从京剧形成初期开始，将旦行领军人物做一个排序的话，第一位是胡喜禄，其次是梅巧玲（梅兰芳的祖父）、时小福、余紫云，接着便是陈德霖。在演唱技巧上，陈德霖既继承了时小福的刚劲昂扬，又兼有余紫云的委婉流畅。而他自己的嗓音以清朗、高亢、娇脆、中气充沛为特色，所以他最擅长以唱工为主的《祭江》、《祭塔》、《落花园》、《彩楼配》等传统青衣戏。

梅兰芳曾经在《漫谈运用戏曲资料与培养下一代》一文中这样评价陈德霖：“陈德霖先生所唱，孙老（佐臣）操琴的几张唱片，也是双绝，水乳交融，风格统一。《彩楼配》里面：[导板]、[慢板]、[二六]、[流水]、[散板]包括了青衣的西皮的许多腔调，‘回相府’一句是青衣的‘嘎调’，不是一般的‘边音’，没有充沛底气的好嗓子是不敢这样唱的。”

很长一段时期里，或者说，在尚小云自排新戏前，尚小云的拿手戏以《祭江》、《祭塔》、《彩楼配》等一些传统青衣戏为主。这一方面说明他注重传统，注重基本功，一方面也说明他受陈德霖的影响很深。陈德霖的孙子陈志明曾经这样说：“尚先生的演唱是继承我祖父的唱法。”[①]而尚小云之所以继承陈德霖的唱法，与他的嗓子和陈德霖相仿有关，都是高而亮。同时，尚小云的刚烈性格，也注定他的唱法与陈德霖演唱中的刚劲昂扬相一致。

有意思的是，尚小云虽然自称是陈德霖的弟子，也拜过师，但

① 陈志明：《陈德霖评传》，文津出版社1998年12月版，第6页。

⊙《祭塔》，尚小云饰白娘子

是，拜师仪式并未正式完成。据说，尚小云已定好那一天在杨梅竹斜街的“万佛居”饭馆行拜师礼，已约好了陈德霖，大宴宾客的请帖也印好发出了。可是，不巧的是，那天，陈德霖临时被某弟子约走，拜师礼泡了汤。

拜师，是尚小云向名家学艺的一种方式。观摩，也是他很看重的学习方式之一。梅兰芳曾说自己在学戏阶段，看戏，对于他来说，不仅是娱乐，更是学习。对于尚小云来说，也同样如此。他看京剧，也看其他剧种剧团的演出。当时，剧与剧之间，不同剧种的剧团之间，互相排斥，互相抵触。尚小云为了取长补短，按照他自己的说法：“仍硬着头皮去观摩人家的长处。”因此，他常被人戏谑“偷经学艺”。他认为，任何一种学习方式，都不是羞耻。

更多的时候，尚小云在与前辈合作的演出实践中吸取他人经验。这些前辈，并不仅限于青衣，也有老旦、老生、武生等。

与老旦龚云甫合作之前，尚小云经历了一次挫折。具体地说，遭受了白眼。这恐怕是他从艺以来第一次碰壁，也是他成名以来，第一次遭受冷遇。这给了他相当大的打击。幸好他不是个遇到挫折就心灰意冷自卑怯懦的人。

给尚小云冷脸的是著名老旦龚云甫的管事崔禄春。当时，尚小云向崔管事提出，他想与龚云甫合作《母女会》，那个时候是他刚刚自正乐班出科，还没有固定搭哪一个班社。那么，他为什么会有与龚云甫合作的念头呢？

清末，京剧舞台上以生行挑大梁。随着时代的变迁，特别是民国后，旦行兴起，逐渐与生行并重。然而，能够与生行平起平坐的，并非旦行中的所有专行，而只是以青衣为主。这个时候，无论是大轴、还是压轴，不是生、就是青衣。至于旦行中的老旦，仍然是绝对的配角，唱词少，表演少，甚至连露面也少。可以说，提高老旦在京剧行当中地位的功臣，就是素有“剧界革命党”之称的龚云甫。

龚云甫（1862—1932）是湖南常德人，幼时在玉器铺学徒，直到23岁才入梨园，曾搭孙菊仙主持的四喜班[①]，初演老生，后接受孙菊仙建议，改工老旦。从此数十年，始终位列老旦行首席。

之所以称龚云甫为“革命党”，是因为他创新意识极强，创造力也极盛。以《四郎探母》中的大段[西皮流水]为例，传统唱法比较呆板，观众听来比较乏味，龚云甫大胆变腔改调，最终使唱腔曲折多变，极富旋律美。同时，他还将青衣稳重端庄与老旦特有的苍老遒劲相交融，创造性地开拓了老旦新路。

不仅如此，他还编排了《目莲僧救母》、《吊龟》、《行路哭笑》、《行路训子》、《望儿楼》等以黄氏女、李太后、康氏、窦太后等作为压轴角色的老旦唱工重头戏。当年的戏曲评论家睦公在其撰写的《小织云馆剧话》中这样说：“龚云甫之老旦与孙菊仙之老生，同以票友为伶界所重，贵能独创新声，自成宗派，不屑依人为步，卒能久享大名。”犹如“无生不学谭（鑫培）”，老旦演员都以龚云甫为模仿对象，以学龚腔美。

除了独有的唱腔外，龚云甫因为长相清瘦，下颌微翘，像极了老太太，所以每在舞台上一亮相，就引来如雷掌声。这样一个艺术出众又极具特点的名角儿，尚小云有意与他合作，自然是抱着求教的心态。除了基本功外，他更多地想从龚云甫的身上学习创新方法、领受创新精神。选择《母女会》这出戏，则因为它是一出唱工重头戏。看得出来，此时的尚小云非常注重唱工。

然而，当尚小云真心诚意向崔禄春管事提出他的请求时，崔管事很不屑地、颇为冷淡地回答说：“你想与龚先生合作？呸！你也

① 梅兰芳的祖父梅巧玲曾是四喜班的主要旦角演员，三十多岁时接管四喜班。他的弟子余紫云也曾是四喜班的著名青衣演员。

配？一边练去吧，练好了再唱。”尽管尚小云此前有“正乐三杰”之称，又有“童伶博士”、“第一童伶”之衔，也有幸与孙菊仙同台献艺，但相比孙菊仙、龚云甫这些大家，他毕竟只是才露尖尖角的小荷，也难怪崔管事有这样的态度。

尚小云从崔管事的语气中听出了瞧不起、看不上。无论他如何要强又坚强，毕竟年轻气盛，哪能受得了这样的嘲讽和蔑视，鼻子酸了，但是，他强忍着，硬憋着，没有让眼泪落下。晚上回到家，他大哭，连晚饭也不吃，使劲儿地哭，哭得天昏地暗，哭到最后，思想重新回到他的脑子：哭有什么用？难道一气之下，不干了？不干，又有什么了不起，难道梨园界少了你一人，戏都唱不成了？想到这里，他不哭了，吃饭了。

其实，他的个性天生倔强，犹如他初入三乐班时，因偷吃果子干而挨打，心里“恶狠狠地”发誓“成名后天天吃果子干”一样，此时，他擦干眼泪，心里回想着崔管事的冷淡，斗志又昂扬起来。可以揣测，他恐怕又在“恶狠狠地”发誓了：“我要成了角儿，头一个就要跟龚云甫唱《母女会》，也一定让崔管事你后悔今天小看我。”

虽然被拒绝，但尚小云始终没有放弃对《母女会》的排练，甚至更加用心。事实上，哭过以后第二天，天还未亮，他就像往常一样，提着灯笼，和琴师赵砚奎一起，披星戴月去野外喊嗓、练唱。这是他在那一段时间里的必修课，不论天气如何，身体状况好坏，一天不落。有的时候，下了一夜的雪，早晨起来，发现大雪覆地，他用笤帚扫雪开路，一路扫到野外他喊嗓的地方。

不仅如此，他几乎一场不落地看龚云甫的戏，看龚云甫表演的一招一式，听龚云甫演唱的一字一腔，然后细细揣摩，认真钻研。至于练功，他更是一刻也不敢耽误。对与龚云甫合作，他也始终不死心，有机会，他就请人转告龚云甫他欲与其合作的意向。三番五次之后，龚云甫注意上了这个倔强的孩子。

接下来的故事，目前有两种不同的版本：

第一种说法，来源于尚小云长子尚长春的回忆：那天，龚云甫正在后台扮戏[①]，崔管事走过来对他说："告诉你可留点儿神，尚小云可要找你。"他又说，"今儿个我得让尚小云拿出一天的包银来请客。"言下之意，他似乎断定尚小云此次与龚云甫合作，必定出彩。然后，崔管事又到尚小云扮戏房。尚小云正在专心扮戏，没有察觉。崔管事在尚小云身后，朝他的肩头拍了一掌。尚小云这才回过头来，一看是曾经那么看不起他的崔管事，气就不打一处来，他噌地站起身来，抬手就要给崔管事一记耳光。崔管事好像早有防备，拦住尚小云，说："你先扮戏，等完了戏，咱们再说，你好好唱。"说完，他就走了。尚小云一想到以往就觉憋气，越是憋气，唱得却越好。当天的演出，很成功。

第二种说法是这样的：在梨园界，龚云甫的戏德好、人品佳，是很出名的，又以爱护同行最为著称。当他得知尚小云数年如一日，勤学苦练，志向高远，从不气馁之后，由衷赞叹道："驽马十驾，功在不舍。此儿壮志凌云，必成大器，是京剧难得的人才。"这个时候，尚小云再次托人提出与龚云甫合作《母女会》。龚云甫很爽快地说："好，与他合演《母女会》，我将倾尽全力，甘为人梯。"

龚云甫说到做到，的确"甘为人梯"。他在《母女会》中饰演配角王夫人，主角就是尚小云扮演的王宝钏。1916年10月20日，在新建的西柳树井"第一舞台"，尚小云终于如愿与龚云甫合作《母女会》。因为他早就憋着一口气，所以演来十分卖力；因为这出戏他排练许久，早已烂熟于心，演来自然顺手；因为他对龚云甫的表演唱腔研究得透彻，所以两人的配合十分默契。尽管是第一次合作，但用"珠联璧合"形容这次合作，并不为过。最值得一说的是，尚小云受孙菊仙教诲，已经懂得表演并不只是展示技

① 扮戏：即化装。

⊙《四郎探母》尚小云饰铁镜公主

艺本身，而是要表达人物性格与情感。所以，他的王宝钏忠于爱情、坚忍不拔，绝不向封建礼教妥协，与龚云甫的王夫人温柔、善良的慈母形象，对比鲜明，个性突出。

下了台，尚小云被热烈的赞美包围了，他兴奋得不得了。这时，有人鼓动他："去找崔管事，看他现在还有什么话可说。"这句话提醒了尚小云。他突然收敛住笑容，霍地站起身来，啪地猛拍了一下桌子，怒火冲天地大吼一声："找他算账去！"随即，直奔崔管事而去。

这两个版本，不论哪一个更接近事实，总之，结局都是差不多的。

当尚小云几乎是冲到崔管事面前时，却见崔管事早就冲他两手抱拳，深深作揖。未等尚小云开口，崔管事便一面不停地作揖，一面含笑道："恭喜！恭喜！一出《母女会》，让您尚小云成了名角儿了。"还是不等尚小云开口，崔管事又突然板起脸孔，厉声说："你小子记住，没有我当时的那几句苏秦激友式的话，你是不会有今天的！"这位崔管事，真是太精明了。当初他回绝尚小云时，没有丝毫激将法的意思，完全是轻视。如今，尚小云真的成功了，他却将他当初的傲慢和轻蔑说成是对小云的激励，反过来还要小云感激他。

尚小云不傻，他怎么可能不知道崔管事的态度突然大转弯的原因？崔管事不过是在找台阶下而已。崔管事精明，尚小云更聪明。他并不揭穿崔管事，更不大骂崔管事虚伪、势利——原本他气乎乎地奔过来，是要这么骂的。听崔管事这么说，尚小云随即大笑，然后顺水推舟道：

“你说得对，若没有你当时的那些话，也不会有我与龚先生今天的合作。”崔管事见尚小云已经没有了气，便开玩笑道：“那你该怎么谢我？”

尚小云反问：“那你说怎么办？”

崔管事说：“怎么办？请客吧。”

尚小云说：“好！我的这月包银全部归你，算我请客。”

他怒气冲冲而来，是他的急躁脾气使然；他大大咧咧而去，是他智慧的表现。他明白，尽管崔管事当初那么对待他令人寒心，但从另一个方面说，他的确技不如人，名不如人。被人轻视，固然伤感，但是否也因自己的实力不够呢？如今，展示了自己，证明了自己，这就够了，何必不饶人呢。大度、宽容，于人于己，都是十分有益的。这个时候的尚小云，虽然只有16岁，尽管时有冲动，但在为人处事方面，已显成熟。

搭班春合社

陕西省京剧院的头号“牛鬼蛇神”，就是尚小云。于是，他被关“牛棚”就是免不了的。不过，有一阵子，他被允许晚上可以离开“牛棚”，回家去住。这种“待遇”，不是每个人都能享有的，这让他一直灰暗的心情明朗了一些。更让他意外又惊喜的是，在乌云盖头、草木皆兵的环境中，居然还有人惦记着他，甚至冒风险来看望他，这让他倍感安慰。一天深夜，他的学生孙明珠敲响了尚家门，她还怀揣着四个用手帕包着的鸡蛋。那天的情景，孙明珠记忆犹新：

我一进家门，老师和师娘都大吃一惊。

“明珠，你怎么来了？”老师感到吃惊，“孩子，这对你可不好呀！”

“尚老师，请您放心，”我语气坚定，“我绝不造您的反。”

“哈哈！你这个傻丫头，”老师显得有些激动，一挥手，“你先坐下。到我这里来，可要担政治风险呀！”

“怕什么，我一不是党委书记，算不上‘走资派’，二不是名家，扣不上‘封、资、修黑尖子’的帽子。”我义无反顾地说，“尚老师，你的话，我过去听，现在仍然听。”

“好！你有这样的决心，我就放心了。”尚老师平静了下来……

当我将搜肠刮肚准备给老师的四个鸡蛋，抖出手绢，给他放在桌子上后，尚小云，这位刚阳不阿、性格倔强，终生很少落泪的硬汉子，却扑簌扑簌在掉眼泪。他望了好半天，才哽咽着嗓子说：“孩子，你也不宽余呀！老师已习惯了喝清粥、吃咸菜的生活了。这几个鸡蛋我吃了很难受呀！”

“老师，我每月虽拿三十多块钱的低工资，这几个鸡蛋，是学生的一片心意，您无论如何得收下。”

“接受一个毫无积蓄的年轻人的东西，我感到难受。”

“千里路上送鹅毛，礼轻人义重，”师娘动情地劝说老师，“你就把孩子的东西收下吧！”

“好！”老师表示同意，“今天我就破例收下明珠的鸡蛋。”……①

他俩聊着，很自然地聊到了过去。所谓“过去”，不过是“文革”前在京剧院共事时的并不久远的往事。孙明珠问：“尚老师，您还记

① 孙明珠：《涓涓细流润心田——回忆恩师尚小云》，《京剧艺术大师尚小云》，陕西人民出版社1990年4月版，140—143页。

得您曾经讲给我听的您的一个关于彩鞋的故事吗？”

“怎么不记得。”尚小云笑道，“当时我是为了批评你因为怕痛而擅自松动头上被勒得太紧的‘额子’，造成翻筋斗时出了差错，才说那个故事的。”

孙明珠又问：“那老师您现在关节炎还常犯吗？脚还经常会肿吗？”

尚小云叹口气，嗯了一声。

“彩鞋的故事”最早发生在尚小云18岁的时候……

一般而言，科班以七年为限。但习惯上，头一年不算，七年后再免费效力一年，实则为九年。尚小云是1907年入科三乐班的，到1916年，就应该出科了。也就在这年的8月，正乐班就像是完成了它培养尚小云的使命似的，宣布解散。从此，梨园界不再有正乐班，但却多了一位京剧名旦。

出科之日，尚小云在母亲面前立下誓言：“儿求师学艺，献身于红氍毹之上，一则借艺术以资养赡，是所谓自食其力；二则不在操术之不慎，而在操术之不精，果能借此立身，孜孜勤学，偌大帝都，必有一鸣惊人之日。”这也看出，尚小云学戏伊始，固然主要是为了生活，但当经过科班学艺阶段后，他爱上了这门艺术。唱戏，对他来说，已经不仅仅是生活的手段，也是一份事业，一种精神追求。这番话，更透出他争强好胜、勇往直前的个性特征。

都说“搭班如投胎”，意即搭班如同投胎一样困难。传说富连成的创办人叶春善曾经为搭班而四处奔走，看尽冷脸，受尽白眼。甚至当他央求他父亲的徒弟、他的师哥“您这儿要是有空当儿，给我谋一个吧”时，师哥竟然毫不留情地回他一句：“你也要搭这个班？”语气中满含嘲讽，令叶春善羞愧难当。所谓“搭班”，就是演员在经过一段时间的学习，掌握了一定的技艺以及本行当的主要剧目、主要角色后（比如，做手把徒弟的，师从师傅学习后；入科班学习的，出科后），就要参加戏班正式演出。加入戏班，即称“搭班”。

对于尚小云来说，“搭班如投胎”这句话，一点儿也不适用。因为早在他准备出科时，就已经有不少戏班来约他了。这也可以看出来，他早在入科学艺期间，就已经有了名声。搭班难，固然令人烦恼；可供选择的戏班多了，难以决断，也是麻烦。尚小云搭班容易，也与恩师孙怡云竭力举荐有关。

尚小云出科后最先搭的班是俞振庭于1916年刚刚组建的春合社。

俞振庭（1879—1939）是著名京剧武生俞菊笙的次子，自幼学戏，继承了其父动作剽悍的勇猛气势。不过，在京剧史上，俞振庭并非以艺术闻名，而是以创建班社和组织演出等组织方面的才能享名。在民国初年，他就创立了斌庆班科班，后又任文明园戏院经理。他对京剧最重要的贡献，就是促成男女演员同台演戏。当时，他与清末民政部尚书肃亲王过往甚密，利用这层关系，得以废除男女不得同台的旧约，从而极大地丰富了京剧舞台。

春合社的性质与俞振庭之前创办的双庆社是不同的。双庆社是个具有长期性质的固定班社。梅兰芳在17岁时（即1911年），因为倒嗓而离开了喜连成，次年改搭双庆社。在双庆社期间，他演出了由其伯父梅雨田参与创新腔的《玉堂春》，一鸣惊人。所谓“长期性质”，就是指搭班演员在某一个时间段内，固定在这个班社。这个“时间段”，班社与演员事先约定。比如，梅兰芳就在一个较长的时期内搭班双庆社。

但是，有的时候，班社也会临时邀约到其他名角儿参与演出。由于不固定，这些名角儿唱完就走了，这就给班社的正常经营带来一些麻烦。以“伶界大王”谭鑫培为例，他在晚年，并不固定搭

⊙《汾河湾》尚小云饰柳迎春

哪一个班社。任何一个班社若要邀请他，常常以一个无主的旧班社的名义，先申报开业，再另外邀一些其他行当的角儿，如此凑足一台戏，唱过一阵后，如果生意不好，或邀来的名角儿走了，该社也就收场了，不至于长期赔本。这种班社的性质，属临时性的。

春合社就是临时性质的班社。俞振庭组建这个班社，就是为了谭鑫培。为了配合谭鑫培，俞振庭又邀请了路三宝、黄润卿、陈德霖、周瑞安、姜妙香、时慧宝、高庆奎、刘景然、程继先、朱桂芳、增长胜，还有梅兰芳。尽管这个班社是临时的，但演员阵容却是一流的，算是“名班”。能够搭上这样的班社，是众多年轻演员的梦想。所以，尚小云是幸运的。因为他的老师孙怡云的胞妹是路三宝的续弦夫人，通过路三宝，他才得以将初出茅庐的尚小云举荐到“春合社”。

从目前现存的戏单来看，尚小云在春合社期间，似乎并没有机会和梅兰芳同台演出，倒是与谭鑫培同过台，但也没有合作过。有资料显示，梅兰芳在春合社期间，戏码总是被排在倒二，大轴总是由谭鑫培担当。两人还曾合作过几部戏，如《汾河湾》、《四郎探母》等。谭鑫培是在1917年5月10日去世的。之前，梅兰芳和谭鑫培同台演过一次赈灾义务戏。那

⊙《贵妃醉酒》尚小云饰杨玉环

天的大轴是谭的《捉放曹》，压轴是梅的《嫦娥奔月》。之后，谭就病了，直至去世再没登台。

准确地说，尚小云是1916年11月搭入春合社的。1917年1月，在吉祥戏院，他首次与谭鑫培同台演出。那天的戏码：大轴是谭鑫培、谭小培、增长胜的《碰碑》，压轴是时慧宝的《雍凉关》，尚小云与黄润卿、路三宝的《虹霓关》位列倒三。这也可以推测，在春合社期间，尚小云应该有机会与梅兰芳同台演出，只是没有合作过而已。也就是说，尚小云在春合社期间，给他予艺术上影响的，不是谭鑫培，也不是梅兰芳，而是另有其人。

在春合社，“人皆可师”的尚小云又拜师，这次的老师是路三宝。

路三宝（1877—1918）是旦角，工花旦，被称“花旦界中第一流人物”，更精通刀马旦，梅兰芳的刀马旦戏就是跟他学的，而他最初学的却是老生，这与尚小云很相似。在尚小云入三乐班那年（即1907年），路三宝和马德成、郝寿臣等人到朝鲜望京戏院演出，算得上是帝制时代第一批把京剧传到国外的演员。

初入春合社，尚小云就与路三宝等人合作了《虹霓关》、《四郎探母》等，深为路三宝精湛的功夫所折服。尚小云学过武生，对武工有天生的亲切感。尽管他改行主工青衣，但对旦行更多以武见长的刀马旦戏也有偏爱。于是，他提出拜路三宝为师。路三宝很痛快，随即就答应了。

当年，梅兰芳师从路三宝时学会的最重

要的一出戏，就是《贵妃醉酒》。从此，经过无数次的修改，这出戏成为梅兰芳的拿手戏，也成梅派经典，一直流传至今。尚小云拜路三宝为师后，最先学的也是《贵妃醉酒》，之后，他又学了《游龙戏凤》。师从路三宝，使尚小云的戏路有了进一步扩展。

从1916年出科搭班春合社起，一直到1925年自组班社协庆社止，这九年时间，尚小云属于搭散班时期。早年，京城各戏班都是以“班”命名的，如玉成班、斌庆班等。民国后，具体地说，在1913年年底，戏班全部改为以“社”命名，如双庆社、春合社等。改“班”为“社”的原因，有三种说法：一、由官方下令更改；二、为了与“清吟小班”之类的妓院相区别；三、民国以后各行各业都讲维新，戏曲界觉得一些旧名词、旧规矩已不适用，于是便自行开会予以更改。改“班”为“社”是其更改的内容之一。

表面上看，改“班”为“社”，不过是形式上的变动而已，实际上，“班”和“社”的性质是不同的，是戏班内部结构深刻变动的表现。相对而言，“班”的内部结构比较紧密、牢固，而“社”则松散一些。一个演员一旦进入“班”，一般不能轻易离开。“社”的成员流动性较大，来去自由些。二者最大的区别，体现在政治、经济地位上。“班”里的演员、场面、舞台工作人员之间，无论在政治上，还是在经济上，地位相近，收入没有太大的区别，演员无论名气多大，都没有自己专门的琴师、鼓师、化装师，甚至没有自己独有的行头。“社”，一般是名角挑班，所以，社里的演员的收入差距也比较大，名角儿收入很高。为使社里的二三流演员也有较好收入，允许社里的演员自由流动，也可以随意跨社，即一个人可以同时加入两三个社，同时参加几个社的演出。

尚小云在搭班春合社近一年之后，于1917年9月，改搭同庆社，又于该年12月改搭朱幼芬的桐馨社，兼搭瑞庆社。十个月后，改搭朱素云的福庆社。1919年3月，搭云华社。又一年后，搭杨小楼、余叔岩合组的中兴社。1920年9月，搭俞振庭的双庆社，之后改搭成庆社，于1922年5月重新回到双庆社。之后，又搭谭小培的玉华社。在1925年自组班社协庆社之前，他第三次搭班双庆社。频繁换班的结果，使他能够和众多名角儿合作，广泛接触到其他各行当的表演艺术，更有机会演出大量剧目。比如：

在桐馨社时，他与朱幼芬、杨小楼、王又宸、龚云甫、沈华轩、荀慧生、许德义、郝寿臣等合作，演出了《彩楼配》、《四郎探母》、《落花园》、《桑园寄子》、《虹霓关》、《别宫祭江》、《女起解》、《武家坡》等戏；

在福庆社时，与朱素云、龚云甫、谭小培、慈瑞全等合作，演出了《贵妃醉酒》、《孝义节》、《战蒲关》、《庆顶珠》等戏；

在玉华社时，与王瑶卿、梅兰芳、马连良、谭小培等合作，演出了《宝莲灯》、《红鬃烈马》、《游园惊梦》等戏；

在中兴社时，与杨小楼、余叔岩合作，还曾为余叔岩"挎刀"；

在双庆社时，与俞振庭、姜妙香、小翠花合作，演出了《十三妹》、《汾河湾》、《牧羊圈》、《能仁寺》、《佳期拷红》等戏。

大量的演出实践，加之与众名角儿合作，不仅使尚小云声誉既广，艺亦精博，也为他离京赴沪积累了演艺经验，更为他日后创排新戏打下了基础。

第一次赴沪演出

比较四大名旦，尚小云是最早出外"跑码头"的。早在他11岁还在科班学艺时，就去天津演出了。但是，他却不是最早去上海的。梅兰芳于1913年就去了上海，并一炮而红，成为他演艺生涯的转折。尚小云是继梅兰芳之后第二个去上海的，那时候，是1917年元月。此时距他出科仅仅过去了四个月。不过，从年龄来看，尚小云到上海演出时只

⊙首次赴沪戏报（1917年1月23日于《申报》）

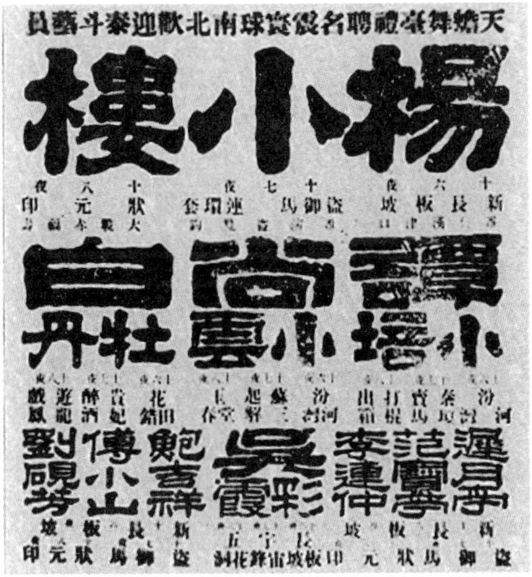

有17岁，是四大名旦当中最小的。

京剧进入上海是在1867年。当年，有个叫罗逸卿的英籍华人在上海建了一座仿京式戏园，取名“满庭芳”。为庆祝该戏园开业，罗逸卿特地派人到天津邀角，同时置办锦绣行头。接着，另一位巨商刘维忠效仿罗逸卿，也建了一座戏园，取名“丹桂”。也是为了庆祝开业，刘维忠派人到京邀角。从此，京剧进入上海。起初，上海人称其为“京班戏”，对这种从未见过的艺术形式备感好奇，趋之若鹜。无论是“满庭芳”，还是“丹桂”，都赚了个盆盈钵满。在这种示范效应下，戏园如雨后春笋争相开张，客观上需要大量京剧演员南下演剧。

随着上海日渐成为大都市，也自然而然成为南方京剧艺术中心。吸引京角儿离京赴沪的一个很重要的原因，是经济因素。上海戏园开给演员的包银，往往是京城戏园的好几倍。况且，演员应邀赴沪的所有开销均由园方承担，非常有吸引力。当然，能够被邀赴沪演出的大多是角儿。所以，京城一度流传着这样一句话：“北京成名，上海赚钱。”然而，角儿毕竟有限，那些崭露头角的后起之秀，也成为被邀对象。对于他们而言，到上海，就不仅仅是为了赚钱，也为了成名走红。一旦在上海唱红了，返回京城后，身价也就不一样了。

尚小云第一次应邀赴上海演出时的身份虽然还不是名角儿，但也是有一定名声的。对于精明的上海戏院的老板而言，利益最大化，是他们追求的目标。因此，除了名角儿以外，京城那些初有名声，并且大有潜力，对上海戏迷来说，既有吸引力又有新鲜感的初出茅庐的童伶，也是他们的“猎物”。

除了尚小云，四大名旦中的其他三位初入上海时，也都不是名角儿，但在京城已经有了一定的舞台号召力。比如，梅兰芳首赴上海时挂的是二牌，挂头牌的是著名生行演员王凤卿。当时，戏院老板开给王凤卿的包银是每月三千二，而只给梅兰芳一千八。程砚秋被邀赴沪时的身份只是童伶，包银只有六百 。荀慧生首赴上海，是因杨小楼的提携。

此次邀请尚小云的是上海天蟾舞台老板许少卿。许少卿很精明，很有商业眼光，他原来是位于四马路大新街（今湖北路福州路）的戏院丹桂第一台的老板，时常往来于京沪两地，专门邀京角儿赴沪演出。梅兰芳第一次赴沪，就是应许少卿的邀请，演出于“丹桂第一台”。当时，许少卿给梅兰芳的头衔是“南北第一著名青衣兼花旦”。梅兰芳首赴上海一炮而红，固然缘于他优雅大气的气质和精湛全面的艺术，但也与许少卿的美妙宣传、以及后来给梅兰芳一次“压台”机会不无关系。一年以后，许少卿离开“丹桂”，接手迎仙新新舞台，随之将其改名为天蟾舞台。取“天蟾”之名，是借用神话月精蟾蜍食月中桂树之典故，意即压倒“丹桂”。因市口不错，“天蟾舞台”的生意一直不错。

第一次赴沪，就能在人气极旺的天蟾舞台演出，尚小云是很幸运的。

与梅兰芳首赴上海相仿，尚小云此次赴沪，也是挂二牌，头牌是与他同搭春合社的老生演员时慧宝。时慧宝（1881—1943）是前辈名旦时小福之子，是孙菊仙派传人。尚小云搭班春合社之初，就曾与时慧宝合演过大轴《探母回令》。此次，许少卿给尚小云的头衔是“最优等南北欢迎娟秀正工青衣”。

尽管身为商人的许少卿对于被聘演员的宣传往往不免夸大，但也并非信口开河漫无边际。从他给梅兰芳和尚小云的两个不同的头衔，可以看出，他对被邀演员的真实艺术功底还是了解的，而且是客观的。比如，梅兰芳工青衣，也兼演花旦，他正努力向“花衫”过渡。所以，他是“著名青衣兼花旦”。尚小云则不然，他不思旁门，只一门心思继续正统青衣的表演程式，严格按照规范行事而不逾越。所以，他是“娟秀正工青衣”。

从他俩第一次在上海的演出剧目以及演出时间来看，还可看出他俩性格和思维方式的不同。这恐怕是梅兰芳日后成大名，尚小云始终略逊于梅的原因之一。

尚小云此次在上海，从1月31日开唱，直唱到6月17日方才结束，时间之长，将近五个月。按照惯例，外聘演员，一般一期唱30天，额外再加3天，算是对戏院和配戏演员的酬谢。也就是说，一期最多33天。尚小云一口气唱了近五个月，实足138天，也就是说，四个演出周期，这是极为少见的。

当然，演员是否被要求续期，关键在上座率。尚小云能够一再被续约，可见他的演出在上海还是很受欢迎的。但是，过于频繁露演，也容易使观众产生审美疲劳。同时，这样的连续演出，如果不断重复，而没有新鲜“玩艺儿”，对演员自身的艺术价值也是极为不利的。

梅兰芳则不然，他在完成一个演期后，尽管“馆子的生意很好”，他也不想再演了。许少卿当然舍不得，一再央请他续演，甚至将续演一个周期降为半个月，梅兰芳还是犹豫。他对许少卿说：“我是初出码头的人，应该见好就收，再唱下去，不敢说准有把握的。”实际上，他是有顾虑：万一哪天唱砸了，前一个演期的努力岂不前功尽弃，白忙活一场？他有这样的念头，固然含有“见好就收”的保守成分，但也是为人谨慎、凡事考虑周全的表现。

尚小云在这长达138天的演出期间里，演出剧目多达四十余出，其中：

演16次者：《双金莲》；

演10次者：《宇宙锋》、《二进宫》；

演9次者：《彩楼配》；

演8次者：《新长坂坡》；

演7次者：《虹霓关》、《雁门关》、《探寒窑》；

演6次者：《武家坡》、《金枪传》；

演5次者：《孝义节》、《忠节义》、《四郎探母》、《关王庙》；

演4次者：《母女会》、《浣纱计》、《朱砂痣》、《南北和》、《女起解》、《牡丹亭》；

演3次者：《桑园寄子》、《落花园》、《六月雪》、《法门寺》、《战蒲关》、《桑园会》、《忠烈图》；

演2次者：《玉堂春》、《苏三起解》、《三娘教子》、《白蛇传》、《别皇宫》、《雷峰塔》、《镜花缘》、《金殿装疯》、《瓦岗寨》、《孝感天》；

演1次者：《杏之和番》、《投吴》、《梅开二度》、《春香闹学》、《秋胡戏妻》、《二度梅》、《三击掌》。

另外，他还和时慧宝、盖叫天等众角儿合演过《玉蜻蜓》和《红鬃烈马》。

从这份目录中可以看出，《双金莲》是最受上海观众欢迎的。演至6月份的时候，戏院收到一封观众来信。写信的是名叫方振武的戏迷，他说作为“学界代表”，请求戏院增加日戏。因为职务原因，他们必须每晚8点回学校，所以不能到戏院看夜戏，但他们又十分想看两出戏，一是何月山的《金钱豹》，一是尚小云的《双金莲》，他们希望戏院能够在星期日的上午，另外加演这两出戏。

“天蟾”老板许少卿拿着这封信去找尚小云，问他怎么办。尚小云看了信之后，说：“还能怎么办？难得有观众这么欣赏我，当然是加演了。”随后，许少卿给方振武写了回信，说，这两出重头戏一般不在白天演出，但此次为了学界人士，还是决定破例。于是，在6月3日，星期天上午，天蟾舞台打出广告，加演《双金莲》和《金钱豹》。

梅兰芳初次赴上海时，还没有自排新戏，所以演出剧目也都是传统老戏，与尚小云的演出剧目差不多，只是没有尚小云的多。比如，他的三天“打泡戏”①，分别是《彩楼配》、《玉堂春》、《武家坡》。这与尚小云的小有区别。尚小云的三天打泡戏分别是《宇宙锋》、《玉堂春》、《彩楼配》。巧的是，程砚秋首次赴沪时的打泡戏中，也有《玉堂春》。

他们之所以不约而同地都选择《玉堂春》作为打泡戏，主要原因是这出戏虽然归于“老戏”行列，但与真正意义上的老戏相比，它又有大量新腔。在社会广泛对“新”有着极强的敏感，喜欢新，又追求新的情况下，演员爱唱“新”戏，观众爱听“新”腔。同时，这是一部展示青衣唱工的戏，不是一般地唱，而是跪着唱。所以，基本功不够扎实的演员，是不敢唱、也唱不下来的。

梅兰芳曾说：“从前老师开蒙教戏，总是西皮先教《彩楼配》，二黄先教《战蒲关》，反二黄先教《祭江》，没有听说小学生先学《玉堂春》的。可见得唱工如果没有点功夫，是动不得的。学会了《玉堂春》，大凡西皮中的散板、慢板、原板、二六、快板几种唱法都算有个底子了。”②为了一开始就给观众以“好唱工”的印象，包括尚小云在内的青衣演员，习惯上都将《玉堂春》作为

① 打泡戏：又称“打炮戏”。即演员新到一个演出地点，最初三天所演出的剧目。打泡戏的成功与否，直接影响到这个演员日后在当地的演出成绩。所以，一般演员都很重视打泡戏。

②梅兰芳：《舞台生活四十年》（《梅兰芳全集》），河北教育出版社，2000年1月版，第96页。

打泡戏。

“童伶大王”

尚小云与梅兰芳的不同，在于他坚守青衣行当，努力在传统的基础上精雕细琢，求新求变。所以，尽管他在上海的演出时间很长，演出剧目却仅限于青衣行。梅兰芳却并不满足青衣行本身，他甚至认为，即便是已经有新腔的《玉堂春》，也还是不脱“老戏”范畴，而其他的，如《落花园》、《三击掌》、《母女会》等，更是老腔老调，属于典型的“抱着肚子死唱”的老戏。因此，在他意外得到“压台”机会时，便大胆冲出青衣行，创新地以青衣的身份，赶排了一出刀马旦戏《穆柯寨》。上海观众果然为一贯抱肚子死唱的青衣居然也唱起了刀马旦戏而觉新鲜别致，自然大呼过瘾，也大加赞赏。

从这样的比较中可以发现，每个人的思维方式不同，追求也不同。说尚小云固守传统，也不是说他拒绝创新；说梅兰芳求新求变，也不是说他抛弃传统。尚小云只是更倾向于在传统的基础上，求形式上的变化、内容上的不同，但无论如何，正工青衣的身份，他是不愿意改变的。相比而言，梅兰芳的步子跨得更远。在日后的艺术实践中，尚小云习惯上将旦行分得比较清楚，青衣戏就是青衣戏，武旦戏就是武旦戏，而不太情愿在一出戏里，融青衣、武旦等于一体。梅兰芳则恰恰相反，他更愿意打破界限，融合各种表演模式，形成新的“花衫”行当。

尚小云之前在京城舞台上，素以“二祭”（即《祭江》、《祭塔》）为“拿手戏”（有人甚至说这两部戏是他的“撒手锏”）。特别是《祭塔》，唱工十分繁重，尚小云唱来，激越昂扬、回肠荡气。他还独创了“节节高”的唱法，充分抒发了主人公白娘子的仇恨心理和抗争精神。当时，署名“老拙”的剧评家曾这样评价尚小云：“晚近多避重就轻，祭江祭塔，寂然无闻，唯小云能之，岂不可贵哉！”这两出极见唱工的戏，“唯小云能之”，说明尚小云的唱工的确不一般。

但是，尚小云在上海的演出剧目名录中却并不见这两出戏，只有与之相联系的《白蛇传》和《别皇宫》，分别都只演过两次。《祭江》又名《祭长江》，与《别皇宫》（又名《别宫》）是两个剧情相连而又可以单独演出的剧目。尚小云没有选择他唱惯了的《祭江》，而只唱《别皇宫》，不仅仅是为了增加演出剧目，更是挑战自我的表现。

《祭塔》是《白蛇传》中的一折。《白蛇传》是出文武并重、行腔多变的传统青衣老戏，它包括“游湖借伞”、“盗库”、“盗仙草”、“金山寺”、“断桥”、“合钵”，最后是“祭塔”。以四大名旦都演《白蛇传》为例，梅兰芳常常只演《断桥》；程砚秋只演《祭塔》；荀慧生只演“白娘子下山”到“合钵”。尽管尚小云单演《祭塔》驾轻就熟，但他在上海演出时，却演全本《白蛇传》，从头到尾，连贯演出，一气呵成。

这就引出另一个话题。尚小云正工青衣，但并非只是精通青衣戏，对于其他专行，比如，刀马旦、武旦等，他也一样能演。有许多像《白蛇传》这样的传统戏，常常是由几出分属不同专行的传统折子戏组成的。以《白蛇传》为例，《祭塔》一节，固然是唱工戏，之前的《金山寺》除了繁重唱工以外，还是载歌载舞的昆曲戏，身段也很复杂。演出全本《白蛇传》，就需要有“一身兼”的本事。

除了《白蛇传》，尚小云还演过全本《刘金定》。它是由三出折子戏组成，《双锁山》是花旦戏，《女杀四门》和《火烧余洪》都是武旦戏。虽说几出戏的主人公都是刘金定，但行当却不同，理应由

⊙《秦良玉》，尚小云饰秦良玉

花旦演员、武旦演员分演，但是，尚小云能够一人连续不断地以两种不同的行当演完全本。

类似这样的戏，还有《梁红玉》、《秦良玉》等，有的是前文后武，有的是前武后文。无论行当如何变化，尚小云演来都得心应手。

对于多数演员来说，包括有些成大名的名角儿，一个晚上，一般都只唱一出戏，多在四五十分钟左右，即便唱双出，也不过一个多钟头，而且往往是前面先唱一出，到最后再唱一出，这一个多钟头也不是连续的。尚小云却不一样，很多时候，他一开戏就上场了，一直能够唱到剧终才下场。比如《白蛇传》，他从“白蛇下凡”演起，一直唱到“祭塔”结束，一连几个小时。还有《三娘教子》，从薛广怎样娶王春娥开始，直到大团圆，其中仅大段的唱腔就有好几段，尚小云也能一口气唱下来。

他之所以能够如此，一是缘于他天赋歌喉，一是缘于他的功夫深。尽管他的戏多是文武相间，唱得多、武得也多，非常累人，而且时间也长，但他的嗓子却是越唱越亮，越唱越脆，大可用大气磅礴、响遏行云、穿云裂石这些词来形容。尚小云同时代的梨园界，唯他有“铁嗓钢喉”之称。

尚小云的身体很好，很少感冒，这与他十分注意保养有关，比如，他下场前，跟包的必须准备好热毛巾。热到什么程度呢？必先用滚开的水烫透，拧干，再烫，再拧干，如此两烫、两拧。他下场后，一手卸头饰，一手便接过跟包递过来的热毛巾，敷在额头上，以防出大汗后受风着凉。

除了保养，他功夫深，也是他身体强壮的原因。比如，夏天演出，无论多热，尚小云在舞台上从来不会大汗淋漓、汗流浃背，只是前后胸和腋下的衣服有些微湿，脸上，是绝对没有汗的。演完，下了台，卸了装，一身的汗这才哗地“喷涌”而出。这就是他的功夫。在炎炎似火的夏日，又是唱、又是舞，怎么可能没有汗？他是用他的功夫将汗“收”在体内、“敛”在体内。一直等到放松下来后才让汗排出体外。否则，满面油光，汗水滴嗒，舞台形象能好看吗？

结束在上海长达五个月的演出后，尚小云返回北京。不久，《顺天时报》举办“菊选”，设定“剧界大王”（又称“男伶大王”）、“坤伶大王”、“童伶大王”（又称“童伶第一”）各一人。经戏迷投票后，最终选定：

剧界大王：梅兰芳，得票 232865 票；

坤伶大王：刘喜奎，得票 228606 票；

童伶大王：尚小云，得票 152525 票。

这是尚小云自两年前荣获“童伶博士”后，又一次以“童伶”的身份获得荣誉。要知道，此时的梅兰芳已经先后两次赴沪演出，名声大震，成为各大小戏院争抢的“香饽饽”。不仅如此，梅兰芳自 1913 年自沪回京后，就已着手创编新戏，如《牢狱鸳鸯》、《宦海潮》、《邓霞姑》、《一缕麻》、《嫦娥奔月》、《黛玉葬花》、《千金一笑》等，深受瞩目。从这个角度说，梅兰芳当选“剧界大王”，不足为奇。

尚小云则不同，他出科搭班演出不过才一年，虽然首赴上海也算成功，但毕竟没有自己的新戏，而只是演绎传统老戏。在这种情况下，他还能当选“童伶大王”，一是说明他的基本功相当扎实，二是因为此时他的演唱和表演已经有了自己的特色。在演唱方面，既有传统青衣审美要求的高亮和清脆，也有因为他的个性而赋予的刚劲挺拔；在表演方面，有传统的端庄柔媚，更有柔中见刚。

这个时候，从青衣这个行当来看，尚小云已紧随梅兰芳之后，显现“青衣第二”之势。所以在当时，有人曾这样评价尚小云："龙门声价，与梅氏畹华并驾齐驱，争一日之短长矣。"这并非虚言。

与"国剧宗师"杨小楼的合作

提起梅兰芳，人们自然会想到《霸王别姬》。这出戏不仅是梅派名剧，更是中国京剧舞台上一个永恒的传奇。而提起《霸王别姬》，人们又自然会想到"霸王"——著名武生杨小楼。自从"伶界大王"谭鑫培于1917年病逝后，在生行舞台上独领风骚的便是后来被尊为"国剧宗师"的杨小楼。然而，鲜为人知的是，《霸王别姬》的前身却是杨小楼和尚小云合作的《楚汉争》。

尽管梅兰芳在很小的时候就认识邻居杨大叔杨小楼，但在他加入梨园后，虽然多次与谭鑫培合作，却始终没有机会与杨小楼同台。直到1916年，也就是尚小云出科那年，梅兰芳才得以与杨小楼有了第一次合作机会。其实，说是"合作"，并非如梅兰芳和谭鑫培在《汾河湾》中分饰男女主角那样有大量对手戏，他们只是同时搭班朱幼芬的桐馨社，同台演出而已。唯一的合作，应该算是杨小楼曾经在梅兰芳创排的新戏《春秋配》中出演一个配角。

也就在这一年，后起之秀尚小云引起了杨小楼的关注。

杨小楼最早看尚小云的戏，就是尚小云被"老乡亲"孙菊仙提携，两人合作《三娘教子》。这一老一小的"老少配"，不仅仅是让戏迷看个新鲜热闹，也让杨小楼发现了一个好苗子。随后，尚小云与龚云甫合作《母女会》，再次让他作为童伶成为焦点，也让看了整场演出的杨小楼大为兴奋，不吝赞美之辞，对朋友说："小云出身科班，天资聪慧，技艺超群，是与我同台演出《长坂坡》的难得搭档。"得前辈这样的夸奖，是尚小云的幸运，更是对他艺术的肯定。

⊙ 1919年，尚小云（右二）与程子赊（右四）、赵砚奎（右三）等场面先生合影

当杨小楼的这番话传到尚小云那里后，可想而知，尚小云该是怎样的激动又兴奋。他始终有与名角儿合作的愿望，他也有一往无前的拼劲儿，更够勇敢，所以才能直接向龚云甫的管事开口请求与龚云甫合作。不过，那次在崔管事那里碰壁，多少给他的心理造成了影响，让他产生了些许怯意，一时也不敢再随意向其他名角儿提议合作了。至于与杨小楼合作，他不是没有想过，只是觉得以他的艺术现状而论，是太高攀了。他要等待，却不想机会那么快就找上了他。

既然杨小楼已经“钦点”尚小云，尚小云当然不会再有其他顾虑，他随即登杨门拜访，既面谢杨小楼对他的厚爱，更抓住机会，恳请合作《长坂坡》。杨小楼本就已经十分喜爱尚小云的艺术，对于尚小云的勇敢、诚恳和好学、要强，他更加欣赏。不过，他还是要逗逗这个孩子，便说：“我的得心应手的搭档一向只有钱金福、范宝亭、迟月亭、许德义等几个人。”

杨小楼所说的这几位，都是非常著名的演员，特别是钱金福，是京剧史上一位有影响的架子花脸兼武生演员，一直辅佐谭鑫培和杨小楼，成为他们不可分离的左右手。梅兰芳曾经向钱金福学过两出小生戏，一是《镇檀州》，一是《三江口》，为他日后创排《木兰从军》打下了基础。范宝亭是著名武花脸。由于在四大名旦中，尚小云的武功是最强的，所以，他所用的花脸配角，与其他三位有所不同。比如，梅兰芳身边的刘连荣，程砚秋身边的侯喜瑞，荀慧生身边的蒋少奎，不是铜锤花脸，就是架子花脸，只有尚小云身边的范宝亭，是武花脸。

听杨小楼这么说，尚小云笑了，他非常聪明地接口道：“可是他们不是生，就是净，只有我是旦啊。”他的言下之意，就是他们配合得再好，也只是各司其职各有所长而已，却不能跨行，成为《长坂坡》里的旦角糜夫人。他的又一个言下之意就是：只有我才能演好这个縻夫人。杨小楼听出来了，他哈哈大笑，用力拍了拍尚小云的肩膀。尚小云感受到一个武生特有的力量。

很快，尚小云与杨小楼合作的《长坂坡》排好了。这出戏是典型的武生戏，是杨小楼的代表作之一。他之所以看中让尚小云演出戏中的女主人公——刘备之妻縻夫人，并不是偶然的。如果用一句话概括《长坂坡》的主题，就是突出表现赵云的威武、縻夫人的英烈。“英烈”二字，便对青衣有了更高的要求：既不失传统青衣的妩媚端庄，更应该有灵气有英气，有烈女般不顾一切的狠劲儿。

虽然对縻夫人的要求，并非需要她有武工，会打会摔，但有武工底子的青衣演员，会有一种由内而外的豪气，将更能恰如其分地表现这个人物。杨小楼看中尚小云的，正是他有武功底子，性格中又有刚烈成分。所以，他演縻夫人，不会只有娇媚、柔情怯懦、弱不禁风的形式，也会有刚劲、宁为玉碎不为瓦全的气度。

事实证明，杨小楼果然选对了尚小云。比如，尚小云饰演的縻夫人被张郃(许德义饰) 追赶，尚小云以跑圆场的方式表现她的惊慌和不知所措。他的跑圆场，“快如疾风，方寸不乱”，既令观众看得眼花缭乱，又被他所表现出来的人物内心情感而拍案叫绝。接着，张郃向縻夫人虚射一箭，只见右手抱着幼子的正跑圆场的縻夫人，“突然如蜻蜓点水侧身腾空转体斜卧台上,并熟练地迅速地抖出左袖筒的飞箭，插在自己微微颤动的右腿上”[①]，以示被张郃的箭击中。飞箭是事先藏在左袖筒里的，一俟张郃射箭动作完毕，便立即要将其抖出。这就需要演员动作极其麻利，既要恰时地配合饰演张的演员的动作，也要不露痕迹，以迷惑观众，使他们误以为此箭真的是张郃所射。

侧身、腾空、转体、斜卧、抖出飞箭、插上右腿，这一系列动作，几乎都是在一瞬间完成的。这便需要有武功底子。尚小云每次

① 马少波：《刚阳不阿　艺如其人》，《京剧艺术大师尚小云》，陕西人民出版社 1990 年 4 月版，第 13 页。

⊙杨小楼

演到这个地方，场中戏迷都会情不自禁地站起身来，狂热地叫好、鼓掌。

除了尚小云有比其他青衣更多的武功外，他的聪明也是被杨小楼看中的另一个原因，杨小楼不是曾经夸赞尚小云“天资聪慧”么？在《长坂坡》中，还有这样一场戏：糜夫人跳上井台，欲舍生取义，赵云急步上前，伸手去抓，却只扯下夫人身上的帔。这就要求两人配合得天衣无缝才行，而且“抓帔”的动作，也要逼真，要使观众以为帔的确是被赵云抓下来的，而且是一把抓下来的。

没有经验的青衣，在演出这场戏时常常会出现两种状况：一、事先没有准备充分，帔，套得太紧，赵云伸手一抓，却没有抓下来。这个时候，糜夫人只得做挣扎状，以使帔被抓下去。但是，这样做的后果，是使观众觉得帔似乎不是被一把抓下来的，而是糜夫人自己脱下来的。二、为图省事，事先就把帔脱了，松松地披在肩头。这样做的后果是，表面上看，赵云一把就将帔抓下来了，但是，抓得太轻松了，太没有手感了，反而更假。

聪明的尚小云在演这场戏之前，对身上的这件帔做了精心准备：首先把帔从领子那里就往后穿，也就是套得松一点，帔和里面褶子的水袖也要套得有点距离。当他饰演的糜夫人被“射”中一箭倒地时，他一直是松套着帔。这时，恰巧赵云赶到。糜夫人放下手中的幼子，意即转托赵云，然后自己跳上井台，欲往下跳。这个时候，他以极快的速度把帔解开。与此同时，赵云冲上去，一把抓过去。糜夫人恰时地将双手往后平伸。这样，赵云就很顺利地又很自然地将帔抓下来了。这一系列的动作非常麻利，一环扣一环，在一瞬间完成。

杨小楼对尚小云真是满意极了。他甚至当面对尚小云说："与你合作，我感到你的功力，不在他们之下。"这里的"他们"就是一直与他合作的钱金福等人。而"他们"不是武生就是武花脸，武功是他们的基本功，尚小云的主工行当却是青衣。杨小楼这样的评价，足可见尚小云的武工基本功是何等扎实。

《长坂坡》之后，杨小楼意犹未尽，又请尚小云与他配合排演了《湘江会》。那么，《湘江会》到底是什么时候排演的呢？据说，杨小楼曾经对尚小云说："等我们排好《长坂坡》、《湘江会》之后，过长江，去上海。"尚小云听后，先是兴高采烈，后又产生顾虑，忙向老师表态："能在北京立足就算不错了，要去上海恐怕不行。" 杨小楼却信心满满地说："我与好多名家常去上海，年轻后生很少同往。但一个剧种能否承前启后、继往开来，全凭年轻有为的下一代。你的功底演技能打多少分，老师心中有数，你只管随我痛快前往就是了。"[①]

尚小云于1916年8月出科，9月与孙菊仙合作了几部戏，10月与龚云甫共演《母女会》。因为这一切，他才引起杨小楼的关注。紧接着的11月，他搭班春合社，拜师、演戏，随后于1917年元月28日赴沪演出，直至7月返京。应该说，在这个时间段内，他没有机会与杨小楼排演《长坂坡》和《湘江会》。

两人真正开始合作，当是1917年12月尚小云搭班桐馨社时。这个时候，同在桐馨社的有钱金福、范宝亭、迟月亭、许德义、王长林、郝寿臣、九阵风（阎岚秋）、张文斌、德珺如、许荫棠、贾满林、董俊峰、王凤卿、姜妙香、姚玉芙、李寿山（后来成为尚小云的岳父）

① 马少波：《刚阳不阿　艺如其人》，《京剧艺术大师尚小云》，陕西人民出版社1990年4月版，第12页。

等，还有就是尚小云的刀马旦师傅路三宝，最重要的演员，就是杨小楼。

桐馨社的班主是朱幼芬。朱幼芬的一个哥哥朱小霞是梅兰芳最早的戏曲启蒙老师，另一个哥哥朱小芬是梅兰芳的表姐夫。朱幼芬与梅兰芳是儿时伙伴，也是在一起学戏的同学。这样说来，朱家与梅家沾亲带故。朱幼芬于1917年初组建桐馨社时，自然也是要邀请梅兰芳的。

就在尚小云和春合社的时慧宝等人进行赴上海演出前的准备时，年前，新组建的桐馨社在新建的北京最新式的戏院第一舞台正式亮相。首场演出的阵容十分强大，有梅兰芳、王凤卿的《汾河湾》，杨小楼的《落马湖》，贾洪林、路三宝的《乌龙院》，九阵风的《取金陵》，姜妙香、姚玉芙的《岳家庄》，高庆奎的《卖马》，许荫棠的《御碑亭》等。

可以推测，还未及离京赴沪的尚小云应该看了这天的演出。名角儿齐聚，特别是有梅兰芳、杨小楼、路三宝的桐馨社，可能就是吸引尚小云自沪返京后加入其中的原因。当然，尚小云加入桐馨社，更是为了实践他要与杨小楼合作《长坂坡》的愿望。

以现存戏单看，尚小云加入“桐馨社”最初的大戏，就是1917年12月25日在第一舞台与杨小楼、高庆奎、许德义合作的《长坂坡》。这个时候，梅兰芳已经离开了桐馨社。在尚小云之前，与杨小楼合作《长坂坡》、饰演糜夫人的，就是梅兰芳。尽管梅兰芳的武功底子不如尚小云，但他做工细腻、技术全面，所以与杨小楼的合作也可圈可点。梅兰芳之后杨小楼点名尚小云为他配演糜夫人，可以看出，此时的尚小云，艺术水平已直逼梅兰芳。

关于尚小云与杨小楼最初合作《湘江会》的时间，有三种说法：

第一种说法：他俩在合作《长坂坡》二十年之后，即1937年元月11日那天，吉祥戏院夜戏，尚小云演双出，前与郝寿臣合作

《法门寺》，后与杨小楼、郭春山、扎金奎合作《湘江会》。台湾剧评家丁秉鐩在其《菊坛旧闻录》“杨小楼空前绝后”一节中，也这样说：“二十六年（1937年）初，杨小楼和尚小云商量，打算排一排这出戏。”

第二种说法：是在1936年。此说来源于著名学者朱家溍的一段回忆：“从前有一位杨迷，名叫钟林，号菊隐，人称钟四爷，请钱金福先生长期教戏。有一天，钱先生说：‘我教你一出《湘江会》吧。’钟林说：‘《湘江会》？开场戏我听过，这出戏我不想学。’钱先生说：‘赶明儿杨小楼一唱，你就该想学啦。’这是一九三六年，杨、尚（小云）在吉祥戏院合演《湘江会》，我和钟先生坐在一排听戏时，他告诉我的，他也是第一次看杨的这出戏，不过这个时候钱先生已经逝世，钟先生也已经不学戏了。我对这出戏看上了瘾，次日就和好友刘宗扬（杨小楼的外孙——引者注）一起到笤帚胡同杨宅，他找出《湘江会》的本子我抄录下来，又到茶儿胡同刘宅，请砚芳（杨小楼的女婿——引者注）先生给我们说戏。我和宗扬一起学会这出戏，不过当时没有演。”[①]

第三种说法：据尚小云幼子、著名花脸演员尚长荣回忆，尚小云在二十几岁时就与杨小楼演过《湘江会》。“二十几岁”就应当是20年代。尚长荣这样说：父亲“曾对我们说起自己二十几岁时与杨小楼合演《湘江会》，杨先生演吴起，他演钟离无盐。”

这出戏原是武旦的开场戏，说的是春秋战国时期，魏王起用大将吴起，遵其计策，设宴于湘江，诓齐宣王赴会。不想，齐后钟离无盐保驾赴会。机智的钟离无盐在与吴起比箭时，乘机射死魏王，从而使齐宣王化险为夷。

实际上，光绪三十二年，在杨小楼呈报升平署的戏目中，就有《湘江会》。也就是说，杨小楼早在那个时候，就已经演出过这出戏。在经过与尚小云合作改编后，这出戏由武旦开场戏逐渐成为靠把武

① 朱家溍：《杨小楼先生的〈湘江会〉》，《京剧丛谈百年录》，河北教育出版社1999年12月版，第515页。

戏。尚小云饰演钟离无盐，扎粉靠；杨小楼饰演吴起，扎白靠。戏中，两人有一套绣鸾刀对花枪对打。杨小楼是武生，打戏自然不在话下；尚小云是青衣，却也以其武功底子，打得“旗不乱，靠不掀，翎子不倒，特别是在对枪后表演的掏翎挫腰骑马式亮相，如锦撒花墩，纹丝不动”[①]。从此，这出原本总是作为开场的戏，渐渐变成了大轴戏。

关于那一场对打，还有这样一个小故事：有一天，尚小云去找杨小楼排演《湘江会》，在准备练习对打时，以为要打快枪的尚小云问杨小楼：“大叔，咱们打哪一套快枪？”杨小楼说：“我这出戏不打快枪，我那套叫‘大扫琉璃灯’，挺省事，完了就是‘四门斗’，中间夹一套‘老虎枪’。你要愿意打快枪，那就不打‘大扫琉璃灯’也行。”尚小云一听，兴奋得不得了。据当时在场的目击者说，他几乎是跳着连声说：“不！不！我跟着您，您教我。”显然，他非常崇拜杨小楼，也太想随杨小楼学习更多的武打功夫。

《楚汉争》和《霸王别姬》

搭班桐馨社，对于尚小云来说，虽然时间并不太长，但值得纪念的事情还是很多的。

其一，与杨小楼合作《长坂坡》，尽展其扎实的武功，也显示了他与其他旦角、特别是四大名旦的其他三位的最显著不同。

其二，在第一舞台演出《长坂坡》，是他首次在京城最新式的戏院亮相。说它“新式”，按照梅兰芳在《舞台生活四十年》中所说：“这里的一切建筑、灯光，完全是模仿上海三马路‘大舞台’的形式……在民国初年的北京，这应该算是首屈一指最新式的一个戏馆子了。”它分楼上楼下，能容纳2500名观众。30年代中后期，尚小

①马少波:《刚阳不阿　艺如其人》,《京剧艺术大师尚小云》,陕西人民出版社1990年4月版，第13页。

⊙《十三妹》，尚小云饰何玉凤

云曾经承包过这家戏院。

其三，有人这样说，京城演夜戏，就是从第一舞台开始的。在第一舞台于1914年6月开幕前，北京各戏院的营业戏，照规矩只能在白天演出，演夜戏则只能以义务的名义。虽然从1914年春天起，谭鑫培开始在文明茶园、丹桂戏园陆续演唱夜戏，但只是短期性质。而第一舞台开业后，始终演的是夜戏。尚小云在此演戏，意味着他开始经常演夜戏了。

其四，在桐馨社期间，即1918年5月26日，中国银行总裁冯耿光（梅兰芳智囊团成员之一，也一直是梅兰芳的经济后盾）举办堂会。尚小云参加了三个剧目的演出。一、与杨小楼、余叔岩、俞振飞、梅兰芳、朱桂芳、王凤卿、王长林、李连仲、张文斌、程艳秋（程砚秋改名前的艺名）合作演出大轴戏《八蜡庙》；二、与梅兰芳、荀慧生、程艳秋、王蕙芳、朱幼芬、贾璧云、赵桐珊、王丽卿等合作《满床笏》。三、与荀慧生合演《虹霓关》。这场堂会为何值得一记？尽管只是堂会戏，却可能是四大名旦（当时还未有此称谓）初次同台、初次合作的一场演出，因此颇具纪念意义。

在桐馨社的后期，四大名旦又有一次同台的机会。那是在1918年10月，在第一舞台有一场义务戏，名家汇聚，其中有尚小云和白牡丹（荀慧生）合演的《虹霓关》，余叔岩主演的《阳平关》，梅兰芳、王凤卿主演的《武家坡》，程艳秋与陈德霖、王瑶卿、王蕙芳、龚云甫、贾璧云等人合作的《雁门关》。那天的大轴是杨小楼主演的《水帘洞》。

其五，就是“彩鞋的故事”。那时候，《十三妹》这出戏，是尚小云的拿手戏，每次演出都会引来观者如云，剧场内座无虚席。1918年年初的一个晚上，狂风大作，雪花纷飞，温度降至零下十几摄氏度。当日白天，尚小云在练功时一不小心崴了脚，疼痛难忍，几乎无法站立，眼见伤脚渐渐肿胀，他很担心晚上的演出能否如常进行，却不想外面天气突变。他有些暗自庆幸，以为这样的天气是不会有观众的，那样的话，他就可以名正言顺地不唱了。

但是，开戏之前，观众陆续进场，到尚小云的《十三妹》准备演出前，场内已挤满了人。此时，尚小云的双脚已胀至馒头状，自觉骨头发热，更加痛彻心脾了。班主慌了，急急跑来与他商量：“小云，糟了，原以为今晚天寒看戏人少，在你临时出事的情况下，向观众说几句好话，退票得了。可今晚偏偏是剧场爆满，观众兴趣很浓，不散不走。看来只能这样了，要么退票，骂名我背了；要么换演节目，演出以唱为主、做工较少的剧目，你看怎么样？”

听班主这么说，尚小云的要强劲儿又上来了，他竟然一下子站了起来，突然间也不觉得疼了，对班主说：“观众心中有我，我心中不能没有观众。今晚我算豁出去了，一不退票，二不换戏，《十三妹》照演不误。”班主自然很高兴，连忙奔到前台，向观众说明情况。在后台的尚小云，清楚地听到从前台传来的掌声。

然而，客观状况不是豪言壮语和雄心勃勃就能改变得了的。尚小云化好装，装扮停当，准备穿鞋时，却发现那双彩鞋根本无法容纳肿胀的伤脚，任由他死撑硬塞，仍然不行。这时，出场鼓如号角般催促着他。他急得满头大汗，一时有些赌气，狠狠将彩鞋掼在地上，又想着：干脆光脚上台算了。都说急中能够生智，就在这紧急关头，他有了办法。随即，他取来一把剪刀，三下两下，就将彩鞋的边帮剪开了。他就穿着破鞋，精神抖擞上台去了。

从这个事件可以看出来，这个时候的尚小云，名声的确已经不小了。

这之后，尚小云“发明”的剪鞋子的办法，时常用得着。比如，中年后，他患有关节炎，犯病时，脚上的小拇趾就会肿胀疼痛，无法穿彩鞋。这个时候，他就会用老法子，将彩鞋的头部剪一个口子，让小拇趾露在口子外面。换句话说，无论怎样，他总是将演出放在首位，任何时候任何突发状况，都不能影响到他的演出，这是他的原则。在他自组班社、自办科班后，他常对同行、弟子说的一句话就是：“演员在舞台上要对观众负责，对艺术负责，刮风下雨看我们演出的更是热爱京剧艺术、尊重演员劳动的热心观众，哪怕只有一个人，我们也应当严肃认真，不使观众失望。”

其六，1918年三四月间，与杨小楼合作创排了《楚汉争》。

非常巧的是，在《楚汉争》公演之前，梅兰芳的专职编剧齐如山已经编成《霸王别姬》，同样取材于霸王和虞姬的故事。当时，齐如山将角色都安排好了，由架子花脸兼武花脸演员李连仲（1862——1919）饰演霸王，由梅兰芳饰演虞姬。但是，因为梅兰芳事务缠身，一直没有机会排演这出戏。正当他们准备排演时，却惊见《楚汉争》已经抢先在第一舞台亮相了。

尚小云与杨小楼的《楚汉争》，取材于清逸居士（爱新觉罗·溥绪）编写的历史剧，全剧共分四本，从刘邦、项羽鸿沟讲和开始，到项羽乌江自刎结束，两次演完。头本，他们于3月9日推出，二三四本，他们在4月6日、7日分两天演出。

《楚汉争》的推出，打消了梅兰芳排演《霸王别姬》的念头。他担心的是，有故意与人相争之嫌。如果将尚小云与杨小楼的《楚汉争》与之后梅兰芳与杨小楼的《霸王别姬》作个比较的话，从《楚汉争》洋洋洒洒长达四本就可看出，这出戏的场子过多。而且，可能是因为杨小楼太精于武打，又太看中尚小云的武功，所以，打戏也过多。同时，大段唱腔也显得整出戏比较瘟而不够紧凑。但是，它还是因题材的新颖而大受欢迎。更重要的是，在这之前，旦角演员无人能与梅兰芳一比高低，尚小云却凭借《楚汉争》大有后来者居上的趋势，锋头直逼梅兰芳，名声几与梅兰芳持平。

但是，《楚汉争》所存在的缺陷，恰恰给了梅兰芳摆脱尚小云的追赶又一跃而前的机会。三年后，即1921年冬，梅兰芳决定重拾《霸王别姬》，一是因为事过境迁，早已不存在"与人抢戏"之虑，同时，他认为，霸王杨小楼的戏，存在着过场太多、唱腔前后重复等毛病。更重要的，他觉得尚小云在《楚汉争》里的虞姬完全是杨小楼的"霸王"的陪衬，是个典型的配角，唱腔少，念白也少，正如有"通天教主"之称的著名旦角王瑶卿所说，是个"高等零碎儿"。从这个角度说，尚小云的《楚汉争》实际上是以霸王为主角的，而梅兰芳的《霸王别姬》却是以虞姬为主要刻画对象。

齐如山的原剧本是依据明代沈采所编的《千金记》传奇编写的。当梅兰芳决定重排后，齐如山在原作的基础上，参考了尚小云、杨小楼版的《楚汉争》剧本，重新做了修订。因为有《楚汉争》的前车之鉴，新编《霸王别姬》摒除了场子过多、打戏过多的毛病，同时将《楚汉争》侧重霸王项羽转为以虞姬为主。

为了这部戏，梅兰芳无论是在唱腔、舞蹈、服装和舞台灯光设计等方面，都倾注了大量心血，花费了很大功夫，其中的“虞姬剑舞”，后来不仅是《霸王别姬》的特色，也成为梅派艺术经典。因此，相比较而言，在艺术上，《霸王别姬》确实要胜于《楚汉争》，不仅仅是故事结构上，更表现在刻画人物性格细腻、舞蹈的壮美。它之所以流传至今，也不仅仅是有“伶界大王”之称的梅兰芳和有“国剧宗师”之称的杨小楼之间的强强联手的明星阵容，也不仅仅有“虞姬剑舞”舞出的凄美苍凉的悲剧气氛，更因为这出戏开创了戏剧性和歌舞性相结合的梅派剧目，或者说是京剧剧目的先河。

也可以说，《霸王别姬》是艺术竞争的结果。就梅兰芳个人而言，面对新一代旦角演员尚小云的咄咄逼人，他积极应对，不断创新，终于凭借这出戏再创辉煌，继续稳列旦角第一。

从《楚汉争》到《霸王别姬》，也可以看出尚小云与梅兰芳的不同。尚小云自幼习武生，武功底子确实强于梅兰芳。他被杨小楼看中，也是缘于此。在艺术实践中，扬己所长是应该的，但是，也许正因为如此，恐怕他过于在乎武功的展示，而忽略了其他。梅兰芳具有较强的创新意识，他的创新，从唱、舞、服饰、灯光等，体现在各个方面。最重要的，他更注重对人物情感的描摹。简言之，此时的尚小云对一出戏，还缺乏通盘、全面的考量；梅兰芳则更细致一些，他还顾及到观众心理而精简场子、减少大段唱腔。后来，他从观众于虞姬自刎后即刻离场发现，观众对于单纯的打戏已经没有了兴趣。于是，他又不惜将之后的霸王的一段打直到霸王乌江自刎的戏删去，使整出戏更加精练。

当然，对尚小云、梅兰芳两人作这样的比较，对尚小云显然有失公平。

首先，在排演《楚汉争》时，尚小云不过才18岁。如果将《楚汉争》也算作是他的一出新戏的话，那么，这出戏就是他的第一出新戏。这个时候，他对创排新戏是没有经验的。梅兰芳创排《霸王别姬》时，已经27岁了，之前，他早已排演了多出新戏，经验已经比较丰富。从这个角度说，两人似乎不具可比性。

其次，在《楚汉争》里，尚小云的“虞姬”是杨小楼“霸王”的陪衬，当时他的名声是远远不如杨小楼的。因此，杨小楼才是《楚汉争》的主创。如果说《楚汉争》存在缺陷的话，杨小楼似乎应该承担更多的责任。梅兰芳却不同，此时的他早已是挂头牌的名角儿了，尽管他有专职编剧齐如山，还有其他“智囊团”成员辅佐，但无论如何，他是主创。这恐怕就是《楚汉争》和《霸王别姬》分别以霸王和虞姬为主要角色的原因。

武戏“文”唱和文戏“武”唱

有人曾经问梅兰芳，他最佩服的人是谁，他毫不犹豫地回答说：“杨小楼。”如果有人问尚小云，他最欣赏的人是谁，他一定也会毫不犹豫地回答：“杨小楼。”所以，尚小云自称“杨迷”。他一生很少谈自己，更从不夸耀自己，却对杨小楼的杨派艺术，毫不吝啬地大加赞美。对杨小楼，更是又尊重，又崇拜。

有一次，尚小云与同伴去看由一位花脸演员演的《霸王别姬》。看到中途，那位同伴感慨道：“这不是霸王，这是包拯。”尚小云一拍大腿，道：“您说得太对了。这个铜锤太沉稳了，没有表现出霸王刚愎自用的复杂性格。只有杨（小楼）先生的霸王，才是真霸王，活霸王。”类似这样的话，他常说。此外，他还经常这样说：“演霸王者，唯独杨小楼。”

尽管《楚汉争》与之后的《霸王别姬》相比，总体上存在不少缺陷，但就尚小云和杨小楼个人的表演而论，还是值得称道的。比如，有人评价尚小云的表演："小云之饰虞姬，真能将当日维谷情态，刻画靡遗，以虞姬外秀内慧，善察人情，为君王起舞帐中之际，进退殊难自决，情丝牵累，早在美人慧眼之中，故饮剑自裁，以明其志。"

对于尚小云而言，杨小楼在表演方面给他的影响太深了，值得他学习的地方也太多了。比如，他认为杨小楼的喷口十分有力，节奏感强而且鲜明，所以他演的霸王帅、脆、美，"真是好极了！"尚小云还曾绘声绘色地给他的孩子们讲述杨小楼演出《楚汉争》时的情景："杨先生一上场就不同一般，走到'九龙口'，抖袖、整冠，加眼神的配合，就把霸王那刚、烈、躁的性格和气质表现出来了，给人留下了深刻印象。"

尚小云之子尚长荣曾经这样回忆尚小云与杨小楼合作《湘江会》的故事：

"《湘江会》是一出颇有功力的靠把武戏，当年父亲扮演钟离无盐，杨小楼先生扮演吴起……当时杨小楼先生虽然年过花甲，但功力仍不减当年，能文能武，四功俱备，无一不精。有一次，父亲和杨先生演到剧中'打道御林小校场'时，有一个圆场，父亲在台上对杨先生耳语了一声，说：'爷们，今儿个咱们卯上点（意即加把劲儿）！'杨先生一声'没错儿'，一跺脚五步出去了。杨先生穿着厚底大靠，在[急急风]的锣鼓声中走了两个大圆场，平稳威武，快而不乱。我父亲也是一身大靠，不过，他在同辈旦角中，脚底下的功夫是著名的，当时又值青年，紧跟在后，猛追猛赶，前后却总是相差四五步，任他怎么赶，这几步就是赶不上。父亲讲完这段故事后，感叹地对我们说：'这说明杨先生的功底太厚了！'"①

自视甚高的著名老生演员余叔岩，也对杨小楼赞许有加，他

① 这段话，来源有两处：一、尚长荣：《从杨派艺术中吸取营养——先父尚小云追忆杨小楼的一些往事》，《京剧艺术大师尚小云》，陕西人民出版社 1990 年 4 月版，第 63 页；二、转引自陈云发：《吟啸菊坛——大写尚长荣》，复旦大学出版社 2001 年 1 月版，第 98 页。

⊙《峨嵋剑》，尚小云饰聂碧云

说："杨小楼完全是仗着天赋好，他的有些身段都是意到神知，而在他演来非常简练漂亮，怎么办怎么对，别人无法学，学来也一无是处，所以他的技艺只能欣赏而绝不能学。"但是，尚小云颇不甘心，他就是要学。

因为欣赏，因为崇拜，尚小云大方地承认他曾亦步亦趋模仿杨小楼。比如，杨派的盖步、趋步、搓步、跑圆场等，他都细心地学。说是"亦步亦趋"，其实并不准确。尚小云是旦角演员，不可能照搬武生杨小楼的动作，他只是将杨派精华融于旦行的武打之中。他的韵白"借鉴了杨小楼的武生念法，口紧字紧，加重换气，句逗之间，似断实连，过渡顺畅，真个字清音朗，富于情感色彩。"①

又比如，杨小楼对刀、枪、剑、戟等十八般武艺都能娴熟运用，还精通八卦拳、少林拳等拳术。他演《挑滑车》中的高宠，同黑风利对打时用反把枪，刺杀时快如闪电；他演《长坂坡》里的赵云，又用到八卦掌的步伐。尚小云非常迷恋杨小楼的这些绝技，跟着学，跟着练，时时处处向杨小楼请教。杨小楼也不吝啬，慷慨地传授。就这样，尚小云也学会了多种拳术。然后，他将这些技艺运用到舞台表演中，如《十三妹》中的"夺刀"、《青城十九侠》中的"耍虎叉"、《峨嵋剑》中的"对打"等，武打动作火爆、激烈，却不失优美，被评为达到了"扣人心弦、惊人魂魄"的艺术效果。

学杨派技术，是一个方面，尚小云更学杨派脆中见稳、快中有慢、恢宏大气的风度和神韵。

以《湘江会》为例，曾经与尚小云配演过这出戏里的吴起的李洪春评价说："他的打法是遵照老派打法打的。因为过去演戏，每出戏都有每出戏的把子档子，不能乱来。小云就是这样，招数分明，一丝不苟，亮相漂亮，而且招数来得急，步法、转身来得快，这也

① 胡世铎：《尚小云的"文戏武唱"》，《名旦风采》（北京市艺术研究所编），北京燕山出版社1996年6月版，第145页。

是其他名旦所没有的。为什么呢？因为他受杨小楼的影响很大，杨小楼的急、快特点感染了他。”[1]

不只是《湘江会》，在尚小云日后的多部偏重武打的戏中，如《桃花阵》、《梁红玉》、《林四娘》、《相思寨》、《双阳公主》、《昭君出塞》等，都可以看到杨小楼的影子。人们都说，唱功和武功，是“尚派”的两大支柱。其中武功，除了尚小云自身的武功底子外，更受杨小楼的影响。

还有一个方面，也可看出尚小云深受杨小楼的影响。

如今提及杨小楼，人们习惯上这样概括他的艺术：武戏“文”唱。而与之相反的，即文戏“武”唱的，正是尚小云。所谓武戏“文”唱，是以文戏的舞台节奏表演武戏；所谓文戏“武”唱，是以武戏的舞台节奏表演文戏。杨小楼是武生演员，依常理看，他的舞台表演节奏应该是武的，但是，他却“文”唱；尚小云是旦角演员，依常理看，他的舞台表演节奏应该是文的，但是，他却“武”唱。

“文”唱和“武”唱中的“文”和“武”，有其特别含义。特别是“武”，并非一般理解的武功、武打、武侠、舞刀弄棒、打打杀杀。尚小云的“武”唱，饱含激越、昂扬、爽朗之气，更富有热情，像一团火。简单地说，他将一出温吞如水的戏进行了热处理，使之朝气蓬勃，充满激情。

无论是武戏“文”唱，还是文戏“武”唱，追求的其实就是一个“中”字。太武了，用“文”来中和；太文了，用“武”来提神。如此，既能极大地发挥自己所长，又能平衡舞台审美。尽管有人提出，杨小楼的武戏“文”唱，是对他的误解，实际上，他的技艺相当全面，根本不需要武戏“文”唱但是，尚小云的文戏“武”唱，则的确是受了杨小楼的影响。

① 李洪春：《京剧长谈》，中国戏剧出版社1982年10月版，第153页。

结婚了，向岳父学习《昭君出塞》

“唱戏的子女只能从事唱戏”的户籍陋习，是对艺人歧视的一种表现。既然如此，有谁愿意将自家的闺女嫁给唱戏的？因此，在梨园界，艺人之间彼此通婚，便成了不得已而为之的习俗。以梅兰芳为例，他的发妻是名武生王毓楼的妹妹、名老生王少楼的姑母王明华，他的第二个夫人福芝芳，也是唱戏的出身。又如程砚秋，他的妻子果素瑛的舅舅就是大名鼎鼎的名老生余叔岩。

1918年，尚小云实足18岁，到了婚配的年龄，遵循惯例，也娶了个梨园女儿——名净李寿山（1866—1932）的女儿，名李淑卿。

因为身材高大，人称李寿山为“大李七”。他与名旦陈德霖、名老生谭鑫培、名净钱金福是三庆班的师兄弟，都是“老生前三鼎甲”之一程长庚的弟子。他初唱昆曲旦角，后习老生，又改架子花脸，文武皆能，昆乱不挡。

尚小云出生那年，即1900年，李寿山被选入升平署，进宫承差，艺名“李七儿”，时年34岁。在宫里，他聪明，爱逗乐，很得慈禧的喜爱。有一次，宫里耍龙灯，李寿山与杨小楼进宫耍珠子。杨小楼不小心将戏台角上的檀香木架子撞倒了。众人皆大惊。果然，慈禧传唤杨小楼，开口就问：“三元（杨小楼的小名）今儿是怎么了？”杨小楼跪在地上，战战兢兢回答说：“奴才今儿个唱了四出《挑滑车》，实在有些支撑不住了，才无心惊了驾。”慈禧那天心情好，就说：“真难为你了，今后不许应这么多活，赏你二十两银子，回去休息吧。”

接着杨小楼之后耍珠子的李寿山一听，心中暗想：这倒好，犯了错，不加罪，还有赏，便心生一计。耍着耍着，他故意将台角的

⊙ 尚小云与发妻李淑卿

架子也撞翻了。众人又是一惊。李寿山被带到了慈禧面前。慈禧问他："李七儿，你今儿个是怎么了？"未等李寿山回答，慈禧又说："你是看三元得了赏，你也想试试？你这是存心的啊。"她好像真动了气，又唤："传竿子！"

"竿子"就是灌了铅的竹竿。"传竿子"，自然就是要打了。李寿山赶紧求饶。慈禧想了想，说："免去竿子，罚俸两个月！"这时，李寿山却央求道："老佛爷还是打吧。"慈禧不解。李寿山说："挨顿打，我倒有俸；不挨打，这两个月，全家吃什么呀？还是赐打吧。"就这样，他免了打，也免了罚。

李寿山说的"全家"，是指他的前室浦氏，及浦氏所生的儿子李菊笙（后过继给李寿山之兄李寿峰为子）。他的续室是刘氏，生有三子二女，长子李凤鸣（乳名二立），工净行，却英年早逝；次子三立早夭；三子李凤翔（乳名四立），习老生，后因从房上摔下，双腿落下残疾，退出舞台；长女就是李淑卿；次女李淑荣生于1906年，后嫁往外地。

既然能被选入升平署，李寿山的艺术也是不一般的。梅兰芳就曾师从李寿山学习昆曲，他的《金山寺·断桥》、《风筝误》、《春香闹学》等，都是由李寿山所授。后来，李寿山参与梅兰芳创排新戏，并在梅的新戏里演过角色。在尚小云挑班协庆社之后，李寿山携孙子李宝奎在尚小云的班社里参加演出。

尚小云从岳父李寿山那里学到的最重要的一出戏，是《昭君出塞》。这部戏日后成为尚派代表作之一，于1962年被作为戏曲艺术纪录片《尚小云的舞台艺术》中的一段，由西安电影制片厂拍成了电影。1935年，在剧作家还珠楼主（本名李寿民）的帮助下，尚小云将此戏改编扩充后，取名《汉明妃》。随后，他一直在不断修改，直到1959年，当他得知祁剧《昭君出塞》进京演出后，不顾脚伤未愈，亲到剧场观摩，意图吸取营养，继续改进。

严格说来，尚小云最初学习《昭君出塞》，师从昆曲老师陆金桂，后才由李寿山亲授。1919年元旦，在北京三庆园，尚小云首次演出。《汉明妃》这出戏的故事大意是：汉元帝后宫中有一个美女名叫王昭君，因不肯贿赂画匠毛延寿，被画为丑女，元帝不予召幸，昭君弹琵琶自伤。后元帝发现其容貌美丽，即封为明妃，欲斩毛延寿。毛逃往匈奴后，煽动匈奴发兵索要昭君。元帝因兵力不足，只得割爱送昭君出塞前往和亲。所以说，《昭君出塞》是其中一折，也是重头戏。这是历史上的真实事件，也是文艺家笔下最常见的题材。

《昭君出塞》之所以在中国京剧史上得以留名，缘于尚小云独到的艺术见解和创新实践，以及经过不断修改完善创新后所形成的典范功能。

首先，尚小云强调基本功。他在指导弟子学习这出戏时，曾经这样说："功夫练得扎扎实实，动作才能得心应手；学戏实砍实凿，演戏方能放开手脚。"同时，他强调神形兼备，说："有形无神是傻卖艺，有神无形是假机灵。必须神领形随，形到神至，神形兼顾。"简单地说，就是"功、神、形三者有机结合，缺一不可"。[①]其中，"功"是基础，是最重要的。

其次，在随陆金桂、李寿山学习了这出戏的基本表演程式之后，尚小云大胆创新，将旦角步伐，如云步、碎步、搓步等全部糅合在了一起，加之他擅长的武生身段，一改以往舞台上王昭君弱女子的形象，突出了她的阳刚之气。"豪侠"、"阳刚"其实是尚小云本人的性格。正是因为他有这样的性格，所以，他创造的舞台形象也多以"侠女"、"烈女"为主，常赋予人物强烈的抗争性。

再次，目前，人们习惯上以文戏"武"唱来概括尚小云的表演艺术。《昭君出塞》是文戏"武"唱的最恰当体现。换句话说，文戏

“武”唱的代表作之一，就是《昭君出塞》。

这出戏，原本是昆曲的传统剧目，老一辈艺人大多曾演过。那个时候，在昆、京艺人之中，关于《昭君出塞》，有“三死”之说，即唱死王昭君、翻死马童、做死王龙。意思是说，按照传统的表演方法，整出戏的剧情，主要依靠马童和王龙不停地翻滚跳跃来推进。王昭君呢，则是在其中捂着肚子傻唱。早年的青衣演员以唱为主，很少有表演动作，包括武打、舞蹈等。自“花衫”创立后，才逐步改变了青衣“捂着肚子傻唱”的呆板表演模式。尚小云很早就爱上了王昭君这个人物，但他对王昭君的“傻唱”不以为然，他也不满足于延续陈德霖等老艺人的老的演法，决定以自己丰富的武功功底，结合剧情，为人物设计繁复优美的舞蹈动作，用以表达王昭君复杂的内心情感。

在具体创作中，尚小云注意区别“马下昭君”和“马上昭君”，用细微的面部表情，特别是用“武”戏表现“两个”昭君不同的心理感受。坐在车辇上往塞上去的昭君，雍容、高贵、沉静，但内心如火，因为她痛恨毛延寿的卑鄙，也痛恨元帝的无情。这个时候，尚小云的“王昭君”，外静内动、文而不温。

当听说因山路崎岖不得不弃车辇而换马乘骑时，尚小云为王昭君安排了大量动作（或称“武”戏），以“趟马圆场”、“卧鱼”等一系列舞蹈动作，伴以悲凉的昆曲唱段，曲折透露出王昭君远离故土的凄楚心情。

然后，昭君上马。尚小云设计的上马动作，“垫步一颤”，然后，抢鞭、两个“鹞子翻身”、拧身跨腿大踢腿、抢鞭倾身大滑步，勒马亮相，放丝鞭，随之，左右挥鞭两跨腿，又一“亮”住，紧接着又是一个挥鞭转身，跨腿踢腿、单身掏双翎子，反握马鞭亮相等等[②]，复杂多变，令人眼花缭乱。他是以此实现他的审美

① 鲍绮瑜：《向尚小云先生学〈昭君出塞〉》，《人民戏剧》1980年12月，第8页。

② 王永运：《尚小云、荀慧生的艺术风格》。

⊙《昭君出塞》，尚小云饰王昭君，萧盛萱饰王龙。

⊙“马上昭君”和“马下昭君”

理想：“既要有人，又要有马，马是烈马，人是佳人，一身二用，神形兼顾。”

对《昭君出塞》（包括之后的《汉明妃》）中所体现的文武之间的关系，以及由此产生的文戏“武”唱，尚小云曾经这样总结：“我以为武戏演员即使有了很好的武功基础，还得练文戏。当然，演文戏的演员，如果不重视武功锻炼，那演出时在动作身段上，便会呆板生硬，而不会优美动人。比如，我在《汉明妃》一剧中扮演的王昭君，似乎文戏的动作多，但是在舞台上决不能放弃武功的运用。这出戏，我主观上要表现王昭君在不同时间和不同环境的三种心情。离家前的王昭君，是个聪明活泼的少女；打入冷宫后，变成满腔愁怨、终日以泪洗面的宫娥；封妃后又显得春风得意、仪态万方。以上的过程与人物的情感都是用文戏表演的（当然也不能缺少舞姿），但到和番出塞一段，个性爽朗的王昭君，历经艰危，锻炼得坚强了，终于不忍偷生，自刎殉国。在这一段，特别是‘出塞’一节，就需要运用熟练的武功，载歌载舞，把剧情引向高峰。”[①]

① 贾自立记录整理：《练功倒仓学习——尚小云先生对省剧校学生的谈话之一》，《陕西日报》1961年10月26日，第三版。

不仅如此，在这场戏中，他还以服装、动作的改变，来表达人物情感。

特别值得一提的是，他为王昭君设计了一顶精巧别致的“昭君盔”，配上长翎短尾，不仅漂亮，增加视觉效果，更富于异域风情。

也许是不自觉的，尚小云的《昭君出塞》，透露出撼人心魄的刚劲美。这种美，始终贯串于他之后的剧目中，成为尚派的特色之一。也就是说，从《昭君出塞》开始，尚小云的艺术特征已经比较明显。

续娶梅兰芳的表妹

尚小云的夫人李淑卿生于1898年，比尚小云大两岁。婚后第三年的9月16日，长女尚秀琴（小名石榴，未入戏界）出生。李淑卿身体一直欠佳，直到1928年，方为尚家生下儿子，即长子尚长春（小名斗子，日后工武生）。1930年5月28日，李淑卿不幸病逝，享年只有32岁。

有一位曾与尚小云做过邻居的剧评人说，他在与尚家比邻而居时，经常在晨间听到尚小云喊嗓，那歌喉刚而亮、清而越，嗓子之宽在旦角中是首屈一指的。因为尚小云时不时客居京城以西的西山，爱骑那里的驴，所以，这位邻居开玩笑说每次听到尚小云喊嗓，就不免想起驴叫。他一再声明，他只是以“驴叫”形容尚小云的声音洪亮，而毫无恶意。除了嗓子亮，他对尚小云的样貌记忆犹新，说在旦角中，尚小云的长相是绝对能够排在第二位的，第一自然是梅兰芳。

20世纪30年代初期的尚小云已经成大名，有“四大名旦”之一的头衔，又是绝对的美男，所以，当尚夫人去世的消息刚刚传出，提亲的、自荐的便纷纷上门，依当时某报所言，“逐鹿者不乏其人”。

更有极端之言:“以才子佳人一身兼资之名旦,实为大家所欲得而甘心,值此良机,乌乎可失。”

按照梨园习俗,尚小云的续弦似乎应该还是梨园中人。“冰人”(即媒人)为尚小云说的多是女伶,至少也是梨园之后。不过,在这个问题上,尚小云颇有先进思想、革命精神,他放出话来,并不拘于此,只要是家世清白、本人正派的大家闺秀、小家碧玉,都可以考虑,而不限定非同行不娶。

尚小云是名角儿,有关他的私生活,自然传闻多多。就在外界猜测着谁将有幸成为他第二任妻子时,传闻说有三女子,成为新尚夫人候选:一为京剧演员雪艳琴,一为清朝格格,一为天津名妓美香。于是,传闻进一步演绎。

关于雪艳琴:她本名叫黄咏霓,“雪艳琴”是她的艺名,回族,出生于北京,比尚小云小六岁,7岁开始学戏,兼学梆子和皮黄,8岁登台,16岁唱红京城。如今,她被称为“中国京剧最早的女演员之一”。为什么传闻会将她与尚小云“撮合”在一起呢?她曾拜师王瑶卿,也时常进出尚家,请教尚小云。那时候,女伶本身就容易遭非议,何况她又时常出入名男伶尚小云的居所,因而招致流言,不足为奇。流言更甚者,说尚小云属意雪艳琴已有很长时间了,眼下夫人去世,岂不正好双栖双飞?

雪艳琴的嗓音条件天生优越,唱法得益于王瑶卿,也吸收了尚小云的尚派唱腔长处,不仅如此,她也得梅兰芳、程砚秋、荀慧生的真传。所以,有人评价她的演唱艺术是“得畹华之神采,含御霜(程砚秋的字)之缠绵,具小云之清越,兼留香(荀慧生的字)之绮丽”。如此说来,对于雪艳琴,尚小云只不过是她众多师傅中的一个而已。有比较冷静的评论者这样分析说:“其实雪艳琴时往尚处请益,谓之私淑绮霞之门则可,未真有情愫也。”

关于清朝格格:尚小云与清室某贝勒有私交,这是事实。于是,传闻说这位贝勒欲将原大清贵胄之女，即清格格，介绍给尚小云为续弦。

关于名妓美香：据说，美香名妓名号响彻津门，但她还是洁白女儿身，并未真的卖过身，只相当于艺妓而已。有人说，她天赋歌喉，像极尚小云。不仅如此，她的相貌也与尚小云神似。更令人惊异的是，她虽为女儿身，却性情如男，颇有侠气，这与尚小云也极为相似。她善歌舞，爱听戏，时常出入戏院，最爱看尚小云。就这样，便有了这样的传闻。更离谱的传闻是，尚小云对美香作为续弦备选并无恶感，反而说："只要人好，我倒不在乎是哪里出身，只要是守身如玉的姑娘，比烂污小姐强多着呢。"

这一切传闻有鼻子有眼，尚小云从来没有公开辟谣，他没有那份精力，也懒得搭理。他遵从事实胜于雄辩。事实是：次年，即1931年元旦，尚小云二次成婚的新夫人仍然是梨园女儿，她名叫王蕊芳，是梅兰芳姑母的女儿、名旦王蕙芳的胞妹。梅兰芳初学戏时，与他做伴同时学戏的，除了朱幼芬，就是表兄王蕙芳。小时候，王蕙芳聪慧机灵，梅兰芳木讷一些。那个时候，外人十分看好王蕙芳，也很称赞朱幼芬响亮高亢的嗓音，对梅兰芳，更多的是摇头叹息。随着梅兰芳戏艺的进步，有一天他终于赶上了王蕙芳。表兄弟俩一度在戏园子里同台亮相，风采相当，戏迷们戏称"兰蕙齐芳"。

王家有女儿八个，王蕊芳是王家的八小姐。她长得很漂亮，有人说她与梅兰芳很相像，但她不喜欢打扮，很朴素，总喜欢穿件布褂子。有次她对尚小云的弟子吴素秋说："早先客人看我这样打扮，还梳个小攥儿，真拿我当了尚家的用人了。"说这话的时候，她笑得很灿烂。

起初，媒人到王家为尚小云提亲，王蕊芳的母亲有些顾虑。原因有二：一是大家都知道，尚家老太太张文通相当厉害，是个严厉

⊙尚小云继室王蕊芳

到苛刻的婆婆。给这样的婆婆做媳妇，不是件容易的事；二是王蕊芳嫁到尚家，只是个续弦。后来，算命先生测算，说是两人的“八字”很合，八小姐有旺夫之命，将来一定是夫荣子贵。于是，王家就答应了这门婚事。

王蕊芳嫁到尚家后，有两个“果然”：婆婆果然像外界所说的那样，严厉又苛刻。尽管尚小云此时已很有名气了，但若不遂母亲的意，或稍有不慎惹恼了母亲，照样挨打。张文通对名角儿子，一点儿也不客气。对儿子，她是严厉；对新媳妇，她就是苛刻了。常常地，客人送到家里的点心，她扣着不拿出来给大家吃，等到点心变了质发了霉，她才拿出来，让儿媳吃，既不准王蕊芳说个不字，更不许她有不满情绪，甚至还要求媳妇对她的“赏赐”感恩戴德。王蕊芳心地善良，性情温和，默默忍受着这一切。她知道，丈夫是个大孝子，她也就要做个孝顺媳妇。第二个“果然”，正如算命先生所说，王蕊芳果然是旺夫命，果然是夫荣子贵。

在弟子们的眼里，尚师母是最可亲的人，也最慈祥。

20世纪30年代中期，尚小云自办荣春社科班时，学生犯了错，他是要打的。每到这个时候，挺身出面护学生的，就是尚夫人王蕊芳。若护不住，学生不得不挨打的时候，王蕊芳就在屋里打鸡蛋。她将每只鸡蛋都去掉蛋黄，只取蛋清。常常都是这样，院子里，是板子落在学生身上的啪啪声；屋子里，是清脆的噼哩啪啦打蛋声，两种声音交相呼应，让不知所以的人听来，奇妙又奇怪。

挨完打的学生，都要到师母那里去，不是哭诉，而是让师母在伤处抹蛋清，消肿去痛。因此，科班的学生对师母都很尊敬，更很爱戴。

随着王蕙芳之妹王蕊芳成为尚小云的夫人，四大名旦的尚小云与梅兰芳就成了亲戚。自从1918年王蕊芳与尚小云成婚后，两人一直相依相伴，即便是在“文革”的风雨之中，他俩也相濡以沫，未曾离弃。王蕊芳为尚小云生了两个儿子，即工旦角的尚长麟（小名叫小二）和工花脸的尚长荣。

1991年7月9日，王蕊芳病逝于北京。

20世纪40年代初期，尚小云险些被拖入一场官司之中。不过，从事发到结束，“当事人”之一的尚小云却浑然不知。当时，有一位29岁的赵姓女士，突然到警察厅状告尚小云，状纸上写明的事实是：赵某在22岁时，与29岁的尚小云相识，拟终身相依。为此，她在一块白布上印下其右手全掌纹后，将白布交给尚小云保存，作为婚约。日后，她因家事去往上海。几年后，她返回北平，多次前往尚宅，欲商谈两人婚事，尚却避而不见。于是，她告状至警察局，控诉尚小云违背诺言，不履行婚约，欺骗了她，请求传唤尚小云到案，当面质问他，并索取那块印有她手掌纹的白布，以免日后惹出纠纷云云。

警察局为她落了案，录了口供，准备正式调查时，赵某原来的姐夫、现在的丈夫邢某来到警察局，提交了一份文字说明，证实因为他有外遇，妻子赵某获知后，精神错乱，发病时错告尚小云，所以他请求撤销原诉，并同意交保后带赵某回天津娘家治病。在这份说明中，他再三强调，绝无别情，完全是因为妻子有病而胡乱“咬”人。至于受害者为何是尚小云，邢某称其妻是个戏迷，特别爱看尚小云的戏，几乎三天两头往戏院看尚小云的戏。

一番折腾之后，警察局查明赵某确系精神病患者，素有妄想症，

⊙王瑶卿

病发前也确是尚派戏迷，便同意邢某交保，撤销原诉。一场闹剧就这样收了场。虽然尚小云差点儿被冤枉，险些损害了名誉，但从另一个侧面也可以看出，当时，尚小云是如何的大名鼎鼎，又如何的受观众喜爱。

随王瑶卿学习《失子惊疯》

自从1917年第一次赴上海，进行了长达五个月的演出之后，尚小云将他的观众群从京城扩展到了上海，从此打开了通往南方京剧中心的大门。在随后的短短两年时间里，他又三下上海，演出于沪上。

第二次邀请尚小云赴沪演出的，还是天蟾舞台。那是在1918年8月。当时，天蟾舞台因房屋租赁合同期满，以“歇夏”的名义

暂停营业了一段时间。8月初，又续订租期。为庆祝重新开业，便特聘南北京剧名角来此演剧，作为揭幕。尚小云便是其中之一，其他演员还有李桂春（艺名小达子）、尚和玉、吴铁庵、林颦卿、张德俊、林树森等。尚小云此次在沪时间不长，只有二十来天，演出剧目与第一次相仿，也是以老戏如《玉堂春》、《祭塔》、《彩楼配》、《贵妃醉酒》、《虹霓关》、《樊江关》、《白蛇传》、《穆柯寨》等

为主。

五个月以后，尚小云又到上海，这是他第三次赴沪演出。这时，他已经离开了桐馨社，改搭福庆社，是该社的二牌旦角。与他同往上海的有两个重要人物：一是王瑶卿，一是马连良。

四大名旦师承名师各有不同，但有一个人却是他们四人共同的老师，他就是王瑶卿。在中国京剧史上，王瑶卿的功绩是非常显著的。首先表现在京剧艺术的创新方面。早期的旦角行当，只有青衣、花旦、刀马旦、闺门旦、老旦，且彼此界线泾渭分明。换句话说，青衣不演花旦戏，花旦不演青衣戏。最先打破这一成规的，当是梅兰芳的祖父梅巧玲。之后，余紫云继承了梅巧玲的表演方法，开始将某些花旦的表演方式融于青衣表演之中。

出身于梨园世家的王瑶卿，自幼随其父亲、清代著名昆曲青衣演员王绚云学习青衣，功底深厚。他继承梅巧玲、余紫云的衣钵，创造了“花衫”这一新的旦角专行，丰富了京剧旦角艺术。“花衫”之名，取青衣的“衫”和花旦的“花”。也就是说，花衫的表演方式，融合了青衣的端庄沉稳和花旦的活泼俏皮，而且还兼有以武见长的刀马旦。戏曲理论家徐凌霄称“花衫”为：非青衣、非花旦，卓然自成一家。王瑶卿之所以创新“花衫”，是因为他很清醒地意识到时代的向前发展，使京剧剧目也不断地得以丰富，而新的剧目推出了一些新的妇女形象，这些新形象，无论用青衣抑或花旦，都不能恰如其分地表现出来，而只有将它们兼收并蓄、熔于一炉，才能满足舞台表演的需要。

公认的，王瑶卿的头衔除了“表演艺术家”之外，还有“戏曲教育家”。他在晚年嗓子渐失、演出日少后，便将主要精力放在对戏曲人才的培养上。梅兰芳就是在拜王瑶卿为师后，表演风格有了很大变化，从单一的以唱为主的表演方式，转向唱做并重的“花衫”，从而将这一新行当发扬光大，并最终形成梅派。

⊙尚小云之《穆柯寨》

王瑶卿的弟子众多，而他的可贵之处在于不死守门户，并能做到真正意义上的因材施教。他自己曾很形象地说明他的教学方法："别瞧我有这么些徒弟，就等于有这么些个猴儿，全在我手里的那根绳儿拴着。我得瞧这个猴儿该怎么拴才怎么拴。说真了，是一个猴儿一个拴法。"①

比如，针对程砚秋的嗓子在倒仓后出现的"鬼音"②，他一方面鼓励程砚秋多多考虑自己的条件，不要盲目模仿梅兰芳；一方面他为程砚秋新编了符合程砚秋特殊嗓音的新腔。这些新腔被人称为"走偏锋的险腔"，它若断若续、藕断丝连、纤巧婉转。他还为这样的新腔取名"刚半音"。除了"刚半音"，他又为程砚秋创出一种"勒音"，以弥补鬼音既不能拔高也不能降低的缺陷。

尚小云的嗓子天生得好。这个"好"，意思是符合传统意义上对青衣嗓子的审美要求：高亢圆润、明亮通透，加上他始终如一的勤学苦练，很好地继承了如陈德霖正工青衣的阳刚派唱法。但是在早期，他的唱还是有一些问题的，那就是吐字太死。与梅兰芳曾经正式拜师、程砚秋更行过拜师礼不同，尚小云并没有依照传统拜师方式拜王瑶卿为师，他只是宣外大马神庙28号王宅的座上客，和大多数编外弟子一样，在王瑶卿与人高谈阔论中吸取艺术养分。

王宅是一所古老的大宅，进了大门是走廊，后面共有南北两个院子。南院住着王瑶卿的弟弟王凤卿一家；王瑶卿则住在北院。北院共有五间房，左面两间是他女儿的闺房，右面两间是他的卧室，中间是客厅。朋友相聚、教学生，都在这个大客厅里。客厅大门上方正中央有一横匾，上书"古瑁轩"。这是王瑶卿自取的寓所别称，取自他家中养着的一种与龟相仿的爬行运动玳瑁。

① 苏雪安：《京剧前辈艺术回忆录》，上海文化出版社1958年4月版，第174页。
② 据程派传人赵荣琛介绍，"鬼音"这种声音，高音走脑后，低音太沉，往下坠，高、低音之间衔接不自然，听着似断似续，丝丝拉拉的。简言之，这种声音低、窄、闷、苦涩、凄楚。

演员们多是在晚上演出，作息时间与常人有异，往往白天昏睡，夜晚精神。王瑶卿又好交友，朋友遍及戏界、诗界、画界、商界，每到掌灯时分，古瑁轩里就高朋满座。文人名士罗瘿公、齐如山、黄秋岳、李释戡、徐凌霄等，著名票友祝荫亭、包丹庭、夏小山等都是常客。大家海阔天空，无所不聊。当然，谈得多的，还是和戏有关。因此有人说："到他家来做客，听他谈戏比看他教戏还有滋味，和他聊天，则比听他谈戏更长知识。因此在他和客人闲谈中，他的徒子徒孙们无形中也增添了学问。"[①]"徒子徒孙"中，就有尚小云。

当年梅兰芳拜王为师，欲行拜师礼，王瑶卿执意不肯，他说因辈分问题，他和梅兰芳是平辈，当以兄弟相称。与梅兰芳一样，尚小云和王瑶卿也以兄弟相称，但确有师徒之实。王瑶卿对尚小云于艺术上的影响，对尚小云很有帮助。比如，王瑶卿非常欣赏尚小云的高亮嗓音，他说尚小云一声出口，"似龙吟虎啸，如流云遮月"。为此，他为尚小云设计了一种"刚音"。当他发现尚小云的吐字太死时，便将自己改革了的青衣唱法传授给他，纠正他的吐字，强调字正腔圆。

尚小云的尚派代表作《昭君出塞》、《乾坤福寿镜》，都曾得王瑶卿亲授。《昭君出塞》中的那段"昭君上马"的一系列舞蹈动作，就是王瑶卿因尚小云长于武功而为其设计的，从此引领尚小云开始了独特的文戏"武"唱。

《乾坤福寿镜》的本子原是清廷秘本。后来，王瑶卿从一个老太监那里花巨资购入，然后加入自己的创造，最终形成自己的"本戏"，更是他的看家好戏。这出戏，得王瑶卿真传的是尚小云。其中的一折《失子惊疯》，于1962年与《昭君出塞》同时被拍成艺术纪录片，它是尚小云的又一部代表剧目。

早年的全部《乾坤福寿镜》共有八本，很长，一个晚上演不完，要分上下两集，分两天演出。20世纪20年代中期，王瑶卿因“塌中”[2]退出舞台之前，他曾与程砚秋有过一段时期的合作，《乾坤福寿镜》是其中一个剧目。因而有人说，继王瑶卿之后，四大名旦中最初上演此戏的是程砚秋。

事实上，最早与王瑶卿合演这出戏的，应该是尚小云。自然地，尚小云饰配角——丫环寿春，主角胡氏则由王瑶卿饰演。那是在尚小云19岁的时候。那时，他们每个月至少要演两三次，也就是四至六天。虽然演的是配角，但尚小云十分喜爱这出戏，更喜欢胡氏这个人物。作为一个有追求的演员来说，偏爱塑造那些有个性、有复杂心理活动的人物，这出戏里的“胡氏”就是这样的人物。

全本《乾坤福寿镜》的故事非常曲折：颍州知府梅俊之妾胡氏，怀孕十四个月未生，众人深感蹊跷。一天，梅与妻妾在花园中赏花，忽然狂风大作，坠下乾坤福寿镜一面，直投胡氏怀中。梅俊另一妾室徐氏，早就妒恨胡氏乘机进谗言，诬说胡氏必将生产妖孽，对梅家不利。梅俊信以为真，竟欲拔剑杀死胡氏。幸亏梅俊的妻子郑氏明辨是非，放走胡氏，让她逃离梅家。

接下来，便是《失子惊疯》的剧情了：落难的夫人胡氏在被陷害后流离失所，中途遇见观音化身。在观音的帮助下，她得以渡河，在破窑中产下一子，却又遇巴山大盗金眼豹。金眼豹逼胡氏与之成亲。胡氏将乾坤福寿镜留在婴儿怀中，弃子逃走。婴儿被宁武镇守林鹤捡去，认作儿子，改名林弼显。胡氏痛失幼子，便疯了，四处寻子，寻至林家，见林弼显身上挂着的福寿镜，欲抢回儿子。林鹤见胡氏疯癫，便赠其银两，让丫环寿春照顾她。后来，林弼显长大了，进京应试，得中状元。意外地，母子团聚。梅俊查明真相后，贬

①江上行：《六十年京剧见闻》，学林出版社，1986年版，第106页。

② 塌中：青年时嗓子变声，叫“倒嗓”。中年后嗓子变了，就叫“塌中”，一般，很难再恢复了。

⊙《失子惊疯》，尚小云饰胡氏

徐氏为婢，接胡氏母子回家，收寿春为妾，林弼显也认祖归宗，还娶了林鹤的女儿，最终大团圆。

就唱腔、做工等艺术而论，这出戏很有特色。王瑶卿版的《乾坤福寿镜》因为要分两天唱完，为了凑够两天的戏，剧中夹杂着很多不必要的人物和场景。如观音菩萨出现、土地神出来搭救胡氏、胡氏生子、闹店、从店里跑出来抱住锄地老汉大喊“土地佬”

等闲杂场景。在尚小云独自挑大梁演出这出戏起，他就不断地进行删减，最终改为一个晚上演完。然后，富于创新意识的他又根据个人条件，在戏的前半本演胡氏，在后半本改演寿春，也就是兼演青衣、花旦。《失子惊疯》经由他不断修饰，已经成为经典。这一切，都使尚版《乾坤福寿镜》与王版《乾坤福寿镜》有很大不同。

19岁只能演配角丫环寿春的尚小云，理想很单纯，但很明确，那就是有朝一日能演胡氏。他常常这样想："到什么时候我才能饰演胡氏呢？那时，就算达到我的心愿了。"为此，他暗自苦练。晚上演出后回家，他关上房门，穿上胡氏的褶子裙，一边想像着王瑶卿的表演，一边模仿着。

有一天，他正在练着，一位在科班任教的老师松茂如来看他，见他正扮着胡氏唱得来劲，便对他说："你在练水袖吗？好啊，这是青年人应当学的。现在有些绝活快要失传了，只有瑶卿还会。"尚小云知道，水袖功是松茂如的绝活，只是他所在的戏班班主不大重视他，使他常常生出纵有万般才华却无处施展的感叹。借此机会，尚小云连忙诚心请求松茂如指点。

松茂如看了一会儿，对尚小云说："瑶卿的水袖功有他的长处，我再教你几招绝活。"于是，尚小云就跟着松茂如学起了水袖功。诸如"风搅残云"、"双托月"、"单托塔"等水袖功，他就是师从松茂如学来的。

一直以来，对尚派艺术的研究，重在唱工。殊不知，尚小云的水袖功夫也堪称一绝。他一直记得前辈艺人的教诲："水袖也能代表语言，代替人物说话。"所谓长袖善舞，表现慢动作时，水袖飘然雅致；表现快动作时，水袖干净利落；表演简单的动作时，水袖轻盈俏皮；表演复杂的动作时，水袖轨迹分明。经过一段时间的演出实践后，尚小云深感袖的运用有助于表现不同人物的心理活动和独特性格。因而，他很重视这门功夫。

尚小云的水袖功夫，在《失子惊疯》中表现得尤为淋漓。可以说，在这出戏里，很多时候，他是以水袖表现女主人公胡氏复杂激烈的内心情感的。

对于尚小云的水袖功，可以用数十字加以总结，即：勾、挑、撑、冲、扬、掉、甩、打、抖、绕、挽、翻、抓、撩、背、弹、颠、摆、抛、转、投。他的弟子孙荣蕙结合尚小云在《失子惊疯》中的表演，对其中的十个水袖动作加以详细评述道：

抖袖：有小抖袖、大抖袖之分。小抖袖，小臂下垂，手腕不需用力，用在人物平静时的表演；大抖袖，小臂下垂，手腕稍用劲儿，用在人物激动时的表演。

挑袖：指水袖抖下后，用拇指将水袖挑到手腕的动作。

撩袖：高抬左（或右）臂膀，手腕用力，左手往右撩水袖，右手往左撩水袖，左右均可反撩。多用于起“叫头”，如《失子惊疯》中胡氏发现儿子丢失，起“叫头”呼唤“娇儿！我儿！哎，儿啊”时，即有撩水袖表演动作。

扬袖：手腕用力，水袖往上扬。表现胡氏疯癫时误认寿春为抢她的强盗，即用扬袖表现她的反抗。

抓袖：水袖下垂，突然上提，双腕下压，双手抓水袖。这个动作是老生、花脸常用的表演技巧，旦角的水袖比老生、花脸的水袖长，抓袖的动作就吃重一些，常用以表现强烈的情绪变化。如胡氏被山婆放回，遇到寿春，大难过后，刚刚静下心来，突然想起亲生之子。经过一番苦苦的回忆，断定婴儿丢失，此时用双抓袖的表演动作，再将水袖猛地抛出，辅以目瞪口呆的面部表情，用来表现胡氏内心的强烈震撼。

背袖：双手拎水袖，反搭十字形，从背后双肩将水袖滑落胸前。如胡氏失子唱[哭头]“望高山重叠叠娇儿不见，娘的儿啊”时，即有此身段。

弹袖：手心朝下，弹水袖梢成波浪形。如惊疯下场前的身段即有此动作。

颠袖：手心朝上，水袖下垂，四指稍颠，使水袖直上落在腕上。胡氏马前认子一场即有此表演。

摆袖：双手稍用力摆动水袖梢，左手“转袖”、“背袖”，右手反“撩袖”，这组动作用在“凤点头”锣鼓中完成。

抛袖：双肩扛袖，用力抛出，表示抽打的意思。双袖扛肩，轻轻将水袖抛出，表示逗弄婴儿的动作。①

这一切，只是水袖功的基本技巧，如何娴熟掌握这些技巧，靠苦练；如何运用这些技巧，靠的便是对剧中人物性格情感的分析理解，这是关键。所以，尚小云这样总结道：“首先要分析人物的思想、性格，根据剧情的需要，既要做到尽情发挥，又要恰如其分。运用不当，都会影响人物性格的创造，甚至破坏剧情。这犹如铁匠打铁时讲究火候，火候定得适合，打出来的刀就很锋利；如果火候定得过迟或过早，就不成好刀，必须掌握分寸，严定火候。运用水袖的功夫也和打铁的道理一样，因此，既要动作娴熟，又不能过火或不足，必须做到恰如其分，适可而止。”②

比如，在《汉明妃》中，尚小云的“王昭君”出场时，为显示少女的羞怯神态，他只运用了抖袖、甩袖；当戏剧冲突越来越激烈时，他运用了转袖、扬袖，表现王昭君的美丽与智慧；当唱出“只哭得悲声大放”时，他运用了“双手推月”的水袖动作，配合其他

①孙荣蕙：《尚小云先生〈失子惊疯〉的表演》，《中国戏剧》1991年第8期，第46—47页。

②贾自立记录整理：《水袖的妙用——尚小云给省剧校学生谈话之三》，《陕西日报》1962年1月18日，第三版。

的身段、表情，展现王昭君的悲愤心情。水袖的由简到繁，展示着主人公心态的急剧变幻，也将剧情逐渐推向高潮。

在传统戏《武家坡》里，尚小云饰演的王宝钏在念罢戏词“军爷，那旁有人来了”后，小步挪到篮子前，悄悄蹲下身去，用水袖遮住半个身子，然后把左手偷偷伸向篮子，在做身段同时，偷眼看对方，见对方没有注意自己，便猛地将水袖往上一提，一边喊了一声“军爷，那旁有人来了”，一边很夸张地投袖。按他自己的说法，这一投，“等于‘画龙点睛’，很自然地表现了王宝钏运用自己的机智勇敢，战胜了对方”。

水袖技巧有数十种，尚小云很少将某一种水袖单独使用，更多的时候，他会根据所塑造人物的不同处境不同情感，将几种水袖功结合在一起使用。比如，在《失子惊疯》中，主人公胡氏出场时，几乎不说话，也没有其他动作，完全依靠复杂多变的水袖动作，表现她的疯魔神情。

接着，胡氏和丫环寿春逃往一所破窑，这时，她临产腹痛难忍。尚小云将胡氏进窑的动作设计成：撩水袖、捂肚、走圆场、唱[散板]、进窑、半蹲、抬右手，左手转袖。然后，转身，甩袖，再接唱。一系列动作一气呵成，形象地再现了胡氏既悲又痛的复杂情绪。又比如，在表现胡氏失子而疯时，他有多种抓袖、转袖、抛袖、扬袖、摆袖、甩袖、背袖的不同组合，动作夸张，尽显“疯”态。

尚小云常演的另一出青衣戏《宇宙锋》，说的是秦朝权臣赵高的女儿赵艳容被秦二世看中，赵高为攀富贵，欲将女儿送入宫。赵艳容不得已装疯，在金殿上嬉笑怒骂。秦二世以为她真的疯了，就放了她。这两出戏，都要表现“疯”，但《失子惊疯》是真“疯”，《宇宙锋》是假“疯”。如何把握两种不同的“疯”，这就要看演员的表演功力了。

为了揣摩“疯”，尚小云抓住一切学习的机会。20世纪50年代初，他和剧团的演员到哈尔滨演出。有一天，大家一起逛街买东西。走着走着，忽然发现尚小云不见了，四处找寻，发现他一个人愣愣地站在路边，两眼正紧盯着前方。他的目光所及，有一个疯疯癫癫的女精神病人。那人正又哭又笑，手脚乱舞。不一会儿，有人强行拉走了那位女病人。尚小云却仍然站在原地，两手上下摆动，脸上的表情似哭似笑。尚小云“疯”了！入迷了！

相对来说，《宇宙锋》的假疯，表演起来轻松一些。观众知道赵艳容是在装疯，即便疯得不像，也是可以理解的，因为她是“装”的嘛。但是，演员在头脑意识都很清醒的状态下，如何表现《失子惊疯》里的真疯，那就有一定难度了，不仅要形似，更要神似。不但如此，胡氏是在受惊之下疯的，因此，这段表演需要有一定的层次，即：先失子，再惊，然后疯。在这里，尚小云充分运用了“飘然旋转回雪轻，嫣然纵送游龙惊”的水袖功夫和眼神变化，以及用翻、抖、扬、拍等“武”动作，加上单腿曲伸“三起三落”的特技、搓步、颤步、趋步等一系列幅度大、节奏快的程式，一步步将胡氏带往“疯”的真实状态，又一次体现了尚派文戏武唱的特点。

水袖功，只是技术层面上的。在表演中，尚小云追求更多的，是人物情感。

20世纪30年代中期，尚小云收张君秋为弟子，也认他做义子。有一次，两人合作演出《失子惊疯》，尚小云饰演胡氏，张君秋饰丫头寿春。当演到“失子惊疯”这段时，张君秋眼睁睁看着义父的眼神一点一点地由失子后的大惊失色、悲愤难抑，慢慢转为呆滞、神情恍惚。最终，“胡氏”直愣愣地盯着“寿春”，那眼神无神又凝滞，但在张君秋看来，忽然有一种地崩山裂前的恐惧。一时间，“寿春”张君秋被吓住了，他不由自主地连连后退。他以为，义父真的疯了。

当然，这个时候，“寿春”的表演，就应该是惊慌失措的，所以，张君秋的“反常”，观众并未有所察觉。只有他自己，能够感受到自己失魂的心跳，他已经不知道下面该怎么做了。于是，台上，“胡氏”和“寿春”对望着，台下，观众已经被带入了剧情，静静地看着。台上台下一片沉寂。

尚小云等了半天，也不见张君秋有所动作，无奈只好自己先做了几个疯癫动作，然后乘机轻声对张君秋说：“你念，你念。”意即让张君秋快点念下面的台词：“夫人！你怎么样了？”不料张君秋失神太深，听到了尚小云的话，还是回不过神来，竟下意识地脱口叫了一声：“干爹！”在寂静无声的剧场内，这声“干爹”，犹如洪钟之音。台底下的观众听得太真切了，又不明就里，哄然爆笑。

这样的故事，实则透出尚小云这样的表演追求：唱随心出、演随心出、情自内心、假戏真情、以情动人。虽然尚小云只读过两年私塾，但他一直爱读书。自科班出科后，他对成书于道光年间的《明心鉴》中提及的“面状心中生”颇感兴趣。在演出实践中，对这句话又有了切身体会。他认为：“外部的欢、恨、悲、愤，是内心笑、躁、悼、恼的反映，各种声态的表情，都来自这样的心声，‘各声皆从口出，若无心中意，万不能切也。’”[①]

《失子惊疯》这出戏，尚小云几乎演了一辈子，无数的演员为他配演过，包括他的三子、著名花脸演员尚长荣。尚长荣很小的时候，就看过父亲演的这出戏。有一次，当他看到“父亲”被山大王“金眼豹”抓走后，大哭，大骂金眼豹是“坏蛋”。20世纪60年代，20岁的尚长荣与60岁出头的父亲同演这出戏，尚小云仍然饰演胡氏，而尚长荣却正好饰演“坏蛋”金眼豹。尽管这个时候，尚小云演胡氏，已经娴熟到无以复加的地步，但他的表演仍然一板一眼、中规

① 马少波：《刚阳不阿　艺如其人》，《京剧艺术大师尚小云》，陕西人民出版社1990年4月版，第17页。

中矩，没有熟极而流，更没有一点随意。这给年轻的尚长荣很深的影响。

虽然《失子惊疯》是尚派经典剧目，也一直是尚小云经常上演的保留剧目，但他从来没有放弃过对这部戏的修饰。直到20世纪60年代初，这出戏已经由他演了几十年，却仍有不满意的地方。他到山东讲学时，还为这部戏征求山东戏曲界的意见，预备继续修改，因为他觉得戏的后半部稍嫌冗长。“学习、修改、演出，再学习、再修改、再演出”，他这样总结他是如何对待这出戏的。

由此也可以看出尚小云的另一个特质：坚持不懈地学习。他不满足这样一句话：“做到老，学不了，盖上棺材才算了。”他推崇郭沫若的一句话：“盖上棺材只是中途退学。”他对学习的认识是，一个人活在世界上，从生到死，从小到老，都是学习的过程。他是这么认为的，也是这么做的。

《乾坤福寿镜》这出戏，是由王瑶卿传授给尚小云的。但是，他俩赴上海合作演出此戏时，尚小云饰演胡氏，王瑶卿饰演丫头寿春。可见王瑶卿有意提携尚小云。尚小云自己曾受提携之恩，日后也常提携后辈。马连良便是其中之一。

和马连良的合作

台湾剧评家丁秉鐩曾经说，几乎每个名角儿头上都有个美妙的头衔，但只有两位演员的头衔最恰如其分，一个是杨小楼的“国剧宗师”，一个是马连良的“独树一帜”。马连良的天赋条件并不很好，又不是出身梨园世家，从他的祖父辈起，家里就是开茶馆的，但他因受玩票的父亲的影响，爱上唱戏并入科学戏后，非常勤奋，吊嗓子、练白口，无一日懈怠。他宗谭（鑫培）派，又学余

（叔岩）派，还兼取名老生贾洪林所长，然后为我所用、融会贯通，最终形成马派。

在中国京剧史上，除了“四大名旦”，还有“四大须生”之说。20世纪30年代，公认的四大须生是余叔岩、言菊朋、高庆奎、马连良。20世纪40年代，由于余叔岩、高庆奎先后退出了舞台，四大须生便是马连良、谭富英、杨宝森、奚啸伯。前后两次都有马连良，可见马连良的地位难以撼动。

但是，在1919年初，也就是尚小云第三次赴上海演出的时候，随行的马连良还只是个无名之辈。尚小云只比马连良大一岁而已。在尚小云未能进入喜连成科班而进入三乐班后第三年，8岁的马连良进入喜连成，先随茹莱卿学武生，后师从蔡荣贵、萧长华学老生。尚小云自正乐班出科半年后，马连良自富连成出科。

相比较而言，马连良跑码头的次数和到过的地方，比他同时代的演员都要多。他喜欢在外闯荡，所以刚刚出科，他就离开北京，到福州去了，后来又到过其他地方。此次他与尚小云同赴上海之前，刚刚回京。因一时找不到合适的班社可搭，他就回到富连成参加演戏，并狠学余叔岩。

马连良真正开始搭班唱戏，已是1922年。他在京城搭的第一个班社，是谭小培的玉华社。尚小云是在1922年7月搭班玉华社的。当时，该班社的演员阵容十分强大，除了有尚小云、谭小培之外，还有王瑶卿、时慧宝、周瑞安、刘景然、朱素云、马妙卿等。这时，马连良在富连成又坐科三年，到了不得不搭班的地步了。尚小云了解到这个情况后，便力荐马连良加入玉华社。

有名声如日中天的尚小云推荐，由不得旁人不对马连良另眼相看，也就对他的艺术有了兴趣。尚小云如此看重马连良，原因很多：从艺术上来说，马连良演戏，唯美是上，甚至一切动作，无处不美。还有一点与尚小云有些相似，那就是注重唱工。马连良练功刻苦，自不待言。尚小云最欣赏他的是，他不动烟酒、严格律己，也很仗义。这一切，恰恰也是尚小云的为人和生活态度。

尚小云不但将马连良“拉”到玉华社，更常与他合作。而此时的尚小云，是常演大轴的。1922 年 12 月 16 日日场，在玉华社经常演出的前门外粮食店街的中和园，尚小云与马连良合演大轴《宝莲灯》。之后，两人还与王瑶卿、谭小培等合演全本《红鬃烈马》、《乾坤福寿镜》、《王宝钏》等。可以说，马连良在老生行声名鹊起，就是在搭班玉华社期间，这与尚小云有很大关系。

1923 年春天，尚小云第六次赴沪演出。与之同行的，还有马连良。回京后，尚小云被俞振廷的双庆社邀去，自然地，他将马连良也带了过去。在双庆社，尚小云挂头牌，挂二牌的就是马连良。这段期间的大轴戏往往由尚小云担当，而马连良已经开始演压轴戏了。更多的时候，他俩合作大轴戏《宝莲灯》、《游龙戏凤》。随后尚小云创排了一系列新戏，马连良也都参与演出。途中只隔了一年，马连良因个人应聘上海演出而离开了尚小云。又一年，他自沪返京时，尚小云已自组班社协庆社。自然地，马连良又加入其中。

从1922年到1926年，马连良过了五年的搭班生活，戏路日广，声誉益隆。而在这五年时间里，他更多的时候是与尚小云合作，又搭尚小云的班社，颇受尚小云关照。这为他于1936年自组班社扶风社，打下了良好基础。

在解放初期的剧团体制改革中，尚小云的尚小云剧团和马连良的马连良剧团都曾被作为私人剧团而成为改制对象，成为私营改国营的范例。不一样的是，1966 年，尚小云被揪出来批斗。也就是在这一年，马连良死了，是被迫害致死的。那时，尚小云正在为国家的前途感到迷茫，为个人的命运感到悲哀，惊闻马连良死讯，回想起过去与马连良合作的点点滴滴，他的心，碎了。

⊙ 1923 年，尚小云与王瑶卿，马连良等在上海亦舞台演出《乾坤福寿镜》

“三小一白”下江南

当年的剧评家一得轩主曾经这样评论尚小云：“绮霞于民六、民八两游沪滨，受海上人士之空前欢迎，载誉北归，声望益崇，在都中叠主玉华社、双庆社、成庆社诸班，为都中人士所称许，每一登台靡不倾城倾巷，轰动九城，盖以绮霞之艺，文武昆乱无所不能，亦无所不精，众誉所归，自足以左右逢源也。”

在这里，这位剧评家只说到尚小云的两次“游沪滨”，即1917年和1919年。实际上，其间尚小云还有两次赴沪。遗漏中间的那两次，恐怕并非是剧评家记忆有误，更可能是因为在他的心目中，惟有“民六”、“民八”这两次赴沪是重要的，才是值得一提的。的确如此，在尚小云连续四次的赴沪演出中，最重要的一次演出，应当是1917年，因为那是他第一次赴沪。最引起轰动的一次演出，是1919年9月的“三小一白”下江南。

尚小云下江南之前，也就是在这年的4月份，还有一件事值得纪念，那就是梅兰芳首次出国赴日本，将演于日本帝国剧场。他的这次出国，被视为“我国伶界空前之创举”，因而备受关注。出发之前，伶人自治组织“正乐育化会”在同兴堂饭庄设宴公饯，应邀参加的梨园人士多达二百多人，其中包括陈德霖、杨小楼、王瑶卿、王凤卿、余叔岩、姜妙香、俞振庭、王蕙芳、芙蓉草、盖叫天等，另外还有尚小云、荀慧生和谭小培。

“三小”，即杨小楼、尚小云、谭小培，“一白”，即“白牡丹”荀慧生。

尚小云此次赴沪，并非由上海方面直接邀聘，而是因为杨小楼。出面邀请杨小楼的仍然是天蟾舞台老板许少卿。自两年前“伶界大王”谭鑫培去世后，承继生行头把交椅的，便是杨小楼。此时他41

岁，正处于艺术巅峰期，头衔是“武生泰斗”。杨小楼之名，实则票房保证的代名词。

许少卿此次邀角儿与以往不同。以前，他往往只邀某一个人赴沪，由戏院的基本演员作为配演。至多他只邀两三人，一个挂头牌，一个挂二牌，比如1913年同时邀请王凤卿（头牌）和梅兰芳（二牌）。此次，他主邀的当然是杨小楼，至于其他配角，他让杨小楼自己在京物色。也就是说，杨小楼为赴沪，可以自行组织一个临时的班社，由他率领去上海。不过，他选中的演员，还必须经过戏院方面的认可，因为这毕竟牵涉到票房的问题。

消息传开后，出名的、未出名的，都认为机会难得，都想挤进这个临时班社。能够傍上杨小楼到上海演出，吸引力是显而易见的。于是，到杨小楼那儿毛遂自荐的、举荐的、说情的等等，纷至沓来。杨小楼很冷静，他排除一切干扰，在精挑细选后，确定他的这个临时班社，取名永胜社。主要演员除了他自己，还有老生谭小培、青衣尚小云、花旦荀慧生。这份名单一经公布，众人哗然。上海的天蟾舞台也很惊讶。这一切，缘于名单中的荀慧生。

谭小培是谭鑫培之子，尽管他的技艺远不如老父（之后，他的名声也不如其子谭富英），但他这样的出身，还是给他带来了很多便利。特别是谭鑫培刚刚去世不久，众谭迷还很渴望谭戏，而谭小培顺势扛起谭字大旗，以飨谭派戏迷，因此在当时的老生行，他还是很有名声的。他被杨小楼选入永胜社，并无太多异议。

尚小云是继梅兰芳之后的著名青衣，这是毋庸置疑的。这个时候，虽然他还很年轻，甚至还被归于童伶行列，但他已经成名走红，又三次赴沪演出，均有不俗成绩的经历。另外，杨小楼的《长坂坡》，需要“糜夫人”。能够胜任这个角色的，还有梅兰芳。但是，梅兰芳已是头牌名角儿。除非是义务戏、堂会戏，一般营业戏，他是不会再为别人“挎刀”的。另外一个“糜夫人”就是尚小云。更重要的是，还有一出戏，让杨小楼不能没有尚小云，那就是《楚汉争》。这是他俩共同的代表作。《楚汉争》是新戏，还从来没有在上海公演过。显然，杨小楼选定尚小云，很大程度上是为了演出《楚汉争》。

至于“白牡丹”荀慧生，在外人看来，他只是一个“唱梆子的”，即便现在唱了花旦，但也还是“由梆子转行的花旦”，非正宗花旦。当时，京剧演员总是以“老大”自居，不大看得起地方戏种，也就瞧不上地方戏出身的演员。何况京城的正宗花旦，包括名花旦，是能够排成行的，而荀慧生却默默无闻，严格而论，甚至连“后起之秀”都谈不上。

谁都不明白杨小楼为何如此，纷纷向他进言。有的说：一个唱梆子的，怎么能和杨老板您相偕而行同去上海，他哪有这个资格？有的说：上海人多精明，他们能认白牡丹？倘若他给唱砸了，这黑锅可得杨老板您来背啊。

杨小楼对他的女婿刘砚芳说的一段话，可以用来作为理由。他说：“我知道这次去上海演出必须带有分量、有声望的旦角去。尽管有人说白牡丹根本不够份儿，可我看慧生很有前途，他学过梆子，基础扎实。最要紧的，是他的戏不刻模子，他懂戏情戏理，他也改戏，可他不胡乱来。给他机会，他将来会不亚于梅兰芳。”看得出来，杨小楼虽然只是与荀慧生同过台，从未合作过，顶多算是点头之交，但他对荀慧生的戏，是看过、研究过的，是欣赏的。

杨小楼对自己的眼光是自信的，因而并不理睬外界的一切闲言碎语。为了说服天蟾舞台的代表，杨小楼请他看白牡丹的戏。戏后，杨小楼又请吃饭。事先，他对荀慧生说：“跟我一块儿吃饭去，去和戏院的人见见面，让他认识认识你。”看戏、吃饭，实际上是杨小楼在用手段宣传荀慧生。最终，戏院方面虽然有些勉强，但出于对杨小楼杨老板的信任，也就答应让荀慧生同往上海。

在一片反对荀慧生的鼓噪声中，支持荀慧生的凤毛麟角，而尚小云是其中最积极的。同为“正乐三杰”，尚小云比荀慧生出名得多，但他并不因此自鸣得意，对荀慧生也从来没有丝毫的轻视。相反，他四处拍胸脯，说荀慧生早在“正乐三杰”时期，就是“三杰”中的佼佼者，又说他的艺术如何如何的好。当荀慧生最终确定作为永胜社成员同去上海后，尚小云雀跃不已。然后，他半正经半开玩笑地对荀慧生说：“别怕，凡事包在我这个大哥身上，你就放胆唱。”他明明是“弟弟”，却一口一个“大哥”。当然，荀慧生还是很感激这位“大哥”的。

从1919年9月5日到7日，连续三天，上海《申报》都在显著位置刊出醒目广告：“礼聘名震寰球南北欢迎泰斗艺员杨小楼”。“杨小楼”三个字粗黑硕大，在他之下，是略小于“杨小楼”的黑字体“谭小培”、“尚小云”、“白牡丹”。除此之外，其他演员还有迟月亭、范宝亭、李连仲、吴彩霞、刘砚芳、傅小山、鲍吉祥等。

头三天的打泡戏，杨小楼的是《长坂坡》、《盗御马》和《连环套》（第二天是双出）、《状元印》；尚小云的是《汾河湾》、《苏三起解》、《玉堂春》；荀慧生的是《花田错》、《贵妃醉酒》、《游龙戏凤》。

尚小云除了为杨小楼配演《长坂坡》里的麋夫人，也在《花田错》里配演刘玉燕小姐（荀慧生饰演主角丫环春兰）。刘玉燕的戏份本来是很少的，一般都是由二路青衣扮演。尚小云主动请缨，由头牌青衣的身份扮演这个角色，就是为了捧荀慧生。

⊙尚小云第四次赴沪戏报（1919年9月9日《申报》）

荀慧生在回忆

录中曾经这样说："尚小云为捧我，第二场一上场就加了八句慢板，演得非常认真。"尚小云加的八句慢板，通过叙事抒情，交代了故事的来龙去脉，又抒发了人物内心情感。他唱得不只是"认真"，更是细腻，所以博了个满堂彩。这为之后出场的荀慧生开了个好头。有"刘玉燕小姐"的端庄秀丽，便特别衬出荀慧生的"丫头"的机灵、聪明和顽皮。在"绿叶"尚小云的衬托下，白牡丹实实在在成了"红花"。荀慧生在上海一炮而红，与杨小楼的慧眼识珠有很大关系，也与尚小云的配角映衬有很大关系。

尚小云自己此次在上海的演出时间长达三个月，演出剧目还是以传统老戏为主，其中《苏三起解》、《玉堂春》、《桑园寄子》、《金殿装疯》、《武家坡》、《探寒窑》、《雁门关》、《白蛇传》、《彩楼配》、《虹霓关》、《三娘教子》、《瓦岗寨》等，都是上次演过的。他增加的剧目有《汾河湾》、《贵妃醉酒》、《御碑亭》、《打渔杀家》、《昭君出塞》等，也不脱老戏范畴。唯一的新戏，就是《楚汉争》。在这些剧目中，他与谭小培合作最多，有《桑园寄子》、《南天门》、《御碑亭》、《汾河湾》、《武家坡》、《打渔杀家》、《三娘教子》等。与杨小楼合作，除了《长坂坡》、《红鬃烈马》（全体演员合作），最重要的，当然就是《楚汉争》。

上海戏迷都知道杨小楼、尚小云新排了《楚汉争》，都急盼着欣赏。天蟾舞台的老板许少卿很精明，很懂得安排戏码。在永胜社演了一个多星期后，也就是说，他在吊足了观众的胃口之后，这才隆重推出《楚汉争》的广告：

楚霸王风云叱咤，为中国历史上有数的英雄，垓下被围，对虞姬慷慨悲歌，千载之下犹奕奕有生气。本台艺员杨君小楼在京时曾排演楚汉争霸王别姬的戏，自李左车诈降起至自刎乌江止。编者皆谓今世伶界舍杨君固不足以状霸王之英雄，

⊙《新玉堂春》，尚小云饰苏三

> 其扮相之大方、架子之雄伟、唱念之音节激楚，使观者俨如目睹楚重瞳之气。概全戏歌舞并重，牌子架式尤多为重头。之戏向不轻易演唱，兹经本台主相烦已得杨君允许，并烦尚艺员小云饰虞姬，锦上添花、相得益彰。特此预布，祈各界顾曲家鉴之。

好东西，总不会随意示人。在梨园界，也有名角儿的拿手戏不轻易露演的习惯，甚至有的名角儿的本戏，一年只在某个特殊时段演几场而已。不知道是不是因为这个原因，尚小云与杨小楼此番在沪演出，合演《楚汉争》，只有短短两次，分别是9月20日、21日。

就在这个时候，汉口正准备举行名伶大会演，由当地政界名流和巨绅出面主办，遍邀京城名角儿，演期长达四个月，演出安排也颇有意思：陈德霖前半月与刘鸿升合作，后半月与王凤卿合演；王凤卿前半月与陈德霖合作，后半月与梅兰芳合演；梅兰芳前半月与王凤卿合作，后半月与余叔岩合演；余叔岩前半月与梅兰芳合作，后半月与杨小楼合演。这样，杨小楼在上海的演出不得不中断，而只演到10月20日最后一场《长坂坡》之后，就离开上海去了汉口。直到11月14日，他才回到上海并重返舞台，继续与尚小云、荀慧生同台演出。然而，在杨小楼第二阶段的上海演出中，尚小云没有再与之合作《楚汉争》，而只是合演了《长坂坡》。

尚小云此次最受欢迎的戏，似乎并不是《楚汉争》，而是《玉堂春》和《武家坡》。这也不难理解：《楚汉争》与其说是尚小云和杨小楼的新编剧，不如说是杨小楼的新戏，因为“霸王”才是这出戏的绝对主角。对于《玉堂春》和《武家坡》这样以唱工见长的传统青衣戏，尚小云自然是最拿手的。

1920年1月4日，是永胜社在上海的告别演出。名士樊樊山专程赶到上海，就是为了一睹传闻已久、轰动一时的“三小一白”的演出。不过这个时候，其中“一小”谭小培已经提前结束了演出。当时的报纸上曾有这样一篇评论：“天蟾舞台，最为整齐，就中以杨小楼之靠把，尚小云之幽娴，白牡丹之绮丽，最为世所器重。沪上各舞台中，固属首屈一指。然小培之艺，虽能恪守绳墨，不染外江习气，而根底稍嫌浅薄，戏也不甚多，叫座之力实少，故其去留，于营业上殊无何等关系。”因而樊樊山只看到“两小一白”，但也深为如此整齐的阵容和精诚的合作，大加赞赏。

严格说来，“三小一白”此次共下江南，收益最盛的，是荀慧生。他一举成名，锋头直逼尚小云，为他日后跻身四大名旦奠定了基础。永胜社从9月开始在天蟾舞台演出，一直演到次年的元月。在临结束前，戏院管事力邀荀慧生留在上海继续演出。但荀慧生顾及到杨小楼的知遇之恩，执意要随杨小楼一同回京，后来在杨小楼的劝说下，他方才答应。随后，杨小楼、尚小云一行北归，荀慧生留在了上海。

不能说尚小云无所收获，他的戏，已经引起剧评家的关注。上海剧评家姚民哀特别撰文，将尚小云与梅兰芳作了一番比较。他认为，以传统戏《彩楼配》为例，此剧非尚小云所擅长，梅兰芳的表演更好一些。但是，《玉堂春》一剧，尚小云却更有可圈可点之处。这出戏有三个难点，第一难，在于唱，板眼既重繁，唱句又冗长，非中气充足、嗓音光润、能始终不走音者，不能胜任；第二难，在于做，历述案由，忽悲忽喜，务必一一在脸上表现出来，丝毫不能遗漏；第三难，在于必须顾全剧中人身份，苏三虽为娼妓，但无娼妓惯有的习气，在她于堂上为案情不得不陈述床第之事时，表演者应当描摹出一种不得不说、不能尽说的神气。这是比较难把握的。

在姚民哀看来，尚小云演苏三，“不即不离，如黄庭初拓，恰到好处”。所以，他得出这样的结论：梅兰芳不常演此剧，“有惮于可畏之后生耶”。能够与梅兰芳相提并论，可见尚小云的地位；又有长处超越于梅兰芳，更显他的实力。

有意思的是，也在这年秋天，《京报》以“五千号纪念”，特辟“菊选”一栏。尚小云再次荣膺“童伶第一”，共获票数万余。而他此时，已近19岁了。

当尚小云于1923年4月第六次到上海演出时，已经成为媒体追逐的对象，报刊的新闻、评论比比皆是。这次邀请他的是亦舞台的老板沈少安。在这之前几个月，程砚秋刚刚在亦舞台唱过一个月。这是程砚秋第一次赴沪演出，因为有新戏而很受上海戏迷的关注。同是旦角演员，尚小云此次紧随程砚秋之后赴沪，压力是显而易见的。也就是说，他的演出必须不逊于甚至超越程砚秋，方能继续立足于上海舞台，而他此时并没有一部属于自己的新戏。

不过，在上海戏迷眼里，尚小云毕竟是他们熟知的。自“三小一白下江南”后，尚小云只在次年，即1920年秋又到上海演了一个月。到如今，他阔别上海已经三年了。上海戏迷中一直有这样的传闻：在这三年中，尚小云的艺术又有很大进步，确能在当今旦角中占有一席之地。因而，他们对尚小云还是充满期待的。何况，此次赴沪，与尚小云搭档的是王瑶卿、马连良和著名小生朱素云。朱素云有“唯一小生”之称，是最受上海观众欢迎的北方小生。除此之外，还有尚小云的岳父李寿山等。他们在北京未动身前，上海的宣传就已经铺天盖地了。

尚小云此次的三天打泡戏是：《汾河湾》、《贩马记》、《宝莲灯》，均与马连良合作。这虽然是他第六次到上海演出，但却是第一次被亦舞台邀请。在他之前，亦舞台曾邀请过荀慧生、程砚秋、朱琴心、欧阳予倩等，都是近年来的“难得之角”，各有所长，很受沪上观众欢迎。尚小云作为亦舞台的新聘之角，第一天登台，晚不到 7 点，戏院上下两层楼均已满座。

戏毕，评论家对他和马连良的《汾河湾》这样评论道："小云扮相清秀、妆点极静。全剧中之优点，当属唱、做二段。此剧唱虽颇重，然尚是以做为难工，而小云竟二者悉佳，殊非易事。最佳者，即说破鞋是丁山所穿，与马连良步步迫紧，愈说愈急，终于动怒，虽属争吵，然全无村妇状态，完全是大家风范，实非一日之功。所唱之数段，则幽扬清楚，大有明珠落盘、圆润无瑕。"于是，他们得出这样的结论："小云此次听其所歌，观其所做，确较当年在天蟾时进步。"不但如此，评论家们更认为"较程砚秋、朱琴心来沪时益盛"。因而可以断言，这个时候的尚小云，的确是继梅兰芳之后的旦角第二人。

之后的 1925——1927 年，尚小云又每年一次到上海。那时候，上海戏院林立，彼此竞争也十分激烈，没有票房号召力的角儿是不会被邀请的。他能够如此频繁应邀赴沪，其锋头之健，可见一斑。

和余叔岩的合作

结束在上海的演出返京后，尚小云又改搭班社。这次，他搭入杨小楼组班的中兴社，挂二牌。不过，他在中兴社待了约七个月后，又接受俞振庭的邀请，改搭双庆社。虽然其间有两个月的短暂时间他在成庆社挂头牌，但最终还是又回到双庆社，仍然挂二牌。他之所以搭入中兴社，除了杨小楼的盛情邀请外，他更看中的是班社里有余叔岩；他之所以放弃在成庆社挂头牌，而宁愿回到双庆社挂二牌，还是因为那里有余叔岩。

如果用一句话概括余叔岩，那就是，继谭鑫培之后的须生第一人。

余叔岩的家庭是典型的梨园世家。名士罗瘿公在他的《鞠部丛谭》中说，梨园世家，真正三辈都中名角的，只有余叔岩。他的祖父余三胜曾是湖北汉戏著名演员，进京后搭徽班演唱，渐有名声。晚清咸丰、同治年间，他与徽派代表程长庚、奎派代表张二奎并称"老生三杰"、老生"前三鼎甲"；他的父亲余紫云是梅兰芳祖父梅巧玲的得意门生，被誉为"打开'花衫'门路的先驱者"。

有一点余叔岩与尚小云很相似，那就是成名很早。少年余叔岩以"小小余三胜"的艺名，演出于天津下天仙戏院，红极一时。也许正因为他红得太快、太早，年轻而难抵灯红酒绿、纸醉金迷的诱惑，迷失了生活，放任了自己，最终败坏了嗓子，不得不黯然回京。之后七八年时间，他养嗓、苦练、钻研，大有卧薪尝胆之心，然后如愿重返舞台。

四大名旦都曾与余叔岩有过关系。余叔岩在养嗓期间，于1914年和票友共同创办了"春阳友会"票房。这个票房与同时期的其他票房相仿，最大特点是除票友活动外，还邀请一些专业演员参加活动。因此，陈德霖、王瑶卿等名角儿是春阳友会的会员，梅兰芳、姜妙香、姚玉芙等是它的名誉会员。刚出道的程砚秋（当时还叫"程艳秋"）曾在"春阳友会"以"借台学艺"的方式演出，因此有机会与名角儿同台。特别在与余叔岩的合作中，程对余着重音韵、声律的唱腔，以及讲究发声、用气的唱法既欣赏又崇拜。后人都说程派唱腔里有湖广音，这恐怕就与余叔岩有关。

尚小云和余叔岩的关系，与梅兰芳和余叔岩的关系完全不同。从中也可看出，在旦行领域，梅兰芳始终是翘楚，尚小云有心超越，一直很难。

在1918年年底的时候，余叔岩准备复出了，在考虑搭哪个班社时，他只有一个愿望："只愿与兰芳挎刀。"这就意味着，此时的梅兰芳已是头牌，都是别人为他"挎刀"。当梅兰芳得悉余叔岩的愿望后，便邀他加入由他担当头牌的、他的内兄王毓楼和姚佩兰共同组织的喜群社。

当时，喜群社的其他人都反对梅兰芳的这个提议，说，班社里已有老生王凤卿，再加入一个也唱老生的余叔岩，戏码、戏份都不好分配。如果梅兰芳执意要请余叔岩，那么余叔岩的戏份虽然可以与王凤卿相同，即每场40元（梅兰芳是80元），但他自带的配角如钱金福、王长林等的戏份，由他自己负担。梅兰芳暗忖余叔岩未必同意屈居王凤卿之后，他过去可是红透半边天的角儿啊。谁知，余叔岩对"苛刻条件"满不在乎，他说："我为兰弟挎刀，为的是艺术，不为别的。"事实证明，余叔岩是聪明的。可以这样说，余叔岩就是通过"傍"梅兰芳，与之合作《游龙戏凤》、《打渔杀家》后，不但恢复了演出，而且站稳了舞台。

余叔岩与杨小楼曾在天津同过台，算是有旧谊，不久前又同在汉口合作，感情投合。因此，当杨小楼邀请余叔岩加入中兴社时，余叔岩就答应了。当然这是原因之一。另外，他在喜群社，嗓子越唱越好，几乎完全恢复了辉煌时期的"高而亮"，更重要的是，他与梅兰芳的合作，在观众中很有号召力，上座率也日渐提高。从名声上来说，他实际上已经超越了王凤卿。

但是，王凤卿是"老资格"，余叔岩是后加入的，在喜群社，他始终出不了头。再者，他之前接受那份"苛刻条件"，是因为于谋事之初不得已而为之，如今情况已经发生改变，他对这份"苛刻条件"就有些不甘和不满了。在与梅兰芳友好协商后，他不再"为兰弟挎刀"了。

之前，尚小云与"武生泰斗"杨小楼有过合作，因《楚汉争》而在戏界名声大振。他当然也希望有朝一日能与"老生第一人"余叔岩同台。与名角儿合作，可以有更多的机会相互切磋技艺，吸取对方长处，促进自身艺术的长进；即使对于提高知名度，抬升名声，也不无好处。1920年2月，尚小云与余叔岩几乎同时加入杨小楼的中兴社。但是在中兴社，尚小云似乎并没有太多机会与余叔岩合作，当然，同台演出还是经常有的。比如，中兴社主要在东安市场的吉祥戏园演出。3月5日的戏单上可见，那天的后三出戏码分别是杨小楼的《艳阳楼》，尚小云的《玉堂春》，杨小楼、余叔岩合演的《定军山》、《阳平关》、《五截山》。

尚小云与余叔岩有更多的合作机会，是在俞振庭的双庆社。因为俞振庭的号召力，双庆社的演员阵容很有吸引力。除了挂头牌的余叔岩、挂二牌的尚小云和武生俞振庭，还有老生高庆奎、贯大元，武生沈华轩；花脸郝寿臣，武旦九阵风（阎岚秋），文丑慈瑞全；武丑傅小山等。从现存的戏单看，尚小云与余叔岩合作过《打渔杀家》、《探母回令》、《汾河湾》等。

除了在双庆社，在其他场合，尚小云也有几次与余叔岩合作的机会。比如，1923年9月，在为各国驻华外交使团献演时，他俩合作了《御碑亭》。就是因为这场戏，日本使节久保得二对尚小云推崇备至，特意撰诗一首：

更有青衣迥不群，宛转歌喉高下分。
正乐虽废传头在，婉娈第一尚小云。

至于同台机会，就更多些。比如，1923年11月，前财政厅长张英华在天津江西会馆举办堂会，遍邀京角出演，尚小云也在被邀之列，与余叔岩、杨小楼、龚云甫同行。这次堂会，他演出了《贵妃醉酒》。徐世昌执政期间，由靳云鹏任陆军总长。1924年4月，靳母寿诞，陆军部全体官员集资两千元，送戏一台作为寿礼。尚小云是被邀演员之一。靳云鹏为夸耀财雄势大，又自掏腰包，请来已有“三大贤”之称的梅兰芳、杨小楼、余叔岩。这次堂会在北锣鼓巷板厂胡同靳宅的戏台上举行，名角儿齐聚，盛况空前。尚小云与贯大元合作了《朱砂痣》，余叔岩自演了《碰碑》，又与王瑶卿、钱金福、朱素云合作了大轴《珠帘寨》。1924年年底，第一舞台举办筹款赈济京剧界穷苦同业的大义务戏（这种义务戏一般被称为“窝窝头会”），尚小云与余叔岩合作了《打渔杀家》。

余叔岩与梅兰芳合作期间，《打渔杀家》是他俩的代表作之一，两人对这出戏做过精心的修改，使该剧日臻完善完美。余叔岩与尚小云合作时间并不长，共演这出戏的次数也很少，因而基本上是延续以往的演法。耐人寻味的是，余、梅合作时，余为梅“挎刀”；余、尚合作时，尚为余“挎刀”。这个时候，尚小云还未能到挂头牌、而由其他名角儿为他“挎刀”的地步。

入宫唱戏

早期在清宫中演戏的演员，分成“内学”和“外学”两部分，太监学戏后充当演员的称为“内学”，由八旗子弟选入宫中学戏充当演员的称为“外学”。这个时候的清宫规矩，不准宫外演员入宫唱戏。

同治年间，慈禧因厌烦内学外学一成不变的戏码和演戏方式，下懿旨，令升平署从宫外的戏班里挑选老名角儿进宫传授技艺给内外学演员。这些从事教习之职的名角儿，被称为“内廷供奉”。他们定期从升平署取得俸禄，不定期地应召进宫唱戏。接着，慈禧打破宫外演员不准入宫唱戏的陈规，不仅常传宫外戏班整班入宫唱戏，还扩大内廷供奉的人数。据说，内廷供奉最多时达110

人。[①]尚小云的许多老师如孙菊仙、孙怡云、陈德林、王瑶卿等，以及他的合作伙伴杨小楼、龚云甫等，还有他的岳父李寿山都曾是内廷供奉。

自然地，民国后，也就是新一代演员，如梅兰芳、尚小云等崛起时，内廷供奉已名存实亡。在许多名角儿心里，比如余叔岩等，都不同程度地存有未能入升平署为内廷供奉的遗憾。因为身为内廷供奉，不仅是一种身份、地位的象征，更有经济保障。

没有了内廷供奉，但宫里照例在庆寿、婚礼等节日时，传宫外戏班入宫唱戏。因为前清皇帝溥仪仍居宫中，保持着皇帝的尊号，享受着民国政府每年四百万元的供俸及待以外国君主之礼，宫廷的一切机构及皇室生活一如既往。在这种情况下，升平署还是存在着的。

尚小云与梅兰芳、余叔岩一样，错过了任内廷供奉的机会，却在冯玉祥将溥仪赶出皇宫之前，意外地被传入宫唱戏。就梅兰芳的回忆，他只有一次入宫唱戏的经历；就现存资料来看，尚小云似乎曾经两次进宫。这些经历，于尚小云和梅兰芳来说，只是一种新奇的经历而已，不似余叔岩，有圆了一个梦的激动和感慨。

关于尚小云被召入宫的原因，目前有两种说法：一为溥仪大婚，二为老太妃祝五十寿辰。至于具体的入宫时间，也有不同说法：一为1922年农历十月十四（公历12月1日）、十月十五（12月2日）、十月十六（12月3日）三天；一为农历八月廿八日（10月18日）；一为1922年冬。在宫里的演出地点，也有几种说法：一为重华宫；一为漱芳斋”，一为长春宫。

尚小云对于入宫唱戏，没有留下任何只字片语。而梅兰芳关于此事，在他的回忆录《舞台生活四十年》里，有着比较详细的记载。其中有这样两段：

① 叶涛：《中国京剧习俗》，陕西人民出版社1994年6月版，第147页。

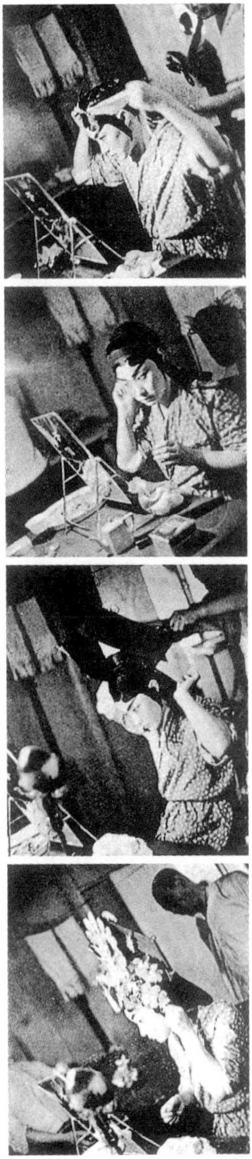

⊙尚小云在后台化装

"当承华社（梅兰芳的自组班社——引者注）成立几个月后，也就是1922年冬天，有一场很轰动当时的堂会戏，就是在紫禁城里重华宫演的。"

"那年冬天，他（指溥仪）举行婚礼，一切仍按照清朝皇帝大婚的仪式办理。

……迎娶的那一天，正赶上我们在东兴楼吃晚饭，散的时候已经不早了。"

这两段话确认了两个事实：梅兰芳入宫唱戏，是在重华宫演的；时间应该是在溥仪结婚之后，也就是说，并非为溥仪大婚。

但是，溥仪在其回忆录《我的前半生》中，说他的婚礼是在"12月1日，子刻"。不仅如此，他还详细记载了婚礼全部仪程，共五天，从11月29日——12月3日。然后，他写道："在这个仪程之外，还从婚后次日起连演三天戏。"

他的这段话说明，为其大婚，宫里确实安排了三天戏，时间从12月2日起。

梅兰芳在回忆中又说："过了几天（指溥仪大婚后），钱（金福）先生来找李春林接洽宫里演戏的事，据说有个老太妃过生日。钱先生说：'老太妃的千秋，里头传差。'陈老夫子（指陈德霖）、王大爷（指王瑶卿）等等不少从前在宫里当过差的人包括杨老板（指杨小楼）在内，他们这样说惯了，还保留着这类语汇，而我们比较年轻的人看来也不过就是去应一处堂会戏而已，没有传差的概念。”

皇室成员溥佳曾在《溥仪大婚纪实》中这样写道：“一九二二年，溥仪结婚时，清王朝虽已被推翻多年，但由于仍旧保持着皇帝的尊号，所以对内、对外依然称为大婚礼……大婚期间，还连续演了三天戏，京、沪所有著名的演员，如陈德霖、田桂凤、王凤卿、梅兰芳、杨小楼、余叔岩、侯俊山、尚小云、俞振庭、龚云甫、裘桂仙、钱金福、王长林，以及青年演员马连良……等都来了。这场戏由升平署总管太监武长寿与名演员萧长华主办。剧目安排得最好，演的也非常精彩。”

那么，尚小云入宫，是为溥仪大婚呢，还是与梅兰芳一起，为老太妃过生日呢？

据当时的报刊记载：“此次清逊帝大婚，仍照旧例传戏。所存在升平署食钱粮者，即所谓内廷供奉，皆须入内当差，但供奉人数益形寥落。因此后起伶人亦传在内。第一批为尚小云、余叔岩、俞振庭、谭小培、贯大元、周瑞安、九阵风、小翠花、郝寿臣、王龄章、田桂凤、盖叫天（他拒绝，实则并未入宫）、钱金福等十三人，后又加传王又宸、王桂芳（即王蕙芳）、林颦青三人。”

也就是说，尚小云第一次入宫，的确是为了溥仪大婚。而这份资料显示，梅兰芳并没有在名单之列。据说，尚小云此次入宫，戏码是《春香闹学》和《四五花洞》。其他演员的戏码分别是：俞振庭、余叔岩的《青石山》，王瑶卿、龚云甫的《泗州城》，在杨小楼的大轴《艳阳楼》之前，余叔岩奉旨加演了《珠帘寨》。

因为梅兰芳在回忆文章中，还有这样一段：“第二天是我和杨老板的《霸王别姬》，尚小云、王蕙芳的《四五花洞》，谭小培、小翠花的《戏凤》，俞振庭的《飞叉阵》等等。”所以可以推断，尚小云在参加了为溥仪大婚的演出后，又与梅兰芳参加了为老太妃生日的演出。也就是说，在短短数日之内，尚小云先后两次进宫。

由于尚小云没有留下记录，所以只能从梅兰芳的回忆中，窥见当时的演出情景：

> 到了唱戏的那天，我们进的是神武门，有内务府的司官和太监带着我们顺着大红墙往西走，进一个随墙门，门上有铁皮，进了这个门又走了几个过道，在一个院子里的东厢房里坐下。这个院子里都是我们几个戏班的人，有好几个太监在这里照料着。有一个有顶戴的太监，陈老夫子称他为王总管。这个王总管和陈老夫子很熟的，并且告诉他："你多少年没在里头吃饭了吧，回头你尝尝，咱们一切还是照旧。"陈老夫子立刻喜形于色地告诉我们："你们没吃过，跟外头的味不一样。"后来吃的时候我觉得也不过如此，没什么特别，倒是一些小菜如熏野鸡、熏鱼、熏鹿肉倒是不错，烙的小火烧很好，还有甜点心也很好。陈老夫子还嘱咐我和玉芙："待会儿你们在台上可不许往台下胡看哪！"后来玉芙说："到了新鲜地方不看还行呀。"当时我和玉芙小声说："皇宫里的事真是特别，娶媳妇是夜里娶，可唱戏早晨就开始。"
>
> 等我们到了后台，看见桌上摆着大红漆插屏架上一个大水牌，上面写着"辰正开台大吉"，底下列着戏码。陈老夫子说："这是老规矩，早晨开戏，下午申时散戏。"……
>
> 到了辰时开戏，先《跳灵官》……开场戏是一出昆腔，叫作《连福迎祥》。据凤二爷（王凤卿）说："这叫承应戏，照例是昆腔的吉祥戏文。"是原来南府太监唱的，云童用得很多，是由富连成小孩子现排的……当时马连良还没离开

科班，那天是和茹富兰两人唱《借赵云》，上午都是富连成。开场后第二出刚唱完，有太监到后台传旨："迎请！"立刻场上有很多唢呐吹[一枝花]。原来这也是老规矩，皇帝皇后来入座听戏，就有这么一套，待一会儿戏又打住，又吹[一枝花]，是老太妃来了……方（星樵）先生说"迎请"就是接驾……

我和玉芙的《游园惊梦》，姜妙香的《柳梦梅》。这个台比外面戏馆旧式方台要大得多，我出场以后慢慢地迈步，顺便看一看周围，只见北面五间正房有廊檐，正中悬着红边贴金蓝地金字竖匾，"漱芳斋"三个楷书，并排三个满文，堂屋中间隐约地看见三个老太太同坐在一个小榻上，东间靠近窗户侧身坐着一个戴眼镜的青年，一看便知这就是溥仪先生。我唱完"梦回莺啭……"一段，看见从屋里缓缓走出一个十几岁小姐气派的丽人，梳着两把头，穿着大红刻丝氅衣、花盆底鞋。在这个局面里敢于随便走动看戏，这当然就是皇后婉容了。……

《惊梦》下去，底下是杨老板的《金钱豹》……那天杨老板还有一出《恶虎村》，是在八本《雁门关》后头唱的。余叔岩的《定军山》，还有崔灵芝的梆子戏……

据说，在演出结束后，尚小云和梅兰芳、杨小楼各被溥仪赏一只鼻烟壶。宫中档案记载，还给梅兰芳赏了钱三百元及"袋料"、文玩各四件。余叔岩独得溥仪赏赐的珍版《毛诗》一部和三百银圆。对溥仪的慷慨，宫中遗老颇为不满，他们认为尊贵的皇上竟然赏银给戏子，实在有辱皇族家门。有意思的是，只一年以后，冯玉祥发动"北京政变"，还在对"戏子"嗤之以鼻的遗老们，随他们的皇上一同被赶出了紫禁城。自此，升平署、内廷供奉永远消失，成为历史。尚小云的入宫经历，便成为他人生中的传奇。

初次创排新戏

辛亥革命之后，社会发生巨大变革。具体到戏曲方面，观众的审美情趣随之发生改变。尽管在新文化运动中民族虚无主义一度盛行，而将古典戏曲列为“遗形物”全盘否定，并主张用西洋戏剧取代中国戏曲，但是，戏曲毕竟有着强大的群众基础，全盘否定的主张不仅遭到梨园界的抵制，也被民众所唾弃。于是就产生了这样的怪现状：学术知识界轰轰烈烈宣扬废除戏曲，戏曲却在民间继续它的热热闹闹，并按照它自身的艺术规律向前发展。甚至在五四运动前后，京剧走向了它的鼎盛时期。于是有人说，新文化运动与五四运动对于京剧，不仅没有多少影响，甚至有人极端地说，根本是毫发无损。

实际上，在社会大变革中，京剧作为存在于社会中的一种艺术形式，说它不受外界的任何影响，是不可能的。比如，辛亥革命后，女观众不能进剧场的封建陋习就被打破了。同时，艺人们的戏剧观多少也受到影响，一改过去唱戏是供人玩乐的旧思想，而演变为开始强调戏曲的社会功能和作用。

大批女观众得以走进剧场，颠覆了生行演员统治舞台的旧传统。因为她们要“看”戏，而不是像以往的男性观众那样去戏园“听”戏。既然是看戏，就要看漂亮的人表演的漂亮的戏。于是，柔美的旦角逐渐取代粗犷的生行占据舞台的显要位置。梅兰芳、程砚秋、尚小云、荀慧生等旦角演员，就一跃而为舞台主角。除此之外，漂亮的戏，不仅要有漂亮的人，也要有漂亮的衣饰装扮。为了适应观众的审美变化，创造新的造型就成为一种流行、一种趋势。

社会的文明开放，使外国的艺术形式渗入到戏曲中来，特别是话剧，对京剧的影响尤其明显。其影响不仅体现在表演形式上，也体现在内容上更赋予教育开化以及反映现实、宣扬真善美、鞭挞假恶丑的文明功能。同时，知识分子对于戏曲封建落后的批评，一定程度上唤醒了梨园界有志人士的民主思想意识，引起他们的反省。

这一切，都是京剧界人士改革旧戏曲的动力和缘起。而改革旧戏曲的表现，则是大量排演新戏。

应该说，创编排新戏的京剧界先驱是梅兰芳。他早在1913年首次赴沪演出时，就发现上海不仅仅是舞台，包括灯光、布景、舞美等都比北京现代化得多，上海更有大量传统京戏以外的“新戏”，既有纯对白的话剧，更有改良的京剧。这些改良了的京剧突破了传统表现模式，吸收了话剧的写实的布景和灯光，服装和造型方面也多反映了生活的真实。梅兰芳感悟到时代的发展伴随着人们思想的进步，传统京剧舞台上的老旧故事已经不能满足人们的需要，而社会变革引发的混乱，让许多人愤懑迷惘，有通过演员的表演以宣泄自己情绪的需要。因此，创排新戏颇受欢迎。

从上海回京后，直到1921年，梅兰芳连续编排了多出新戏，其中包括老戏服装的新戏《牢狱鸳鸯》，时装新戏《孽海波澜》、《宦海潮》、《邓霞姑》、《一缕麻》、《童女斩蛇》，古装新戏《春秋配》、《木兰从军》、《天女散花》、《麻姑献寿》、《红线盗盒》和《霸王别姬》。几部时装新戏无一不是从现实出发，反映现实，表现现实，客观上起到一定的教育观众、宣传新思想的作用。在排演内容新的新京剧同时，他还在服装、装扮、灯光、布景等各方面进行创新改革。可以说，他给京剧舞台注入了新的活力。

在梅兰芳的带动下，在他的新戏广受关注并且好评如潮的示范效应下，其他演员纷纷效仿。尚小云和杨小楼的《楚汉争》实际上就是在这种背景下诞生的。换句话说，在旦行领域，尚小云是继梅兰芳之后，第二个参与创排新戏的演员。但是，严格说来，《楚汉争》并非属于尚小云个人的新戏，更非尚派戏。

尚小云真正意义上的新戏，是在《楚汉争》之后五年才编排并公演的，它就是《红绡》（又名《青门盗绡》或《昆仑剑侠传》）。在这之前，马连良于1919年编排了新戏《白蟒台》，郝寿臣于1920年创排了《打曹豹》，高庆奎于1921年创排了《乐毅伐齐》，程砚秋创排了《龙马姻缘》、《梨花记》。

尽管尚小云早在1918年就参与编演新戏，但在《楚汉争》后，他的新戏编排实际上是停顿了。而程砚秋年龄比尚小云小，出道也比尚小云晚，却早于尚小云的《红绡》之前，连续公演了数部新戏。从这个角度上说，尚小云创排新戏的思想有些滞后。也许正是因为程砚秋的后来者居上，刺激了尚小云，使他意识到不进则退于是，第一部尚派新戏《红绡》问世了。

如今提到梅兰芳，人们总会想起齐如山；提到程砚秋，总会想起罗瘿公。他们这一辈的演员，与祖辈在演艺上的最大不同，是不满足于照搬老辈留下来的表演程式，因为时代环境的影响而有了更多的思想，也有了更多的创新意识。更重要的是，社会的进步抬升了艺人的社会地位，使得他们有机会也有可能与文人名士有了更多接触和交往。在这些交往中，艺人通过文人感受文化，文人通过为艺人创作剧本、撰写评论表达自己怀才不遇的苦闷，实践自己远大却虚无的理想。

以梅兰芳为例，在他的身边，聚集着学贯中西戏剧的齐如山，京师大译学馆的学生张庚楼和言简斋，从日本留学归国的冯耿光、吴震修、李释戡、黄秋岳等。他们起着“智囊团”的作用。其中的齐如山，实际上是梅兰芳的专职编剧。也就是从梅兰芳开始，

⊙《红绡》，尚小云饰红绡

文人参与编创剧本，无形中提高了艺人的文化品位，也使京剧艺术融入了更多的文化内涵。因此可以说，梅兰芳与齐如山的合作，开创了戏曲界与知识界合作的先河，客观上增加了戏曲的文化意蕴。

在梅兰芳、齐如山之后，又有了一对黄金组合，那就是程砚秋与罗瘿公。程砚秋早期的新戏，都是罗瘿公编剧。罗瘿公于程砚秋，似乎不仅仅是编剧、智囊，更是朋友、导师和父亲。在罗瘿公之后，为程砚秋编剧的，还有金仲荪、翁偶虹。那么，尚小云呢？与梅兰芳、程砚秋相仿，在他的演艺生涯中，也有类似齐如山、罗瘿公、金仲荪、翁偶虹这样的文人，参与辅佐他的新戏编创。按照为尚小云编剧的先后顺序，他们分别是洵疏厂、清逸居士（爱新觉罗·溥绪）、还珠楼主（李寿民）。另外，齐如山、庄蕴宽、陈墨香也都曾为尚小云编过戏。

1.《红绡》和《张敞画眉》

《红绡》的编剧是洵疏厂[1]。该剧是根据唐朝段成式小说《剑侠传》改编而成。这部小说为唐朝的传奇名作。故事说的是唐大历年间，博陵名士崔芸奉父差遣，到名臣郭子仪府中探视。在郭府，他与府中歌妓红绡相遇，并一见钟情。崔芸临走前，郭命红绡送行。分手之际，红绡先竖起三指，又将手掌翻了三下，然后指着自己胸前的小镜，对崔芸说："记取。"崔芸对红绡的这一系列动作始终不明就里，为此终日茶饭不思。崔芸的仆人昆仑奴磨勒知情后，对红绡的手势一一解释：竖三指者，意思是郭府有十房歌妓，红绡是第三房。翻三下手掌，意思是十五。指胸前的小镜，意思是明月如镜。最终的意思是，在十五那日的夜里，到第三院，与她相会。崔芸恍然大悟。十五晚，他如约与红绡相会。红绡身世可怜，央求崔芸带她逃跑。崔芸求助磨勒。磨勒便背着两人，逃出郭府。崔芸将红绡藏在家中，时间长达两年。一天，两人同游，意外地被郭府家丁撞见。事情就此败露。郭家派人去崔府捉拿磨勒。磨勒持剑飞跃高墙，如一阵风飘然而去，从此了无踪迹。郭子仪也不再追究，将红绡正式许配给崔芸。

评论家聊止撰文《观尚小云之青门盗绡》，详述了尚小云在天津春和戏院演出《红绡》时的真实情景，也将尚小云与梅兰芳和程砚秋作了一番比较：

---

① 关于洵疏厂，目前尚无其生平、剧作的详细资料。据推测，洵疏厂很有可能就是爱新觉罗·载洵。他与光绪皇帝同辈，被称作"洵贝勒"。他的笔名是"疏厂主人"。尚小云与他有很深的交情。

小云扮红绡，头场出台，唱西皮慢板一段，以“比名花还解语比玉生香”一句最为婉折，此外则“夜会”一场，唱南梆子“看月暗星又稀良宵已短”一段，调门不高，情韵弥妙，赢得全场鼓掌。旧剧中各种唱工，其最富情感者，为南梆子，欧美人亦大都喜听此调，梅兰芳、程砚秋对于南梆子，亦均注意研究，于腔调上颇多创作。小云此出，以低调写深情，其婉转处，确自动听，最后青门舞剑，身手美娇，颇形刚健，与梅、程舞法，各有巧妙。

这是一出典型的有关侠士的故事：磨勒为有情人终成眷属而表现的仗义；磨勒对红绡手势的不解而破的神奇；磨勒的飞檐走壁。应该说，该剧的主人公是红绡，但磨勒这个人物也相当出彩。尚小云饰演的是红绡，但塑造磨勒这样一个艺术形象，实则透出尚小云对“侠”的追求。也就是从《红绡》开始，因“侠”而表现出来的激烈、抗争、无所畏惧等，几乎贯串了尚小云所有的新戏。

1923年12月23日，《红绡》在北京广德楼戏院首演。

一个月以后的1月25日，尚小云又推出了《张敞画眉》[①]。张敞是汉代宣帝时的名臣，与妻子感情甚笃。一日，妻子自花园摘花归，张敞为妻画眉。妻子问：“我与花孰美？”张敞说：“可比美。”正在此时，御史来见，深觉张敞为妻画眉的行为轻佻不雅，有失体统，便上奏称其行为不检。皇帝召见张敞，责问。张敞说：“自古夫妇之间有甚于画眉者。”皇帝闻之释然，不再追究了。

从这个故事来看，该剧只是说了一个夫妻恩爱的故事，并无深刻内涵。主人公的形象，与尚小云的性格似乎也不大契合。

① 《张敞画眉》的编剧，目前没有详细资料。

2.《秦良玉》和《五龙祚》

在洵疏厂编剧《红绡》之前，清逸居士就已经着手为尚小云编剧《秦良玉》。

清逸居士缘何以“清逸居士”署名，是因为前清曾多次下令禁止旗人养戏班和出入戏园，更不允许与“戏子”往来，这当然包括为他们编写剧本。身为皇室子嗣，又袭封“庄亲王”的爱新觉罗·溥绪，只能隐姓埋名。实际上，他出身于戏曲世家，他的老祖，即第一代庄亲王允禄，是乾隆年间的戏曲音乐家兼戏曲剧作家。溥绪虽然出身显贵，但遭际坎坷。

庚子之后，溥绪的伯父载垣因追随肃顺反对慈禧垂帘听政而被杀，家族不可避免地受到株连。辛亥革命后，民国优待皇族，溥绪得以袭封亲王。然而，“北京政变”后，他又不得不沦为贫民。几度沉浮，而又非人力所能掌控，使溥绪对人生更多了份悲观。也因为如此，他看破世态炎凉、人情冷暖。作品是心灵的展示，溥绪的作品，也就更多地反映他对下层受害者的同情，对善良、正义、侠气的赞颂，对丑恶的鞭挞。而他的这种创作思想，正好符合尚小云侠义、豪气的性格。这是他俩能够合作的基础。

尚小云最早接触溥绪，是因为《楚汉争》。在这之前，溥绪长期与杨小楼合作，为杨编写过《野猪林》、《山神庙》、《吴三桂》等武生戏，为杨小楼、郝寿臣编写过《连环套》，为郝寿臣编写过《牛皋招亲》，为高庆奎编写过《煤山恨》。杨小楼是武生，郝寿臣是花脸，高庆奎是老生。也就是说，在与尚小云合作之前，溥绪是与生行、净行演员合作的。因此，他的作品充满了阳刚之气。这对他之后与尚小云合作是很有影响的。他为尚小云编剧的人物形象，少见妩媚柔弱的美娇娘，而多是男儿气十足的飒爽女英豪。《秦良玉》便是其一。

⊙《秦良玉》中，尚小云饰秦良玉

仅看戏里的这样几句戏词，就可了解《秦良玉》会是一个怎样的故事：

> 奴好比木兰女从戎志愿，又好似蕲王妃桴鼓在金山。
> 桃花马请长缨勤王转战，顾不得冒风尘我憔悴芳颜。
> 蒙圣恩赐锦袍平台召见，但愿得建奇功我扫荡狼烟。

溥绪所编剧本，多取材于明清传奇和古话本小说。这种创作模式，在当时是很普遍的。《秦良玉》是溥绪为尚小云编写的第一部作品。故事来源于乾隆年间董榕撰写的《芝龛记》传奇。实际上，在历史上，确有秦良玉其人，民间称其为“四川女杰”。在北京厂甸一带的棉花胡同上七条，曾有秦良玉练兵处。明朝思宗帝曾赠秦良玉诗云：“蜀锦征袍手制成，桃花马上请长缨，世间不少奇男子，谁肯沙场万里行。”秦良玉的故事，除了《芝龛记》，在《明史》、《蜀锦袍》等书中都有记载。该剧的故事大意是这样的：

明朝崇祯末年，夔州石柱司被闯塌天等率兵攻陷。天子召见宣抚使秦良玉于平台，赐以锦袍，令其剿灭闯部。秦良玉奉旨入四川，往攻夔州。闯塌天在城外遍埋地雷，以阻秦良玉部，但被秦良玉识破。当夜，她便率部远离雷区，又得机会攻入城内。双方大战，闯塌天战死，罗汝才被擒斩首。绵州官吏奉皇命犒赏秦军，见秦良玉貌美绝色，便欲纳其为妾。秦良玉大怒，因此认识到官吏们不过是衣冠禽兽，毅然挥剑斩断御赐锦袍之袖，以示决绝。

尚小云在《秦良玉》中，唱工、武功戏均相当吃重。特别是秦良玉挥师入川时有大段二黄唱腔很有特色，尽展其“铁嗓钢喉”的绝妙音色和坚实的唱工。至于武功，当武花脸范宝亭饰演的闯塌天被秦良玉挑下马后就地两滚，动作飞快，而尚小云饰演的秦良玉此时要在锣鼓中立即将其刺死。这一场戏，不仅要求他配合范宝亭的快动作，而且还要分清一个在马上，一个已坠马，分寸比较难把握。但是，尚小云与范宝亭的合作，如评论家所说：“如惊蛇入蟄，丝丝入扣，火炽而惊险。”每演至此，观众无不屏声静气，提心凝神。

在装扮方面，《秦良玉》也有创意。尚小云特别设计了“喜鹊盔”。秦良玉戴着这顶喜鹊盔，突显其活泼开朗又充满英武气的性格气质。

一直有种传闻，说尚小云创编《秦良玉》的目的，是与程砚秋竞争，因为程砚秋有一出《沈云英》（又名《女将军》）。实际上并非如此。尚小云的《秦良玉》首演于1924年5月15日，也在广德楼。与尚小云合作的演员有名小生朱素云、武生孙毓昆、花脸侯喜瑞、诸如香等。由于这出戏不仅是文，武并重、唱做并重、更有相当多的打戏，而且是青衣演员的打，所以公演后很受戏迷追捧。而程砚秋的《沈云英》首演于1926年5月29日，于华乐园。可以说，《秦良玉》早于《沈云英》两年问世。即便如程砚秋自己在1931年所撰写的《检阅我自己》一文中，说《沈云英》“出世年月在1925年11月”，那也比《秦良玉》晚了近一年半。

所以说，《秦良玉》的创排，与《沈云英》无关。如果说《沈云英》的创编是受《秦良玉》的启发，倒不是没有这种可能。有意思的是，这两部戏后来都被灌了唱片。上世纪20年代，百代唱片公司为《秦良玉》灌录了钻针唱片；30年代，胜利唱片公司为《沈云英》灌录了一段反调唱段。

在《秦良玉》之后，溥绪又为尚小云编了一出《五龙祚》（又名《李三娘》）。故事来源于南戏《刘知远白兔记》传奇。1924年10月19日，首演于广德楼。尚小云饰演李三娘，与之合作的演员有老生王又宸和于连泉、李万春等。

《红绡》、《张敞画眉》、《秦良玉》、《五龙祚》这四出戏，是尚小云于1925年自组班社之前的新戏。他之所以在这个时期连续不断地推出新戏，除了受环境的影响、迎合市场需求外，也由于面临着程砚秋等旦行后来者气势如虹的巨大压力。

虽然程砚秋比尚小云晚赴上海演出，但程于1922年在上海演出时，就有两部新戏献给戏迷，使得他的上海演出备受关注。他在去上海前就已经自组了班社和声社。因为有自己的班社，所以他自然而然地挂头牌，唱主角，而不必为别人“挎刀”。这一切，都让他的声名迅疾上升。这时，尚小云尚无自己的班社，也没有属于自己的新戏，只是固守着传统青衣本行孜孜以演。尽管他有“铁嗓钢喉”，尽管他有坚实的武功，但对于追求新、奇、特，且口味时刻都在变化的戏迷来说，吸引力总是要欠缺一些的。

1923年初，程砚秋刚刚从上海回京。在一次戏曲界为接济同业贫苦者，于第一舞台联合演出义务戏时，尚小云陡然发现，程砚秋已经不再是以往那个默默无闻的“梅兰芳弟子”了，他不仅能够参与名角儿齐聚的大义务戏（一般来说，大义务戏多由名角儿担当），而且他的戏码居然还排在尚小云之后，列倒数第三。那天义务戏的戏码，按演出顺序，分别是：余盛荪《七星灯》，白牡丹《马上缘》，王瑶卿、荣蝶仙《棋盘山》，尚小云、筱翠花、王蕙芳《虹霓关》，龚云甫、陈德霖、程艳秋（当时还未改名程砚秋）、谭小培、王又宸《探母回令》，余叔岩《盗宗卷》，大轴是梅兰芳、杨小楼的《霸王别姬》。

不仅如此，1923年快要结束的时候，也就是在尚小云的第一部新戏《红绡》首演之前，比尚小云小四岁的程砚秋已经有了《龙马姻缘》、《梨花记》、《花舫缘》、《红拂传》、《花筵赚》（即《玉镜台》）、《风流棒》、《孔雀屏》、《鸳鸯冢》等八部新戏，大有超越尚小云、直追梅兰芳之势。可以说，程砚秋的《红拂传》是受梅兰芳《红线盗盒》的影响编排的，而尚小云的《红绡》则是得《红线盗盒》和《红拂传》的灵感创作的（外加荀慧生的《红娘》，这就是著名的四大名旦之四“红”）。所以有评论家这样说：“梅演红线，程演红拂，均已脍炙人口，今尚又演红绡……此亦可见近年编剧界之趋势矣。”

带着这许多新戏，程砚秋再次赴沪，自然大红。在他回京后，不只是尚小云，京城各班社也都感受到他有可能给他们造成的上座压力，于是暗中抵制。当程砚秋准备在华乐园演出时，正在该戏院演出的徐碧云“把持不放”。当程砚秋又通过其岳父果湘林准备在广德楼演日戏时，正在此处演夜戏的双庆社班主俞振庭“极力抵制”。这个时候，尚小云正搭班双庆社，在此演夜戏。

最终，程砚秋得以在三庆园演出。而他的演出，据其编剧罗瘿公在日志中的记载，上座日盛，似乎已经超过了尚小云和徐碧云等。其中有这样两段：

“玉霜（程砚秋的字）自正月初二日（即1924年2月7日）至初九日无日不满座，昨《宝莲灯》上座十二成，为京伶自有旧剧以来所未有也。尚小云、徐碧云皆大受影响。尚至多五百人，徐至多三百人……”

⊙《五龙祚》，尚小云饰李三娘

“初八日为公府堂会，上午宴蒙古王公三出戏，为李万春《神亭岭》、玉霜《玉堂春》、徐碧云《刺红蟒》；下午外交团为王凤卿、尚小云《打金枝》，余叔岩、筱翠花《乌龙院》，小梅《黛玉葬花》。惟派戏者之心以为梅、余、尚为头等角，程、徐为二等角也，而徐方面有人为其运动大轴。及时，第一剧毕曹锟氏离座，各王公纷纷退席。见玉霜出则全体复入座且大击掌，霜剧毕，全体退席不留一人，徐已扮成即时取消，此一筋斗可谓栽之极矣……”①

尚小云也已察觉到程砚秋的势头，不过，他感受到压力的同时，也有动力。以他一贯要强的性格，迎接挑战，是他唯一的选择。那一天，他和徐碧云同往王瑶卿家拜年。王宅自然还是高朋满座。席间，大家谈到了锋头正健的程砚秋和他给其他人的上座率影响。有些人忿忿不平，说他原来是梅兰芳的学生，却有凌驾于梅师之上的意思。也有人为尚小云、徐碧云打抱不平，认为同为王瑶卿的弟子，尚、徐也算是程砚秋的师兄，但师弟却丝毫不顾及师兄弟的情分。这样的说辞，于程砚秋是大不公平的。艺术贵在竞争，永远是后浪推前

① 程永江：《程砚秋史事长编》，北京出版社2000年12月版，第151页。

浪。尚小云显然很懂得这样的道理，他挥挥手，说："也好，也好，逼我非奋斗不可啊！"徐碧云受其感染，也附和道："虽时慧宝脱离我班，但我也必独唱为最后之奋斗。"

广德楼戏院的股东们眼见三庆园因为程砚秋而红火，对经理未能拉来程砚秋很不满。当听说程砚秋讲只要有尚小云在广德楼唱夜戏，他就决不会到广德楼来后，连带对尚小云也有不满。实际上，程砚秋的意思是，他不会抢尚小云的饭碗，所以当初，他才要求在广德楼唱日场。由此也可见程砚秋是顾及师兄弟情分的，而非如闲话者所说。但是，在股东们听来，程砚秋之所以未能到广德楼来，就是因为尚小云。好像尚小云"霸占"了广德楼的夜戏场，而阻碍了程砚秋似的。于是，他们对尚小云日渐冷淡。这些人的态度对尚小云来说，当然也是不小的刺激。表面上看，尚小云满不在乎很看得开的样子，内心还是有些忿忿然的，也暗自较上了劲儿。

既然在广德楼演出上座并不好，尚小云决定暂时移师东安市场的吉祥园。他的这个"救市"办法还是颇见效果的。广德楼和三庆园以及庆和园、同乐园、庆乐园、中和园集中在大栅栏一带，彼此竞争得很厉害。正如罗瘿公所说："尚小云暂移入东安市场之吉祥园演唱，上座尚好，如在大栅栏，望衡星宇则相形见绌矣。"

不久，即1924年3月，奉系军阀张作霖为庆贺五十寿诞，遍邀京城名角儿赴奉天唱堂会，由俞振庭负责承办。尚小云、程砚秋均在被邀名单中。在奉天，程砚秋以《花舫缘》、《红拂传》、《风流棒》三出新戏献演，尚小云也以新作《张敞画眉》、《红绡》献唱。在收入方面，尚小云所得不在程砚秋之下。

面对竞争，尚小云积极应对，不但加紧了编排新剧的步伐，同时又为自组班社积极准备起来。

“三只碗”和“艺术之宫”

艰难岁月中，弟子孙明珠的探望，给予尚小云的，何止是四个鸡蛋。尚小云看到的，又何止是孙明珠这样一个个体，他从孙明珠的身上，体会到良心、道德和人性。其实，还是在尚小云被关在“牛棚”里时，就曾遇到过孙明珠式的“陌生人”。说陌生，只是因为尚小云没有能够看到他的脸，只听到他的声音，而他的声音却给了尚小云无尽的温暖和鼓舞。

那一天，尚小云突然听到窗外有人咳嗽了一声，又咳嗽了一声。仔细听听，这咳嗽声不同寻常，是有意为之，是用力为之。尚小云反应快捷，立刻心领神会。他屏住呼吸，悄悄贴近窗口，但他不能打开窗户，更不能伸头出去，这里是“牛棚”。一会儿，外面的那个陌生人不再咳嗽了，却连唱带说地念起了顺口溜：

哎哟哟——
虎落平阳被犬欺，
拔了毛的凤凰不如鸡，
有朝一日还山林，
老虎发威狗拉稀，
凤凰的羽毛再长齐，
凤还是凤来鸡还是鸡！

显然，陌生人是边走边说的，在尚小云听来，声音由近而远，渐渐消失。尚小云知道，这是说给他听的。当尚小云听到最后一句“凤还是凤来鸡还是鸡”，几乎爆出笑来。笑的同时，他的眼泪也悄然滑落。

还有一个陌生人，尚小云只看到他穿着军大衣，戴着大口罩。他总是乘人不备，将一个小包裹扔在尚小云的“牛棚”前。有的时候，在与尚小云擦肩而过时，直接扔在尚小云的面前。捡起来，是一块用小手帕包着的东西。打开手帕，有一块夹着酱肉的烧饼。这个时候的烧饼夹酱肉，在尚小云的眼里，是美味、是极品，更是三九天里的一块炽炭。

送走孙明珠，捧着还有些温热的四个鸡蛋，尚小云沉浸在这些并不遥远的往事之中。这时，又有人敲门，声音很重。尚小云本能地一惊，动作迅疾地藏好鸡蛋，在那样的环境中，他总是带着惊弓之鸟般的警觉。敲门声在继续，声音却柔和了许多。尚小云认定，敲门的肯定不是“造反派”。于是，他示意夫人去应房门。门开处，站着的是中华戏校的高材生、京剧院的京剧小生储金鹏。

储金鹏比较直爽，有一说一，从不遮遮掩掩，常给京剧院领导提意见，因而很让领导“头疼”。“文革”开始后，他依旧不改爱发牢骚、爱提意见的“毛病”，甚至指责京剧院的造反派“光闹革命，不演戏，是寄生虫，也是剥削阶级”。他虽然没有被直接戴上“右派”的帽子，但也算是排在“右”边的，因此被贴过大字报，被开过批判会。不过，他有些大大咧咧，凡事都不放在心上。

尚小云是美食家，储金鹏爱吃，常到尚家“蹭”饭吃。他最爱尚家厨师陈恩师傅做的北京春饼①。有一年立春，储金鹏又到尚家吃春饼。那天，尚家除了春饼，还有天福号的酱肘子，“普云”的小肚儿。春饼配上酱肘子、小肚儿，谁都不会否认是绝配。储金鹏狼吞虎咽，吃到几乎撑死。尚小云在一旁看储金鹏吃得香甜，乐得笑哈哈的，然后说：“好小子，能吃就能干。”

就这么一句话，就一个“干”字，后来被揭发为尚小云撺掇储

① 北京习俗，在立春那天，都要吃春饼。

金鹏“干反党”。

尚小云一边将储金鹏迎进屋，一边小声说：“你怎么能到这儿来？”

储金鹏说：“我怎么不能来？我来了！谁管得着？”然后，他又俏皮地说，“尚老师，我是来吃春饼的。想到春饼，我都馋死了。”

尚小云忍不住哈哈大笑了两声，突然自觉失态，又赶紧收住了。他说：“都什么时候了，你还想着吃春饼。陈恩师傅早就被赶回老家了，吃不着了。”停顿片刻，他颇有些伤感地补充了一句，“金鹏，等张龙、郭义消票无事之后，咱们天天吃春饼。”[①] 尚夫人王蕊芳在一旁说：“金鹏，等没事之后，我给你炖十只北京大肘子，做成冰糖肘子，让你一次吃个够。”

不约而同地，尚小云说了一句“无事之后”，王蕊芳说了一句“没事之后”。显然，他们身处乱世，却并未失却信心。他们相信，磨难是暂时的，黑暗总是会过去的。在恶劣的环境中，这份信心，是他们活下去的理由和动力。

实际上，储金鹏哪是真的来吃春饼，他何尝不知道眼下是什么环境，他就是来探望老师的。环顾小屋，小屋黑而小，只有简单的几桌几凳，他的鼻子酸酸的。尚小云忙着给储金鹏倒水，没有茶杯，用的是一只饭碗。储金鹏看见，尚家只有三只饭碗，六根筷子。三口人，一人一只碗，一双筷子。储金鹏哽咽着，一句话也说不出来。想当年，四大名旦之一的尚小云，事业上，何等辉煌；生活上，又何等风光。他有房、有车、有古玩字画，如今，他只剩下了碗跟筷子……

为吃饭而唱戏的尚小云，真的靠唱戏吃上了饭，而且还是吃上了饱饭。他和母亲、弟弟完全摆脱了贫穷。他买了房子，他终于如愿让他苦难的母亲过上了好日子。23岁之前，他们一家住在

① 这句话是《审头刺汤》里的一句台词。

⊙ 20世纪30年代北平椿树下二条尚宅客厅

北京宣外棉花六条。23岁那年，他在椿树下二条一号又购置了一所房子，专为创作与会客。整座房子坐北朝南，分成三室：

北室，是他的会客室，他为之取名“芳信斋”。这间会客室，被友人称为“艺术之宫”。在它的东壁，悬挂着云龙黄绫装璜的巨大横匾一幅，上有成亲王手笔“管领群芳”四个大字。尚小云很自豪地对友人介绍说：“这是升平署的故物。”在它的西壁，悬挂着历代巾帼英雄像、历代帝王像。这些都是大清朝某贝勒赠送的。屋里的几桌上，陈列着翠瓶玉磬、晶盘珣鼎、宋瓷“敕定”、明瓷“霁虹”、柴窑的“雨过天青”、官窑的“康熙五彩”。不仅如此，明柱上有左琴右剑、书案上有垒帖叠函，瓶里的玉笛，墙角的锦瑟，椅背上的虎豹之皮、几案上的鸳鸯锦彩，无不透出浓烈的艺术之气，洋溢着灿烂的文雅之息。

东室，是他的书房，门楣上高悬着一块横匾，上书“检云书屋”。在这里，他博览群书、考证历史，了解风土人情，当然也研读剧本，揣摩唱词、唱腔，设计舞蹈、武打动作。

西室，门楣上的横匾，是翁同龢手书的“师竹斋”。这是他用来习鼓、弹琵琶、绘画、练书法的专室。正如著名编剧翁偶虹所说：“他于琴棋书画，无一不能。高山流水之曲，闲敲棋子之声，时出于‘师竹斋’中。”

尚小云是从什么时候开始学习绘画和书法的？据他自己所说，大约是在20岁的时候。如今，几乎无人不知包括四大名旦在内的许多京剧演员，都擅长书法精于绘画。梅兰芳在抗战期间，因避出舞台生活陷于困顿时，还曾以卖画为生。实际上，在他们之前，梨园界就风行吟诗作赋、填词作文、书法绘画。在当时那样一个视演员为戏子而瞧不起他们的旧时代，他们对文化的追求，一度被人认为是装模作样、附庸风雅，而被讥讽。早年的演员，文化素质低下，是事实。比如，有这样一个故事：一出戏里有这么四句念白：

丫环一见慌张了，
报与小姐得知闻。
小姐一听魂不在，
吓得三魂少两魂。

有一位演员因为赶戏，没有来得及向师傅请教，自己字又认不全，拿过剧本，看了两眼，就上台了，于是就将这几句词念成：

丫环一见慌张了，
报与小姐得知开（闻）。
小姐一听块（魂）不在，
吓得三块（魂）少两块（魂）。

至于有些演员在舞台上念“金銮殿上站定了一个群僚”、“城头上点起了万盏孤灯”等，就更不是个别现象。试想，既然是“群僚”，怎么可能是“一个”呢；既然是“孤灯”，怎么可能是“万盏”呢？因而，早年的戏曲舞台上，类似的笑话还是不少的。演员对文化的重视，一是因为时代的进步，一是因为慈禧。慈禧或许并没有主观上提高演员文化素质的故意，但客观上却起到了这方面的作用。

慈禧爱听戏，人所皆知，又偏爱生行戏。因而，前辈京剧艺人，如谭鑫培、杨小楼、孙菊仙、孙怡云及小生朱素云等都是内廷供奉，时常应召入宫唱戏。慈禧听得高兴，常赏以厚禄。渐渐地，不知是慈禧对这种“你唱戏，我赏赐”的游戏有些腻了，还是因为时常听到有些名角儿大念错别字，有些气了，便降下懿旨：凡内廷供奉暇时须读书习字。老佛爷的旨意，谁敢违抗？角儿们不得不在练功习武喊嗓演出之余，耐着性子坐在了书桌前。最初，他们是为遵旨而读书习字，有无奈的成分。后来，慈禧时常在听戏之余，把酒对歌、出题猜谜，答对的、猜中的又另有重赏，渐渐地，他们的读书习字，就成为自觉的行为了。

比如有一年“七夕”，宫里照例传召演员进宫。戏演罢，慈禧还沉浸在剧情的愉悦之中，不放演员们离开，一时兴起，提议猜灯谜。她吩咐太监拿过纸墨笔砚，思索片刻，在一白纸上写下四个“多”字，然后令太监展示，让参与演出的演员猜两个时令名称。大家搜肠刮肚，都想猜中而得巨额赏赐，却又都难解其中意。就在慈禧感到扫兴，预备结束这场无聊的游戏时，突然，小生朱素云跪地请求说答案。慈禧大喜，忙准他快说。朱素云答曰：“除夕，七夕。”慈禧问他是如何想到的。他说：“四个‘多’字，为八个‘夕’字，除去一个‘夕’，尚有七个‘夕’。”慈禧很高兴，大大奖赏了朱素云。

又一次，慈禧出了个上联：“三春三月三”，要求演员们对出下联，老生王凤卿对出“半夏半年半”，很得慈禧喜欢，又大赏。

在这种情况下，名角儿的文化素养渐有提高。王凤卿不仅能写，而且能画，最擅画花卉；时慧宝能绘竹兰；孙怡云能绘山水；刘永春能画鱼藻等等。到了梅兰芳、尚小云、程砚秋、荀慧生这一代，对于书法、绘画更加重视，甚至有不能者不能成为名角儿之势。他们常常拜名家为师，不满足于做一个业余爱好者，所以达到相当水准的人并非个别。另外有一些演员自己不能书，不会画，又为了迎合潮流，不得不请人捉刀。

尚小云40岁寿辰的时候，抗战正酣。他没有大摆宴席为己庆生。不过，梨园同好还是纷纷前来祝寿。贺礼中，最为珍贵、最引人注目、也最为尚小云喜欢的，是由十二帧书画合成的条屏。这十二帧书画分别由十人所作，他们是：

王瑶卿画的松树，王凤卿写的字，余叔岩写的字，

时慧宝写的字，梅兰芳画的佛像，程砚秋写的字，

马连良写的字，金碧艳写的字，荀慧生画的山水，

姜妙香画的菊花。

除了这十二条屏，还有一件生日礼物也一直被尚小云珍藏着，它是一只进口的八音盒。然而，20世纪60年代，尚小云的家被抄了个底朝天，别说这只小小的八音盒，他甚至连一件御寒的大衣都没有能够取出来。几年后，林彪坠机身亡。为了公示他的反党叛国罪行，他的位于毛家湾的住所被有限开放。从50年代起就一直陪伴在尚小云身边的秘书张静榕在参观时，在琳琅满目的陈列品中，竟发现了这只精巧的八音盒。取出一看，果然那上面，刻着几个字："绮霞先生四十寿诞纪念"。三十多年过去了，八音盒依然精巧别致，而主人却已历尽沧桑了。

与前辈艺人的目的有所不同，尚小云这一代的京剧演员，学文习画写字，更多的是为了提高自己的艺术修养，以助演戏本业。

1962年，尚小云应邀到山东进行讲学时，曾经提到戏曲演员的修养问题。他所说的"修养"，既包括基本功修养、文化修养、观察体验修养、身体保养、尊师修养，也有绘画书法修养。至于一个唱戏的演员为什么要学绘画、练书法，他明确说："一方面是要增添我们的知识和艺术修养，因为美术、书法与戏剧，在艺术上有许多脉

息相通的东西，能够互相影响；另一方面是为了丰富我们的表演。在戏曲舞台上，常有需要写字和绘画的剧中情节，如果你拿毛笔的姿势和神情都不像，握起笔来像魁星似的，就不好看了，观众会很有意见的。”①

尚小云20岁初学绘画时，请的老师是彦伯龙。他最初学的是画花鸟，后来又对书法有了兴趣，很喜欢临摹光绪皇帝的老师翁同龢的字。他临摹得很像，足以乱真。他写字有一个习惯，高兴起来一口气写个十张八张，写完后却撕撕扯扯全都扔进了纸篓。所以，很少有人能有幸获得他的墨宝。外界盛传鉴别一幅书法作品是否尚小云的真迹，便是细察其字与翁同龢有多少相像。如果具有刚健遒劲、磅礴迎人的翁派风采，那一定就是尚小云的真迹了。

随着年龄的增长，尚小云又爱上了王羲之的字。正如他自己所说，他练字习画，并非在于书法、绘画本身，更不曾有成为书法家或画家的念头，而是为了更好地演戏。

因此，他一方面将此作为提高文化艺术素养的方式，一方面也将其作为锻炼腕部力量的手段。比如，他曾在一块青石上蘸着红土练字，或者在拿毛笔的手上托一碗水，在写字时不让碗里的水洒出来，又或者，他常以左手写字。这样的结果，是既练了字，又练了手腕上的功夫。

20世纪30年代初，上海联华电影公司曾为尚小云拍了一段新闻电影，其中就有他练书法绘花卉和练剑的内容，留下了一段珍贵的影像。

尚小云是从什么时候开始收集古玩字画的？目前已经很难考证确切，但是，他的收藏，在他同时代的京剧演员中，是首屈一指的。京城琉璃厂的各家字画古玩铺，常见他流连忘返的身影。外

① 尚小云：《我赴山东教学的讲稿》，《京剧艺术大师尚小云》，陕西人民出版社1990年4月版，第217页。

⊙尚小云在绘画

出演出，每到一地，他都要光顾古玩字画店，或购买把玩，或与名家切磋。可以说，他走到哪里，古玩字画就买到哪里。

在外地演出时，他往往住在旅馆里。演出完回到房间，他常常将白天新购买的字画悬挂在墙上，然后细细欣赏。有的时候，他买的字画太多，房间里的四面墙都被挂满了。为了挂字画，他就得在墙上钉钉子。等他唱完戏，走了，旅馆的人这才发现他的房间墙壁上到处是钉眼，很不高兴。等到尚小云下次再来，他们就提前恳请他不要再在房间里钉钉子。这时，他连声道歉，又总是满口应承，但一时兴起，他就忘了事先的承诺，又兴高采烈地在墙上钉钉子了。

尚小云搜集珍品，除了鉴赏把玩以外，还有汲取艺术营养、提高艺术修养的目的。比如，艺术品的雕刻、色彩、形式、花样等，都能让他产生灵感，从而丰富他对人物服饰装扮的创造，以及对表演技巧的开拓。

翁偶虹曾经记载了尚小云这样一则故事：

他尤喜欢研究戏曲资料。又有一次，我仍访于“芳信斋”中，他从架几案上，取过一本人物册页，郑重地说：“您看，这是昨天买的。价钱虽高，可是我从这本画册里，解决了一桩疑团。”我翻开一看，原来是《马思远·双铃记》的戏曲册页，工笔带景，十分精细。那个主角赵玉儿，梳的是旗人的两把头和旗头髻。其他人物，俱是舞台上的清装扮相。本来《马思远·双铃记》这出戏演的是清代实事，历来演者均着清装，只有主角赵玉儿梳一般的“大头”，穿蓝布裤褂，以汉装妇女的形象出现。我觉得这本册页无奇可谈。小云却指着赵玉儿的扮相说：“您看，画册上的赵玉儿梳旗头，穿旗装，这就对了。我常听老前辈讲，当年演此剧原是旗装扮相，符合当时的事实嘛。后来旗籍人士忌讳玷辱旗人，群起指责，演员尊重观众的意见，因而改梳‘大头’，作汉族妇女的装束了。我常怀疑这个传说，今得此册证之，古人不我欺也。我为解此疑团，高价购之。古玩铺虽做了一笔好生意，可是咱弟兄却不吝惜这几个钱！”言下豪爽之气，溢于眉宇。[1]

尚小云认为：“戏曲艺术既然是综合的艺术，它包括了声、色、舞等各个方面的知识。因此，作为一名优秀演员，也就必须具备广泛的爱好。这样才能把人物感情刻画得深，人物形象表演得美。例如舞蹈、武术、美术、音乐会、运动会的欣赏等，对于表演都有很大益处。”具体到美术、绘画对戏曲表演的影响，他又说：“演出时，由于服装色彩鲜明，化装干净美丽，舞台高度得宜，便能够在舞台上形成一幅很好的图画，使观众陶醉其中，从而得到优美的艺术享受。要达到这种效果，首先要求我们要爱好美术，最好自己能练习画画，培养和提高自己的艺术欣赏能力。”[2]比如，他在演出《卓文君》时，就从不少绘画中寻求灵感，为人物设计造型。

对于尚小云来说，练习书画、收集古玩的目的，除了提高文化涵养、利于演戏本身之外，还有一个目的，那就是用以克服自己易

① 翁偶虹：《尚小云的艺术之宫》，《京剧艺术大师尚小云》，陕西人民出版社1990年4月版，第97—98页。

② 贾自立记录整理：《音乐美术角色——尚小云先生对省剧校学生的谈话之二》，《陕西日报》1961年11月16日，第三版。

冲动、爱激动、好发脾气的毛病，这也算是提高为人涵养的一个方式吧。

从医学角度说，尚小云属于“热体格”，肝火旺，很容易情绪化，因此脾气急躁。如果说尚小云也有缺点的话，那就是脾气不好，这在梨园界是人所共知的。

比如，20世纪40年代后期，他到天津演出，住在招待所里。有一天，一位朋友到天津，顺便来看他，他很热情地请朋友吃饭，让他的厨子去做几个好菜。两人聊了很久，也不见菜上桌，他有些不高兴，但在朋友面前，也没有发作。好不容易，头盘菜上来了，他伸头一看，见是一盘炒肥肠，他忍不住了，质问厨子：“怎么不先上冷菜，倒先上热菜了，你不懂规矩吗？”厨子退下了。过了一会儿，端上来一盘冷菜：拌菠菜。尚小云对吃一向很讲究，他看这所谓拌菠菜，不过是将菠菜在热水里走了一下罢了。他终于发火了，抄起拌菠菜，连盘带菜，一起齐厨子砸了过去。一时间，菠菜飞盘子碎。当然，事后他赔了一个盘子给招待所，气却难消，将厨子打发回北平了。

在舞台上，他脾气不好的表现，便是时有翻场①。这固然是他演戏太认真，容不得他人的马虎和敷衍或思想不集中而出错的缘故，但同时确也因为让对手演员下不来台而得罪人。

比如，他有一个合作多年的老伙伴、小丑演员高富远，有一次，两人合作一出戏，不知道为什么，高富远念错了戏词。恰好这场戏，需要尚小云演的角色掌掴高富远演的角色的脸颊。依平时，尚小云只做一个掌掴的假动作，并不真的打，但是那次，尚小云听到高富远念错了词，一时火气升腾，而且无法控制，居然抬手就给了高富远一个大嘴巴。观众看着，以为是剧情需要，为他俩演出的精彩而叫好，更为高富远“为艺术献身”的精神而钦佩。高富远则为这一巴掌委屈透了。下了台，高富远气呼呼地就要走。这时，尚小云也

① 翻场：京剧界俗语，意思是一个演员因对手演员在台上出了差错，当场瞪眼发火，类似于“翻脸”。

已经意识到自己过分了，便主动去道歉。但是，道歉归道歉，他对高富远在台上的错，还是不能原谅的。

类似这样的事，还有不少。尚小云似乎总是不能吸取教训，时时在台上翻场，台下又去道歉。这也看得出来，他实在不是故意为难对手演员，而是情绪难以控制。他知道自己的毛病，为此，他时常服用凉药。

不过，他也明白，药物调节，只能针对肉体而言，情绪上的变化，还是需要从精神上、意志力上加以控制。于是，人们发现，尚小云每次外出跑码头，行李包袱总是比别人多很多。不问不知道，一问吓一跳。他的行李里面，除了日常用品外，还有数十副凉药，更有整套作画工具，还有一些珍爱的古玩。每次演出结束后，习惯于后半夜作画的尚小云以写字绘画的方式解乏，也以此平抑自己或紧张、或兴奋、或气愤、或懊恼的各种不良情绪。

独特的生活习惯

从尚小云一掷千金购《马思远 · 双铃记》的戏曲册页可知，此时他的生活已相当富足了。他不仅可以无所顾忌地吃果子干了，也可以随心所欲地吃任何他想吃的东西。他没有特别的爱好，只是爱喝好茶，讲究吃。

关于喝茶。有演出时，他绝对不喝凉茶，也不喝温茶，而是喝滚烫的茶。他从来不怕烫，刚沏的茶，他端起来就喝。刚刚倒出来的开水，他端起来就能漱口。在戏院后台，他的那把专用茶壶有专人保管，任何人都不许动。一下场，他就得立即喝上刚沏的滚烫的茶。茶如果温了，冷了，他不但不喝，总是要大发一顿脾气的：骂人或者砸了茶壶。渐渐地，大家都知道了他的习惯和脾气。

演员长年在晚上演出，生活规律往往与常人有很大差异，尚小云也是如此。他一般上午 10 点起床，中午 12 点吃午饭，饭后在院子里稍稍走一走，算是散步，然后就去睡午觉了。说是午觉，其实时间已是下午三点钟了。睡上一个半小时，四点半，他准会起床，然后就喝茶，很享受的样子。从此，家人就再也听不到他的声音了，更不见他发脾气了。他始终默默地不出一声，谁跟他说话，他都像是听不见一样，不予理睬。原来，他是在琢磨晚上要演的戏呢。

关于吃。尚小云的长子尚长春曾这样说："要论起一个菜怎么好吃，他绝对能给你说出个子丑寅卯来。"尚小云爱吃的东西很杂，除了天福号的酱肘、自家厨师做的春饼，更爱吃炒年糕之类的甜食，每顿饭后总要吃一块鲜奶油蛋糕。对荷叶似乎也情有独钟，特别爱吃荷叶包的食物，比如荷叶肉、荷叶包子、荷叶粥（把荷叶放在糯米粥里同熬），还爱吃自家包的干菠菜饺子。他还是回民糕点铺"祥聚公"的常客。这家店主要生产清真饽饽，由于选料精、投料足、做工精细、风味独特，深受京城百姓的喜爱。一向爱吃甜食的尚小云最爱"祥聚公"的油糕、姜汁排叉、蜜三刀、玫瑰饼、鲜花藤萝饼、各式月饼等。

每逢过年，尚家都要炒一盆黄豆芽，尚小云称其为"如意菜"，寓意来年吉祥如意。除夕那天，他们家也和京城梨园家庭一样，由尚小云领着一家老小，在自家设的佛堂里，向观音菩萨神像和梨园祖师爷唐明皇的圣像上供。当时的北京，供三堂、五堂不等。尚小云却设九堂供品，有成堂蜜供（用面块在油里炸过后，滚上蜜，叠成小塔形，灶王爷供三碗，余者均为五碗一堂）、成堂套饼（用五个大小不同的月饼叠起来，上面放红寿字面桃为一碗，共五碗）、成堂面鲜（用五种水果做成的水果形状点心，如桃、苹果、橘、柿、佛手等）、成堂水果（柑橘、苹果等）、百果、什锦果脯、花糕或京式小八件、年糕年饭、素饺、馒头或其他蒸食、素炒菜。[1]看得出来，他的心是虔诚的，他对观音菩萨和祖师爷赐给他的富足生活，是感激的。当然，也看得出来，他是个很讲究生活品位的人。

因为爱吃，又对吃颇有讲究，因此尚小云对家厨的要求之高，近乎苛刻：选料必须上乘，火候要恰到好处。就连他爱吃的炸酱面的调料浇头，他也不准家厨有丝毫的马虎。遇到晚上有演出，他往往不吃晚饭，演出后，必开盛宴。如果有时家厨没有达到他的要求，自然要挨骂。尚小云的火爆脾气时时要冲家厨发，当他发起火来，总是抢过家厨的手表，狠狠地摔在地上。有的时候，正吃着饭，为了一件什么事发了火，抬手就将饭桌掀了。

起初，家厨不能适应，很委屈。但是，与尚小云相处时间久了，就发现，尚小云的火来得快，去得也快；骂得凶、砸得狠，道歉也快。尚小云其实并不真正记恨什么人，骂过、打过，转眼也就烟消云散了。所以，包括家厨在内，大家都在他发火时赔着小心，实际上也并不真的害怕。家厨的手表被尚小云摔坏了好几个，摔到最后，家厨无所谓了，甚至敢于冲着正大动肝火的尚小云说："你摔吧，反正我的手表都是便宜货。"这么一说，尚小云反倒不知该怎么收场了。

更多的时候，尚小云骂了人、掀了桌子、摔了东西后，像个孩子似的自知错了，却又要维护一家之主的尊严，便想着法子找台阶下：主动搭讪，或者抢着做些什么事，又或者故意扯出别的什么事，一番高谈阔论，无非是试图转移被他骂或打的人的注意力。对他的做法，家人心知肚明，也就很快原谅了他。

尚小云与其他名角儿还有一个最大不同，那就是不抽烟不喝酒，却爱吃零食，花生、瓜子、水萝卜、梨等，几乎吃个不停。夏天，他爱喝汽水，而且一定要喝上海"正广和"的汽水。在北京不容易买到，他就托人在上海买，然后运回北京。冬天，有两样食物

① 陈云发：《吟啸菊坛——大写尚长荣》，复旦大学出版社2001年1月版，第6页。

是不能缺的，那就是水萝卜和梨，往往一买就是一大堆。这恐怕与北方冬季干燥有关，多吃水萝卜和梨，有助于保护嗓子。

说到保护嗓子，尽管他爱吃，但很有分寸，不吃酸辣等刺激性食物，很少吃荤食，以吃蔬菜为主。他曾经这样说："我的嗓子始终保持在一定水平，没有发生变化，这不能不归功于烟酒不动。"

尚小云的朋友很多，饭局自然也多。他和梅兰芳、程砚秋、荀慧生以及别的朋友每个月都有几次聚会，喝茶、吃饭、聊天。最常去的，是前门外的泰丰楼饭庄，有时也去珠市口的丰泽园饭庄、煤市街的致美斋饭庄。其实这样的聚会，并不为吃喝，而是在一起聊琴棋书画，切磋技艺。每次聚会，他们都是各自掏钱。当然，朋友也时常上门做客。虽然他不动烟酒，但家中却常备烟酒，因为他尊重别人的嗜好。所以，朋友来了，他就热情地递烟斟酒，而且拿出来的都是好烟好酒。

尚小云破戒喝酒，是在解放后。有一次，他到部队慰问演出，在部队招待的宴席上，一位解放军首长向他敬酒，他不便推辞，说："我不会喝酒，但今天要破破格儿，因为今天是祖国的亲人解放军给我敬酒，盛情难却，我抿一口吧。"这个时候，他年龄也大了，遵医嘱有时也喝一点儿葡萄酒，用来活活血。他的一个在内蒙古的学生鲍启瑜给他寄了一种用枣酿的"昭君酒"，想到演了一辈子的《昭君出塞》，他笑纳了，有时也喝一点儿昭君酒。

无疑地，尚小云的童年是贫穷的，缺吃少穿的；尚小云的孩子们的童年是富足的，不愁吃穿的。在外人看来，尚小云为弥补自己曾经受过的苦难，对孩子们是溺爱的，甚至是纵容的。事实上，尚家家教甚严。比如，尚小云规定，孩子们必须做到"出必面，返必告"，即出门时要面请老人、长辈批准；回家后，必须报告："我回来了！"

在"吃"的问题上，尚家的规矩更多。

⊙《昭君出塞》，尚小云饰王昭君。

比如，尚小云最不能容忍孩子们面对一桌子的饭菜，说这样一句话："我不爱吃×××。"或者说："这东西不好吃。"更不能说："我不吃。"尚家的孩子们自小就养成了习惯：端在面前的饭菜，无论多么不想吃，也都必须吃，而且盛多少吃多少，绝对不能剩饭剩菜。即便实在吃不下去，也得留着下一顿接着吃。否则，父亲尚小云轻则斥骂，重则责打。这固然是尚小云不忘本，更是因为他对生活的给予，有报恩之心，有感激之情，所以不肯浪费。

尚小云要求孩子们这么做，他自己也是如此。有一次他与梅兰芳、杨小楼、侯喜瑞等名角儿去济南唱堂会戏。演员们都有吃夜宵的习惯，可当晚演出结束后，他们连夜要赶回北京，便来不及吃夜宵了，卸了装就赶到了火车站。在等火车时，饥肠辘辘的几个人憧憬着车上的美味大餐，都不愿意将就着吃个饼咽个馍。

唯有尚小云，他不管那许多，买了几个山东锅饼，就啃了起来。有人问他："尚大爷，这东西是人吃的吗？"尚小云圆眼怒睁："怎么说话呢？有什么东西，人是不能吃的？"他狼吞虎咽，吃得喷香，一边吃着，一边还劝大家也吃。可是，他们都不能忍受这样的粗食，有人说："上了火车，去餐车吃，那多舒服。"

上了火车，安顿停当，大家急着要去餐厅吃夜宵，一打听，傻了，这列火车根本没有餐车，也没有小卖部之类售卖食物的地方。火车哐当哐当地，伴随着这一群名角儿肚子里叽哩咕噜的鸣叫。终于有人忍不住了，问："谁有吃的没有？饿得实在受不了了。"其他人都无奈地摇头。唯有尚小云是不饿的，他早已吃得饱饱的，舒舒服服地一路睡到北京。

第二章

协庆社时代

⊙协庆社时期之尚小云

自组班社

“伶界大王”谭鑫培的孙子、谭小培的儿子、著名老生谭富英曾经说过这样一段话：“干我们这一行的，谁不想自己挑班儿、挂头牌当老板啊！”然而，不是谁都有能力挑班儿、挂头牌的。按照谭富英所说，必须符合几个条件：“第一得台上的玩艺儿能站得住了，谈不上多么好，可也别砸锅；第二得要台下的人缘儿好，培养住了一批基本观众，不论刮风下雨，你一唱他就来听。假如挑了班儿啦，上座不好，赔钱还是小事，多丢人哪！再给人挎刀也来不及啦。”[①]

尚小云是在1925年正式挑班组建协庆社的，而程砚秋早在1922年就自组和声社了。这并非说尚小云直到1925年才达到谭富英所说的那两个条件，更不是说他比程砚秋晚三年才达到了组班的条件。应该说，尚小云比程砚秋早成名，也比程砚秋更早具备组班的条件。那么，他为什么比程砚秋组班晚呢？

就性格而论，尚小云与程砚秋完全不同。尚小云开朗直爽、少有心计，更容易与人相处；程砚秋则内向许多，又比较孤傲，相对而言，他更适合单打独斗。另外，尚小云自出道以来，基本上无依无靠，仅凭个人能力打天下；程砚秋则不同，他自小就有名士罗瘿公在身边辅佐。罗瘿公不仅是他的恩人、老师、编剧，也算得上是他的经纪人。一切演艺事宜，包括出外跑码头、自组班社

① 丁秉鐩：《菊坛旧闻录》，中国戏剧出版社1995年10月版，第416—417页。

等，罗瘿公都费了不少心力。因为罗瘿公在文化圈中的地位和关系，许多事情也比较好办。这恐怕也是程砚秋迅疾蹿红，声名直逼尚小云的原因之一。

在组班协庆社之前，有两件事情，对于尚小云来说，很值得一提：

第一件事情：1925 年 3 月 12 日，“国父”孙中山病逝于北京协和医院，后移灵于中山公园中山堂。前往吊唁的各界代表中，自然也有京剧界人士，尚小云就是其中之一（另外还有梅兰芳、余叔岩、高庆奎）。因为孙中山的特殊身份，参与吊唁，又是作为京剧界的代表，应该说，这样的吊唁，就不是普通意义上的吊唁，而更多了些政治意义。曾经有人这样说尚小云：“与政府很接近。”如果说，频繁参与政界人士举办的堂会，或者为政府官员演出，算是“与政府很接近”的话，那么，尚小云的确“与政府很接近”。

比如，早在1923年，他就在北洋军阀曹锟的总统府，为议员们演出过《南北和》；当年，还与余叔岩合作为各国驻华外交使团演出过《御碑亭》；参加过前财政厅长张英华为其子完婚而在天津江西会馆举行的堂会；到奉天为张作霖五十寿诞唱戏祝寿；1924 年，他又参加了曾任陆军总长的靳云鹏家堂会等。作为旦行领域数一数二的名角儿，“与政府很接近”，有的时候是身不由己的。从尚小云主观上来说，他并不排斥。这恐怕就是他日后担任梨园公会会长的基础。

第二件事情：尚小云的弟弟尚富霞出科了，也加入了尚小云所在的双庆社。兄弟俩有了更多的同台演戏、合作同一部戏的机会。尚富霞的本名叫尚德禄，乳名“小五儿”，他是尚小云的五弟、尚家最小的儿子。尽管与尚小云同时学戏的三弟尚德福被打死在科班而使母亲张文通悲痛欲绝，对科班的教学方式有本能的恐惧和愤怒，但是，尚小云在唱戏这条路上走出了一条光明大道，从一定程度上消解了张文通对科班的抵触情绪，也使她不再拒绝唱戏这个职业。

当小五儿长到十来岁也吵着要学戏时，张文通没有反对。1918年元月，由《顺天时报》的记者、日本人辻武雄和谭小培介绍，尚德禄入富连成科班，改艺名为“尚富霞”。想当年尚小云想入富连成而不得，如今，尚德禄却很顺利地加入其中，其中的缘由，恐怕与尚德禄是尚小云的弟弟有关吧。

自出科后，尚富霞一直跟随尚小云，为尚小云配演小生。他有几出拿手戏，如《十三妹》里的安公子、《梅玉配》里的徐廷梅等。尚小云大多数新戏里的小生，都是由尚富霞担当的。到底是兄弟俩，无论是演戏，还是执教管理荣春社科班，他俩都配合默契。戏里，一个是旦角，一个是小生；戏外，坏脾气的尚小云总是唱红脸，好脾气的尚富霞自然唱白脸。一母同胞，尚小云的性格火爆，一点即燃；尚富霞的性格温和，总是不急不躁，脸上永远挂着菩萨般祥和的笑容。

在尚小云创建荣春社科班后，学生们都怕尚小云，不怕尚富霞，不仅不怕他，甚至可以随意和他开玩笑。比如，尚小云是不抽烟的，尚富霞爱抽旱烟。尚小云又规定：学生一律不准抽烟。当尚富霞烟瘾上来时，又不好当着学生的面抽，便悄悄到院外去。如果在演出期间，他也从不在后台抽烟，而是跑到戏院外面去。这时，学生们就和他开玩笑道：“五叔，原来您也怕我们师傅啊。”对学生们善意的调侃，尚富霞总是微笑着，不言语。

但是，好脾气的尚富霞却比坏脾气的尚小云先故。那是在1968年，尚小云正在“文革”中受煎熬。得悉弟弟病故，他的心情恶劣透顶，比被拉出去挨斗还要坏。不过反过来想，能够离开乱世，不再受折磨，未必不是件幸事。渐渐地，他就释然了。

尚小云自组协庆社，当然不能没有弟弟尚富霞。其他成员包括：

执教：李寿山，即尚小云的岳父。

管事：赵砚奎（后来是张君秋的岳父）。一直以来，他都是尚小云的琴师，两人合作时间较长，配合默契。他的长相虽然文气，但琴声却自然苍劲，与尚小云的“铁嗓钢喉”很相配。特别是，他为人处事很周到，人际关系不错，方方面面都能安排妥帖，也有组织能力和管理才干。这对于尚小云的事业发展很有帮助。所以之后，他也与尚小云一样，曾担任过梨园公会会长。

老生演员：言菊朋，谭派著名老生演员。

花脸演员：侯喜瑞，有“活曹操”之称，与郝寿臣、金少山并称“三大花脸”。

小生演员：朱素云，有“第一小生”之美誉。

茹富兰：出身梨园世家，其祖父茹莱卿擅胡琴、武功，梅兰芳的武功戏，特别是跷功，就是随茹莱卿所学。

武丑演员：王长林，擅长武打。这恐怕是尚小云招他入社的主要原因。

花旦演员：筱翠花（于连泉），是近代花旦艺术影响最大的流派“筱派”的创始人。在协庆社创建前几个月，尚小云应上海荣记大舞台的邀请，第七次赴沪演出，筱翠花与之同行，两人有过合作。

小丑演员：马富禄，也曾经与梅兰芳合作过，有“著名小花脸”之称。

武旦演员：九阵风（阎岚秋），以“武旦第一人”称盛一时。

从这份名单可知，协庆社的演员阵容是比较整齐的。众多好角儿能够进入协庆社，也可说明尚小云此时的声名已经被认可。

与言菊朋的“闹翻”

在协庆社初创时期，最惹眼的成员，便是言菊朋。在民国初年，学谭（鑫培）的老生演员，正式演员中，以余叔岩为最好；而在票友中，就算言菊朋为至尊了。不仅如此，有一段时期，言菊朋在老生行，大有超乎余叔岩之势。

言菊朋学谭鑫培，几乎到了痴迷的程度，甚至连老谭生活中的一些小动作，他也照学。比如，谭鑫培喜欢闻鼻烟，把两个鼻孔熏得黄黄的。于是，他就有个习惯，到了戏院后台，先洗鼻子，再扮戏。言菊朋并不闻鼻烟，却也在扮戏前先洗鼻子。诸如此类，还有其他。所以，有人说言菊朋学谭走火入魔了。反过来说，正是因为这样的痴迷，谭派艺术，除了余叔岩，也就属他学得最像。

但是，言菊朋这个“谭派传人”，在他下海前只被票友和内行认可，戏迷、观众对他并不了解。于是，他要下海。在那个年代，正式演员往往很瞧不起票友下海。梨园之人，有不少人说话都很刻薄。对言菊朋，他们讥为“五小”、“五子”。“五小”，即小脑门（额头太低）、小胡子（髯口太稀）、小袖子（水袖太短）、小鞭子（马鞭短细）、小靴子（鞭底太薄）；“五子”，即小胡子、小袖子、小鞭子、洗鼻子、装孙子。可想而知，初下海的言菊朋心理压力有多大。

在当时，不论北京的名角儿，还是从南方北上进京搭班的名角儿，或是票友下海，习惯上都要搭班“双庆社”。他们看中的，不仅是该班社强大的阵容，更是因为班主俞振庭。俞振庭不是一般人物，他人缘极广、神通广大，组织管理能力强，而且极聪明，会派戏码。在他的手下，似乎很容易出人头地。言菊朋于1925年中期正式下海，也搭班双庆社。这个时候，尚小云正好在此搭班。

言菊朋在双庆社的头场演出，是在广德楼，演夜戏，时间是6月11日。那天共有五出戏，压轴是筱翠花的《醉酒》，大轴就是尚小云和言菊朋合作的《汾河湾》。俞振庭这样的安排，是颇具匠心的：《汾河湾》这出戏，尚小云与多位老生演员都有过合作：与俞振庭，与谭小培，与马连良，更与余叔岩。这出戏对于尚小云来说，是太熟悉不过了，演来也得心应手。

对于言菊朋来说，这出戏也有非常意义。可以说，他就是因为这出戏，而在“卖钱的营业戏”里崭露头角的。那是在1922年10月，第一舞台举办了一场义务夜戏，全部由票友演出。虽然算是义务戏，但也是对外售票的，而且票价比一般营业戏贵（所谓义务戏，只是演员不拿戏份，但还是出售门票的）。言菊朋在这场演出中的戏码，是与蒋君稼合作的《汾河湾》。

余叔岩是“谭派传人”，毋庸置疑。言菊朋自诩“旧谭派首领”，也得到票友认可。既然尚小云与余叔岩合作过《汾河湾》，而且反映不俗，何不让尚小云与言菊朋也合作一次这出戏呢？让观众去评一评两位“谭派传人”的异同，不是也很有意思吗？这就是俞振庭如此安排的原因，也尽显其洞悉观众心理的智慧。果然，那晚的演出很成功，言菊朋傍着双庆社，也傍着尚小云，在下海之初，就取得不俗成绩。这使他有些飘飘然，更以“谭派传人”之名而自得了。

从艺术上来说，言菊朋确有他的长处。在唱腔上，他非常讲究字眼，也就是绝对以“字正”为本。但是，“字正”与“腔圆”有的时候不能统一。谭鑫培、余叔岩等名角儿，有时为了腔圆，而不得不牺牲某个“字”。言菊朋却不同，他坚持“字正”，不惜牺牲某些腔调。于是在耳尖的人听来，他的唱腔（后来被称为“言腔”），有时几乎成为怪腔。他却说：“腔由字而生，字正而腔圆。”在表演上，他追求“神似，而不能求其貌似”。他虽然不是正宗科班出身，但长年勤学苦练，武功底子也不错。尚小云正是看中了这些，才邀其加入“协庆社”的。

然而，言菊朋在协庆社，只唱了短短几个月，就与尚小云闹翻而离开了。

协庆社成立之初的演出，是在天津新朋戏院。社里的成员，包括言菊朋都参与了演出。尚小云的戏码是《玉堂春》、《游园惊梦》、《秦良玉》等。返回北京后，协庆社的主要演出场地在中和园。尚

⊙ 1925年11月8日，尚小云在中和戏院演出的戏单

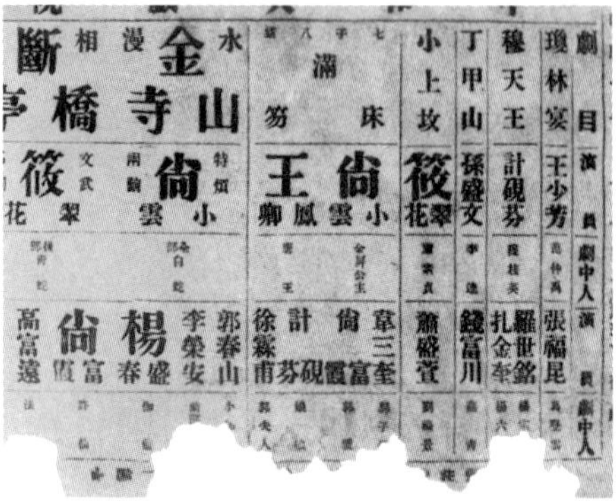

小云与言菊朋不仅合作了众多老戏，更合作了新编排的《林四娘》、《谢小娥》等。

比如，8月8日，协庆社在中和园演出，大轴是尚小云的《秦良玉》，压轴是言菊朋、王长林的《闹府》。

8月30日，协庆社在中和园演夜场，压轴是尚小云和言菊朋、侯喜瑞合作的《宝莲灯》，大轴是尚小云、言菊朋、筱翠花合作的《四五花洞》。

9月12日，协庆社在中和园演了四出戏：尚富霞的《贪欢报》、九阵风和茹富兰的《殷家堡》、筱翠花的《马上缘》，大轴是尚小云、言菊朋、侯喜瑞的《林四娘》，这是尚派新戏《林四娘》的首次公演。

10月9日，协庆社在三庆园演日戏，尚小云与朱素云、马富禄、札金奎合演《玉堂春》，压轴是言菊朋的《搜孤救孤》。

到了12月，协庆社突然又增聘了一位老生，他就是曾与尚小云在上海有过多次合作的谭小培。3日，协庆社在三庆园演夜戏，尚小云演出《红绡》，这是他自组协庆社之后，第一次演出这出新戏。与他配演的是侯喜瑞、朱素云、范宝亭、尚富霞。自然地，《红绡》担当大轴。这天的压轴是谭小培与王长林合作的《天雷报》。言菊朋与尚富霞合作的《胭脂虎》列于倒数第三。

在言菊朋加入协庆社之后，戏码不是大轴就是压轴，可是这次，因为多了一个老生谭小培，他的《胭脂虎》就被排到了倒数第三。对于尚小云增聘谭小培，言菊朋的心里本来就有许多埋怨，所谓“一山

不能容二虎”，两个老生，谁主谁辅？如今，他的戏码被列倒第三，加剧了他的不满。“不是明摆着挤兑我吗？”他难免会这么想。

其实，最让言菊朋感觉难堪的是谭小培作为谭鑫培之子，更应该是谭派明正言顺的继承人，无论言菊朋学谭学得如何像，又怎能和正宗的继承人相提并论？客观地说，谭小培的技艺确实不如言菊朋，这就更让言菊朋窝火，他甚至认为，尚小云宁肯重用“挂羊头卖狗肉”的谭小培，也不把他这个公认的“旧谭派首领”放在眼里。他觉得尚小云看不起他。气归气，好在他还是有戏德的，在忍气将《胭脂虎》演完后，当晚就向尚小云提出辞班。

当时，京城的戏班多如牛毛，彼此竞争得也十分激烈。为此，班社基本上采取“双生双旦制”，即，老生班约两位旦角，旦角班约两位老生。尚小云组班的协庆社是旦角班，当然也可能同时邀约两位老生。其他旦角班大都如此。比如，梅兰芳挂头牌的喜群社，就曾经同时有王凤卿和余叔岩两位老生。有时候，王凤卿演压轴，余叔岩唱倒第三。有时候，梅兰芳、王凤卿合演大轴，余叔岩演压轴。有时候，梅兰芳与余叔岩合演大轴，王凤卿演压轴。虽然两位老生并举，却没有抢戏的事情发生。

但是，有人认为，这并不能说明在一个班社里，两位老生就一定能够相安无事。王凤卿、余叔岩之所以没有闹出矛盾，是因为在当时，余叔岩在沉寂七八年之后刚刚复出舞台，多少还有依附梅兰芳的意思。不是他不计较，而是他不能计较，他明白他当时的身份和地位。事实是，余叔岩在羽翼丰满之后，不是离开了梅兰芳吗？

如果这么说确有道理的话，那么，言菊朋此时搭班协庆社，与余叔岩有相似之处。尽管言菊朋在票友中的艺术口碑不错，但他毕竟刚刚下海，从声望上来说，谭小培是在他之上的。如果不是他自视甚高的话，他大可以像余叔岩一样，耐心等到羽翼丰满。但是，他的强烈自尊心受不了这样的待遇。殊不知，尚小云就是从头唱起的，戏码一点点往后挪。余叔岩也唱过倒第三。即便梅兰芳，演过宫女丫环，也唱过倒第六呢。当然，言菊朋不会这样比。

关于主角、配角的问题，尚小云非常推崇这样一句话："在一切大作家的作品里，根本无所谓配角，每一个人物，在他的位置上，都是主角。"当然，他承认在一部戏里确有主次之分，更有主角和配角，但他理解的主次、主配，是一定时间和地点上的处理手法，而并不因此就说主角重要、配角不重要。还是以《昭君出塞》为例，马童一角，是通常意义上的配角，在全剧中，他也只有几句台词，但如果没有这个角色，就很难陪衬出王昭君的形象。因此，尚小云虽然对这出戏有过多次反复修改，却始终保留着这个角色，其重要性自不待言。

20世纪60年代初，尚小云在山东讲学时，也提到过主角、配角问题。也许他只是以其人生阅历给青年演员以忠告，但了解他与言菊朋这段往事的人，不免会产生联想，会觉得尚小云言有所指。当时，他这样说：

"有个别的青年同志，学了几出戏，演得还不错，因此产生了骄傲情绪，以为自己当了主演，什么都瞧不起，目空一切，不可一世，俨然以大角儿自居。再就是有不少青年人，犯了'艺术高一尺，骄傲高一丈'的毛病，这情况很不好。老想着个人顶大轴子，连演配角都不肯干，要闹情绪。这种现象是很危险的事，如此发展下去，不需要很久时间，就会把自己断送了。在舞台上，只有小演员，没有小角色。凡是需要扮演的角色，都要起到一定的作用。从前有句老话：'绿叶出尖端'……"

当初，余叔岩和梅兰芳分手，过程是温情的，没有分手前的恩断义绝、剑拔弩张。

尚小云的性格与梅兰芳完全不同。他是个直率的人，也是有大脾气的人。言菊朋突然辞班，他看出其中的不满和负气成分。他不会像梅兰芳那样耐心周到，也不会像梅兰芳那样极力规劝挽留。言菊朋的负气，只能更加激发他的意气。他当即表示：“天要下雨，娘要嫁人，人要走，谁也拦不住。你要走，我也不拦你。”如果这个时候，尚小云态度和缓，不论心里怎么想，哪怕是假意地好言两句，言菊朋有了台阶下，恐怕也就不走了。走，大家也好聚好散，面上不难看。但是，尚小云不是肠子会拐弯的人，他一是一，二是二，心里怎么想，嘴上就怎么说，做人决不虚伪。

就这样，言菊朋走了。

第二天，即12月4日，协庆社继续在三庆园演夜戏，这天的主要戏码是尚小云、茹富兰、侯喜瑞、王长林的《巴骆和》，压轴是谭小培的《闹府》。这天的上座率，并没有因为言菊朋离开而有所影响。这似乎表明言菊朋在协庆社是个无足轻重的角色。其实言菊朋的行为也无可厚非，角儿在戏班，合则留，不合则去，既在常理，也是常事。

有人说，尚小云对言菊朋的行为是非常恼火的，所以他要给言菊朋一点颜色看看。这时，马连良从上海返京。尚、马是老搭档了。尚小云立即邀约马连良加入协庆社，马连良也没有丝毫犹豫，就来了。这个时候，协庆社又有了“双生”，即谭小培和马连良。这样说来，马连良实际上是顶替了言菊朋的位置。

接着，12月17日，协庆社在三庆园演夜戏，压轴是谭小培的《卖马》，大轴是尚小云、马连良、侯喜瑞合作的《宝莲灯》。

12月20日，协庆社在三庆园演日戏，谭小培、朱素云、茹富兰、侯喜瑞的《黄鹤楼》位列倒第三，压轴是马连良、刘景然、王长林的《盗宗卷》，大轴是尚小云的新编戏《贞女歼仇》。

看得出来，谭小培、马连良两位老生同在协庆社，犹如同在喜群社的王凤卿、余叔岩，不争戏码，合作无间。这就让外人对言菊朋挑三拣四、不识时务又昧于形势的傲慢颇有微词。

尚小云的性格，固然可以用爽直、真率来形容，这样的性格有时却很容易得罪人，加上他的脾气大、火气旺盛，对于不了解他的人来说，似乎很难与之相处。据说，在言菊朋离开协庆社之前，协庆社的另一个成员筱翠花，也已经与协庆社不欢而散，与尚小云分道扬镳了。又据说，筱翠花临走前，还丢下一句狠话："再也不和你合作了。"还据说，筱翠花辞班后，自组班社义兴社，邀约了王幼卿、孙毓坤等人。当言菊朋随后不久也辞班后，与筱翠花有同病相怜之感，便应筱翠花的邀约，也加入了义兴社。当然这一切都与尚小云无关了。不过，事实却并非如筱翠花所言，因为他后来与尚小云一直都有合作，是与尚小云合作时间最长的演员之一。

集中排新戏

在协庆社成立之前，尚小云有四部新戏问世，《红绡》、《秦良玉》、《五龙祚》、《张敞画眉》，这些都算作是他的"试水"之作。从自组班社起，直到1936年，尚小云在这十来年里，新戏频出，多达数十部。在旦角中，尚小云和荀慧生自排的新戏算是比较多的，不但多于程砚秋，也多于梅兰芳。而在这期间主要为尚小云编剧的，一种说法是清逸居士爱新觉罗·溥绪，一种说法是另有其人。

据著名学者吴小如所说，为尚小云编剧的，除了溥绪，还有一个人，就是徐汉生。就目前资料来说，只可知，徐汉生于1935年为尚小云编过一本《尚小云专集》(京津书局排印)。这本集子由梅兰芳智囊团成员之一李释戡题字，收录有林老拙、张聊止、刘豁公等剧评家对尚派剧目的评论文章和赠诗，以及尚小云排演的部分新戏的剧情介绍和唱词。对于徐汉生的生平、经历，少有记载，更未见确切资料证实他曾经担任过尚小云新戏的编剧。

那么，吴小如之说，因何而来呢？据他说，他于“一二·九”时在北平育英中学读初中时，有个姓徐的同学，名叫徐伟，是徐汉生的儿子。20世纪80年代，他曾经专门为徐汉生这个人拜访过徐伟。通过与徐伟的交谈，他不仅得出徐汉生的确曾经为尚小云编过新戏的结论，甚至因此解开了一个长期困扰众人的谜团。

吴小如说，徐汉生编的新戏有《婕妤当熊》、《卓文君》、《相思寨》（即〈云娘〉）、《花蕊夫人》、《白罗衫》、《前度刘郎》等戏。至于尚小云最早的几出戏，比如，《红绡》、《秦良玉》等，连徐伟也不能确定是否其父执笔。

而那个谜团，就是多年以来，关于尚小云的由《昭君出塞》扩展而成的《汉明妃》到底出于何人之手，一直无法得到确认。《汉明妃》这出戏初演于1935年，当时，尚小云的弟子之一、著名架子花脸袁世海参加了首演。据他回忆：该剧“由还珠楼主执笔改编。这位还珠楼主姓李，名寿民，曾写过很多侠客、鬼怪小说，在报上发表。过去曾流行一时的《蜀山剑侠传》就是他写的。”①

但是，据徐伟向吴小如透露，《汉明妃》的编者，却是徐汉生。徐伟这么说的根据，在于他小的时候，曾经用毛笔工楷替他父亲抄过不少本子，其中就有《汉明妃》。另外，吴小如又说：“抗日战争以后，徐、尚双方即分道扬镳。尚后期所编的《虎乳飞仙传》、《青城十九侠》等，汉生先生认为格调不高。这时他们已不在一起合作了。”②

然而，据《中国京剧史》（中国戏剧出版社1999年9月版）的记载，关于吴小如提到的那几出戏中，《婕妤当熊》是清逸居士所编，而《白罗衫》和《前度刘郎》则是清逸居士和尚小云合撰。据《北京戏剧通史》（北京燕山出版社2001年12月版）的记载，《婕妤当熊》、《相思寨》、《白罗衫》、《前度刘郎》都出自清逸居士手笔。据《京剧大

① 袁世海口述，袁菁整理：《艺海无涯》，中国青年出版社，1985年6月版，第176页。

② 吴小如：《吴小如戏曲随笔续集》，天津古籍出版社2005年5月版，第33页。

师尚小云（画册）》（陕西人民出版社2003年6月版）记载，除了《花蕊夫人》的编剧不能确定、《前度刘郎》是尚小云自编的以外，其他几出戏，都是由清逸居士所编。

1.《林四娘》

《林四娘》是尚小云的协庆社组建后的第一出新戏，即尚小云的第五部新戏，也是清逸居士编剧的第三出新戏，1925年9月12日首演于中和戏院。

在历史上，“林四娘”确有其人。据清代陈维崧《妇人集》、王士祯《池北偶谈》、蒲松龄《聊斋志异》的记载，她本是明代青州衡（又说“恒”）王府宫人。衡（恒）王，据说是指明朝朱祐睴，于弘治十二年镇守青州。曹雪芹在《红楼梦》里，借小说中的人物贾政之口，详述了有关林四娘的故事：

曾有一位王封曰恒王，出镇青州。这恒王最喜女色，且公余好武，因选了许多美女，日习武事。每公余辄开宴连日，令众美女习战斗攻拔之事。其姬中有姓林行四者，姿色既冠，且武艺更精，皆呼为林四娘。恒王最得意，遂超拔林四娘统辖诸姬，又呼为“姽婳将军”。谁知次年便有“黄巾”、“赤眉”一干流贼余党复又乌合，抢掠山左一带。恒王意为犬羊之恶，不足大举，因轻骑前剿。不意贼众颇有诡谲智术，两战不胜，恒王遂为众贼所戮。于是青州城内文武官员各各皆谓“王尚不胜，你我何为！”遂将有献城之举。林四娘得闻凶报，遂集聚众女将，发令说道：“你我皆向蒙王恩，戴天履地，不能报其万一。今王既殒身国事，我意亦当殒身于王，尔等有愿随者，即时同我前往；有不愿者，亦早各散。”众女将听她这样，都一齐说愿意。于是林四娘带领众人连夜出城，直杀至贼营……

林四娘的故事，被许多文人演绎。清逸居士根据清朝杨恩寿的

⊙《林四娘》中，尚小云饰林四娘

《婉孋封》传奇，创作了《林四娘》，又名《婉孋将军》。“婉孋”，意即女子娴静美好。以“婉孋”和“将军”相配，实则娇弱与英姿相合，更显其妩媚风流。

在这出戏中，尚小云为展现林四娘的飒爽女将形象，设计了一段“剑舞”。不能不说这段剑舞，是受梅兰芳《霸王别姬》中“虞姬剑舞”的影响。但是，尚小云的剑舞与梅兰芳的剑舞，还是有区别的。后者更多的是阴柔之美，前者则舞出了阳刚之气。这固然是舞剑之人身份的不同而造成的：虞姬是宠妃，又面临与霸王的死别，她的剑舞包含了太多的离愁别绪，因而内敛、壮美；林四娘是女将，她的剑舞是杀敌前的预演，因而更热烈、更火爆；当然，两段剑舞也透出表演者性格的不同：尚小云直露一些，梅兰芳则更含蓄。

整个一出戏，时间长达三个小时，但尚小云能在一个晚上演完。就他的武功底子而言，这不足为奇。初演《林四娘》，与之配合的演员有言菊朋、范宝亭、王长林、慈瑞全、马富禄、王连浦等。由于这部戏故事新奇，演员阵容强大，初次公演即好评如潮。

2.《谢小娥》

继《林四娘》之后，不到一个月，戏迷们惊闻，尚小云的协庆社又出新戏《谢小娥》。看这部戏的另一个剧名《贞女歼仇》，就可窥出它的主要内容，以及可以想见女主人公的形象。10月9日，《谢小娥》在三庆园首演。

这出戏是清逸居士根据唐朝李公佐《谢小娥》传奇、明朝凌蒙初《初刻拍案惊奇 · 谢小娥智擒船上盗》改编而成。对于谢小娥这个人物，用一句话概括，就是遇大难女扮男装、用尽心机受尽苦楚、又能报仇又能守志的一个绝奇的女子。关于谢小娥智擒船上盗的故事，大意是这样的：

唐元和年间，有一个姓谢的富商生了一个女儿，名唤小娥。她在8岁时，母亲去世。小娥年虽幼，但身材壮硕如男儿。谢富商慕侠士兼大贾段居贞之名，便将小娥许配给他。谢、段两家从此同舟载货，往来吴楚之间，两家弟兄、叔侄、仆人等共约数十口人，全部以船为家。小娥14岁时，与段居贞成婚。蜜月未尽，一日，船至鄱阳湖口，遇大盗，谢、段两家惨遭屠杀，财物也尽悉被抢。小娥有幸未被杀死，而被大盗当作死尸抛入湖中，幸被渔夫夫妻救起。尔后，小娥历经千辛万苦，终于觅得大盗真姓名，然后设计智擒，为父、为夫报了仇。

《谢小娥》被称为“唐代历史惨情名剧”。尚小云初演时，与之合作的演员有名小生朱素云和蒋少奎、马富禄、尚富霞等。由于该剧极富戏剧性，悲情曲折，又有小娥与大盗的斗智斗勇，对观众来说，很有吸引力，上座颇佳。

3.《摩登伽女》

如今，论及尚小云的尚派名剧，《摩登伽女》是其中之一，而且是尚小云艺术生涯中很重要的一部戏。它得以留名于世的原因，并非其故事内容如何富于传奇，而是尚小云对这出戏在题材上的独到选择，以及在表演方式上的大胆尝试。也因为这出戏，使人们重新认识了尚小云这个人：标新立异，不怕揶揄，继承而不泥古，发展而不离谱。也因此这样断定，尚小云虽然比其他名旦更注重传统的继承，但是，他也是一个精于创新、大胆改革的人。

《摩登伽女》的故事大意是：古印度旃荼罗种族中，有一个姓摩登伽的妇人，她精通荼吉尼妖术，会符咒、擅幻术，能拘生人魂魄。她有个女儿，名叫钵吉帝，待字闺中。因为钵吉帝是摩登伽的女儿，所以被称作“摩登伽女”。她长得很漂亮，一次在村头井上打水时，偶遇释伽牟尼的弟子阿难陀，陡生情愫，便求母亲摩登伽用法术将阿难陀弄到家里，与她成婚。摩登伽疼爱女儿，便助其女儿。阿难陀被魔法束缚，不由自主。释伽牟尼得知后，便派文殊师利菩萨将阿难陀救往西方佛域。钵吉帝为追阿难陀，一路跟踪，也来到佛域，并誓与阿难陀同生共死。最后，经释伽牟尼的教导，钵吉帝终皈依佛门。

从剧情内容可知，这出戏是以异国故事为题材的。

最早将外国故事搬上京剧舞台的，是京剧艺术家汪笑侬（1858—1918）。他于1904年演出了自编京剧《瓜种兰因》（第一本），这在中国京剧史上，是一个创举，也是大胆突破。这个剧目又名《波兰亡国惨》，说的是历史上波兰与土耳其交战，兵败乞和、国土被瓜分的故事。演出时，演员身着波兰民族服装，唱的却是戏迷们熟悉的西皮、二黄。可以说，这部戏是应时之作，其中有大段慷慨念白催人泪下，激起观众对中国国土正被外国列强觊觎的警惕。所以，该戏一经公演，立即受到蔡元培、陈去病、陈独秀等进步知识分子的关注和好评，在其主办的《警钟日报》上纷纷发表评论。蔡元培认为《瓜种兰因》"其寄托之遥深，结构之精严，韵律之悲壮，实为梨园所未有之杰作。"陈独秀撰文称："看戏的人被他感动得不少。"可以说，上海京剧改良运动，由《瓜种兰因》（以及汪笑侬之后编演的古装戏《桃花扇》）拉开序幕。

在尚小云编演《摩登伽女》之前，曾经八次赴上海演出。接连南下，使他在艺术上深受海派影响。当时，上海盛行演新戏，冯子和、欧阳予倩、毛韵珂、赵君玉、贾璧云的旦角戏风靡一时，他们都是擅演新戏的能手。尚小云多次与他们或同台演出，或合作演出，受到感染而萌发编演新戏的想法。他虽然没有亲眼目睹《瓜种兰因》，但在上海观看过《拿破仑》、《茶花女》等外国题材的新戏。这或许是他创编《摩登伽女》的动因。

与以往编剧方式相同，清逸居士（一说该剧编剧是洵疏厂）编《摩登伽女》也不是独创，而是根据东汉安世高译的《摩登伽经》、三国竺律炎译的《摩登邓女经》，以及般刺蜜帝译的《首楞严经》中的“阿难因乞食次，经历淫室，遭大幻术摩登伽女以娑毗伽罗先梵天咒摄入淫室”改编而来。

1927年1月16日，尚小云的《摩登伽女》在新明戏院首次公演。那么，清逸居士和尚小云为什么会编演这样一出新戏呢？这恐怕与时代背景和戏曲界盛行的改革创新意识和实践有一定的关系。

自19世纪末到20世纪初，西方的文艺思想和文艺作品大量涌入中国，不断增进中国人对西方资本主义社会的了解和认识，更开启了中国青年反封建思想意识。特别是“五四”之后，中国思想文化界更普遍流行借鉴外来文化。当话剧、电影、油画、音乐、舞蹈传入中国后，对京剧界也产生了许多影响。其中最甚者，是话剧。受话剧影响，京剧舞台上出现了直接反映现实的现实主义作品，形式也发生了变化，比如灯光、音乐、化装、舞台装置、舞台管理等。

京剧界最先呼应这种变化的，当属梅兰芳，他编排了一系列反映现实的作品，比如《孽海波澜》、《邓霞姑》等，他更在人物造型、化装、服饰等方面大胆创新。他在《孽海波澜》中，将角色于不同时期的装扮分成三个部分，在被拐卖时是贫女打扮在妓院时穿华丽的绸缎衣服，在济良所时穿竹布衫裤；他又在《童女斩蛇》中，为女主人公设计了梳大辫子、额前留短发的天真少女形象。

早在20世纪20年代前夕，梅兰芳就发现反映现实题材的戏很难做到内容与形式的有机统一，因而放弃了这类题材的尝试，转向歌舞并重的古装新戏的探索。对于后来的旦角演员，包括尚小云来说，在戏曲改革方面，梅兰芳实际上起到了开路先锋的作用。既然如此，尚小云若想继续创新戏，就不能走现实剧的老路，而应当另有突破。选择外国题材的故事，既是受外来文化的影响，也是他的突破创新的方式之一。

从思想上来说，《摩登伽女》也透出一定的反封建性。有的观众

⊙《摩登伽女》，尚小云饰钵吉帝

从“摩登”两字误断，《摩登伽女》是一出时装戏。实际上，“摩登伽”是印度梵文词，意为“恶作业”。在当时，旃荼罗种姓地位比较低微，只能“以拂市为业，用供衣食”，简单地说，就是贱民里的清洁工，即所谓“扫街的”。在《摩登伽女》中，释伽牟尼破除种姓藩篱的众生平等观念，便是这出戏的一种新思想。

在尚小云创编《摩登伽女》之前，梅兰芳对戏曲的改革已经转向对京剧形式美的精雕细琢，一系列新戏，如《天女散花》、《西施》、《霸王别姬》、《洛神》、《太真外传》等，多是歌舞翩翩、唱腔柔美、服饰华丽。这对尚小云创排新戏，也是有影响的。

如果说梅兰芳是京剧艺术形式的开拓者的话，那么，尚小云因为《摩登伽女》，可以称得上是形式的跳跃者。在这出戏中，他将摩登伽女的形象设计成：一头披肩烫卷发、着印度风格的服装、穿玻璃丝袜、脚蹬黑亮高跟鞋、戴鲜红斗篷。化装之后，“她”鼻梁高挺、下颏尖润、桃花粉脸，弯弯柳眉下一双水灵灵的大眼睛，顾盼留连。这样的人物形象，的确够得上摩登，而且也透出人物的非凡气质：温文尔雅、笃厚善良、心胸豁达、性格内向又不失敢爱敢恨。这样的人物，在以往的京剧舞台上，是绝对没有出现过的。

同时，尚小云聘请我国文明戏（我国早期的话剧）创始人之一的朱蛛隐（旭东）先生，参照《英格兰女儿曲》设计了全剧的曲谱。朱蛛隐曾以“言论老生”闻名于时，曾因即兴作爱国演说而被清廷抓去坐牢，险些被砍头，幸好这时辛亥革命成功，才得以出狱。他对于西洋乐有很深的研究，也有相当造诣，擅长各种乐器。他的女婿史海啸在当时有“第一名旦”之称，他的儿子朱小隐是著名的钢琴家。

于是人们看到，在这出戏的最后一场“斩断情丝”中，在浓郁的西洋风格的《英格兰女儿曲》中，尚小云素纨长裙翩翩跳起苏格兰舞，也将剧情引入高潮。为了这段舞蹈，尚小云特地请了一位英国舞蹈老师，为其传授西洋舞技艺。因为舞曲是西洋的，伴奏乐器当然就不能是传统京剧中的胡琴，而用上了钢琴、小提琴。为尚小云担任小提琴伴奏的是京剧著名老生杨宝忠。也是凑巧，这段时间，杨宝忠正搭班协庆社。他演出的主要剧目是《定军山》，也为尚小云配演过新戏《林四娘》。不过，他俩合作演出的传统老戏《御碑亭》最为精彩。

因为在京剧演员中，只有杨宝忠随朱蛛隐学习过小提琴。所以，每次演完《定军山》，他就马上卸装，换上西装革履，操起小提琴上场，和弹钢琴的女学生吴晨兴（吴小如的妹妹。一说，担任钢琴伴奏的是北京关记琴行的一位钢琴技师）一起为尚小云的《摩登伽女》伴奏。这样的音乐舞蹈，自然让观众耳目一新。

除此之外，在布景的设置上，尚小云的《摩登伽女》也有创新，一改以往京剧舞台上一桌二椅的单调，效仿梅兰芳在许多剧目中的做法，大胆使用布景。同时，他还用变幻的灯光，烘托出古印度绮丽的风情。

在《摩登伽女》的宣传单上，这样概括这出戏：“有西方美人的装束，有玉润珠圆的唱工，有风流旖旎的表情，有庄严灿烂的布景，有香艳新奇的舞式，有赏心悦耳的音乐。”

有人说，梅兰芳的改革步伐总是缓慢的、循序渐进的，那是因为他深谙观众心理。从心理上来说，人们总是不太能接受大跨度的跳跃。这样说来，尚小云的《摩登伽女》的确是太超前了，这让许多习惯于传统表演方式的观众无法接受，更让不少正统文人将其视

⊙《摩登伽女》在沪演出之戏报

作“洪水猛兽”。各种议论纷至沓来，有的说：“此举叛经离道，毁了自己。”有的说：“此剧中不中，西不西，土不土，洋不洋，不成体统。”有的说：“此举大逆不道，肯定要砸。”

梅兰芳的专职编剧齐如山在看了《摩登伽女》之后，也大摇其头。他认为这出戏“完全是西装跳舞，不但不够花旦，而且出了国剧的范围。”他甚至质问尚小云：“都说你是正宗青衣，看了这出戏，我不禁要问，你的正宗青衣到什么地方去了？”“正宗青衣”陈德霖也说：“小云之《摩登伽女》，完全出了旧戏的范围。”也就是说，他也不能接受尚小云的创新。

公认的，演员们争相创排新戏，是受到梅兰芳创排新戏的影响。梅兰芳创排的新戏，多是出自于齐如山之手。因而，有人不免将尚小云的《摩登伽女》与齐如山创编的梅戏作些比较。据齐如山自己所说，陈德霖这样对他说：

“您所给兰芳编排之戏，虽也新颖，有许多从前没有的东西，但总未出旧戏的规矩。”

齐如山说：“您当然是当面夸奖我。”

陈德霖说：“绝对不是恭维。您所排的戏，虽然一出有一出的特别，但衣服永远是中国的衣服；舞的身段，永远是中国的姿势。这与《摩登伽女》是不能相提并论的。”

齐如山承认陈德霖所说确是实情。他又说：“戏剧原是娱乐的事业，并不必有极端严厉的规矩，只若大家欢迎，能够卖钱就可以演。”

陈德霖说：“这话自然也有理，但不能说他（指尚小云）是旧戏就是了。特别花哨不规矩的戏，不必说一定不可以演，偶尔为之尚可，万不能多演，因为演多了，就有了习惯，演规矩戏的时候，也就不能规矩了。”[①]

齐如山因为捧出了梅兰芳，所以一向很自得自傲。在他撰写的许多回忆文章中，有不少地方颇有粉饰自己之嫌。关于尚小云的《摩登伽女》，他又借陈德霖之口，把自己夸奖了一番，也就是“贬损”了尚小云。同时，他又“狡猾”地说戏剧“能够卖钱就可以演”。表面上，似乎并不反对《摩登伽女》，实际上，却是将《摩登伽女》归于只是“能够卖钱”的水准不高的一类戏中。

总之，此剧一经推出，立时引来轩然大波。可以说，尚小云承受着巨大压力。

但是，尚小云的有主见，使他很少顾及别人的闲言碎语；他的要强个性，又使他越是面对压力，就越是坚强。而事实是，只要演出这出戏，票价就要加一块钱。“不少人初看此剧，只图瞧个新鲜。但当他们随着剧情的发展，听到民乐与西洋乐融为一体的娓娓动听曲调，看到表现佛门生活的服饰场景，以及剧中人钵吉帝热爱生活、忠于爱情的纯洁心灵，阿难陀勤劳俭朴、机灵可爱的个性特征，摩登伽夫人敢于冲破佛教戒规，支持女儿与阿难陀成婚的抗逆精神，释伽牟尼通情达理，成全男女青年结为伉俪的慈善心肠，都生动逼真、栩栩如生地呈现在舞台上，因而深受感动……剧情发展至高潮，全场观众也伴随台上演员边歌边舞的旋律，有节奏地长时间鼓掌。”[②]

当时的一些剧评家更是不吝笔墨，详尽描述了这出戏的演出情景：

是夕小云歌舞弥见匠心，千趣万态，仿佛如在云雾中，不可谓非小云一生杰作。第二幕“道场”布景，彩电数百，有机旋动，颇为壮丽。小云饰摩登伽女，于第四幕出场，冶态嫣妍，缠绵巧妙，作西方美人妆，别饶风趣，而容华绰约，却未减玉堂春也。小云最初出场，衣呈莲花色，左鬓缀有绿

① 陈德霖与齐如山的这段对话，出自于齐如山：《谈四角》，《京剧谈往录三编》，北京出版社1990年9月版，第136—137页。

② 马少波：《刚阳不阿 艺如其人》，《京剧艺术大师尚小云》，陕西人民出版社1990年4月版，第28—29页。

羽一束，富有美感。旋复数易其衣，或则金碧辉煌，或则绮罗隐约，悉与锦幕雕帘，交相掩映……摩登伽女与阿难陀邂逅于旖旎井边一幕，小云演来艳丽入神，所歌西皮慢板，纡徐为歌，能将女儿心事曲曲传出。还家求母时之西皮原板与春宵共枕时之南梆子，新声迭奏，美不胜收。小云南梆子，千般婀娜，确能独树一帜，其走低音处，旖旎极矣……末幕摩登伽女忏悔，小云素衣淡雅，于佛殿中出彩丝一束，忽为佛剑斩断，此时万缕情丝，竟似昙花一现，于是摩登伽女献舞，小云御金缕之衣，作"英格兰女儿"舞，周旋折旋，无不中节，殿以旋舞，舞衣成一覆碗状，而彩声四起，曲终人散矣。①

一时间，尚小云和他的《摩登伽女》，红遍京城。从此，这出戏一般不轻易露演，只在一些重要的募捐义演中才拿出来演。当尚小云创办荣春社科班后，遇到经济危机时，他演出三场《摩登伽女》，再搭上别的戏，钱就有了。可见这出戏是何等的受欢迎。

当然，对于尚小云来说，《摩登伽女》让他收获的不仅是名声和金钱，而是对于创新的认识。许多年以后，他在谈到这出戏时，这样说："我虽列'四大名旦'，但与其他三位相比，尚有一定差距。我们几个台下是朋友，台上是对手，谁也不甘落后。我从长期的演出中悟出一条道理：任何艺术，要发展，就得创新；要竞争，就得独具一格，有自己的'绝活儿'，没有创新，没有鲜明个性特征的艺术，很难存在和发展。"因此可以这样说，《摩登伽女》是他的"绝活儿"，是他创新意识的体现。

4.《婕妤当熊》和《千金全德》

在《摩登伽女》之后的一年里，尚小云没有再推出新剧。在题材和形式的选择上，这出戏已经冲上了一个高峰，很难另有突破，这恐怕是尚小云沉寂一年的原因。也可能是因为《摩登伽女》引起了太大的轰动，毁誉参半，使尚小云对编演新剧持更加谨慎的态度。

在《摩登伽女》公演一年之后，1928年2月，尚小云才又推出新戏，剧目为《婕妤当熊》，仍然由清逸居士编剧。

这出戏的故事取材于汉宫历史故事，具体内容说的是：婕妤是汉元帝的宠妃。有一天，汉元帝带着婕妤和另一个妃子傅昭仪一同去猎熊。一头性情暴烈的熊突然扑向汉元帝，傅昭仪和其他随从慌忙奔逃，只有婕妤一把夺下一位侍从的短刀，一步冲到汉元帝身前，用身体挡住了熊，并奋勇与熊搏斗。

从当时的一位评论家的描述，可窥见尚小云在这出戏里的表演：

尚富霞所饰之汉元帝当场，万头攒动，已莫不想像于婕妤之神态，诚有先睹为快之感觉也，无何，绮霞婕妤偕小翠花之昭仪，自台之左右，分乘步辇而出，堂皇富丽，仪态万方，一时彩声大作，耳鼓为聋。是日绮霞服装，都凡四易，浅深浓淡，靡不恰合剧情。"见昭仪含嗔怨把话来讲"一段快板，如哭如诉，尽抑扬顿挫之妙；"自幼儿入深宫得承宠幸"一段西皮，玉润珠圆，恰到好处；"御苑中漏沉沉梅香静远"一段二黄，犹如蜀江十八滩，滩滩有曲折，一字三回，确非炉火纯青者不能及此，唱至"想必是圣天子来眺银蟾"句，平沙落雁，一泻无遗。"舞剑"一场，唱工圆稳，步法轻健，及后刀光人影，滚成一团，尤见其出手之活泼；"挡熊"一场，演来有英武气，全剧切末完备，布景妥适，洵善本也。

从这段剧评中可以了解这样几个事实：一、初演这出戏时，尚

① 秋舫：《纪小云摩登伽女》，转引自张静榕、向家柄著《尚小云传略》，《中国四大名旦》（宋清江编），河北人民出版社1990年7月版，第378页。

小云饰演婕妤，筱翠花饰演傅昭仪，尚富霞饰演汉元帝。二、筱翠花在离开协庆社之后，的确并没有如他所说“再也不和你合作”，而是很快又与尚小云合作了《婕妤当熊》这出戏。这或许可以说明那句狠话，只是一个以讹传讹的传说。又或许，他俩已冰释前嫌，重启合作之门。三、在这出戏里，尚小云又有“舞剑”。从《秦良玉》、《林四娘》，到《婕妤当熊》，尚小云至少已经有三部戏中使用了“剑”这个道具，也许可以说明他偏爱剑，也偏向塑造英姿威武的剑女侠。

在同一年，7月28日，尚小云又公演了一出新戏《千金全德》。

戏院在对《千金全德》的宣传中，有这样一句话：“特别新排空前伟艳唯一节孝五代历史佳剧”。它包含了两层意思：内容是“节孝”、时代是“五代”。这是清逸居士根据明朝王稚登《全德记》传奇改编而来。王稚登是著名剧作家，曾经有人认为《金瓶梅》的作者就是他，因为他的《全德记》中的某些内容、用语与《金瓶梅》有颇多相似之处。

如果以一句话概括《千金全德》的故事大意，那就是描写了五代高怀德之女高桂英与石守信的爱情传奇。情节曲折，错综复杂，又有武戏，而且唱工繁重。因而，尚小云在这出戏的表演，基本上遵循的是闺门旦的戏路。由于原著《全德记》歌颂了“积德多子”的封建思想，也使宣扬“节孝”的《千金全德》不可避免地蒙上了一层封建色彩。

5.《卓文君》、《珍珠扇》和《峨嵋剑》

整个1929年，尚小云共排演了三部新戏：

《卓文君》，1月19日首演于中和戏院。合作者有尚富霞、贾多才、高富远、扎金奎、范宝亭、慈瑞泉、李宝奎、钱宝奎、李玉太等。

《珍珠扇》，6月19日首演于中和戏院。合作者有尚富霞、李荣

⊙《卓文君》中，尚小云饰卓文君

升、高富远、贾多才、芙蓉草、范宝亭、李宝奎、张蝶芬等。

《峨嵋剑》，10月10日首演于中和戏院。合作者有于连泉、朱素云、张春彦、马富禄等。

《卓文君》的故事来源于《孤本元明杂剧·私奔相如》、清朝袁于令的《肃霜裘》传奇、清朝黄燮清的《茂陵弦》（又名《当炉艳》、《文君当炉》）。故事大意：汉司马相如不得志时，访临邛令王吉。王将其介绍在临邛富户卓王孙家操琴。才貌双全的卓女文君曾许婚窦家，未聘夫死，成望门新寡。司马相如仰慕文君，借琴音倾诉心曲，二人订盟。文君请父允婚，父不允，文君遂偕相如私逃，返回家乡当垆卖酒。后相如献《子虚赋》，汉武帝拜为中郎将，卓王孙献金相认。

在历史上，卓文君被视为自由恋爱的先锋女性。因而，《卓文君》这出戏的思想意义当是宣扬自由恋爱、妇女解放。这恰好迎合了当时的社会潮流，受社会欢迎，自在情理之中。从艺术上来说，如宣传中所言：该剧穿插紧凑完密无比，布景幽雅奇美空前，表情风流旖旎，唱工包罗万有。

《珍珠扇》是清逸居士根据同名鼓词改编而成，具体故事情节不详，但可知它是一部“最滑稽、最香艳明史奇情名剧”。其所透出的思想意义，即善恶之分系于一念，一念之差可能酿成巨祸；淫念为万恶之首，恶有恶报。

尚小云在这出戏里有几场表演甚为人称道：任月英在船上梳妆

一节，借月照镜，随歌随梳，令人心醉；洞房产子一节，滑稽诙谐，令人捧腹。

对于尚小云来说，《珍珠扇》这出戏最值得称道的是“反串”，因为该剧中有一段情节，说的是女主人公任月英乔装避祸。在这场戏中，尚小云反串小生，忽钗忽弁细腻旖旎而又风流儒雅。因此，他的唱腔，于旦行本工之外，又有大段小生腔，高腔入云，非铁嗓钢喉难以胜任。梅兰芳在《木兰从军》中、程砚秋在《赚文娟》中、荀慧生在《荀灌娘》中都反串过小生，于是，有人便将尚小云的《珍珠扇》与《木兰从军》、《赚文娟》、《荀灌娘》并称为“四大名旦乔装戏”。

四大名旦的新编戏，除了“四红”、“四反串”之外，还有“四口剑”，即梅兰芳的《一口剑》，程砚秋的《青霜剑》，荀慧生的《鸳鸯剑》，尚小云的“剑”就是《峨嵋剑》。它是清逸居士根据清朝王韬的《淞隐漫录》所载《剑仙聂碧云》改编而成。尚小云饰演“剑仙”聂碧云。

该剧是一出具有神话色彩的刀马旦戏，武戏很多，正好符合尚小云唱做俱佳、文武俱能的特长。在唱腔设计上也很有特色，融进了不少昆曲腔调，婉转优美。所以在当时，有评论家这样评论这出戏的唱腔：“新颖别致，昆乱兼备。”还有署名“晦园”的为这出戏特撰诗一首《峨嵋剑行——为绮霞作》，颂之：

尚郎独此出心裁，经营惨淡风雨哀。
翻云浪涌千堆雪，砧地声震万壑雷。
屈如垂柳拂春陌，矫若翔鸾舒逸翮。
苍茫天际夏云青，倏忽江心秋月白。
我观且止意如何，感时抚事悲伤多。

除了唱腔之外，尚小云在这出戏里，继续他在服装、布景、灯

⊙《詹淑娟》中，尚小云饰詹淑娟

光等方面的探求，比如，服装是奇特的，布景是琳琅璀璨的，灯光是幻妙的，令观者仿佛置身于奇幻的龙宫天阙之中。

20世纪30年代中期，尚小云在中和戏院演出这出戏时，美国的一个游历团特定了十个包厢观看。这之后，尚小云主要以此剧招待外国友人。

6.《詹淑娟》

在尚小云的众多新戏之中，有相当一部分是由旧戏扩展而来，比如，他曾经将《降香水斗》扩展为全本《雷峰塔》（又名《白蛇传》），于1926年7月3日首演。全剧分为“水漫金山”、“断桥相会”、“童子梳妆”、“合钵降妖”、“祭塔团圆”五大段。其中最后的“祭塔”一场，一个人唱满了台，只一句[节节高]的“峨嵋山”唱段，就倾倒了无数戏迷，因此有人说当年他以全本《雷峰塔》称雄剧坛。

《詹淑娟》的性质也是如此，它是清逸居士根据明传奇《风筝误》扩展而成，于1930年1月14日首演。因此，严格说来，《詹淑娟》并非尚小云独创。

最早根据明传奇《风筝误》改编的是昆曲《风筝误》，昆曲名家大多会唱这出戏。比如尚小云的岳父李寿山就很精通。他曾将这出戏亲授给梅兰芳。

1915年11月14日，李、梅二人和陈德霖、姜妙香等合作演出了《风筝误》。

这是一出喜剧，由许多错综复杂的趣事组成，戏剧性很强，角色很多，参演的三个旦角、三个丑角，外加小生、老生，几乎各行演员都有，相当于“群戏”。故事内容说的是一丑一俊两个少年公子，丑的姓戚，俊的姓韩，韩公子因自小父母双亡，由戚家抚养长大。戚家隔壁住着一户姓詹的人家，詹家有一丑一俊两个女儿，丑姑娘由大娘所生，俊姑娘由二娘所生。一天，戚、韩两公子在院内放风筝，风筝偏巧落在詹家，由此引出一串故事，结局是韩公子与詹家俊姑娘、戚公子与詹家丑姑娘配成两对夫妻。当时，梅兰芳饰俊姑娘，韩公子由姜妙香扮演，戚公子由郭春山扮演，丑姑娘由李寿山扮演，陈德霖饰沉着大方的二娘，李寿山的兄弟李寿峰饰老练稳重的大娘。

可以想见，尚小云应该随岳父李寿山也学过昆曲《风筝误》。他或许并不满足照搬照演，便将其扩展重编为《詹淑娟》。与《风筝误》是纯粹昆曲不同，《詹淑娟》很有创意地分成两个部分：前部皮黄，后部昆曲；前部重唱，后部重舞。因此，观赏性极强，也极具艺术性。

初与尚小云合作这出戏的，就有岳父李寿山、弟弟尚富霞，另外还有芙蓉草、李宝奎、高富远、方宝泉、郭春山、扎金奎、贾多才、钱少卿等。

7.《相思寨》

如果说《摩登伽女》是尚小云的代表作的话，那么，《相思寨》则是他的又一部代表作品。这出戏的另一个剧名是《云娘》，首演时间有多种说法，一说1931年2月3日，于华乐戏院；一说1931年5月25日，于哈尔飞戏院。

这出戏由清逸居士根据明代邝露《赤雅》中所记故事改编而成。故事大意是：明万历年间，广西田州属独秀山中有个苗族相思寨，寨内土司云英和女儿云䶮娘倾慕中原文化，协助朝廷规劝苗民勤耕细做，遭一向残害百姓的蛮溪洞土司岑猛忌恨，他放毒虫毒害苗民。云䶮娘为民行医治毒，并上书按察使征讨岑猛。

从故事情节可知，该戏是以少数民族为背景，以少数民族人物为主要塑造对象的。《摩登伽女》里的摩登伽女隶属印度旃荼罗族，可以说，这出戏展现了外国少数民族的风土。《相思寨》则从外国回到了本土，描摹了中国少数民族的人情。特别的是，他将一个少数民族的妇女作为正面形象展现在京剧舞台上，这是前所未有的，在当时的时代背景下，是尚小云的又一个大胆创举。

关于这出戏的演出情况，从《尚小云专集》中所收曾啸宇的一首诗《观尚艺员小云演云娘歌》，可窥见一斑：

尚郎明慧夸才妙，描模仪态神弥肖。
倏尔长裙拖地重，袅娜西子浣溪湄。
忽焉羽冠辘轳剑，媕婳将军来酣战。

这首诗实际上也形象地“绘画”了云䶮娘的形象：聪慧、英勇、知书习礼。

同为少数民族题材的剧目，尚小云在《相思寨》中的服饰装扮与《摩登伽女》异曲同工。云䶮娘着长裙，在盔头上插羽毛，因此又遭非议，被讥为“这是外江派，不是京朝派”，更贬称云䶮娘是“蛮娘”。有之前的《摩登伽女》，尚小云对人们对《相思寨》的种种议论充耳不闻，坚持自己的革新创造。

为排演这样一部没有任何经验可遵循的少数民族新戏，尚小云不仅投入巨大，也倾注了大量心血。他遍阅有关资料，向有关研究

⊙《花蕊夫人》，尚小云饰花蕊夫人，尚富霞饰孟昶

者了解苗族、瑶族的历史、习俗，然后为《相思寨》新购置了服装、道具。剧中有一场戏是写云犨娘乔装改扮成瑶族姑娘混入岑猛寨中，伺机将岑猛擒获。尚小云不但要将云犨娘的装饰由苗族改换成瑶族，而且还有一段表现苗、瑶族男女青年在月光下跳舞的“跳月”舞蹈。为此，他请教舞蹈专家，专门学习。

8.《花蕊夫人》

《花蕊夫人》的编剧到底是谁？如吴小如所说，是徐汉生吗？如果不是徐汉生，那么，仍然是清逸居士吗？创刊于20世纪20年代末的天津《北洋画报》在1931年10月3日第三版上，刊登了两张《花蕊夫人》的戏照，均注明“还珠楼主赠刊”。在这两张戏照一侧，有一篇署名“云心”撰写的题为《花蕊夫人》的文章。这篇文章主要介绍了《花蕊夫人》的剧情，也说到尚小云为该戏购置符合剧情的砌末[1]所费甚多，因此公演后，颇得剧评家和观众的好评。同时，文章提到：“该剧编者还珠楼主近更为尚编一新剧，已脱稿，名尚未定。”

也就是说，《花蕊夫人》的编剧是别号“还珠楼主”的李寿民。

1931年“九一八”之后一个星期，尚小云的协庆社推出《花蕊夫人》，首演于吉祥戏院，合作者有尚富霞、王又宸、侯喜瑞、阎岚秋、俞步兰等。

目前并没有详实资料说明尚小云排演这出戏是借古喻今，暗合东北三省沦陷后的亡家之痛。如果说这出戏的故事与时代有相契合之处，或许只能算是巧合。故事说的是，后蜀孟昶妃花蕊夫人在亡国后随孟入宋。孟死后，她被宋太祖纳为妃。但是，她无法忘却自己的国土和夫君孟昶，痛恨宋太祖占己国土，霸己为妃，便设计诱太祖射猎，欲以暗箭杀之。不幸的是，她的计划被宋太祖识破，反被箭伤。她当面怒斥宋太祖后，殉节身亡。这出戏有非常积极的爱

① 砌末：戏曲专有名词，指道具。

国情感。另外，《花蕊夫人》在表演、布景、灯光等方面也有突破，特别是，此剧既歌且舞，场面极为华丽，布景辉煌。这恐怕是受到梅兰芳古装新戏的影响。因此，外界这样评论《花蕊夫人》："新歌新舞为梨园第一部拔萃超群杰作，布景伟丽为舞台第一部堆金砌锦奇观。"在歌的方面，这出戏的唱工多而繁重，尚小云又独创了不少新腔，几乎无腔不新，极尽悠扬婉转之能；在舞的方面，"有如惊鸿入座蛱蝶穿花，姿态蹁跹"。

9.《白罗衫》和《前度刘郎》

尚小云天赋歌喉，嗓音越唱越亮，故有"高亢圆润、穿云裂石"的美誉。可以说，这样的美誉因《白罗衫》得到进一步确认。在这出戏里，尚小云的唱腔多达七十余处，而且处处都有大量唱词。尚小云唱来，一气呵成，不停顿、不气喘，清亮悦耳、激越高昂。

《白罗衫》是清逸居士根据清初刘方所作《罗衫记》传奇改编而成。1932年1月26日首演于吉祥戏院。合作者有尚富霞、范宝亭、慈瑞全、扎金奎等。尚小云饰女主人公苏姜氏。

《罗衫记》传奇故事又见于明代小说《苏和墨罗衫再合》。经改编后的《白罗衫》故事大意是：明永乐年间，新任兰溪县教谕苏云携身怀六甲的妻子苏姜氏赴任。行前，其母赠以白罗衫。途经钱塘江时，苏云被水贼徐能谋害投入江中，后被人救起，于乡间为塾师。徐能又欲霸占苏姜氏。苏姜氏幸得徐能弟徐用相救，逃至江边产下一子，裹以白罗衫，弃于道旁，自己入庵为尼。徐能追至江边，捡走弃婴，取名徐继祖。十八年后，徐继祖进京赴试，在涿州一井台借水时，遇苏云之母。苏母诉说前情，又赠白罗衫央求继祖寻访其子。后继祖高中状元后入仕，苏姜氏前来状告徐能，却被不知情的徐继祖投入大牢。与此同时，苏云也投状于都御史。这时，徐家老仆人姚达向继祖道出原委。继祖会徐能至署中，令人擒而诛之，又以白罗衫为记，全家团圆。

或许就是因为《白罗衫》，在旦行领域，尚小云的“唱将”地位就此奠定。

同年6月8日公演于开明戏院的《前度刘郎》，对尚小云来说，虽然它并非代表作品，但意义却很重大。因为这出戏是他在清逸居士的指点下自行编剧的第一出戏，也是清末四十余年间戏曲演员编剧的第一次。尚小云因此可以被称为“戏曲演员编剧的第一人”。在该剧的宣传册上，这样写道：“自己编自己演的特别奇伟珍贵特别滑稽绮艳大新剧”。

一般来说，戏曲的传承方式以身传口授为主。又因为戏曲演员自幼学戏，而且多半是因为穷困而卖身学戏，所以他们的文化知识是比较欠缺的，也就从来没有参与编剧的先例。到了梅兰芳、尚小

⊙《白罗衫》中，尚小云饰苏姜氏

云这一代，社会已经发生巨大变革，他们的思想意识随之突破传统，主动与知识分子结交，向文化靠近。于是，专为他们编剧的专业编剧日渐增多。在长期合作中，他们又不可避免地受到文化的浸染，自身的文化素质得以提高，而在编剧技巧上耳濡目染，更了熟于心。对尚小云这样要强又求上进的人来说，在文化的积累和技巧的掌握达到一定水平后，不再满足等戏排演，而构思萌发，亲笔尝试。从这方面说，尚小云与其他旦角演员相比，更有开拓性，也更有思想。

尚小云第一次编剧的方式，模仿清逸居士，非独创，而是取材于清朝纪晓岚所著

《阅微草堂笔记》中所载故事改编而成。因此《前度刘郎》这出戏被誉为“大文豪的生花妙笔，大艺员的心血结晶”。或许正是因为故事来自于大文豪，所以整出戏的戏词词句雅洁。在情节结构上，按照编剧还珠楼主（李寿民）的说法：“情节紧凑，审音布局，丝毫不苟。”能够得到这样一位专业编剧从专业角度给予的美誉，可见尚小云首次编剧就出手不凡。

10.《龙女牧羊》

在1950年建国一周年的时候，梅兰芳有心排演一部新戏作为建国献礼。既然是献礼作品，他希望是一部热热闹闹的喜剧。那么，什么样的喜剧适合呢？当时，他正在天津演出，便去拜访天津市文化局局长阿英，征询他的意见。阿英没有提及具体的剧目，只是提到了一个故事：唐人小说里柳毅传书救龙女。他对梅兰芳说：“这个故事很有喜剧性，不妨考虑考虑。”

阿英的建议提醒了梅兰芳，他想起他的祖父梅巧玲曾经就这个题材演过一出《乘龙会》，唱的是昆曲，演的不是小龙女，而是反串柳毅。返家后，他翻箱倒柜，试图找出祖父当年演出的剧本，但一无所获。他借来唐人小说《柳毅传》细心研读，发现的确如阿英所说，“很有喜剧性“。于是，他决定排演这个故事，还请人编写了剧本，取名《柳毅传书》。但是，因事务繁杂，这部新戏的排演被耽搁了下来，一放就是九年，直到1959年。

在准备建国十周年的献礼作品时，梅兰芳又想到了《柳毅传书》。此时，他已是中国京剧院院长。京剧院创作组范钧宏、吴少岳、吕瑞明根据《柳毅传》，结合《柳毅传书》原剧本，重新编剧后，取名《龙女牧羊》。然而，梅兰芳最终还是没有排成《龙女牧羊》，而是选择了更适合形势的《穆桂英挂帅》。

从阿英提到的唐人小说里的柳毅传书救龙女的故事，到梅巧玲的《乘龙会》，到唐人小说《柳毅传》，到《柳毅传书》，到《龙女牧羊》，关于梅兰芳与这个故事的来来往往中，都没有提到尚小云早在1935年9月1日，曾经于北平华乐戏院演出过这个故事，剧名就是《龙女牧羊》。

尚小云的《龙女牧羊》是根据清朝李渔的《蜃中楼》传奇改编而成，说的就是柳毅传书救龙女的故事。尚小云饰演小龙女。或许不能说梅兰芳一定看过尚小云的《龙女牧羊》，但可以推测，他应该知道尚小云演过《龙女牧羊》。这是不是他决定排演这出戏的又一个原因呢？

除了以上所列举的这十几部新戏之外，在这段期间，尚小云的新戏还有：

《玉虎坠》，1928年10月18日首演于北平中和戏院，合作者有筱翠花、尚富霞、马富禄等；

《白玉莲》（又名《乾坤扇》），1933年10月25日首演于北平哈尔飞戏院，合作者有尚富霞、马富禄、慈瑞全、范宝亭等。

《大树将军》，1934年元月19日首演于上海三星舞台。这是尚小云第十次赴上海演出。合作者有“正乐三杰”之一的芙蓉草，还有尚富霞等。

《空谷香》，1934年6月21日首演于哈尔飞戏院，合作者有尚富霞、范宝亭、张春彦、刘斌昆等。

《千里驹》（又名《黄衫客》），原为明末传奇剧本，由还珠楼主改编。1935年12月24日首演于北平吉祥戏院，合作者有张云溪、袁世海、尚富霞、张春彦、范宝亭、高富远等。尚小云在演出时，增加了旦角的戏份，删去了不必要的叙事部分，结构更加合理，情节也更加紧凑。

另外还有《燕子笺》、《比目鱼》、《掘地见母》、《桃花阵》、《刘金定》等一系列由旧剧改编而成或将旧剧扩展，剧目总数非常惊人。这一方面说明尚小云创新意识极强，也说明他的创作精力十分旺盛。

相比较而言，尚小云开始创作新戏，在四大名旦中是比较迟缓的。在大多数演员编排新戏、提倡新腔以取媚时下迎合潮流的时候，尚小云的头脑十分冷静，他独持固有，坚持以继承前人的盛世元音为己志，对于梅兰芳熔青衣、花旦、刀马旦等为一炉的“花衫”表演方法，他是不接受的。所以当时有评论认为：“青衫一行，在今日石头（指陈德霖）已故瑶卿老，继其后而执牛耳，当推绮霞无疑。迩来观众心理，喜新厌故，竞尚杂糅花衫、青衫于一炉，号为改良新剧，久矣别成一派，而绮霞兴趣坚决，不为潮流屈服……”

然而，作为一个“吃戏饭”的，一个以唱戏为生的演员，不可能完全置潮流置市场于不顾，否则，就没有上座率，不被认可，甚至被观众抛弃。那么，他的坚持又有什么意义？当尚小云越来越觉得老腔老调不为一般俗子所重视之后，又面临着后起者程砚秋的咄咄逼人，他不可能甘居下风。于是，他也加入到编新剧、创新腔的洪流之中。这其中，有身不由己的成份。

迫于形势的需要，更有环境的影响，尚小云在固守青衣戏的同时，并不完全拒演花衫戏，比如，他也演《闹学》、《戏凤》、《能仁寺》、《佳期》、《拷红》、《刺红蟒》等。但是，这些只是他演艺生涯中的点缀。即便他也排新戏、创新腔，却“皆不越青衫范围”。因此，他新排的戏，虽然被称作新戏，但多仍属青衣行。

另外还有一个刺激，也是尚小云改变初衷追随潮流排新戏的原因。当时，外界公认正宗青衣是前辈名旦陈德霖。对此，陈德霖颇不以为然，认为这是外人对他的恭维。他对友人这样说：

“人家说我是正宗青衣，意思是恭维我，我能够不接受吗？可是我听着这句话比骂我还难受，他们以为我不唱闺门旦的戏，不唱花哨的戏，说我规矩，其实我青年扮相美的时候，我一样地唱《闹学》、《琴挑》、《惊梦》、《乔醋》、《穆柯寨》、《活捉》等。如今老了，五十多岁的人了，扮相差了，不专唱青衣的戏，又怎么办呢？难道说我十几岁的时候就只唱青衣的戏吗？那我不成了里子货了吗？”

原来，他的“正宗青衣”，是在不得已的情况下被确认的。就他本意来说，他并非有只唱青衣戏而拒绝“花哨”的主观意识。

随着尚小云渐有名声，外界又公认他是继陈德霖之后的“正宗青衣”第一人。这样的说法肯定了尚小云在继承传统方面确有建树，但却在一定程度上限定了他在青衣行之外对其他表演方式，比如花衫之类的敏感和热情。因为还很年轻的他，可能会为守住“正宗青衣”这份“荣誉”（或称“头衔”）而放弃其他。客观上，他的确为这样的夸耀很自得。

后来，当尚小云听人转述了陈德霖的那番话后，很受刺激。“陈德霖是因为老了，扮相差了，这才专工青衣行的，而我呢？”尚小云这么想，有些惭愧。《摩登伽女》或许就是在这样的心态下创排的。它不但超越了正宗青衣的范畴，甚至走得更远、更极端，尽管它极富创意，形式也更新颖。

事实上，“正宗青衣”的名分，并不含有嘲讽和蔑视，应该说，更多的是褒义。也就是说，尚小云不脱青衣行、专工青衣行，与梅兰芳等人跳出青衣行、专工花衫行相比，无所谓对错。各人站的角度不同，各人的喜好也不同。有的人喜欢端庄贤淑的传统青衣，有的人就喜欢清新别致的花衫。也许更恰当的做法是，将传统青衣和先进花衫巧妙融合。尚小云创排的一系列新戏，也有这方面的探索。

在尚小云开始排新戏之初，有不少尚小云的知音一方面对尚小云不得不“为潮流屈服”而感惋惜，一方面对他的身不由已也表示理解。他们诚心给予尚小云忠告：因为尚小云这个人没有媚骨，只有豪气，因此所排新戏当以巾帼英雄为主要塑造对象。同时，他们建议尚小云，排新戏不是不可以，但应该坚持两个原则：一、在国

⊙《秦良玉》中，尚小云饰秦良玉

家危难之时，急需提倡尚武精神；二、宣扬男女平等。除此，必须摒弃的是病态美和从一而终的所谓“美德”。他们举了一个例子，就是《霸王别姬》，认为安排虞姬在霸王面前自刎，实则就是封建的“从一而终”思想在作祟。

回望尚小云所排新戏，他所塑造的主要人物，以“剑女”、“侠女”为主，充满反抗性、斗争性，少有娇弱无助、悲悲切切、凄凄惨惨。比如《秦良玉》、《林四娘》、《谢小娥》、《峨嵋剑》等，他的表演，动作幅度大，他的唱腔，激越昂扬，因此他的戏，充斥着热情和火辣，常常给观众以热流涌动之感。从这个方面说，似乎符合“尚武精神”。事实上，他的这批新戏的确非常受欢迎。这从他于1934年初第十次在上海演出时写给友人的一封信中，可以看得出来：

……光阴迅速，弟到申计半月余矣，饮食精神如常，合家大小亦安，足慰远注。弟于卅日登台后，已将在沪之情形，及打泡三天戏码，陆续奉告。元旦日所演《峨嵋剑》，因欢迎极众，座售一空，后至者无法应付，故二日再演《峨嵋剑》一次，欢迎尤多。三日《福寿镜》，四日《白罗衫》，五日《卓文君》，六日新《玉堂春》，七日《花蕊夫人》。每晚上座极佳，彩声四起。海上闻人，对弟之新剧，亦颇赞许，名誉之盛，倍于往昔。每晚演剧前，尚须赴各友宴会，日必数起，甚为忙碌，不如在平潇洒自如也……

但是，由于为尚小云担任编剧工作的是清室成员爱新觉罗·溥绪，他的出身和家族背景以及所受过的传统的、封建的教育，难免使他的思想存在极大的局限性，自然也会影响到戏曲创作。因而，尚小云的不少新戏难脱封建性，就不足为怪了。比如《秦良玉》，女主人公秦良玉在这出戏的前半部，是轰轰烈烈的女丈夫，到了后半

部，她还是难逃女子贞操至上的窠臼。从中透出编剧这样的旧思想：身为女子，无论才能如何，都是不能逾越旧礼教的。

尚小云的这批新戏中，最具创意的自然是两部反映少数民族风土人情的《摩登伽女》和《相思寨》。这为日后京剧题材的开拓提供了经验。这两部戏也是他在这个时间段内所排新戏中，最有意义的。

“四大名旦”的产生

梅兰芳的《霸王别姬》初演于1921年，之后，他对这出戏进行过无数次的修改和调整，其中的一次调整，最为重要。

早先的《霸王别姬》演到项羽乌江自刎为止。那时，观众对虞姬自刎以后的霸王的一场打戏也还饶有兴趣，那毕竟是名武生杨小楼的拿手好戏。随着时间的推移，观众的欣赏趣味变化，他们更喜欢看演员如何刻画人物性格，如何表达人物思想感情，而对单纯的开打已渐失兴趣。于是，观众在看到虞姬自刎后，便不再有兴趣往下看了，纷纷退场而去，不管杨小楼在舞台上如何费力做戏了。梅兰芳意识到：戏到该结束的地方就一定要结束，决不能拖泥带水当断不断。他尊重观众的选择，删掉了最后一场打戏，全剧就只演到虞姬自刎为止。

这固然是梅兰芳深谙观众心理的体现，但也反映出社会民众的审美情趣、审美心理都已经有了转变。这种转变是随着时代的变迁而发生的，特别是在经历了新文化运动之后，就更加明显了。这种转变也不可避免地影响到戏曲界，表现在京剧舞台上生行、旦行地位的逐渐颠倒，即由早先的以生行为主转而生旦并重，再到旦行占据着主导地位。到梅兰芳、尚小云这一代，观众看旦行表演的兴趣开始高于看生行。不能说生行戏就一定不如旦行戏美，只不过生行戏的美表现为粗犷直露，而旦行戏的美则表现为婉约含蓄。对美的心理追求的改变，客观上抬升了旦行的地位。这是社会原因。

具体到生行、旦行，相比梅兰芳、尚小云、荀慧生、程砚秋等一批年轻旦角演员的崛起，生行不免后继乏人，旦行却人才辈出。这自然也有社会因素，但更重要的是旦角演员勇于接受新鲜事物、顺应时代潮流，在强烈的观众意识的前提下，不安现状积极挑战生行演员，主观上使旦行逐步超越生行，成为舞台主角。在生、旦明里暗里的竞争中，旦行演员是积极的主动的。比如，以梅兰芳为主，尚小云等紧跟其后，大量排演新戏。虽然他们也唱老戏，但都或多或少地以自己的理解赋予新的内容，既让观众以为看的仍然是老戏，却又从中看出新意。

渐渐地，他们各自形成了属于自己的独特风格：梅（兰芳）戏是华美的、艳丽的；尚（小云）戏是阳刚的、激昂的；荀（慧生）戏是俏皮的、活泼的；程（砚秋）戏是悲情的、凄婉的。另外还有徐碧云、朱琴心，莫不如此。反观生行演员，仅以排新戏而论，明显弱于旦行，除了马连良、高庆奎、侯喜瑞等少数几个人排演了几部新戏，大多数演员仍然固守传统，进取心显然不如旦行。

无论是主观上还是客观上，都造成旦行逐步取代生行，成为舞台主角。也是在这种情况下，“四大名旦”的称谓得以确立，从此深入人心。在这之后，才有了“四大须生”、“四小名旦”等类似的说法。

那么，究竟是在什么时候、由何人率先提出“四大名旦”这个名称的呢？时至今日，仍然众说纷纭，有多种不同说法。

第一种说法：1924 年到 1925 年期间，在军阀张宗昌家的堂会上，梅兰芳、尚小云、程砚秋、荀慧生合作了一出《四五花洞》。这次演出《四五花洞》，梅、尚饰演两个真金莲，程、荀饰演两个假金莲。由于四个人的表演各具特色，艺术水平难分高下，便从此有了

“四大名旦”的说法。这样的说法十分含糊，没有明确到底是由谁最先喊出“四大名旦”这个名称的。曾经有这样的说法，四大名旦同台演出过多次，但合作演出一部戏，只有《四五花洞》。实际上并不尽然，早在1918年的时候，他们就在一次堂会中合作过《满床笏》。

第二种说法：1927年6月，北京的《顺天时报》举办了一次名伶新剧投票活动，最终确立了“四大名旦”。也就是说，“四大名旦”是由观众投票选举后产生的。这种说法目前被普遍认可，但却是以讹传讹的错误说法。

当时，《顺天时报》举办了一次投票活动，这是确实的。然而，这次活动到底是为选举四大名旦，还是为其他呢？在6月20日的《顺天时报》第5版上，有这样一则启事：“为鼓吹新剧，奖励艺员，现举行征集五大名伶新剧夺魁投票活动。”这里所说的“五大名伶”，指的是梅兰芳、程艳秋、尚小云、荀慧生、徐碧云。无一例外地，这五个人都是旦角。从这则启事可知，这次投票活动主要针对的是五个人的新戏，而对演员个人并没有多少评价。也就是说，活动要求投票者从这五个人所演新戏中选出最佳剧目各一出。为缩小范围而使选票相对集中，主办方从五人所演新戏中各选出五部作为候选：

梅兰芳：《洛神》、《太真外传》、《廉锦枫》、《西施》和《上元夫人》；

程艳秋：《花舫缘》、《红拂传》、《青霜剑》、《碧玉簪》和《聂隐娘》；

尚小云：《林四娘》、《五龙祚》、《摩登伽女》、《秦良玉》和《谢小娥》；

荀慧生：《元宵谜》、《丹青引》、《红梨记》、《绣襦记》和《香罗带》；

徐碧云：《丽珠梦》、《褒姒》、《二乔》、《绿珠》和《薛琼英》。

一个月以后，投票活动结束。7月23日，《顺天时报》揭晓了投票结果。从收到的选票来看，这次活动很受读者支持。主办方共收到选票14091张，五大名伶各自的最佳剧目分别是：

梅兰芳的《太真外传》，得票总计1774票；

⊙征集五大名伶新剧夺魁投票启事及选票

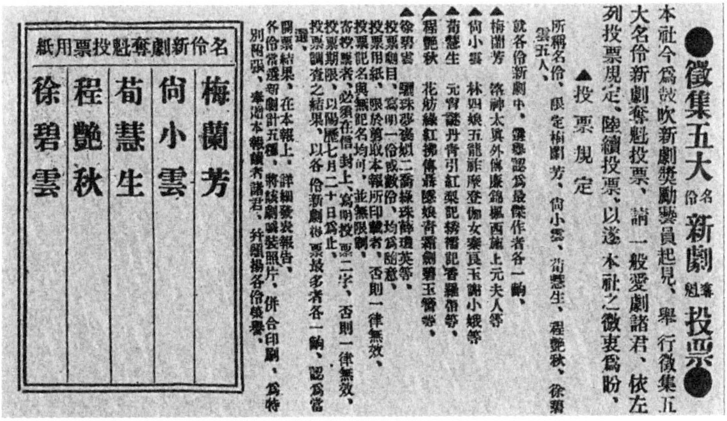

●徵集五大名伶新劇奪魁投票●

本社今爲鼓吹新劇獎勵藝員起見，舉行徵集五大名伶新劇奪魁投票，請一般愛劇諸君，依左列投票規定，陸續投票，以遂本社之徵衷爲盼、

▲投票規定

所稱名伶，限定梅蘭芳、尙小雲、荀慧生、程艷秋、徐碧雲五人、

就各伶新劇中，擇舉認爲最傑作者各一齣、

▲梅蘭芳　洛神 太眞外傳 廉錦楓 西施 上元夫人等

▲尙小雲　林四娘 五龍祚 摩登伽女 秦良玉 謝小娥等

▲荀慧生　元宵謎 丹青引 紅梨記 繡襦記 香羅帕等、

▲程艷秋　花舫緣 紅拂傳 聶隱娘 青霜劍 碧玉簪等、

▲徐碧雲　驪珠夢 婁妃 二喬 綠珠 薛瓊英等、

投票劇目，寫明一伶或數伶，均爲合意、

投票用紙，限於剪取本報所印載者，否則一律無效、

投票記名與無記名均可，並無限制、

寄投票者，必須在信封上，寫明投票二字，否則一律無效、

投票期限，以陽曆七月二十日爲止、

投票調查之結果，以各伶新劇得票最多者各一齣，認爲當選、

開票結果，在本報上，詳細發表報告、

各伶當選之劇計五種，將該劇戲裝照片，併合印刷，爲特別附張，奉贈本報讀者諸君，并頌揚各伶盛譽、

名伶新劇奪魁投票用紙				
梅蘭芳	尙小雲	荀慧生	程艷秋	徐碧雲

程艳秋的《红拂传》，得票总计 4785 票；

尚小云的《摩登伽女》，得票总计 6628 票；

荀慧生的《丹青引》，得票总计 1254 票；

徐碧云的《绿珠》，得票总计 1709 票。

拿尚小云来说，他的五部新戏，《摩登伽女》最受欢迎。虽然此次活动只是选出五个人各自的最佳一部戏，而并不将他们五人做横向比较，但是，从得票情况来看，在所有的剧目得票中，尚小云的《摩登伽女》得票最多，高达 6628 票，远远超过了梅兰芳最佳的一部戏《太真外传》。也可以说，在五人的共计 25 部新戏中，尚小云的《摩登伽女》名列榜首。尽管这出戏遭受的非议比较多，却还是以它的奇特与新异而备受关注。这从另一个侧面反映出观众的欣赏口味已经由传统的、熟悉的转向新锐的、陌生的。这对尚小云日后继续排演新戏，有一定的启示作用。

这次活动，从开始刊发启事，到投票过程，以至最后揭晓结果，都只用了“五大名伶”这个名称，而没有用“五大名旦”。这就造成两个后果：一、有人因此推断，在这之前，还没有“四大名旦”的说法，否则，主办方应该用“五大名旦”，而不是以“五大名伶”之名；二、正因为如此，有人得出结论：“四大名旦” 的称谓，就是在此次投票活动结束后确立的，即被选举产生的。

很明显，这样的结论是不符合实际的。首先，此次投票选举活动，针对的只是五个人的新戏，并不是评选孰强孰弱，更不是在五个候选人中选出四强；其次，如果“四大名旦”之说是因为此次投票选举活动后产生的，那么也应该是“五大名旦”，因何漏掉徐碧云而只说“四大名旦”呢？

第三种说法：“四大名旦”的称谓是由天津《天风报》社长沙大风在1921年该报的创刊号上首次提出的。沙大风（1900——1973）原名沙厚烈，笔名沙游天，早年在《天津商报》任戏剧版主编，后得到天津最大的百货公司中原公司的资助，于1921年创办《天风报》，自任社长。

也就是说，“四大名旦”之称是由沙大风于1921年率先提出来的。

支持这种说法的知情人，目前所知至少有三个人：沙大风的儿子沙临岳、上海文史馆馆员薛耕莘、宁波镇海的陈崇禄。薛耕莘曾经在《上海文史》上撰文，称他之所以认可这种说法，源于梅兰芳亲口对他所说。陈崇禄之所以也这么说，是因为他曾经见过沙大风的一枚印章，上有“四大名旦是我封”这七个字。

据沙临岳回忆，“四大”其实是借用当时流传甚广的“四大金刚”之名。“四大金刚”指的是直系军阀曹锟的内阁大臣程克等四人。有人说，由于梅兰芳、程砚秋、尚小云、朱琴心的名气不亚于“四大金刚”，所以有人称他们为“伶界四大金刚”。后来，荀慧生取代了朱琴心，“伶界四大金刚”又指梅兰芳、程砚秋、尚小云、荀慧生。沙临岳还说，对于梅、程、尚、荀四位艺术家的造诣，其父沙大风总是叹赏不已，但对“伶界四大金刚”这个称谓颇不以为然。他觉得金刚怒目与四旦的娇美英姿不相吻合，所以提笔一改，改称为“四大名旦”。

这三个知情人的说法，有一个共通点，那就是确认“四大名旦”的称谓是由沙大风首提。但是，沙大风究竟是何时提出的，只有薛耕莘明确说是1921年。然而，1921年的时候，程砚秋（当时还叫程艳秋）只有17岁，还处于搭散班演唱的阶段，演出剧目也只限于传统老戏。这个时候，他还没有赴沪演出，也没有独立挑班，更没有一出新戏，他只是作为梅兰芳的弟子，受梅兰芳的委托去过一次南通而已。虽然在梨园界，此时他已渐有名声，但应该未达到“名旦”的地步。在这个时候，就将程砚秋列入“四大名旦”行列，似乎不太可信。

第四种说法：20世纪40年代初，上海的一位戏剧评论家、《半月戏剧》杂志的主笔梅花馆主（本名郑子褒）在一篇题为《“四大名旦”专名词成功之由来》的文章中这样说：“‘四大名旦’这个专名词的由来，亦很有几个年头了，据我所知，它的初步成功在民国十七年，正式成立却在民国廿一年的春天。”

那么，“四大名旦”是由何人提出来的呢？梅花馆主很肯定地说：“提倡‘四大名旦’最起劲的，不用说，当然是拥护留香的中坚分子。”“留香”，是荀慧生的字。“拥护留香的中坚分子”，指的自然是被称为“白党”的捧荀派。

那么，“白党”捧荀，为何要提出“四大名旦”这个称谓呢？梅花馆主又很肯定地说：“因为那时的荀慧生，离开梆子时代的‘白牡丹’还不很远，论玩艺，论声望，都不能和梅、尚、程相提并论，可是捧留香的人，声势却非常健旺，一鼓作气，非要把留香捧到梅、尚、程同等地位不可，于是极力设法，大声疾呼地创出了这一个‘四大名旦’的口号。”

可以确定的是，沙大风就是“白党”之一。梅花馆主说“四大名旦”是由“捧荀派”创出的，这事实上印证了第三种说法，即沙大风确实是“四大名旦”称谓的首创者，只是他所说的创立时间并

⊙ 1949 年“四大名旦”合影（后左起：尚小云，梅兰芳、荀慧生。前：程砚秋）

非 1921 年，而是民国十七年。

民国十七年，即 1928 年，也就是《顺天时报》“五大名伶新剧夺魁投票活动”后第二年。这事实上又从侧面印证了第二种说法，只是并没有明确说“四大名旦”是观众投票选举出来的。梅花馆主的“1928 年说”来源于什么呢？

在 1928 年，上海创刊了一本杂志，取名《戏剧月刊》，主编刘豁公。《戏剧月刊》一经面世，即引起广泛关注，并且深受剧界好评。原因是它是全国唯一一本以京剧为主要内容的杂志，又有全新的创刊目的及宗旨，如刘豁公所说：“我以为戏剧这样东西，从表面上看来，好像只能供给人们娱乐，而其实它的力量确能够赞扬文化，提倡艺术，补助社会教育的不足……”因而，杂志所刊登的评论文章不仅多有文化含量，而且简练精辟。其次，该刊容量大——每期平均数十万字的篇幅；内容丰富——有轶闻、掌故、戏园变迁、演员生平、剧评、剧论、词曲、脸谱、剧本等；发行范围广——除上

海本地外，还发往广州、梧州、汕头、香港、汉口、长沙、北平、沈阳等地；撰稿人著名——有漱石生、红豆馆主、郑过宜、刘豁公、吴我尊、姚民哀、周剑云、梅花馆主、周瘦鹃等。

梅花馆主自称不是“白党”，但他因为不仅是《戏剧月刊》的撰稿，也是该杂志的助理编辑，因此与“白党”诸成员交往频繁。有一天，大家同赴一个宴会，席间，不知是谁谈到了四大名旦。一位“白党”成员一时兴起，怂恿主编刘豁公出一期“四大名旦”特号。这恐怕就是梅花馆主所说“四大名旦初步成功于1928年”的由来。因为这时，民间似乎已经有了“四大名旦”之说。

刘豁公一向也喜欢发行特号，对此建议很感兴趣。散席后，他嘱咐梅花馆主多搜集一些四大名旦的照片，以壮“特号”阵容。

梅花馆主说：“这个小差使，自然不容推辞。”他停顿了片刻，接着说，“不过，我的主张跟你稍有不同。四大名旦的特号当然是要出的，但是现在还是时非其时。”

刘豁公不解，问：“那依你的意思呢？”

梅花馆主说：“我的意思是，最好先弄一个‘四大名旦’为题的征文，试试各界对于留香的印象如何，等到征文揭晓以后，留香在四大名旦的地位已经取得了，将来再出四大名旦的特刊，比较名正言顺，不但我们可以卸却标榜的嫌疑，并且于留香面上，似乎格外来得好看些。”

这段话说明，那位“白党”成员提议刊出“四大名旦特号”，是为了荀慧生。梅花馆主策划的以“四大名旦”为题的征文，说到底，也是为了荀慧生。

四大名旦排座次

这次征文活动的全称是“现代四大名旦之比较”，时间从1930

年8月开始。

在《戏剧月刊》第2卷第12期的“卷头语”中，刘豁公刊发了一则启事：

> 谁都知道梅、尚、程、荀是现代四大名旦，究竟他们的声色技艺，比较的谁弱谁强？我们惭愧没有判断的能力，为此悬赏征求“现代四大名旦的比较”！请诸君用最精确的法眼，作最忠实的批评！就题发挥，适可而止！每篇限定三千字到一万字，在一个月内寄来，我们当请上海的评剧名流，共同评定名次，第一名奉酬现金四十元，第二名二十元，第三名十元，第四名五元，并赠本刊……

这则启事中，明确了“梅、尚、程、荀”为四大名旦。这恐怕是最早的以白纸黑字的形式，公开称呼“四大名旦”。那么，主办方因何将他们四人以“梅、尚、程、荀”排序呢？还是在1928年的时候，舒舍予在《戏剧月刊》上以《梅荀尚程之我见》为题，对四人的座次问题有过评论，他这样写道：

> （梅荀尚程）此名次，系就四伶年龄之长幼而定。若以享名先后为序，则应为“梅尚荀程”；倘就今日之声誉而论，则“程”非但不能在“荀”下，且宜居“尚”之上矣。

也就是说，按照舒舍予的分析，不同情况下，四人的排序有所不同：

以年龄大小论，当是梅、荀、尚、程；

以享名先后论，该是梅、尚、荀、程；

以声誉名望论，则是梅、程、尚、荀。

很明显，《戏剧月刊》对四个人的排序，完全没有按照舒舍予的方法。从梅花馆主对此次活动的策划来看，他们是为了“试试各界对留香的印象”。换句话说，此时外界对梅、尚、程的名旦地位，是少有质疑的，而对荀，则持怀疑态度。正因为如此，“白党”才会喊“四大名旦”，才会怂恿刘豁公刊发“特号”。因此，《戏剧月刊》才会将“荀”排在最后。至于另外三位，梅兰芳排在第一，是毋庸置疑的。尽管程砚秋进步很快，声名一度有超越尚小云之势，但无论是从年龄，还是从成名先后来说，尚小云都应该排在程砚秋之上。

在这种情况下，便有了“梅、尚、程、荀”这样新的排序。

数月之后，征文活动结束，也意味着四人的排序又有了新变化。

首先，1931年1月，刘豁公在《戏剧月刊》第3卷第4期的“卷头语”中这样写道：“梅、程、荀、尚四大名旦的声色技艺，究竟高下若何，那是一般的顾曲周郎都很愿意知道的。我们编者本可以按着平时观剧的心得，做一个忠实的报告，但恐个人的见解不能代表群众的心理，为此悬赏征文，应集诸家的评论，择优刊布，以示大公。本期刊布的共计三篇……”

此时，四人的排序已经转变为“梅、程、荀、尚”了。为什么呢？

此次征文，《戏剧月刊》共收到参评稿件七十多篇，最终有十篇征文获奖。十位获奖作者依次是苏少卿、张肖伧、苏老蚕、丁成之、朱子卿、王之礼、朱家宝、陈少梅、张容卿、黄子英。刘豁公所说先期刊登的三篇获奖作品，就是前三位获奖者苏少卿、张肖伧、苏老蚕的三篇征文。

一、苏少卿的征文从唱工、做工、扮相、白口、武工、新剧、成名先后、辅佐人才之盛等方面，对四大名旦进行了全面评述。具体到尚小云，他这样分析道：

以唱工论，尚小云的嗓音亦属宫宽亮，高圆上下无碍。这一点与梅兰芳相仿。不过可惜的是刚多柔少，咬字归韵颇欠研究。

以做工论，尚小云的做工如天真烂漫之小女子，面带春风，和气一团，最宜喜剧且时对下憨笑，哀怨表情殊不能至。

以扮相论，尚小云的扮相如芙蕖映日鲜红。

以武工论，尚小云喜刀马剧而功夫不及慧生。

以白口论，尚小云与程砚秋不分伯仲。

苏少卿最终的结论是：

嗓音：首推梅兰芳，其次是尚小云；

唱工：首推程砚秋，其次是梅兰芳；

扮相：首推梅兰芳，其次是荀慧生；

做工：首推梅兰芳，其次是荀慧生；

白口：首推梅兰芳，其次是荀慧生；

武工：首推荀慧生，其次是尚小云；

新剧之多：首推梅兰芳，其次是荀慧生；

成名之早：首推梅兰芳，其次是尚小云；

辅佐之盛：首推梅兰芳，其次是荀慧生。

纵观这份列表，梅兰芳被“首推”得最多，在九项中占有七项，他位列第一，当无异议；“其次”得最多的是荀慧生，在九项中占有五项。依常理，荀慧生应该位列第二。但是，苏少卿却说，程砚秋以唱工见长，又以青衣为正统，而荀慧生在唱工上略逊于程砚秋，又主工花旦，所以，荀应让于程，程列第二。

如此综合之后，苏少卿将四大名旦以“梅、程、荀、尚”的顺序进行了排列。

那么，苏少卿为什么以荀慧生与程砚秋作比较，而不以尚小云与程砚秋作比较呢？在这份列表中，“程砚秋”只被“首推”过一次，而尚小云却“其次”了三次。也就是说，尚小云的平均艺术应该高于程砚秋。苏少卿这样排列，或许是因为京剧演员以唱为主，而程砚秋的唱工首屈一指，所以，即便他在其他方面都不如尚小云，却也被排在尚小云之前。

苏少卿这样的排序，最大受益者便是荀慧生，他一跃而上，不但超越了尚小云，甚至与程砚秋争夺第二名的位置。这样的结果，自然令“白党”欢呼雀跃，却令梅花馆主备感意外，因为他是知道此次征文活动的目的的。许多年以后，他这样回忆说：“征文揭晓了，苏少卿的大文录取第一，留香的大名，居然列在尚小云之上。”“居然”二字，表明他对荀慧生位列尚小云之上的不以为然。他又说：“苏（少卿）老师是……先知先觉者，说出话来，没有人敢反对，经此品评下来，四大名旦的口号，就此叫响，‘梅程荀尚’的次序，亦于焉定局。”

当苏少卿看到梅花馆主的这篇文章后，很不满。他撰文表示：首先，他的那篇文章，并非是应征文章，而是应刘豁公的约稿写的。他这样写道：“一日刘豁公来访，约我写一篇四大名旦论，预备登载在《戏剧月刊》上。梅花馆主所说……非事实。”其次，他否认四大名旦“梅程荀尚”的排序，是由他的这篇“征文”开始被叫响的。为此，他写道：“我真不敢承认……我说句开玩笑的话，我不是专制时代的皇帝，能册封后妃……民国十六七年之交，‘四大名旦’已然喧传众口，他们四位的次序，亦是公论……”

“四大名旦”的名称或许的确是在“民国十六七年”被流传开来的，但是，除了梅兰芳位列第一外，另外三人的排序一直存在争议，所以舒舍予才以“具体情况具体分析”的态度，做出几种不同的排序。

此时已是20世纪40年代初，距“征文活动”已过去了将近十年，苏少卿似乎仍然坚持他的“梅程荀尚”的排序，又对四人的艺术，按照“梅程荀尚”的顺序分别作了评点。在论及尚小云时，他写道：“尚小云天赋独厚，嗓音宽亮高朗，能唱青衣重头戏，然闺门旦戏，有梅兰芳在前，节烈戏，有程砚秋专工，花旦戏，又有荀慧生独步，彼乃转变作风，注重武侠戏……”

依梅花馆主的说法，“征文活动”是为配合“白党”捧荀而举办的。虽然苏少卿不承认他是应征，而是应约作文，但客观上却达到了此次活动主办方所想要达到的目的。这是巧合，还是事先安排？更令人生疑的是，除了苏少卿，另外两位获奖文章，对于四大名旦的排序，也惊人的一致。

二、张肖伧对四大名旦的评价方式与苏少卿类似，他从天资、嗓音、字眼、台容、身段、台步、表情、武艺、新剧本戏、旧剧本戏、昆戏、品格等十三个方面，以列表的方式，分成上上（100分）、上（90分）、中（80分）、下（70分）四个等级，按照主办方公布的“梅、尚、程、荀”的排序，分别给四人打分。以尚小云与程砚秋、荀慧生相比较为例（梅兰芳总分最高，为1230分）：

	尚小云	程砚秋	荀慧生
天资：	中（80分）	上（90分）	上（90分）
嗓音：	上上（100分）	中（80分）	上（90分）
字眼：	上（90分）	中（80分）	上（90分）
唱腔：	上（90分）	上上（100分）	上（90分）
台容：	上上（100分）	上（90分）	上（90分）
身段：	上（90分）	上上（100分）	上上（100分）
台步：	下（70分）	上上（100分）	上上（100分）
表情：	上上（100分）	上上（100分）	上上（100分）
武艺：	中（80分）	中（80分）	上上（100分）
新剧：	中（80分）	上上（100分）	中（80分）
旧剧：	上上（100分）	上上（100分）	上上（100分）
昆戏：	中（80分）	中（80分）	中（80分）
品格：	中（80分）	上上（100分）	上（90分）
总分：	1140分	1200分	1200分

结论是一目了然的。张肖伧认为，虽然程砚秋与荀慧生的分

数是一样的，但程砚秋的“上上”多于荀慧生的，所以程砚秋理应排在荀慧生之上。于是，他的排序与苏少卿完全一致，即梅、程、荀、尚。

三、苏老蚕也列了一份“四大名旦比较分数表”，从扮相、嗓音、表情、身段、唱工、新剧等六个方面，分别为四个人打了分，结果与张肖伧一致，即梅兰芳的分数最高，总分575分，程砚秋与荀慧生的分数一样，都是530分，尚小云的分数最低，为505分。与张肖伧不同的是，苏老蚕并没有硬性将程砚秋与荀慧生分出高低，只是说：“程之唱工绝佳，哀情独步；荀之多才多艺，新剧优，平衡论之不可轩轾，好在第二第三差别有限，姑作悬案可也。”

也就是说，苏老蚕的排序可以是这样的：梅、程、荀、尚。这就意味着，苏少卿、张肖伧、苏老蚕对四大名旦的排序完全一致。

四大名旦之比较

早年，在旦行领域，尚小云是继梅兰芳之后的旦角第二人。但是，到了20世纪30年代初，程砚秋、荀慧生已经超越了尚小云。在四大名旦中，尚小云沦为第四。这是什么原因呢？以艺术论，相对而言，尚小云不如程砚秋，特别不如荀慧生发展均衡。比如，以张肖伧的那份列表为例，尚小云虽然也有四个“上上”，但“中”却比程、荀多，而且还有一个“下”。也就是说，在某些方面，他特别强，在某些方面，却又特别弱，这样平均以后，分数就高不上去了。

曾经有人这样说：“小云不幸，当初不该学旦。”旦角演员在舞台上应该是柔美的、妩媚的，唱腔是婉转的、舒扬的。尚小云的动作幅度大，显得硬，他的唱，又太刚了。这是不是就是他“不该学旦”的原因呢？也是他在旦行难以超越梅兰芳，甚至被程、荀超越的原因呢？

当既歌且舞的花衫表演方式大行其道、又大受戏迷追捧的时候，一贯恪守传统青衣表演方式的尚小云为顺应潮流也不得不演出一些花衫戏时，就曾遭到批评，说，以他似钢似铁的嗓音，怎么能唱纡徐柔婉的花衫腔？以他硬实的身段，又怎么能演娇美的花衫戏剧中人？还有人说得更极端：看程砚秋的喜剧，和看荀慧生的悲剧一样，让人难受，而看尚小云的花衫戏，让人坐立不安。在花衫戏一统舞台的情形之下，少演或不演花衫戏的尚小云，是不是因此而吃亏呢？

有人说，四大名旦的竞争其实蕴含着文化的竞争。何以如此说？原因便是在他们的身后，都有一批文人在加以辅佐。梅兰芳身边有齐如山、李释戡、冯幼伟、黄秋岳、吴震修等，程砚秋身边有罗瘿公、金仲荪、翁偶虹等，荀慧生身边有陈墨香等，而尚小云身边则有清逸居士。

梅兰芳的智囊团成员中，有的对中国传统文化有深刻认识，有的精通西方戏剧理论，他们编剧的戏，文化意味浓重，雍容华美大气。罗瘿公、金仲荪都是从政坛上退下来的“失意人”，他们更精于对社会问题的剖析，因而程砚秋的新戏更侧重反映现实，表现民众疾苦，悲剧性很强，也就更能打动人心。清逸居士的编剧方式多是改编历史传奇故事，尚小云的新戏既不如梅戏那样华丽，也不像程戏那样悲情；既无法做到如梅戏那样精雕细琢的京剧形式，也无法做到像程戏那样注重社会性和思想性。因此，他难以超越梅兰芳，也很快被程砚秋追赶上。

在剧目方面，尚小云已经不如梅兰芳、程砚秋。在被捧方面，他又不如荀慧生。正如梅花馆主所说，捧荀派组成的“白党”声势浩大力量坚强，他们甚至组成“白社”。其中成员也都是赫赫有名的名

⊙梅兰芳之《西施》

流，中坚分子是著名画家吴昌硕，另外有沙大风、舒舍予、严独鹤、袁寒云、周瘦鹃，还有律师、大学生、图书馆馆长等。不能忽视宣传的力量，也就不可否认荀慧生"超越"尚小云，除了艺术，更有艺术之外的原因。

其实，将四大名旦硬性排序，并不妥当，也不公平。客观地说，他们四人各有所长，也各有所短。比如，尚小云、荀慧生的跷工就比梅兰芳、程砚秋强，但梅兰芳、程砚秋的舞剑要比尚小云、荀慧生出色。在身段方面，梅兰芳玲珑，尚小云粗实。尚小云的嗓音高亢，程砚秋的嗓子有"鬼音"之称。梅兰芳的嗓子亮，荀慧生的嗓音气力弱。重要的是，他们都能扬长避短，于是表演各有特色。比如，梅兰芳面目娇媚，气质雍容华贵，被誉为"钻石"，宜饰贵族妇女，又擅演不食人间烟火的神仙女子；程砚秋丰姿婉转、贞肃悲壮，被誉为"美玉"，宜饰悲情女子；荀慧生幽怨缠绵，更妙曼轻倩，被誉为"翡翠"，宜饰小家碧玉；尚小云刚毅豪侠，被誉为"宝珠"，自然宜饰女中豪杰和巾帼英雄。

即便他们四人同演一部戏，也因为各自对戏的不同理解，以及结合自身的条件，而能演出差异。比如，以《玉堂春》中"会审"一节为例：

尚小云的嗓子公认的高而亮，有一股挺拔昂扬的气势。但他在演“会审”时，却采取了有收有放的方式，而摒弃了一泻千里、尽情尽心以博取彩声的惯例。当戏中的苏三发现审地的官员就是曾经与她有情的王金龙时，除了要辩解自己的冤情外，还要乘机抒发心中的复杂情感。于是，她唱道：

王公子好比采花蜂，想当初花开多茂盛，他好比那蜜蜂儿飞来飞去采花心。

如今不见公子面，我那三——

几乎每个唱《玉堂春》的演员，都会在“我那三——”这个地方大肆做戏，嗓子好的更是以直冲云霄的恢宏气势宣泄情感。梅兰芳唱到此处，往往高举三个手指，声调也随之拔高许多，特别是那“三”字，更是清亮，恰如其分地表达了苏三内心的激情。程砚秋唱到此处时，与梅兰芳有相似之处，就是抬高声调，使唱腔高昂，但是，由于程派唱腔特有的如泣如诉，于是，他的唱又使观众感受到苏三心中的悲切和凄楚。荀慧生的“我那三——”，唱得轻快，并不有意拔高“三”字的音调，更不拖长，因而唱出了苏三的万种风情。

尚小云呢，他认为苏三在公堂上是无论如何也不应该唱出“我那三郎”或“我那三哥哥”的，所以，他不仅不利用他的天赋歌喉，比一般人更高昂地唱“我那三——”，而且干脆删掉了“我那三——”，直接改换了两句唱词：

如今花儿开败了，如何不见那蜜蜂儿行？！

当然，仅仅有这两句改换了的唱词，并不能尽展苏三的内心情绪。于是，尚小云为苏三设计了几乎要冲向王金龙的身段，以及王金龙惊恐地以扇掩面的动作。紧接着，王金龙颤抖着手指苏三，意即叫她不要相认。面对王金龙的手势，苏三的表情由不解到理解，由痛苦到悲哀，最后转过身去，哭了。这一场戏，因为尚小云的改动，虽然不再有唱“我那三——”时的激越，却也蕴含着另一种使人感动的力量。

梅花馆主说，“四大名旦”的称谓正式成立，是在民国廿一年（1932年）春，即在“现代四大名旦之比较”的征文活动一年以后。也就是说，此次征文活动虽然已经明确“四大名旦”这一称号，但按照梅花馆主的说法，此名称并非就此正式成立。他的结论是，1932年，四大名旦合灌了一张唱片《四五花洞》之后，才正式成立了这个称谓。这是他的一家之言。

能够明确的是，《四五花洞》唱片的灌录时间是在1931年6月份以后。该唱片的出品方是上海的长城唱片公司。长城公司成立于1928年，1930年开始录音，正式出版唱片就是在1931年。它是由中德双方商人共同投资成立，中方老板是张啸林，中方经理是天津票友叶庸方。该公司灌录的唱片片心大都为红色，片心字迹用银白色书写。如今提及该唱片公司所录制的著名唱片，除了梅兰芳、杨小楼合作的十二面《霸王别姬》，王瑶卿、程继先的六面《悦来店·能仁寺》，另外就是四大名旦的《四五花洞》。

关于是谁促成四大名旦合录这张唱片的，目前有两种说法：一说是老板张啸林提议的，沙大风应唱片公司之邀为这次灌片做主持人并排定四人演唱顺序；一说是兼任唱片公司经理的梅花馆主出面，邀来四大名旦，最终促成了此事。

由于这张唱片只有四句西皮慢板，正好每人唱一句，最后合唱“十三嗨”，但是，正如四大名旦的排序莫衷一是，四人的演唱顺序也让主办方为难。于是，关于这张唱片的灌录过程，便产生了多种版本：

⊙尚小云之《贵妃醉酒》

第一种说法：在正式灌录唱片之前，沙大风就预感到在谁唱首句谁唱末句的问题上会有一场争执。那天，他与荀慧生一同前往录制地，途中，他说服荀慧生唱第三句。到了现场，梅兰芳唱首句应该是理所当然的，尚小云提出唱第二句。这就意味着程砚秋必须唱末一句。这让沙大风有些为难。正不知如何处理时，程砚秋主动提出唱末句，这才解决了问题。

第二种说法来源于长期与程砚秋合作的伙伴吴富琴。他这样回忆，那次是在北平南池子欧美同学会灌音。尚小云头一个报到，但他说了一声："我唱第三句。"然后就走了。意思是等你们灌好第一面我再来，这无疑将了当事人一军，更加难以解决了。事后程砚秋为了顾全大局，毅然主动提出："我年纪最轻，应当由我来唱末一句。"①

第三种说法来源于程砚秋的弟子刘迎秋。他这样回忆，程砚秋曾经对他说过这件事，而且还详细解释了他当时为什么选择唱末句。程砚秋说："原因是，录制前在一起共同研究怎么安排，第一句自然是梅先生唱；谁唱第二句，便发生争执，尚坚持唱这句，荀不让。荀说：'我不会第三句。'双方僵持不下，公司方面很为难。我便对荀说：'你唱第三句，我给你说这句的腔。'荀见我这样顾全大局，便依从了。我便给他说了这句的腔，

⊙程砚秋之《文姬归汉》。

我唱的第四句，算是灌完了。”[②]

总之，此事得以解决，依赖于程砚秋的宽宏大度。表面上看，尚小云和荀慧生都比较计较。作为尚小云来说，撇除梅兰芳不谈，他在他们三人当中，成名最早，他自视有资格唱第二句；作为荀慧生来说，他在他们三人当中，年龄最大，也自视有资格唱第二句。于是，他俩发生争执，在情理之中，也能理解。这从另外一个侧面反映出，尽管他们四个人常常聚会喝茶吃饭聊天，可以说在生活中是好朋友，但在艺术上，他们不可避免地是竞争对手。如梅兰芳和程砚秋，他俩曾经是师徒关系。在程砚秋成名后，却几次挑战师傅，与梅兰芳打对台。也可以说，他们之间始终存在着的积极的艺术竞争客观上抬升了旦角的地位，使旦角逐渐取代生行占据舞台中心，这也是他们之所以成为“名旦”的又一个重要原因。比如：

在尚小云的《楚汉争》之后，梅兰芳排演了《霸王别姬》。

在梅兰芳排演了以武功见长的《红线盗盒》后，程砚秋排演了《红拂传》，尚小云排演了《红绡》，荀慧生排演了《红娘》。其中，《红拂传》中的舞双剑场面，很显然吸收了梅兰芳《霸王别姬》中“虞姬剑舞”的精华；《红绡》中的铳摩勒的人物形象来源于程砚秋《红拂传》中的虬髯公。

在梅兰芳排演了《一口剑》（即《宇宙锋》）后，尚小云排演了《峨嵋剑》，程砚秋排演了《青霜剑》，荀慧生排演了《鸳鸯

① 江上行：《六十年京剧见闻录》，学林出版社1986年12月版，第137页。

② 刘迎秋：《我的老师程砚秋》，《京剧谈往录》，北京出版社1985年2月版，第197页。

剑》。

在梅兰芳排演了宫廷戏《贵妃醉酒》后，尚小云排演了《汉明妃》，程砚秋排演了《梅妃》，荀慧生排演了《鱼藻宫》。

在梅兰芳排演了女扮男装的《木兰从军》后，尚小云排演了《珍珠扇》，程砚秋排演了《聂隐娘》，荀慧生排演了《荀灌娘》。

如此热热闹闹的竞争，一方面丰富了京剧剧目，拓宽了表演形式和表现手段，对京剧事业的贡献不言而喻；另一方面，有益的积极的竞争也使他们在艺术上精益求精，并不断超越自己，逐渐形成各自不同的流派。

横遭流言非议

荣膺“四大名旦”美誉的尚小云，生活一度非常富足。也许正因为如此，生活和他开了一个大玩笑，让他在“文革”中沦落到只有三只碗、六根筷子的窘迫境地。不过，他本就不是个终日愁云惨布的人，他一向明朗乐天。纵观他的戏，几乎没有悲剧，大多充满阳刚气。这样的性格使他即便是在乌云压顶的政治环境下，也能对未来抱有信心。不过，他也有烦心事，那就是，不能唱戏，憋得慌。

弟子孙明珠自从上次送鸡蛋后，亲眼见到恩师的窘状，心里难受，便时时到尚家探望。在听到丝丝缕缕的政策变化后，她往尚家跑得更勤了，总是将听到的一些好消息转告给尚小云，让他安心，以此给他鼓励。

那一天夜半时分，孙明珠又去看望尚小云。师徒俩聊了一会儿时局、政策，尚小云突然对孙明珠说：“闺女，出去看看外面有没有人。”孙明珠不解，但还是顺从地悄悄拉开大门，伸出头去，四下打探了一番，然后关上门，对尚小云说：“外面没有人。”这时，她发现师傅的神情有一种压抑着的兴奋，目光中透着顽皮。他悄声说：

⊙荀慧生之《红鸾喜》。

“闺女，我唱一段《红灯记》给你听听。”孙明珠明白了，师傅太想唱戏了，他已经多年都没有尽情展示他的铁嗓钢喉了——除了呼喊口号。

虽然憋着嗓子，但尚小云总算过了一把唱戏瘾。唱罢，他意犹未尽地对孙明珠说：“等我解放了，我还要上台唱《红灯记》。”孙明珠不知该说什么好。“解放”，师傅真的有解放的那一天吗？她不敢相信。尚小云却充满信心。

又有一天，两人聊了很长时间后，尚小云突然问：“闺女，现在几点了？”孙明珠回答：“不知道，我没有手表。”尚小云很惊讶：“怎么，你连手表都没有？”孙明珠苦笑笑。尚小云以无限憧憬的口吻说：“没事，等师傅解放了，原来的工资补发了，我给你买一块新手表，最好的手表。”然后，他又问：“闺女，你有自行车吗？”孙明珠摇摇头。尚小云又开始憧憬了：“没事，等师傅解放了，我给你买辆新的、最好的自行车。”

憧憬在继续。尚小云越憧憬越激动，仿佛买新表新自行车的美好日子就在眼前似的，连声音都高了几度。他拉着孙明珠，说：“闺女，等我解放了，我带着你和长荣回老家，咱回北京去，吃烤鸭。我出钱在全聚德办一桌大大的酒席，把那些还活着的艺术家都请来，好好吃一顿，也算补个仪式，收你做干女儿。”孙明珠的眼泪瞬间涌出眼眶，滑落在师傅干瘦的手背上。尚小云却笑了。

在伶人被人瞧不起、被人当作“玩物”的复杂社会环境中，在艺人之间竞争得近于残酷的梨园小环境中，求生存、求发展，不是件容易的事。流言侮辱是常事，讽刺谩骂也是家常便饭。对此，尚小云早就习惯了而练就了金刚不坏之身。并非他麻木，是他有足够的容忍度。他的脾气火爆，人所皆知。在家里，他会摔东西、掀桌子。后来他办戏校，也打骂学生。唯有对外界对他的不利传言，却淡然以对。这似乎不符合他的性格，但从另外一个角度说，他脾气不好，却很有修养。

1927年7月，尚小云到天津演出。这个时候，《顺天时报》的“五大名伶新剧夺魁投票”活动刚刚落幕，尚小云的《摩登伽女》获票最多，而此番到津，自然是要演这出戏的。在京城时，尽管对该戏有很多争议，但剧评多限于艺术范畴，而较少言及其他。但是，在他于天津演出这出戏之后，却惊见报上出现恶评，有一篇戏评，几乎无一句好话，甚至含有人身攻击的言语。文章这样写道：

“长夏无聊，忽闻京伶尚小云来津，演其平生最受欢迎之摩登伽女一剧于明星。前往观，不意剧情既乏意趣，唱作更无精彩，且其别阿难之时……两手摇摆，以随其节拍，而不知此则既非旃荼罗族中妇女行走之天然姿势，又非其族中行礼之固定仪式也（此则观其拜坛时叩首而言，然此亦非也）。而末场跳舞一节，尤非京伶所宜为……虽然此剧若是，而在《顺天时报》之选举中，得票独多者，何哉？是诚不可解矣，岂投票者皆东西洋人之不知剧者。

“按佛书中事，编剧最难。梅兰芳天女散花，经文人曲家，再三斟酌始能成立。小云此剧，盖欲步梅后尘，却不免东施效颦。至《顺天时报》投票独多，野鹤不解其故，岂不知小云为听花作书，称义父大人耶。”

文中的“野鹤”，即此文作者；文中的“听花”，为日本评论家，有“中国通”之称，与北京梨园界诸名人都有往来。当时，他时常在由日本人办的《顺天时报》上发表戏曲评论文章。尚小云与“听花”的关系或许的确不错，但野鹤将《摩登伽女》得票最多归结于此，于尚小云似乎不太公平。

另一个方面，野鹤的这篇文章刊登在《北洋画报》上。该画报的主持人是冯幼伟的侄子冯武越。众所周知，冯幼伟是梅兰芳智囊团主要成员之一，又因为是银行行长，他是梅兰芳最大的经济后盾。《北洋画报》刊载这样一篇明显诋毁尚小云和《摩登伽女》的文章，嫌疑太大，目的似乎是显而易见的。偏偏野鹤的文章中，又以《摩登伽女》与梅兰芳的《天女散花》作比较，毫不掩饰对后者的溢美，而将“东施效颦”这样极具贬义的词加在《摩登伽女》上。

当然，就《天女散花》本身而言，它具有的艺术性的确毋庸置疑。但是，它与《摩登伽女》并不具有可比性，硬性抬高《天女散花》，贬低《摩登伽女》，不是一个客观的评论家的客观行为。因此，野鹤的这篇文章少了客观性，也就不能算作是真正意义的戏评，反而授人以“抑尚扬梅”的把柄。可以说，这样的捧角行为，很不聪明。

从“白党”为了荀慧生而叫响“四大名旦”，到《北洋画报》实际上是梅兰芳的代言人，以及尚小云与《顺天时报》的关系，再到野鹤的这篇文章，都可以看出，名旦之间的竞争是相当激烈的。但是，有的时候，演员自身或许并没有多少强烈的竞争危机，他们在名声远播、地位日渐稳定之后，更愿意将心思集中在对艺术的精益求精上。同时，他们与人为善的为人处事原则，也使他们少有踩踏他人以抬高自己的恶念，更多的是大度而颇具君子风范。比如：

程砚秋成名后，虽然数次与梅兰芳打对台，但这是艺术上的竞争。他因为在小的时候拜过梅兰芳为师，所以一直以来，在梅兰芳面前始终以徒弟自居，不敢有所僭越，因而对梅兰芳总是恭敬有加、礼貌周全。即便有时不得不打对台，他也在事前、事后登门致歉。反过来，梅兰芳不以师傅为傲。在程砚秋排演了《金锁记》之后，梅兰芳非常欣赏其中的表演和唱腔，甚至公开宣称他的同一题材的《六月雪》不如程砚秋的《金锁记》，从此放弃再演这出戏。

无论是哪家弟子，包括梅、程、尚的弟子，只要向荀慧生求教，他都毫无门户之见，乐于施教。梅兰芳的弟子张君秋、程砚秋的弟子李玉茹，甚至是尚小云的儿子尚长麟，都曾得到过他的指点。反过来，他让儿子荀令香拜程砚秋为师。荀令香因此成为程砚秋的第一个弟子。

尚小云呢，也是如此。虽然不能说梅兰芳是受尚小云的《楚汉争》的影响而排演《霸王别姬》的，但至少也借鉴了《楚汉争》中的精华。尚小云不但不因此不满，而且在观看了《霸王别姬》后，自叹弗如。他曾经对弟子们直言："这个戏，你们一定要学梅兰芳。"从此，他也不再演出《楚汉争》了。他对后来者居上而超越他的程砚秋，也一样不存芥蒂。在与弟子或朋友谈到著名的程腔时，他说："程先生的唱腔真美，耐人寻味。"他自己的功夫很好，却直夸程砚秋："他的功夫更好，他的水袖多有戏。"

从这个角度上来说，真正有"你死我活"意识的，是四大名旦身后的捧角者。他们傍着名角儿，一定意义上依靠名角儿生存。所以，他们不能容忍强有力的竞争者，他们贬低对手，以确保自己赖以生存的"大树"永远不倒。

在"四大名旦"的称谓确立之后，也就是尚小云跻身四大名旦行列之后，针对他的攻击性文章，日渐多了起来。

一位署名“太斗”的撰文《尚小云只可算半个》，这样说：“梅程荀尚之所以成四大名旦，因其艺术声望，皆能各自树立，即于营业方面，亦不赖其他好角之帮助，而得以持久不败，故走南到北，都恭维他们是‘四大金刚’、“四大名旦’。其中唯有尚小云，近来自知力量艺术不能与梅程荀相抗，故走南到北，必拉入筱翠花，以作帮助。筱翠花在该班之势力，几与小尚并驾齐驱，占了小云的地位，故四大名旦之尚小云，只能算半个。”

紧接着，有人干脆直接嘲笑尚小云“已经沦为二旦了”。

因为尚小云邀请筱翠花合作，而筱翠花叫座能力强，就下“尚小云只能算半个”、“沦为二旦”的结论，未免草率，而且有违事实。尚派戏青衣、花旦并重，尚小云有“正宗青衣”之称，筱翠花是叫座能力日强的花旦名角儿，他不仅擅长花旦，也精通闺门旦、刀马旦，跷功也好。两人合作，更能体现强强联手。于艺术而言，自然更有利；于观众而言，更具观赏性。这是他俩一直合作的主要原因。另外一个原因，尚小云与筱翠花还算是哥儿俩，因为尚小云是于家的干儿子[①]。从感情上来说，他俩也愿意在一起合作。

这篇文章对于尚小云的声誉来说，很有破坏性。一些不明真相的人会真的以为尚小云不但不配四大名旦之称，甚至连筱翠花都不如了。云迷们忿忿不平，很为尚小云抱不平。但是，尚小云却未往心里去。不过，他不是个遭遇委屈后打碎牙往肚里咽的人，有的时候，他也是有话直说的，有机会，他也是要解释的。

那一天，尚小云和一些朋友在正阳楼饭馆吃涮羊肉。席间，有人就挑起了关于“只能算半个”和“沦为二旦”的话头。初以为，尚小云可能因为被揭了“伤疤”而会不高兴，不想，大家见他不但未变脸色，甚至仍然像先前一样笑眯眯的，继续大口地吃着涮羊肉。见此，大家放了心，有人便大着胆子问他到底是怎么回事。他一边

① 此说法来源于邹慧兰：《我的老师于连泉》，《京剧谈往录续编》，北京出版社1988年6月版，第196页。

涮着羊肉，一边解释：

“事由市面不景气所起，百业萧条，影响戏院营业。班中同仁要吃饭，我不能不管，当时考虑到筱翠花很有号召力，若能与他同台唱戏，一定能让分别在两个戏院听戏的观众聚到一个戏院里来。那么，戏班只花一场开销，就能挣两份钱，双方都得好处。我不但邀筱老板合作，还挂双头牌，没想到被骂为‘只能算半个’。”

20世纪20年代末，军阀混战正酣，又面临着日本人的觊觎，时局动荡，自然影响到娱乐业。1927年底，尚小云到天津演出，上座有限。据说大半包厢的票被一位绰号“吴二爷”的“云社”成员购得，这才助尚小云勉强维持了一个演期。次年，尚小云又接到天津新明大戏院的邀请，他担心上座，便电告吴二爷，请他继续关照。吴二爷回说：“现在时局如此，我们逃难还来不及，哪有工夫去听戏呢？”在这种情况下，尚小云无奈婉拒了“新明”的邀约。

天津的情况是如此，北京也好不到哪里去。尚小云不是个坐以待毙的人，他又不能不演戏，而要在这种不景气的环境中求生存，就不得不另辟蹊径。于是，他邀请筱翠花同挂“头牌”。这样说来，“双头牌”便是“只能算半个”的由来。对于一般人而言，只愿自己挂头牌，而让别人为自己“挎刀”，也都只愿做那众星捧月的“月”，有谁愿意别人与自己分担光辉？尚小云这么做，与其说是为了追求上座率，不如说为了班中同仁的生计。这种“自降身价”的行为，恰是他的义举。

说这些话的时候，尚小云的语气是平和的，没有被人误解后的委屈和被人谩骂后的义愤填膺。然后，他又猛吃了几口涮羊肉，放下筷子，继续说：

“既然挂双头牌，就要公平。他陪我唱青衣戏，如《金山寺》、《断桥》等，我就不能怕他抢戏，旗鼓相当，互相促进，愈见精彩。我陪他唱花旦戏，如《得意缘》、《梅玉配》等戏也要下功夫，精雕细刻，为他做好烘托，并显示自己的功力，锦上添花，不是一般二旦所能及，让听戏的过瘾，愿来买票，不想又招来‘沦为二旦’的嘲笑。”

类似捕风捉影的事，还有不少。又比如，某一年的中秋节，尚小云应邀赴天津，演出于春和戏院。不料，演至一半，他就病了。但是，他是一向不轻易回戏的，便硬撑着。他的戏武戏多，因而很吃重。此次演出的戏码既有全本《金山寺》，又有刀光剑影的《林四娘》，都是费力气的戏。平时，以他刚健的体魄和矫健武功，演来得心应手，但抱恙演出，就力不从心了。尽管如此，他还是不肯回戏，甚至为打消观众疑虑，还特别在报上刊发启事，说他将坚持演出不辍。

然而，好汉难经病来磨。无论尚小云如何有坚强的意志力，还是无法抗拒病魔的侵袭，他被迫回戏了，甚至在天津的演出也被迫草草收场了。事情虽然有些遗憾，但也是没有办法的事，观众也能体谅。然而，戏院方面为此刊发了一则启事，惹出了大麻烦。启事内容是这样的：“天气寒暖不均，尚艺员小云倏感时疫，医治无效，竟卧床不起……”。

“医治无效”这个词，触目惊心，又一个“不起”，不由使人担心起尚小云的生死来了。于是，有人一个电话打到北平，方知尚小云已经痊愈。谩骂因此而来，说尚小云明明身体无恙，却以病为托词，而且以“医治无效”这样的极端谎言欺骗戏迷。原来不过是戏院在启事中措词不当造成的误会，尚小云却无端背了黑锅。他百口难辩，不过，他并不辩解。

当时还有一件事，也是尚小云被骂的话题，那就是尚小云减价演出。对此，尚小云这样解释：“我们梨园界以唱戏为主，清朝时候靠王公大臣，民国初年靠官商二界，现在什么都讲大众化，只有平民百姓买得起票，才能上座。因此，我当机立断，降低票价，果然营业大振。”

事实上，尚小云的确在减价后上座率大大提高。有一篇报道这样写道：“尚小云此次在‘北洋’（天津的北洋戏院）出演，以售价较历次为低，故上座成绩极佳。‘春和’（天津的春和大戏院）之马德成、关丽卿等，即受其影响，铩羽而去。李万春等原定五日在‘春和’出台，亦以预售座位形势不佳，只能暂缓，盖亦受小云方面之影响也。”

尚小云曾经说过的一句话，很能体现他的为人：“我不否认我是唱戏的，我也不引为耻辱，但我也绝不绷着身价。”也许可以这样说，他的“不绷着身价”的为人处事原则，使他的内心始终保有民众意识以及戏曲为大众服务的观念。这种平民观，对于像他这样的名旦来说，是难能可贵的。不知是否巧合，三四年后，鲁迅写了一篇文章，题目是《略论梅兰芳及其他》，其中有这样几段话：

> “他（指梅兰芳——引者注）未经士大夫帮忙时候所做的戏，自然是俗的，甚至于猥下，肮脏，但是泼辣，有生气。待到化为‘天女’，高贵了，然而从此死板板，矜持得可怜。看一位不死不活的天女或林妹妹，我想，大多数人是倒不如看一个漂亮活动的村女的，她和我们相近。”
>
> “士大夫是常要夺取民间的东西的……他们将他（指梅兰芳）从俗众中提出，罩上玻璃罩，做起紫檀架子来……先前是他做戏的，这时却成了戏为他而做……雅是雅了，但多数人看不懂，不要看，还觉得自己不配看了。”

因此，有人说鲁迅对梅兰芳是存有偏见的。与其这么说，倒不如说鲁迅不满于梅兰芳被士大夫们罩进了玻璃罩而脱离大众脱离民间。20世纪30年代，革命文学界讨论的重点就是文学大众化的问题。鲁迅由梅兰芳说开去，探讨了戏曲是为谁服务的问题，是为士大夫们服务，还是为人民大众服务？

尚小云出于大众化考虑，“不绷着身价”而毅然率先减价，与鲁迅“戏曲为人民大众服务”的呼吁，实际上是不谋而合的。

然而，尚小云的减价行为却遭到谩骂，为什么呢？他说：“他们骂得更损了，竟说我‘尚小云大减价’。他们为什么要骂我呢？因为我们戏班赚了钱，那些文痞看着眼红，上门化缘，我不给，恼羞成怒，于是在报上恐吓我，逼我拿出钱来，他们再掉转笔锋捧我，简直就是敲诈嘛。”

有朋友担心尚小云因此得罪黑势力，于演艺不利，便劝他，不如拿钱消灾吧。尚小云的火爆脾气又显现了，他怒目圆睁，几乎是吼道：“我不能拿大伙的钱堵小人的嘴，所谓真金不怕火炼，我有什么好怕的，我才不怕呢。”真的不怕，也就没有什么事，顶多被人多骂几句而已。尚小云不在乎。

1933年8月，尚小云重组的班社重庆社在北平的《群强报》上直接刊登了一则“重庆社提倡真正平民化票价启事”，宣称：“敝社诸艺员为尽量贡献个人平生所擅长者起见，相率振刷精神，不顾个人身份虚荣，纯为观众与社会着想，提倡真正平民主义之票价，前排只售七角，后厅只售三角。”也就是说，他的减价行为，已经不再只是为了提高上座率了，而是将其提升到了“提倡真正平民化”的高度。自然地，这样“平民化”的行为，深受平民拥戴。

四大名旦的合作

在“四大名旦”之名越来越深入人心后，四大名旦同台演戏的机会也多了。许多戏迷不是其中一个名旦的追随者，便以在一台戏里看遍四大名旦为乐。戏院方面也以为是商机，想方设法邀齐四人。更有甚者，城南游艺场打出广告，凡购入门券一张者，皆得四大名

⊙《虹霓关》，尚小云饰东方氏，程砚秋饰丫鬟（左），梅兰芳饰王伯党（右）

旦中梅兰芳、尚小云、程砚秋合照剧照一张。在营业戏里，他们四人是很难聚集在一起的，因为各人都有自己的班底，都有自己的拿手戏，因而很难让四个班底同时在一个晚上演出。于是，荟萃四大名旦于一堂，只能是义务戏和堂会戏。

那时的义务戏，既有社会团体组织的纯粹义举性质、为社会公益事业的义务戏，比如，1917年的赈济京兆水灾义务戏，1920年的

重修妙峰山喜神殿义务戏等，也有官方、政界强行组织的强迫性所谓义务戏。无论何种性质的义务戏，都由梨园自治组织梨园公会推举有声望的管事，共同确定参加者和商议戏码。

一般来说，义务戏的剧目选择和演员搭配，都是在一般班社中所不常见的。因而，被邀请的演员很少有不愿意参加的。因为演义务戏，既是做善事为社会尽一份力，对自己的声名也有好处。另外，演义务戏能与众好角儿同台，对扩大自己的知名度也有益处。所以，没有受邀请而不参加的，倒有不少欲参加却不可能者。

有关四大名旦同时参加的义务戏，在20世纪20年代末期，有几场很著名：

第一场是在1927年。那天的戏码是这样安排的：

第一：时玉奎的《大回朝》；

第二：方连元的《蟠桃会》（即《八仙过海》）；

第三：贯大元的《黄金台》；

第四：李万春、蓝月春的《白马坡》；

第五：周瑞安的《艳阳楼》；

第六：高庆奎的《斩黄袍》；

第七：荀慧生、朱琴心的《虹霓关》；

第八：尚小云、王又宸的《汾河湾》；

第九：程砚秋的《红拂传》；

第十：余叔岩的《问樵闹府》；

第十一：杨小楼、尚和玉、筱翠花、郝寿臣的《战宛城》；

压轴：梅兰芳的《天女散花》；

大轴：《金花聚妖》。这部戏是八本《混元盒》中的第一本。故事说的是明代嘉靖年间，金花娘娘派九妖下凡，大闹朝廷，后被张天师一一收伏，聚于混元盒内。这个戏的本子是从清宫升平署中传出来的，又因为涉及妖精、斗法等光怪陆离的剧情，再加上长达八本，需要演出八天，所以很受戏迷们喜欢。四大名旦中，梅兰芳演过其中一本《金针刺蟒》，尚小云则演过《琵琶缘》。

第一本《金花聚妖》并无具体情节，只是九妖齐聚，用内行术语，叫作“卖扮相”。当日的角色分配：陈德霖的金花娘娘，九妖由四大名旦，以及杨小楼、尚和玉、许德义、郝寿臣、侯喜瑞分饰。尚小云演的是“琵琶仙子蝎子精”，梅兰芳演的是“赤锦仙子红蟒精”，程砚秋演的是“玉面仙姑白狐精”，荀慧生演的是“玄灵仙姑黑狐精”。看他们所饰演的角色，就可知这部戏是何等热闹了。

在所有的义务戏中，有一种于梨园人士来说很重要，那就是被称为“窝窝头会”的义务戏。主办窝窝头会的是京剧演员自己的组织，即梨园公会。

最早由戏曲艺人自己组成的带有行会性质的组织，产生于清朝中期，当时被称为“精忠庙”。物质形式的精忠庙是一座庙宇，建于明朝，位于京城东珠市口，供奉着南宋抗金名将岳飞。初修这座庙宇时，在祭祀岳飞的大殿以左另建了一座天喜宫，供奉着戏曲祖师爷的圣像。每到年末腊月，梨园人士都要到此祭祀梨园祖师爷。明末清初，群众性自治组织梨园会馆（实则就是后来的梨园公会）成立，馆址就设于天喜宫内。又因为天喜宫设在精忠庙内，所以习惯上将这个自治性组织称为“精忠庙”。既然是自治性组织，那么，“精忠庙”的主要功能就是为梨园行业中人谋福利。主要包括：

1.传达政府法令、指示；

2.协助政府管理戏班、戏园；

3.为升平署组织艺人进宫演出；

4.为广大艺人谋福利，保障其生产、生活的进行；

5.解决戏曲艺人内部纠纷。[①]

也因为是自治性组织，所以，“精忠庙”的领导人，是由众艺人从有声望、艺术精湛、热心公益事业又乐于助人的艺人中推举出来，

① 叶涛：《中国京剧习俗》，陕西人民出版社1994年6月版，第66页。

早期向管理精忠庙的事务堂郎中、后期向清廷内务府呈请批准后产生的。这个领导人，被称为“庙首”，或称“会首”。早年，戏界惯例，庙首由生行演员担任，旦角演员不能担任庙首，即便如梅兰芳的祖父梅巧玲那样德高望重的艺人，都未能担任过庙首。

最早担任庙首的是早期著名京剧演员高朗亭。在位时间比较长的是有老生“前三鼎甲”之一之称的程长庚，与其同任庙首的是名丑刘赶三。程长庚晚年时，向堂郎中保荐了徐小香和杨月楼，共任庙首。之后，王九龄、俞菊笙、谭鑫培先后任过此职。破例担任庙首的旦角演员，先是花旦兼武旦演员余玉琴，他也曾是内廷供奉，深得光绪眷宠，又因为办事能力强，所以以旦角身份出任庙首，无人有异议。之后担任庙首的旦角是梆子花旦演员田际云，他思想激进，急公好义，清末时在梨园界有很高威信，出任庙首，也算是众望所归。

民国建立后，一切求新。田际云向民国政府申请成立了新的梨园自治组织，即“正乐育化会”，从此结束了精忠庙的历史。该会由谭鑫培任会长，田际云任副会长。与精忠庙不同的是，正乐育化会除了处理梨园行内事务外，也注重与外界的交流。比如，当黄兴等辛亥革命领导人到北京时，该会全体会员在贵州会馆召开欢迎大会，会后还共同留影。有的时候，它还邀请文艺界人士到会演讲。另外，它还附设了一所育化小学，鼓励梨园界子弟入校读书。显然，正乐育化会在职责和功能上，比精忠庙丰富又先进了许多。

从民初到20年代初，正乐育化会维持了十年。随着谭鑫培的去世（1917年去世）、田际云的老迈（1925年去世，享年60岁），正乐育化会走到了尽头。1924年，著名武净演员许德义邀集叶春善（富连成科班班主）、萧长华（富连成教师），以及杨小楼、余叔岩、梅兰芳、尚小云等五十多人，在正乐育化会的基础上组织成立了北京“梨园公益总会”（简称梨园公会）。尚小云和梅兰芳、余叔岩、杨小楼等同为梨园公会的主持人。这恐怕是尚小云最早参与梨园公会的工作。

无论是正乐育化会，还是梨园公会，最常组织的活动，就是举办救济同业的义务戏。这种义务戏就被称为“窝窝头会”。此名称的来源，据翁偶虹说：“窝窝头是玉米面或小米面做成的食品，价贱品低，一般贫苦同业用以果腹。采用这个名称的用意，仿佛是谦虚地表明杯水车薪，只能普济同业吃上窝窝头，实则每场演出的收入很多，只是在当时黑暗政治的统治下，官绅层层剥削，大部分票款流入他们的私囊，真正分到贫苦同业手中的，也只能吃顿窝窝头而已。”①

就在梨园公会成立的这一年，6月份，梨园公会在第一舞台连续举办了两场大规模的窝窝头会。这两场义务戏，尚小云都参加了，戏码是《秦良玉》，位列压轴。大轴是杨小楼、余叔岩、田桂凤、九阵风、郝寿臣等人的《战宛城》。这两场戏的票价，也创出新高：一级包厢60元，二级包厢40元，三级包厢24元。三楼1元，二楼3元，池座前排5元，后排3元，两廊2元。

因为是救济贫困同业，所以在年底，梨园公会总是要举办一次窝窝头会。1924年年底，已经到腊月了，尚小云和梅兰芳等梨园公会负责人，正在计划着举办窝窝头会，却不想横生枝节。尚小云回忆说：“已到腊月廿九日，反动统治者不顾艺人生活，还叫我们为他们演义务戏，进行募捐。当时救济同行又迫不及待，畹华（梅兰芳的字）大哥很为焦急，遂约同我计议。”②

两人计议的结果是，既不能违抗当局的命令，否则日后难以在舞台上立足，更不利于梨园公会的工作，也不能置贫苦同业于不顾，他们都指望着窝窝头会救急呢。于是，他俩商量后，决定由梅兰芳出面，用尚小云的房契作抵押，向银号借贷了3800元。然后，他们将这笔钱分给了需要救困的同业。每人虽然才够分得4元，但好歹

① 翁偶虹：《记忆所及的几场义务戏》，《京剧谈往录续编》，北京出版社1988年6月版，第508页。
② 尚小云：《永远记着您的勉励》，《戏剧报》1961年17期，第48页。

⊙《西厢记》，尚小云饰张生，梅兰芳饰红娘，程砚秋饰崔莺莺

可买一两袋面粉过年了。在这之前，尚小云刚刚购置了新居，房契还未焐热呢。而由梅兰芳出面抵押，当然是因为需要他的声望和信誉。

过了年，转眼就到了元宵节。尚小云又和梅兰芳商议后，约了杨小楼、余叔岩等名角儿，举办了一场义演。当天的主要戏码是尚小云和余叔岩的《打渔杀家》、梅兰芳和杨小楼的《霸王别姬》。用这场戏的收入，尚小云还清了银号的钱。

尚小云对于梨园公会的工作，组织“窝窝头会”是其一。1932

年，他还和另外三位名旦，以及杨小楼等名角儿，各自捐款300元，在北平樱桃斜街34号购地12亩，作为梨园公会的会址，取名“梨园新馆”。

之所以取名“新馆”，其中还有一段梨园辛酸往事。早年的梨园公会会址被称为“梨园会馆”。后来，会馆被一富商强行霸占，开了家天寿堂饭庄。梨园人士到官府控告，要求饭庄撤出，恢复梨园会馆。但因为艺人的社会地位低下，这样事实清楚证据确凿的官司居然打输了。这件事，被戏界视为耻辱。

当时，各大饭庄都设有戏台，在喜庆宴会时，常邀请演员来唱戏。天寿堂饭庄的官司打输后，梨园人士达成默契，绝不到天寿堂唱戏。这样的默契后来被写进了梨园行规:“天寿堂不得进箱演戏。”因为如此，天寿堂的生意日渐衰落。直到20世纪 30年代，天寿堂邀请到一个进京演戏的评剧戏班，天寿堂内没有皮黄声的尴尬才被打破。不过，京城的戏班仍然不进天寿堂。在新的梨园公会会址确定后，更以“新馆”之名区别于原来的梨园会馆，更是对天寿堂以及社会歧视的一种抗议。

四大名旦共同参与演出窝窝头会义务戏，有很多次。比如：

1927年元月25日，在第一舞台，就有一场窝窝头会。当天，四大名旦与杨小楼、高庆奎、筱翠花合作演出了《四五花洞》。大轴是全体反串《八蜡庙》。其中梅兰芳反串黄天霸，尚小云反串贺人杰，杨小楼反串张桂兰。

1928年元月13日，也在第一舞台，当天窝窝头会的戏码分别是:

第一：裘桂仙的《大回朝》；

第二：时慧宝的《马鞍山》；

第三：尚和玉的《收关胜》；

压轴：四大名旦和三大须生（即余叔岩、高庆奎、马连良）（一说是余叔岩、高庆奎、王凤卿，马连良是在王凤卿辍演之后才位列“三大须生”

的，之后加入言菊朋，形成“四大须生”）合作的全本《红鬃烈马》。其中：

《彩楼配》，王琴侬演王宝钏；

《三击掌》，陈德霖演王宝钏，贯大元（一说刘景然）演王允；

《探寒窑》，王幼卿演王宝钏，松介眉（一说玉静尘）演王夫人；

《投军别窑》（又名《平贵别窑》），王蕙芳（一说程玉菁）演王宝钏，李万春演薛平贵；

《误卯三打》，周瑞安演薛平贵，侯喜瑞演魏虎；

《赶三关》，马连良演薛平贵，朱琴心演代战公主；

《武家坡》，程砚秋演王宝钏，余叔岩演薛平贵；

《算军粮》（又名《算粮》），荀慧生演王宝钏，高庆奎演薛平贵；

《银空山》，王凤卿演薛平贵，筱翠花演代战公主，朱素云演高思继；

《大登殿》，梅兰芳演王宝钏，杨小楼演薛平贵，尚小云演代战公主；

大轴：全体演员合演反串戏《八蜡庙》。

著名编剧翁偶虹这样说：“从1928年以后，义务戏即由四大名旦、三大须生共撑局面，然大轴一席，始终为杨小楼独据。”比如：

1929年11月，天津市对俄外交后援会举办慰劳东北将士义务戏，四大名旦和杨小楼、陈德霖、筱翠花应邀演出了三天。

1930年元月27日，第一舞台的窝窝头会，尚小云特地从天津赶回北平参加，与王又宸合作《法门寺》。这天，程砚秋与王凤卿合作《武家坡》，大轴是杨小楼、侯喜瑞等合作的《战宛城》。

也是在这年，10月，尚小云与梅兰芳同赴天津，在春和大戏院，为赈济辽宁水灾义演。尚小云与谭富英合作了《南天门》，与九阵风（阎岚秋）合作了《降龙木》。

接着，11月份，北平公安局各区署及北平筹募辽省水灾急赈会、北平梨园公会、陕灾急赈会、世界红十字会、救济贫民会等，在第一舞台举办三天辽、陕、平筹赈义务戏。尚小云是其中最积极的参加者。第一天，他与侯喜瑞、筱翠花合作了《秦良玉》；第二天，他与侯喜瑞、筱翠花、谭富英合作了《法门寺》；第三天的大轴是尚小云与岳父李寿山，还有梅兰芳、杨小楼、王凤卿等共同反串《八蜡庙》。这次的义务戏，共筹得款项13000元，其中五成作为赈灾款，四成捐给平民收容所以及红十字会，一成归梨园公会，作为经费。

1932年年初的窝窝头会，尚小云和高庆奎演出《刺巴杰》。这天的大轴是梅兰芳和杨小楼的《霸王别姬》。荀慧生的戏码是与筱翠花等人合作的《双沙河》。

1933年，尚小云再到天津，于春和大戏院演出为救济黄河水灾举办的义务戏，戏码是《玉堂春》。1937年，尚小云又到天津，为淞沪抗战将士演出义务戏，戏码是他的新戏《白罗衫》。

从尚小云参加的这一系列的义务戏中可以得出这样的结论：首先，此时，他在继《顺天时报》“五大名伶新剧投票”活动，以及《戏剧月刊》“四大名旦比较征文”之后，名旦地位进一步得到巩固，名声也已远播京城之外。其次，实际上从20世纪20年代中期，即梨园公会初建时，尚小云就已经开始涉足梨园自治组织的管理工作了，这为他日后担任梨园公会会长奠定了基础。这是他豪爽侠义个性使然，也说明他已经不再满足于只做一个挣戏份赚包银的演员，而有了社会责任感。

这期间，尚小云参加演出的堂会戏也有很多。比如，尚家的“恩人”蒙古那彦图王爷60寿辰时，在宝钞胡同那王府举办堂会，尚小云首次亮相新排的《玉堂春》。1927年，陆军次长杨梧山在北京金鱼胡同那家花园举办堂会，由余叔岩任总提调[①]。尚小云这天的戏码是与余叔岩合作的《打渔杀家》，是在白天演出的。当晚的夜戏，有梅兰芳的《玉堂春》、程砚秋的《女起解》、李万春的《夜奔》等。

1936年春，当时的天津市长萧振瀛在他的北平秦老胡同本宅举办堂会戏，尚小云应邀参加，与谭富英合作了《探母回令》。

严格算起来，四大名旦同台的机会有很多次，但同场演出一出戏，就很难得了。除了共同客串《金花聚妖》、共同反串《八蜡庙》之外，最重要的合作，便是同演《四五花洞》。那是在1931年，“杜（月笙）家堂会”上。

盛况空前的“杜家堂会”

1931年，对于尚小云来说，除了上演了《相思寨》、《花蕊夫人》等几部新戏，以及《戏剧月刊》举办“四大名旦比较征文”，从而真正意义上确立了他四大名旦之一的地位外，还有几件事值得一说。

首先，在年初的时候，尚小云二次成婚，新夫人是梅兰芳的表妹王蕊芳。据说，婚礼新旧和掺，到会者甚多，很是热闹。

其次，在5月份的时候，尚小云重组了协庆社，改协庆社之名为重庆社。当时，许多班社都有不断改组的惯例。比如，程砚秋的班社改组过多次，由最初的和声社到鸣盛社到鸣和社再到秋声社。改组的主要原因是人员流动。原有的成员被“挖”走了，或者新的剧目需要新的成员加入等，又或者是需要以新的名称引起市场的关注等，都需要改组。

重新组建的重庆社，主要成员因为言菊朋、筱翠花、马连良（1927年自组扶风社）的先后离开而有所变动，除了赵砚奎、尚富霞、阎岚秋、李寿山等继续留任外，新加入了著名老生王凤卿和王又宸、武花脸范宝亭、文丑慈瑞全，以及周瑞安、李宝奎、贾多才、扎金奎、计艳芬等。

重庆社组建后的第一个重大活动，是尚小云应邀参加了一个堂会戏。

这年5月10日，黑龙江省主席万福麟为贺其母90寿辰，于家乡洮南县故居举办盛大堂会，邀请了黑龙江、辽宁、吉林、河北等各方代表及私友约500余人参加，极一时之盛。堂会戏演了三天，除了黑龙江本地的戏班外，还邀请了当地众票友，以及从北平请来的名角儿，包括尚小云、尚之琴师赵砚奎、王少楼、侯喜瑞、王琴侬、九阵风（阎岚秋）、郭仲衡等。

可以说，这次堂会戏，挑大梁的就是尚小云，三天里，每天都有他的戏。第一天，他演了新戏《五龙祚》，第二天的戏码是老戏《四郎探母》，第三天，他演了由老戏改编的新《玉堂春》。在所有京角儿中，他的包银与郭仲衡、九阵风同是最高的，达4500元，这还不包括来往路费、住宿费和伙食费等。

随后，6月中旬，上海滩大亨、闻人杜月笙在家乡浦东高桥建造了一座十分考究的杜家祠堂。为庆祝祠堂落成，杜月笙极尽奢华，不仅大摆宴席，更点名南北各行名角儿齐聚上海，举办了一次场面浩大、持续时间达三天的堂会戏。四大名旦自然也在受邀之列。当时，杜月笙是法租界的帮会组织青帮头目，在上海广收门徒，势力很大。约角儿的邀请书直接由门徒送到角儿的手上，包括梅兰芳、尚小云等。除了余叔岩称病未参加以外，其他人无一缺席。

杜家堂会戏的提调是麒麟童（周信芳）、赵如泉、常云恒。在堂会正式开幕的前一天，即6月8日，上海伶界联合会（上海的梨园自治组织，相当于北平的梨园公会）开了一个特别会议。会上，周信芳等又为《跳加官》节目拟定了四条新的加官条子。可见此次堂会前的准备工作何等细致。

除了三位提调，还有三位总管，即虞洽卿、袁履登、王晓籁。他们都与杜月笙交谊深厚，所以大小事宜，事必躬亲。

另外，洪雁宾、乌崖臣任总务主任，张啸林、朱联馥任剧务主任。孙兰亭、周信芳、常云恒、俞叶封、金廷荪等都是剧务部成员。

那段时期，所有人员无不竭尽所能，卖力工作，甚至到了废寝忘食的地步。

杜家祠堂的内外都设有一个戏台。9日，祠内的戏正式上演。10日、11日两天，祠内、祠外的戏同时上演。祠外戏，以小杨月楼、林树森、赵君玉、王虎辰、高雪樵等上海本地演员担纲，浦东农民和一般上海市民都可进入。祠内有三进，第三进门前有巨型石狮子两座，内即神龛所在。右边的十余间房子，陈列着各界所送贺礼，多达数千件。因来宾众多，祠内四周搭席棚百余间。

西首便是祠内戏台。戏台异常宽大，台下设席二百余，用以招待上海工商界巨子、帮会中人及各界代表贵宾代表。之后的会场，可容纳数千人，但那天实际进场的戏迷达至万人，就连舞台两侧也站满了观众，甚至有些观众站到了戏台上，令维持秩序的张啸林、王晓籁百般规劝、驱赶，正值初暑，忙活得汗流浃背气喘如牛。

由于周信芳等提调[①]都是内行，非常懂戏，将三天的戏码安排得极为妥帖。

6月9日：

《金榜题名》：徐碧云、言菊朋、芙蓉草；

《鸿鸾禧》：荀慧生、姜妙香、马富禄；

《百花亭》（即《贵妃醉酒》）：雪艳琴；

《桑园会》：尚小云、张藻宸（票友）；

《打花鼓》：华慧麟、萧长华、马富禄；

《落马湖》：李吉瑞、小桂元；

《汾河湾》：程砚秋、王少楼；

《龙凤呈祥》：梅兰芳、杨小楼、高庆奎、谭小培、龚云甫、金少山、萧长华。

6月10日：

① 提调：戏界专业名词，指办堂会的人家特别商请一人，负责安排戏码、邀请演员、计划花费等事宜。一般来说，提调都由戏界有威望的内行担任。

《富贵长春》：麒麟童、赵如泉；

《安天会》：刘宗扬；

《定军山》：谭富英；

《两将军》：李万春、蓝月春；

《独木关》：李吉瑞；

《卖马》：王又宸；

《长坂坡》：杨小楼、雪艳琴、高庆奎；

《贺后骂殿》：程砚秋、贯大元；

《捉放曹》：王少楼、金少山、张春彦；

全本《红鬃烈马》：其中，徐碧云《彩楼配》；尚小云《三击掌》；麟麟童和王芸芳《投军别窑》；郭仲衡和芙蓉草《赶三关》；梅兰芳、谭富英和言菊朋《武家坡》；谭小培和雪艳琴《算军粮》；谭小培、荀慧生和姜妙香《银空山》；梅兰芳、荀慧生、龚云甫和马连良《大登殿》。

6 月 11 日：

《岳家庄》：小杨月楼；

《琼林宴》：言菊朋；

《战宛城》：荀慧生、麒麟童、刘奎官；

《取荥阳》：马连良、金少山；

《取帅印》：高庆奎；

《花木兰》：徐碧云；

《马蹄金》：尚小云、龚云甫、贯大元；

《挑滑车》：刘宗扬；

《秋胡戏妻》：尚小云、龚云甫、贯大元；

《二进宫》：梅兰芳、谭小培、金少山；

《夜奔》：李万春、蓝月春；

《弓砚缘》：雪艳琴、姜妙香；

《卧虎沟》：李吉瑞；

《忠义节》：程砚秋、谭富英、王少楼；

《八大锤》：杨小楼、马连良、刘砚亭；

《四五花洞》：尚小云、梅兰芳、程砚秋、荀慧生、高庆奎、金少山；

《庆贺黄马褂》：麒麟童、王芸芳、赵如泉、刘汉臣。

那三天，杜家祠堂的戏，从中午12点或下午3点开锣，一直演到深更半夜。其中第二天的戏，待大轴戏《大登殿》唱罢，已经是第二天早上7点钟了。三天的总戏目，加上其他喜庆吉祥的开锣小戏，祠内祠外共演了八十多出。“盛况空前”这个词，用于此丝毫不为过。最得意的，自然莫过于杜月笙了。

演出结束后，为留纪念，照例合影。龚云甫、杨小楼、李吉瑞三位梨园前辈位居正中。四大名旦和谭小培谭富英父子、言菊朋、马连良等也在前排就座。后排中间，是号称上海滩“三大亨”的杜月笙、黄金荣、张啸林。其左右是高庆奎、王少楼、郭仲衡、徐碧云、贯大元等演员，以及冯幼伟、张嘉璈等名流。

对于尚小云来说，这次参加杜家堂会，值得纪念的，便是与另外三名旦合作演出《四五花洞》。正是因为这次的合作，让上海长城唱片公司老板之一的张啸林看到了商业价值，据说，由他提议四大名旦共同灌制了一张《四五花洞》的唱片。随之便发生了“谁唱首句，谁唱末句”的故事。

尚小云的“义”

说到尚小云频繁演出义务戏，就不能不说到他的“义”。在梨园界，尚小云的义，是人所共知的。这也是他因此在年仅二十多岁的时候，就被推举与名震四海的梅兰芳共同主持梨园公会，以及日后最终当选梨园公会会长的原因之一。

自从参与梨园公会的工作后，每逢年节，尚小云都要出面组织戏界义演，为穷苦同行准备过年过节的生活费用。对于这些义演，许多大演员，不争名位，不争角色，甚至主动要求演配角，为别人“挎刀”。尚小云就是其中之一，比如，传统戏《红鬃烈马》，在营业戏中，他常演主角王宝钏，而在义演中，他演配角代战公主。

实际上，从尚小云在正乐班时义助荀慧生脱逃，就可以看出他的性格了。乐于助人，或许就是他的“义”的主要表现。助荀慧生出逃是一例，“徐碧云事件”又是一例。所谓“徐碧云事件”，据当年报纸记载，指的是徐碧云因涉嫌强奸吴某之妾而被捕。时间大约是在1924年。

不过，也有人另有说法。如，当年的名角儿李洪春在其回忆录《京剧长谈》中这样说：“那天，我们正在第一舞台演出《蝴蝶杯》，北洋军阀参议员焦某领着一群警察突然闯进后台，命令我们停止扮戏，跟着走到徐碧云面前说他‘有伤风化’，强行逮走，我们怎么交涉也不行。当时戏也无法演出了，不但经济上受了损失，剧团也因此而垮台。焦某不但依仗权势逮走了徐碧云，而且……”

在这里，且不论徐碧云是因为“涉嫌强奸”，还是因为“焦某依仗权势”而被诬陷，总之，徐碧云一度被捕被关押，这是确实的。无论怎样，徐碧云毕竟是梨园一分子，梨园中人哪能眼睁睁地看着他受审坐牢，总想着要为他出点力。特别是一向侠义的尚小云，他与梅兰芳和捧徐的“徐党”成员想方设法，予以营救。程砚秋的恩师罗瘿公在给友人的一封信里这样说：“徐被捕事，有梅、徐、尚三方合力营救，京中官僚自国务员数人以至巡阅使、各前总长纷纷托情……”。也许正是因为包括尚小云在内的人士营救得力，徐碧云最终未被判坐牢，而只是游街示众三天，并罚做苦工四个月。

上世纪30年代，麒麟童周信芳从上海北上北平，有意在北平开创演艺新路。但是那时，京剧有“京派”“海派”之分，彼此有门户之见。周信芳只是沪上名角儿，并不得京城戏迷青睐，初来乍到，很受冷落。唯独尚小云，侠义心肠。每天晚上，他都坐着私家小汽车去戏院听周信芳的戏，为他捧场。他不仅从不躲躲闪闪，甚至有意无意地大张旗鼓。

每次往戏院的路上，他都要求司机一路按着汽车喇叭，偏偏他的汽车喇叭声奇响，几近震天动地，很招摇。又因为他的汽车标志性强，绝大多数人都认得。所以，他的汽车一路驶来，一路就被人指指点点："瞧啊，尚先生来了！""尚老板又来听戏了！"听谁的戏？麒麟童的。麒麟童是谁？上海来的角儿。三番四次，麒麟童就这样引起了戏迷们的注意。不仅如此，尚小云还在周信芳演出时广撒红票①，不仅在精神上，更在经济上给予周信芳支持。

与尚小云长期合作的武花脸范宝亭晚年极不得意，为节省开支不得不下狠心戒烟。而他嗜烟数十载，突然戒除，身体反应极大，最后居然一病不起，很快病故，享年只有57岁。他身后一无所有，无儿无女，只有孤苦无依的老妻王氏。当尚小云得知丧讯，赶到位于椿树上二条14号范寓时，只见舞台上英武威严风采绝伦的范宝亭枯干瘦弱，被一身破旧的棉袄棉裤包裹着，横卧于榻上。此情此景透出无限凄凉。尚小云知道，范家定是拿不出买棺材的钱的，他的鼻子酸酸的，对王氏说："范大嫂，您别着急，范先生的后事，我全包了。"

几天后，报纸上刊出这样一条小消息："老伶工范宝亭……不治于……逝于……善后诸事由尚小云补助料理一切。"范宝亭体面地下葬了，站在他的墓前，人们很自然地会想到尚小云。

除了范宝亭，花脸演员金少山的后事，尚小云也参与其中，帮了大忙。

金少山比尚小云年长10岁，是老北京旗人。看他的身材和面相，就知道他是唱花脸的：魁梧高大、神情威严，天生一副亮嗓，气势

① 红票：是旧时演员或戏班组织人员自行印发的戏票。在戏班的上座不景气时，或是初演新戏时，往往由戏班或"捧角者"自己出资购买红票，然后组织戏迷观看。这就是"撒红票"。

恢宏大气磅礴，因而有“十全大净”之誉，与郝寿臣、侯喜瑞并称“花脸三杰”。因其擅演包公戏，而郝寿臣擅演曹操戏，所以他俩又被称为“黑金白郝”。他的花脸技艺得益于父亲金秀山。金秀山的戏，是幼年初学戏的梅兰芳最爱看的戏之一。只是让梅兰芳没有想到的是，成年后，他与金秀山的儿子金少山有过多次合作。在杨小楼与梅兰芳合作《霸王别姬》之前，金少山因为《霸王别姬》而有“金霸王”之称。

1947年，尚小云带着两个儿子长麟和长荣到天津，正赶上金少山在中国大戏院演出《连环套》。就是那次演出，给年仅7岁的尚长荣留下了很深的印象。如果说，尚长荣就此爱上了花脸这一行，似乎也不为过。那么，金少山在年幼的尚长荣的眼里，是个怎样的人呢？凛然、威风、霸气、耿直，十足的堂堂七尺壮男。然而，金少山的晚景，凄凉无比。他抽大烟，又因病，花光了家里的所有积蓄，甚至变卖了家中所有值钱物件，最后连御寒保暖的衣物也当了、卖了。

曾经在舞台上叱咤风云的“金霸王”，被病魔折磨得只剩下一把骨头的样子，始终萦绕在尚长荣的脑海里，挥之不去。当时，他只有8岁，在父亲尚小云的带领下，曾经与姐夫任志秋一同到位于椿树上二条的金寓。因为父亲特别请了经常为尚家看病的当时北平城里四大名医之一的孔伯华大夫去为金少山诊治，对于那天的情景，尚长荣记忆犹新：

> 环顾金家，真可以说是家徒四壁，空荡荡的屋子里，什么家什也没有了，他所睡的床，几乎只剩下床板，连像样的被褥也没有。平时捧着他、围着他转的那些“吃戏饭”的寄生虫，吸光了他的“血”后，便再也不理他了。他孤零零地躺在床上呻吟，但眼神中仍透出对大烟的眷恋和期盼……[①]

尚小云请来孔伯华医生，并不是最让金少山激动的。让他的精神为之振奋的，其实就是尚小云的探视。这个时候，对于金少山来说，神仙名医已经不是他所渴望的，他要的其实已经很简单，是梨园同业同情的目光和真诚的慰藉。即使他要的实在不多，但却也只有尚小云和梅兰芳能够慷慨给予。

当金少山看到尚小云领着医生，甚至领着小儿来看望他时，原本灰黄的脸色亮堂了许多。他挣扎着坐起身来，一把握住尚小云的手，颤抖着、哽咽着连声说："绮霞弟，我早就说过了，穷不怕的。我，有两个好兄弟，南梅（梅兰芳早在20世纪30年代初就迁往上海了）北尚，你们会来看我的。"尚小云也紧紧握着金少山的手，眼睁睁地看着金少山的眼眶里涌出浑浊的泪水，想开口说些什么，喉咙口堵得慌，说不出一句话。

返回的路上，尚小云感慨地对孔伯华医生说："想不到这'老境坎坷、身后萧条'的两句老话，竟应在金三爷身上了。"然后，他又说，"像咱们这样伶界的人，走红时真得小心、自重，吃、喝、嫖、赌的毛病一点也不能沾啊。"这句话，既是他用来教育孩子们的，其实也是自我告诫。

不久之后，金少山死了。金家无力操办后事，甚至连口棺材也买不起，而只能陈尸破屋，便去求助尚小云。尚小云一方面吩咐长子长春："拿钱，先买棺材。"一方面与梨园公会的同行们合计后，专门为金少山唱了一台义务戏。金少山得以葬于松柏庵梨园义地②。与此同时，远在上海的梅兰芳也为金少山举办了义演，将所得全部

① 陈云发：《吟啸菊坛——大写尚长荣》，复旦大学出版社，2001年1月版，第46页。

②据叶涛著《中国京剧习俗》（陕西人民出版社1994年6月版）介绍：梨园行过去属于"不养老，不养小"的行业，演员们到了晚年，老境萧条。倘若子孙孝顺，或者徒弟有成，生活尚有保障。如果是鳏寡，又没有弟子，死后无人料理，多是靠同业凑钱周济，然后葬于梨园义地。北京的梨园义地，多集中在陶然亭附近被称为"南下洼子"一带。那里有一幢坐北朝南的松柏庵，是属于梨园公会的。因为那里偏僻，演员们都喜欢在那里聚会，或在那里喊嗓、练功。松柏庵的庙前和东侧，就是被称为"戏子坟"的梨园义地。

⊙尚小云与弟子们(左一迟金声、左二李世芳、右二尚长春)

捐给了金少山的家属。

尚长荣回忆说："事后，金夫人在北平两益轩办了答谢饭局，专请父亲出席，我也去了。那天，金夫人戴着孝，一说话就哭……"

对同业如此，对舞台工作人员，尚小云也十分平易谦和。有一次，他带长子尚长春到天津平安大戏院演出。长春正演《钟馗嫁妹》时，突然啪的一声巨响，紧接着就是一声惨叫。尚小云赶紧从后台冲出来，发现一位负责拍摄剧照的摄影师捂着脸倒在地上，痛苦地呻吟着。原来，摄影机的闪光灯泡爆裂了，碎片飞溅在摄影师的脸上。尚小云随即亲自将摄影师送往医院诊治，所有医药费用，由他全额支付。结束在天津的演出，回到北平后的尚小云仍然牵挂着这位摄影师的伤情，几次打电话过去询问，直到确认伤愈，也没有留下后遗症，他才放了心。

尚长春曾经用最简洁朴素的"大方"这个词形容其父。尚小云的大方，主要体现在对贫苦百姓的仗义疏财上。这里的"贫苦百姓"，不仅仅是梨园中人、认识的亲朋友人，也包括不认识的上门求告者。每当有人苦哈哈地找上门来，更多的时候，他不问情由，二话不说就掏出五块大洋，塞在来人的手里。"五块大洋"是个什么概念呢？那个年月，每月一袋洋面两块大洋，三十五块大洋可以买一两金子。渐渐地，他便有了"尚五块"、"尚大侠"的美称。

有的时候，尚小云正和别人说着戏，听见门外小贩吆喝卖面茶、烫面饺之类的小点心，便停下话头，热情地问大家吃不吃，只要大家想吃，他就让人将小贩叫进屋来，爽气地说："这些个东西，我全包了。"然后，又冲着大家伙，说："你们尽管吃，不够再叫。"如果这个时候，外面又传来吆喝声，只要大家也想吃，他会再让人将小贩叫进来，又"全包了"。

有一段时间，他为富连成科班的学员说戏，像袁世海、李世芳、阎世善、毛世来、詹世辅、艾世菊、李世霖等，最爱到尚老师家学戏排戏，因为在那儿，想吃什么，尚老师管够。每天晌午开饭时，饭桌上总是满盘子满碗，非摆满一桌子不可。孩子们在科班里难得一下子吃到那么多好东西，往往狼吞虎咽。一旁的尚小云大声说："吃！尽管吃！吃饱了，就不想家了！"看着他们吃得开心，尚小云就高兴。谁要是吃了还添，吃得满头大汗，他更高兴；谁要是很小心，很客气，很不好意思，他就气，还要骂人，骂他们"装蒜"！

尚小云之所以这么做，一是为了让小贩有生意做，"小贩讨生活，不易。"他常这么说，所以他也就常常"全包了"；一是为了辛苦学戏排戏的同业，特别是正受科班"七年大狱"煎熬的孩子们。这个时候，他总是会想起他在科班时偷吃果子干而被老师暴打的往事。

曾经有一家寿材铺和尚小云时有账目往来，每到逢年过节，尚家总能收到寿材铺寄来的账单。不明就里的人为此很奇怪：难道尚老板家经常有丧事？为什么寿材铺如此三番四次向尚家讨债？细打听，这才得知，原来尚小云早就宣称：凡亲邻、同业，因家贫而无力办理后事的，都可以"尚小云"的名义向这家寿材铺赊购寿材。同时，他也和寿材铺订下协议：凡是以"尚小云"的名义赊购寿财的贫困亲邻和同业，如果无力还款，所有账目记在他的名下，可向尚家讨要。

1930年元月，尚小云30岁。梨园中人都以为，此时的尚小云有名有利，必定广邀亲朋、大摆宴席，为自己庆生。然而，他们都想错了。尚小云不但不做寿，而且一律辞谢所有登门道贺者，甚至没有暂停演出。原因只有一个，那就是为维持同业的生计。当时，时局不好，戏院生意欠佳，有不少同业因为没有戏演而几至揭不开锅。尚小云说，在这种时候，又怎么能够只想着自己、而置同业于不顾呢？于是，生日当天，他仍然演出于中和戏院。为此，同业置“维持同人”匾送至尚宅，也算是为尚小云庆贺生日吧。

无论时代如何变迁，环境如何变化，尚小云的“义”一直在延续。20世纪50年代，尚家的一位邻居老太太因为遭逢变故，有意出卖家里的四个高档书柜。秘书张静榕知情后，告诉尚小云，说老太太急于脱手，所以卖价低廉。不过，书柜的质量非常好，可以说，是真正意义上的物美价廉。尚小云却问他：

“如果在正常情况下，书柜的实价是多少呢？”

“比现在的卖价足足高出有两倍呢。”张静榕说。

尚小云想都没想，就说：“那就以高出两倍的价钱，把它们都买下吧。”见张静榕吃惊地张大了嘴、睁大了眼，他知道张秘书不能理解，便又说，“老太太干吗要低价出卖那么好的东西？无非是等钱救急，也就是遇到了大困难。我们怎么能在这种时候乘机压价呢？这和趁火打劫、落井下石有什么区别？拉她一把还不够呢，何况花钱买她的物件。”看得出来，尚小云购买书柜是假，帮人，才是他的真实意愿。

2005年，有人意外地在北京潘家园的一间古玩铺里，发现了一尊香炉。它约半米高，左右两侧分别铭刻有“尚小云富霞叩献”、“中元癸酉年清和月制造”的字样，正面标注着“金顶妙峰山梨园喜神殿”。妙峰山喜神殿在明清时期，是北京供奉戏曲祖师爷的最大殿宇。京城梨园人士经常为修建喜神殿举办义演，且捐财捐物。1933年，喜神殿又一次遭遇危机，梨园再掀义助高潮。就在这次活动中，尚小云捐赠了这尊香炉。

不幸的是，在随后的战火中，喜神殿遭到洗劫，包括香炉在内的许多珍贵纪念物或被毁损或遗落失散。如今，这尊香炉重现民间，也算是一桩幸事。它称得上是尚小云仗义疏财的见证。

对于尚小云的“义”，有人这样总结说：“绮霞举止倜傥，生性豪侠，能急人之急。识与不识，凡有请求者，绮霞靡不竭力倾囊以助，故驰誉二十年而家无积蓄，然而，‘侠伶’之称，遍于天下矣。”①

痛失慈母

1947年，有位年轻人，身着孝服、脚蹬孝鞋，找到尚小云的居所，求见尚小云。门房不认识他，不让进。正在屋里的尚小云听说后，急忙出来招呼年轻人进屋。来人一见尚小云就猛磕头，说是父亲死了，没钱买棺材，母亲又瘫在床上，家里已经揭不开锅了，实在没有办法，才不得不上门求告的，恳请尚老板能够帮帮忙，好将父亲体面地下葬。尚小云听完，眼圈都红了，让人取来二百元钱，一把就塞给了年轻人。年轻人连声称谢，激动得不知道还能讲些什么。

当年轻人走了以后，尚小云这才想起来问家人：“这孩子是谁呀？”家人告诉他：“他的父亲是个老武行，年龄大了，很久不演戏了，家里也就穷得很。这孩子是个大孝子，一直尽心侍候生病的父亲，和瘫在床上的母亲。”尚小云一听，忙吩咐家人：“快，赶紧再拿一百块钱，追他去。”家人不免有些犹豫，一个二百元已经拿出去了，难道还要再给一百元？尚家再富足，可又能有多少个“百元”呢？见家人犹豫不动，尚小云急了，脾气上来了，声调也高了，连说：“人家死的，可以埋了；活着的，还得治病，还得吃饭呀！快追去！”就这样，家人又拿着一百元，追着去给那年轻人。

尚小云这么做的理由有二：一是那年轻人的父亲也是梨园中人，二是他对孝子有特别的好感。因为，他自己就是个大孝子。

1930年11月21日，尚小云因为母亲张文通寿辰而大摆宴席，到贺者甚多，场面喜庆又热闹。街坊四邻悄然议论：尚小云可是一个大孝子啊。

1932年7月25日，张文通病逝。尚小云在家里设了灵堂。灵

① 一得轩主：《现代名伶小史　尚小云》，《立言画刊》1940年，总第68期，第7页。

⊙尚小云的母亲张文通

堂上方正中的匾额，是由“九一八”事变后蛰居北平的原直系军阀首领吴佩孚亲笔题写的“大家风范”。梅兰芳等梨园名角儿纷纷前来吊唁。

出殡那天的壮观场面，更是轰动半个北平城。据说，那时候的名角儿或名角儿的家人身故后，出殡场面都很隆重。“伶界大王”谭鑫培出殡，几至万人空巷。尚家老太太的出殡场面，不在谭之下。那是怎样的心理？不是为显摆，也不是为招摇，是维护演员自尊的表现，是对社会视伶人为“下九流”的回击，是无声的抗议，也是精神上的自我慰藉。

那一天，舞台上婀娜娇媚的尚小云，变身为满脸胡碴的憔悴男，身上的重孝似乎提醒着人们，此时此刻，他只是一个儿子，一个孝子，而不是角儿，不是名旦。旧俗，孝子在六十天的丧期里不能刮胡子。身为孝子，尚小云自然严格遵守。胡同里挤满了看热闹的市民。他们指点着说，那是一个怎样的孝子啊，一个换取灯儿的老太太，该是有着怎样的后福啊。

“父亲是有名的孝子，对母亲向来是绝对服从的。”尚小云的长子尚长春曾经这样说。无论尚小云如何走红、成大名，在家里，在母亲面前，他只是一个普通的唯唯诺诺的儿子。乃至他已是四大名旦之一，而且已经娶了妻、生了儿，还时不时因为做错一件事、说错一句话而遭母亲斥骂甚至责打。老太太个子矮，要打儿子又够不着。孝子尚小云就主动跪下，好让母亲打得着。不论母亲的巴掌轻重如何，尚小云绝不会吭一声，更不会叫屈和抱怨。

成名前的尚小云，即便生活贫困，也很讲究仪表，不糊弄，不邋遢，衣饰虽旧，但清洁干净；没有昂贵的洗发水和发油，但他的头发总是纹丝不乱。成名后，他更是衣着光鲜，出门必是西装革履。有一段时间，市面上流行穿白色麂皮皮鞋。他也买了一双，穿上颇得意。可是，母亲张文通却看不惯。也许在老年人的眼里，白色总是不吉利的颜色；也许她认为，穿这样的皮鞋，太轻佻。总之，她左看右看都觉得不舒服，便不让儿子穿。

母亲发了话，尚小云没话说，立即就将白皮鞋脱下，换上母亲看着顺眼的鞋子。但是，有些场合，他又是需要穿这样的鞋子的，何况他自己又很喜欢。于是，他想出了一个办法：出门前，他穿着母亲看着顺眼的鞋子；到了门房，再换上白皮鞋。回家时，他先到门房换下白皮鞋，穿上原先那双鞋，这才前去向母亲请安。尚长春回忆说："那时，父亲出门已有自己的汽车，最早的一辆车的名字叫'别克'，后来又换了一辆叫'雪佛兰'，可穿什么鞋，得受老太太的约束。"

旧时梨园界，很多艺人热衷两件事：赌博、抽鸦片。尚小云不赌博，也不抽鸦片。但是，他却会烧鸦片。因为母亲张文通是要抽鸦片的。后来，他娶了妻子，妻子也抽鸦片。每晚睡觉前，尚小云都会给母亲、妻子烧鸦片，看着她俩抽得美滋滋的，他也美滋滋的。这固然是他对母亲的"孝"，对妻子的"爱"，也可以从中看出，他是一个有着怎样抑制力控制力和宽容大度的人。他为她们烧鸦片，在鸦片的烟雾中，却能保持与鸦片的距离；在环境的熏染中，他也能洁身自好。他自己不嗜烟酒，却并不讨厌别人有此癖好，他很尊重别人对生活的选择。

表面上看，张文通是个矮小柔弱手无缚鸡之力的妇人，实际上，她个性独特，很有脾气。在尚小云成大名后，家境富裕，张文通常常坐着私家小汽车到东安市场，目的只是为了喝一碗豆汁。一碗豆汁喝光，她就又坐着小汽车回家了，也不顺便逛逛市场，或者访亲拜友。这在常人看来不可理解。此时，她虽然再不必为生活奔波，但是，换取灯儿时的苦难生活，还是会时时让她感觉苦涩，也成为她心中的隐痛，因此似乎不大愿意被人提起。

尚小云欲再娶时，张文通有一天赴王家谈婚事。车在王宅门口停下，王家邻居小孩子们围着车子高声吆喝着“换取灯儿”。显然，他们知道老太太是尚小云的母亲，也知道她以往的经历。也许小孩子们并无恶意，只是出于童真，但在张文通听来，好像被人揭了伤疤，不免刺耳。她下了车子，一手叉腰，一手指着那群孩子，大声斥道：“你们这些小兔崽子，没有家教的东西！”有的孩子吓得噤了声，但还有的孩子愈发觉得好玩。张文通三步两步冲到那几个不知害怕的孩子面前，伸手拧住一个孩子的耳朵，吓唬道：“再这么学人吆喝，撕烂你的嘴！”

尚小云的母亲看似很厉害，但大家都知道她其实是一个很有主见、也很有善心的人。她自己是苦出身，吃尽了生活的艰辛，所以对下层贫民极具同情心。尚小云的琴师、重庆社的管事赵砚奎常到尚家为尚小云吊嗓，或者与尚小云谈论班社事宜。每到这个时候，张文通必定出来跟赵砚奎聊聊，聊德多的，便是梨园中何人病了、灾了、故了，哪家揭不开锅了，哪家的孩子上不了学了，等等。然后，她就吩咐家人取来粮食和大洋，托赵砚奎给他们送去。

像这样解囊相助的事，赵砚奎也记不得有多少回了。张文通这么做的理由，正如她常对尚小云所说：“咱们当年穷苦无依，知道穷人的苦处，现在托老天爷的福，有碗舒心饭吃，只要力之所及，就应当多帮帮贫苦人的忙。”从张文通的为人，便可以找到尚小云何以有侠义心肠的原因：他遗传了母亲的善良品质，也接受了母亲关于善良的教诲。

义助富连成

似乎命中注定尚小云与富连成科班必然有关系。幼年，他被富连成创始人叶春善以“骨架过大”而拒绝接收。在他成大名后，他的五弟尚德禄顺利入富连成，成为“富”字科学员，改名“尚富霞”。1935年，富连成濒临解体，却依靠尚小云在大厦将倾时稳住了阵脚，并重拾了信心。

最早的时候，富连成的经济支柱来源于吉林富商牛子厚。宣统三年，牛家因家族争分家产，无法兼顾北京的科班事宜，有意将科班转给社长叶春善。叶春善苦于财力有限，不得已将科班转让给财主沈昆。沈昆便成为新一代富连成的财东，科班之名也随之由喜连成更名为富连成。叶春善仍然是社长。

在之后的二十多年内，富连成培养了大批京剧人才。比如，“富”字科的尚富霞、茹富兰、谭富英等，“喜”字科的侯喜瑞等，“连”字科的马连良等。到了1930年左右，班社里的“盛”字科学员，如叶盛章、叶盛兰、裘盛戎等纷纷崛起，他们的戏深受观众喜爱。富连成的上座率高涨，不仅出演于广和楼，也在吉祥戏院、哈尔飞戏院来回赶场子，更奔波于各大堂会。同时，又频繁应邀出京演戏。可以说，这个时候，富连成达到了它的鼎盛时期。

日中则昃，这是客观规律。事物达到顶点后，必然要走下坡路。1933年，应山东省主席韩复榘之约，叶春善亲率一部分“盛”字科学员和已经出科的“连”字科、“富”字科学员往济南演出。就是在这次出外演出期间，叶春善突发脑溢血，导致半身不遂，一病不起，不得不提前返回北平疗养。虽然经过北平名医针法治疗，病情有所好转，能够活动活动，能过问过问科班的情况，他也时不时到戏院转转，但毕竟大病一场，元气大伤，对科班的管理便有些力不从心。因此，科班社务实际上由教习萧长华、唐宗成、张海波接管。

富连成自创办后，虽然其背后有财东，前有牛子厚，后有沈昆，但由于长久以来一直由叶春善在打理，一定程度上，科班就是叶家财产，“外人”似乎不便继承，而只能由叶家后嗣执掌富连成大印。于是，1934年，叶春善的儿子叶龙章被从东北召回北平。之前，他在东北军炮兵团任军需。又一年，叶春善病情复发。在年轻的叶龙章似乎还无力掌控大局的情况下，叶春善倒下，加之“盛”字科学员纷纷往上海演出，而“世”字科学员还未出科，无法独撑舞台。这一切，都意味着富连成遭遇到前所未有的困难。

最大的危机在于经济因素。富连成财东沈家因银号亏累，不得不破产抵债，而富连成作为沈昆名下的产业，它的位于虎坊桥路南的住房、它所有的演出服装道具等，随沈家的破产而被查封，由法院拍卖抵债。富连成的这些服装道具，是从科班初创之后日积月累起来的，数量庞大到可以供三部分学员在三个不同地点同时演出使用。

⊙尚小云、尚富霞与富连成社弟子合影（前排左起：张世辅、尚富霞、尚长春、尚小云；后排左起：毛庆来、张君秋、李世芳、袁世海、袁世善）。

由于法院标价一万元，而且要求买者必须一次性全部购入，所以挂牌拍卖几个月都无人问津。这样造成的后果，便是富连成无法组织演出，也就没有收入。住房没有了，戏箱也没有了，富连成不得不暂时解散，学员们只得各自谋生去了。富连成实际上濒临解体。

最着急上火的，当然是叶家。他们早已视富连成为自家产业，难忍富连成就此成为历史，痛心之余，四处寻找新财东，希望有人接手，但一时未能如愿。他们只好请求法院降价出售服装道具，以尽快收回资金。法院同意了，允许降至七千元。叶家东拼西凑，又将叶春善名下仅有的一所房子卖掉，这才凑足了钱。钱入了法院的账，叶家从法院拖回了全部戏箱。从此，富连成成为真正意义上的叶家财产，开始实行自负盈亏了。这次前后一番折腾，耽搁了四个月的时间。富连成重新开张，将学员们唤回来是小事，如何重振富连成的辉煌，如何唤回戏迷们对富连成的信心，是关键。

尚小云缘何参与拯救富连成，又是在何时介入其中的，目前说法不一：

一、著名花脸演员袁世海曾被称为“郝（寿臣）派花脸”、“麒（麒麟童）派花脸”、“马（连良）派花脸”，甚至有“尚（小云）派花脸”之称，而后一个名称的来源，便与尚小云于20世纪30年代扶助富连成有关。当时，袁世海是富连成继“盛”字科之后的“世”字科学员。关于尚小云与富连成，袁世海回忆说：

我是在30年代初得识尚先生的。1933年冬，师傅（叶春善）在济南得了脑溢血，回到北京（北平）慢慢调养，科班的事就不能躬亲其事了。这一来，科班里面便群龙无首，人心在矛盾中涣散了。先是李盛藻、王连平师兄以及杨盛春、刘盛莲等去了上海，没过多久，马连良先生又把叶盛兰、叶盛章两兄弟约到上海演出。萧（长华）先生也随同梅先生在上海演出。总之，科班儿中有叫座能力的师兄弟们几乎都走了。就在这时，尚先生从上海载誉回到北京。一回北京，齐如山先生去看他，讲富连成“世”字科里有一位“酷似畹华（即梅兰芳）”的孩子，言下之意就是请尚运用自己的影响力，支持一下面临困难的富连成。[①]

依袁世海所说，尚小云是在1933年之后，“从上海载誉回到北平”之后，由齐如山出面，请他“支持”富连成的。这就涉及到两个问题：第一，尚小云于1933年12月底，第十次赴上海演出，次年初返京。那么，他参与扶助富连成应该就在1934年，也就是在叶春善第一次病倒后；第二，齐如山与富连成并没有太多的联系，他之所以在尚小云面前论及富连成的危机，是有意请尚小云出面，而他这么做，是为了富连成里一个叫李世芳的孩子。

简单地说，第一种说法，是尚小云于1934年受齐如山之请。

二、尚小云夫人王蕊芳曾经这样回忆尚小云是如何接手扶助“富连成”的：

1935年秋天，北京富连成科班一批顶着唱戏的“盛”字科学生出科走后，先夫尚小云到‘哈尔飞戏院’看登台不久的“世”字科学生演出，没想到剧场冷落，观众不多。富社总教习萧长华先生十分焦虑地对小云说：“盛字科的一走，听戏的也走了。眼下连人带戏都没有号召力，卖不上座，长久下去，拿什么给徒弟们开饭，请先生说戏呀！”小云眼见这种景况，早已难过极了，没等萧老把话说完，立刻表示：“用钱，我兜着！要排新戏，我把刚唱的几出戏给您这儿排出来！”旧社会戏班有句话：“宁舍十亩地，不让一出戏”。萧老听说小云要把自己唱得挺红的新戏传给学生，激动地一把

① 袁世海、徐城北：《尚小云与架子花》，《中国戏剧》1990年2月，第38页。

拉住小云，说："这真是雪里送炭啊！我替徒弟们给你道谢了！"①

依王蕊芳所说，尚小云是在1935年秋参与扶助富连成的，但并非受人之托、之请，而只是感慨于萧长华的叹息，出于对富连成行将没落的同情和惋惜。

三、叶春善长子叶龙章在其所撰《喜（富）连成科班的始末》中这样说：

"1935年（民国二十四年）秋，尚小云先生自动来社协助……"

可见王蕊芳与叶龙章的回忆基本一致，无论是在时间上，还是在尚小云力助富连成的主动性上。但细察王蕊芳与叶龙章的回忆文章，两人的说法存在着差别，虽然细微，但颇有意味。

在王蕊芳的回忆中，尚小云是"主动"的，而这主动在叶龙章笔下，变成了"自动"。这恐怕不是遣词的准确性问题，以弗洛依德的理论来看，是他潜意识的作用，反映出他的心理。

叶龙章作为富连成的继任者，对尚小云给予富连成的鼎力相助，只轻描淡写了"自动"两个字，表面上看，是对尚小云不够尊重，对尚小云的义举有些轻视。即便是尚小云主动要求扶助的，客观上，他也确实给富连成很大帮助，富连成就此重塑辉煌，也是事实。"自动"两字，似有"不是我请你的，是你自己要来的，对我有帮助，也是你自找的"之意。

可以推测，富连成一方面的确需要有人相助，特别是像尚小云这样有名望有实力的名旦，他们不可能不需要；但另一方面，富连成也是有担心的，担心私有的富连成不再私有，更担心富连成的归属权就此旁落。这或许就为日后尚小云与富连成的矛盾，埋下了隐患。

尚小云主动要求扶助富连成，大有可能，这是他侠义心肠的必

①王蕊芳：《尚小云与"富连成"科班》，《戏曲艺术》1984年1月，第75页。

然表现。袁世海评价尚小云："急功好义、广交四海，用梨园的话讲，血热，好求。"

在当时的情况下，即便尚小云不主动，富连成反过来主动邀请尚小云，也不是没有可能。以它当时的艰难处境，它实际上没有别的选择：当时，四大名旦最有名望，富连成试图重振威风，必然会请有名望的名角儿，四大名旦是首选。

四人当中，梅兰芳早于1932年就迁居上海了，长年不在北平，自然不可能为富连成出力；程砚秋虽然仍然居于北平，但他此时已是中国戏曲音乐院院长，而该院附设有戏曲专科学校，他实际上也是戏曲专科学校的负责人之一。从性质上来说，富连成和戏曲专科学校是一样的，都是培养戏曲人才的专业教育机构，只是相对而言，戏校更先进一些，是某种意义上的新式科班。这样说来，富连成和戏校实际上是竞争对手，以这个角度论，程砚秋便不可能为富连成分忧解难。至于荀慧生，他从来不参与戏曲教育。于是，就只剩下尚小云了。

事实上，虽然尚小云是主动的，但富连成是积极配合的。当时，富连成主要在广和楼唱日场。尚小云作为四大名旦之一，作为名声显赫的名角儿，一般不在白天看戏。因为按照梨园习俗，白天看戏掉份儿。另外，尚小云白天休息，特别是下午要睡觉，是他长年演戏生活养成的习惯，一般也不在白天看戏。这样的结果，是尚小云无法看富连成的戏，也就不能全面了解情况。为配合尚小云的作息，也为尊重名角不在白天看戏的习俗，富连成几经斟酌，决定迁到华乐戏院唱星期六和星期日的夜戏。

据袁世海说，尚小云在决定扶助富连成后，看的第一出富连成的戏，是袁世海和李世芳合作的《霸王别姬》，当时，是由齐如山陪着一块儿看的。不知道是不是因为齐如山的推荐，还是李世芳的戏果然不错，尚小云一下子就喜欢上了这个孩子，连声说："这些孩子们有出息，都是块好材料。"看完戏，尚小云到后台拉着李世芳的手，高兴地说："到我那儿去，我教你！"他对袁世海的"霸王"也很满意。尚小云有一个习惯，凡是见到戏好有前途的孩子，他都会说："上我家去，我给你说说戏。"

李世芳原名李福禄，祖籍山西太原，1921年出生于梨园世家。其父李子健是山西梆子花旦，艺名"红牡丹"；其母李翠芬是山西梆子青衣，授徒很多。李福禄10岁时，父母到北平演出，颇受欢迎，档期长达半年之久。从此，他们一家人便在北平定居下来，福禄随之被送往富连成，成为"世"字科学员，更名李世芳。由于他眉清目秀，举止文静，在总教习萧长华的安排下，学习旦角，专工青衣，兼习花旦。他天资聪慧，又刻苦好学，只一年后就上台了，随后与同在"世"字科学艺的毛世来成为"世"字科的两块牌子。在"盛"字科学员李盛藻、叶盛兰、刘盛莲、陈盛荪、杨盛春等人相继出科后，富连成的大轴戏便由他俩担当，开始独挡一面，成为富连成新一代的"科里红"。

相对而言，观众对李世芳更加偏爱，原因是他的长相酷似梅兰芳，台风雍容端庄也神似梅兰芳，所以有评论说他是"以其秋水双瞳，春风举云，酷似畹华，具王者相"。舞台下，李世芳绝没有丝毫扭捏习气，这与梅兰芳也颇相像。戏迷们在私底下封了他一个"小梅兰芳"的雅号。正因为如此，富连成为李世芳和袁世海排演了梅派名剧《霸王别姬》。袁世海宗杨派，饰霸王；李世芳宗梅派，饰虞姬。

尚小云扶助富连成的方式，就是为富连成排演尚派戏，意图以其之名和尚派戏的号召力，挽救富连成的颓势。第一出戏，便是《红绡》，由李世芳饰演红绡，袁世海饰演昆仑奴。尽管这是尚小云的独家戏，但他在为两个孩子排演时，并未照抄照搬，而是根据他俩的特点，重新做了调整。比如，他发现袁世海乐于并善于"造魔"，就鼓励他参照《武松打虎》的演法，表现《红绡》中的“打狗”情节。袁世海这样回忆尚小云是如何因材施教的：

> 为什么尚先生鼓励我“造魔”呢？大约他在看世芳和我的《霸王别姬》时，就留意到我的第一次出场“发点”，并没有按杨小楼先生习用的打小鼓的既定路数，而改用了打南堂鼓。这南堂鼓是由上海兴起的，因此运用时并非一点阻力没有，但我坚持了，观众认可了，尚先生心里肯定是高兴的。经他这一提醒，我的主意出来了，打狗时加了不少身段，烘托了剧情……昆仑奴为了摆脱二更夫的追赶，尚先生先要我登上桌子（意思就是踏上院墙），回脚踢翻二更夫，亮相、身段，这时就有“好儿”了。紧接着在“胆大的小更夫敢来逞能”一句唱中，尚先生要我先在“逞”字后面运用侯喜瑞先生惯用的“痕痕”，然后又在“能”字后面运用郝寿臣先生惯用的“哼哼”。观众一听无不连连叫好儿。……尚先生对我是满意的。

袁世海的这段回忆，实际上反映出尚小云的艺术特质：一、根据不同人的不同特点而有不同的创造；二、从他要求袁世海在一句唱中既吸取侯喜瑞的唱法也吸取郝寿臣的唱法可知，他是一个很懂得兼收并蓄博采众长而不死守门户墨守成规的思想开通的人。

正是因为李世芳、袁世海版的《红绡》与尚小云原版的《红绡》有许多不同和新的创造，所以，尚小云将其改名为《昆仑剑侠传》。公演后，大受欢迎。

之后，尚小云为富连成排演了第二出尚派戏——由《玉虎坠》改编的《娟娟》。严格说来，这部戏是为富连成的另一个旦角毛世来排的。

⊙《昆仑剑侠传》，李世芳饰红绡

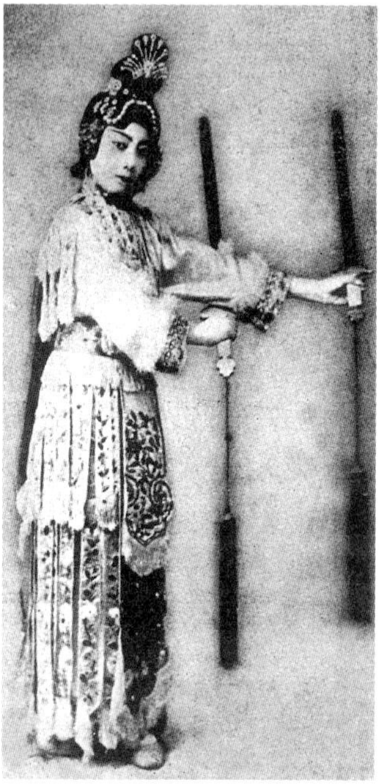

毛世来比李世芳大一岁，北平人。毛家兄弟姐妹五个，兄弟们都唱戏，姐妹们都嫁给唱戏的。世来排行老幺，后来娶了梅兰芳姨父兼琴师徐兰沅的女儿为妻，与梅兰芳成了亲戚。他自小就刁钻精灵，这样的性格，自然适合唱花旦。他一直以筱翠花为模仿对象，后来被戏界视为"筱翠花以次花旦界的翘楚人物"。

尚小云致力于富连成的振兴，而不是只着眼于某个演员，因此他在为李世芳排演了《昆仑剑侠传》之后，又为毛世来排演了《娟娟》。《玉虎坠》这出戏，原本是梆子，尚小云将其改为皮黄，又加了情节，充实了内容，使之成为一出尚派新戏。初演《玉虎坠》时，尚小云饰冯伏氏，由筱翠花饰演娟娟。既然是为毛世来重排这出戏，主角自然是花旦娟娟，因此尚小云干脆将这出戏更名为《娟娟》。毛世来饰演娟娟，李世芳演饰冯伏氏，萧长华之子萧盛萱饰娟娟之父王腾，袁世海饰演马武，叶盛章（叶春善五子）从上海演出回来参加助演，饰禁卒。

接着，尚小云为富连成排演了第三出戏《金瓶女》（原梆子戏《佛门点元》）。李世芳饰演金瓶女，叶盛长饰金钱元，袁世海饰假扮和尚的强盗。

尚小云在这三出戏里都为李世芳安排了角色，可见"尚小云是因齐如山之请扶助富连成"之说，也不能说完全没有可能。有媒体因此称："尚小云爱世芳秀慧，为之排《昆仑剑侠传》、《金瓶女》、《娟娟》三大歌舞剧。世芳社会知名，端在于此。"

之后，李世芳、毛世来正式拜尚小云为师。

除了李世芳，尚小云在三部戏里也都为袁世海安排了角色，可见他对袁世海也很看重。一次演完戏，尚小云拉过袁世海，问他什么时候出科，然后对富连成继任社长叶龙章说："世海将来出科了，就搭我的班。"又对袁世海说："到那时候，我发给你单头。"

何为"单头"？那时，班社之间竞争得很厉害，于是争相排演新戏。为防泄密，配角演员只能拿到属于自己的那部分剧本台词，这就是"单头"。背熟后，和主要演员一起对对词，就成了一部"戏"。这样的结果是，即使有人有心想"偷"戏，光靠偷单头，完全没有用。除了属于主角的剧本内容无法获知外，更何况剧本之外还有细致的唱腔、身段等，就更无从得悉了。袁世海还未出科，就能受到尚小云"给单头"的厚爱，自然高兴得不得了。果然，他刚刚出科，就搭上了尚小云的重庆社，开始了真正意义上的艺术实践。

除了为"世"字科学员排戏外，尚小云也为叶家兄弟排了几出尚派戏。

其实，最早到尚家听尚小云说戏的富连成学员，并不是李世芳、袁世海，而是叶春善四子叶盛兰。从他的名字可知，他是富连成"盛"字科学员，初学旦角，后因英武有余、柔媚不足而改工小生，曾拜师名小生程继先。1931年，他应邀加入马连良组班的扶风社。在富连成遭遇生存危机时，叶盛兰一度又改演旦角，演出了《花木兰》、《南界关》等剧。

对于尚小云将叶盛兰带到家中为他说戏的情景，王蕊芳记忆犹新：

> 一次深夜一点多钟，小云从剧场到家，跟着来的是叶盛兰。他们吃过夜宵，在庭院月光下，教起戏来。小云一遍遍教，盛兰一遍遍地练。我在屋里为他们预备好茶水和毛巾，然

后拿起绣了一半的彩鞋，一边做着活计，一边等着他们。绣着绣着，我的上下眼皮打起架来，不知不觉地倚靠在桌案上进入了梦乡。等我再睁眼一看，天已大亮，这两人还在院里用功呢！当时真说得上“日以继夜”……[①]

尚小云为叶盛兰说的戏，是《秦良玉》。一个多月后，由叶盛兰主演，富连成其他学员参与演出的尚派戏《秦良玉》公演。看过尚小云演的《秦良玉》，观众对叶盛兰的《秦良玉》自然备感好奇。当他们从叶盛兰唱腔中听出了尚派独有的昂扬激情、刚健挺拔之后，终于相信叶盛兰得到了尚小云亲传。

叶家五子叶盛章（日后有“武丑第一人”之称）文武皆能，最为尚小云所欣赏。尚小云便想到要为叶盛章排演一出文武兼备、足以施展其才能的新戏，将“尚派”戏一一想过，都觉得不适合。“尚派”戏自然是以旦角为主的，而叶盛章专工丑角。一般而言，在一部戏里，少有丑角挑大梁的，多以配角形式出现。这样说来，尚派戏里自然没有现成的。思来想去，尚小云最后干脆自掏腰包，聘请小说作家还珠楼主（李寿民）与自己合作，专为叶盛章写一个本子。于是，两人一起构思，然后做提纲、想细节、设计唱腔、安排身段。经过认真推敲，反复修改，一出以丑角为主角的新戏《酒丐》诞生了。

这出戏的主人公是一个乞丐，名叫范大杯，人称“酒丐”。戏说的是酒丐除暴安良、伸张正义的故事。编排这样一出含有“侠义”意味的戏，符合尚小云的性格。在技术上，尚小云针对叶盛章武功底子厚、擅长念白的特点，精心设计安排了“轴棍”[②]、“筋斗蹿窗”等高难动作和铿锵有力的大段念白。叶盛章首场演出《酒丐》就大获成功，该戏也从此成为叶盛章的经典作品之一。

可以说，尚小云以这出戏作为拯救富连成的方式之一，其实也

① 王蕊芳：《尚小云与“富连成”科班》，《戏曲艺术》1984年1月，第75页。

② 轴棍：是在舞台上方悬空吊一横棍，演员在棍上做各种动作。

⊙尚小云亲自导演的《酒丐》一剧，吴素秋饰王翠娥，叶盛章饰范大杯。

为叶盛章奠定了“丑行第一人”的基础。叶盛章曾经对友人说：“每演此戏，就会想到尚小云先生，他的义举，令人敬佩。”事实上，他对尚小云，也是非常尊重的。自从他挑头牌演大轴后，又因为要协助大哥叶龙章管理富连成，受时间精力限制，便不再轻易为别人“挎刀”了，唯独对尚小云是例外。无论何时何地，只要尚小云开口邀请，他都会应邀而来，不计报酬、不论条件。

有一次，尚小云演出《汉明妃》，约叶盛章演马童。他无二话，即刻应允。那天晚上，在演出前，尚小云笑对叶盛章说：“你尽量发挥，不要有顾虑，我不怕你在台上咬（即‘夺戏’之意），咱俩一咬，戏就精彩了。”那天的戏，果然很精彩，戏院里不但满场，而且还加了座。散戏后，尚小云向叶盛章道谢。叶盛章诚恳地说：“要谢，我和富连成得感谢您一辈子。”

当农历七月初七、传统的“七夕”到来时，各戏班照例赶排应节戏。一般来说，三月初三演《蟠桃会》，五月初五演《混元盒》，八月十五演《嫦娥奔月》，而七月初七，就该演《天河配》了。尚小云不仅将自己演的《天河配》传授给富连成，甚至在富连成演出时，嘱咐在戏单上醒目地写上“尚小云先生亲授”，以此招徕观众。很明显，他是在用他的名声振兴富连成。

在短短几个月时间里，富连成经尚小云亲授，连续上演了数部新戏。在“尚小云”的招牌之下，这些剧目轰动一时，有时连演数十场，上座不衰。富连成的声势因此重又壮大起来，特别较前“盛”字科的演出盛况，有过之而无不及。

为富连成排戏，是尚小云扶助富连成的方式之一。除此之外，还有许多细节，可见他对富连成的不遗余力。比如，无论科班还是班社，邀请演员来说戏都是要支付报酬的。邀请四大名旦之一的尚小云，更应支付高额报酬。但是，尚小云从富连成那儿分文未得。其中原因固然有尚小云是“自动地”，而不是被邀请的，从这个角度上说，富连成似乎可以坦然不付。

但是，从道义上来说，哪怕从富连成实际上、客观上得到了尚小云的大力援助来说，富连成还是应该付酬的。不过，尚小云本就是在富连成濒临解体的情况下介入的，富连成即使有心要付酬，也无力支付。然而，当多部新戏公演后，富连成的营业状况开始好转，并有能力支付给尚小云报酬时，尚小云仍然不取分文。不仅如此，他请还珠楼主写剧本，费用由他自己出；他请重庆社的角儿，如尚富霞、高富远等来富连成排戏，也由他付报酬。

因为富连成唱的是尚派戏，尚小云便把自己演新戏的服装、道具无偿供给富连成使用。快要过年的时候，他为了鼓励学习成绩好的学生，特意从“八大祥”之一的瑞福祥买来布料，为李世芳、毛世来、袁世海、阎世善等每人做了一件新棉袍。每件新棉袍都是古铜色的，上面还印着小飞机的图案，很漂亮。几个孩子穿上新棉袍无不喜形于色，高兴得连睡觉也舍不得脱下。

尚小云对富连成的学员们，很像是对自己班社里的小演员，甚至视为自己的孩子。孩子们最爱到尚家听尚老师说戏，因为尚老师常常将门口的小贩招进家里，让他们敞开肚皮吃各种点心。更多的时候，每当有学生到家里来听戏排戏，尚小云都会事先嘱咐家人熬一锅鸭梨、萝卜、青果汤汁。当学生们练习唱腔、排练武功到口干舌燥、筋疲力尽的时候，就会有凉爽甘甜的汤汁端上来。一碗下去，顿时喉润音清，疲累顿消。

富连成渡过了难关，重新步入正轨。社长叶龙章和总教习萧长华特到尚家向尚小云道谢："我们是空着手、带着心来的。您是既搭人力又搭财力，我们无以为报啊！"尚小云说："见外了，学生们虽然是富社的，可也是咱们整个梨园行的，只要是梨园行能出人才，我尚小云肝脑涂地也是应该的。"他的这句话，实则诠释了他如此卖力扶助富连成的原因：他并不是单单为了富连成这一个科班，他是为了整个梨园；他不仅仅是为富连成培养人才，他其实是为了中国京剧打造后备力量。

与富连成的恩恩怨怨

可以说富连成对尚小云的道谢，的确是真诚的，但是，这并不意味着尚小云与富连成之间就不会有矛盾出现。尽管梨园界出于振兴戏曲本身考虑，谁都不愿意看到他们之间产生裂隙，但有的时候，彼此沟通不够，理解不足，加之重重误会，矛盾就难以避免。自然地，大矛盾总是由诸多小事情积累而成。

富连成在京城重新挺立起来，尚小云并不满足，他还要让富连成走出京城，将影响力扩大到京城之外。于是，他推荐富连成到天津去演出，并借助自己的名声，说服天津北洋戏院的经理，接受富连成在此登台。随后，他随富连成一起到天津，一面安排演出档期，一面为学生们寻找住处，还四处游说，劝说尚派戏迷们往戏院看富连成的戏。可以说，在事业上在生活上，他都倾心尽力。演出开始后，他每天都由下榻的惠中饭店赶到戏院督阵、把场子。凡是要演出他排练的戏，如《红绡》、《娟娟》、《金瓶女》时，他都会在事前将戏重新加工，再认真排练，以做到十全十美。

从艺术本身来说，尚小云的行为值得称颂。然而，也许正是因为他的过于认真，他的全力以赴，反而招致流言：富连成毕竟是叶家产业，尚小云如此卖力，其实是有意将富连成纳为私有而改称“尚家班”。也就是说，他用“义助”、“帮困”的方式，欲吞并富连成。否则，他这是何苦来哉？为旁人做嫁衣裳，为叶家的产业如此卖命，他傻呀？这是一般人的思维方式，有小人之心的意思。

在一个自私的社会里，自私反而是常态，是正常的生存法则；无私则显得反常，显得不合情理，招来物议。而富连成听此流言，正与心底的担心相合。处于危机之中的，难免有弱者的敏感，因而富连成对尚小云的举动也就多了一份疑虑，多了一份戒心。

作为尚小云来说，他为富连成排演尚派戏，主观上欲借助自己的影响力提高富连成的上座率，以达到重振富连成的目的，但客观地说，似乎也不排除他有进一步扩大宣传尚派戏的念想的可能。但即使如此，尚小云是在倾力为他人的同时，顺便为了自己，也无可厚非，因为他的为自己，对富连成有益无害，是皆大欢喜的双赢。

在尚小云遭受的议论中，他为富连成排演尚派戏成了人们诟病的话柄，其实这又近于鸡蛋里面挑骨头。尚小云不以自己最拿手的戏教人，拿什么教人呢？从富连成这边来说，之所以十分情愿接受尚小云的帮助，自然是也渴望借助尚派戏这块招牌，以及尚小云的大名的。否则，又何必烦请这样一位大牌名角儿呢？

1936年元旦前，各戏班照例排演应节彩灯戏，如《洛阳桥》、《斗牛宫》等。在好强又始终有创新意识的尚小云看来，这些戏都太老旧，几乎每年在这个时候都要演这些戏，完全没有新意。元旦那天，尚小云的重庆社在华乐戏院演出的彩灯戏，是《元夜观灯》，这让戏迷们耳目一新。

因为是应节彩灯戏，所以，这出戏并不注重情节，只是图个喜庆热闹。最出彩的，是增加了各种灯舞。跳灯舞的，是富连成的学生。一直以来，在舞台上，以灯拢字的表演方式，富连成学生最拿手。

在所有的灯舞当中，又以“龙灯舞”最精彩。这种技艺，梨园行能者绝少。早年，有班社演出《洛阳桥》时，穿插了一段“龙灯舞”，由武行高手李宝龙舞龙头，名老生李桂春（艺名“小达子”）持一球灯前引，首尾相应，动作敏捷，煞是好看。后来，北京城南游艺园经理特别邀请他们在园中展演“龙灯舞”，很吸引人。然而自此以后，在长达二十多年的时间里，“龙灯舞”因能者缺乏而几乎绝迹舞台。实际上，京城会此技艺的还有一人，就是刘喜益。刘喜益是富连成第一期“喜”字科毕业生，出科后便留在富连成任教习。

尚小云颇知人善用，他在富连成教戏期间，知道富连成的学员擅长灯舞，特别是了解到刘喜益可能是“龙灯舞”的唯一能者后，便想到利用这些资源而赶排了《元夜观灯》。果然，因为《元夜观灯》，华乐戏院上座极佳，甚至一度连日满座，观众多半就是冲着多年未见的“龙灯舞”而去的。

《元夜观灯》的大获成功，却又引来口水一片，无非是说尚小云利用富连成，为他自己的重庆社排新戏，造声势。也就是说，跳灯舞的是富连成学生，教“龙灯舞”的是富连成的教习，受益的（包括经济上的和声誉上的）却是尚小云，和他的重庆社。

更有一些不怀好意的人将此与尚小云为富连成排演尚派戏联系在一起，“提醒”富连成：尚小云的势力正一步步向富连成渗透，不可不防。富连成本就心存疑虑，闻此“忠告”，危机感顿时加深，要限制尚小云的想法于是更明确了，也更迫切了。

尚小云与富连成矛盾的公开激化，焦点起于尚小云的长子尚长春。

尚长春出生于1928年10月10日，那时，尚小云正挑班协庆社。长春幼时很顽皮，很淘气，和一般男孩子一样，爱舞棍弄棒。被父亲送进私塾后，读了不少书。不过，他最爱的，还是看戏。到底是尚小云的儿子，长春遗传了尚小云的侠胆义肠，对舞台上杀赃官、灭恶霸的侠士崇拜得不得了，然后就以侠士自居，口口声声地说长大后要当除暴安良的好男儿。于是，在私塾中，他常常要打抱不平，因此常惹祸而被先生责骂。被先生骂多了，他就不想上学了，吵着也要学戏，要演侠士。长春这样的个性，自然是学武生的好材料。

在尚小云开始介入振兴富连成的时候，长春刚刚7周岁，也正到了入科学戏的年龄。尚小云自己从来不认为唱戏是耻辱，所以并不反对自己的孩子也吃戏饭。虽然当时的富连成遭遇生存危机，但虎死余威在，它终究是当时最负声望的科班，何况尚小云自幼未能入富连成，始终是他心中的一根刺，也有意让儿子弥补遗憾，加之他又正为富连成教戏，于是，尚长春入富连成科班，便成了再自然不过的事了。

富连成与尚小云的合作，并未白纸黑字立下字据。在总教习萧长华看来，尚小云只是出于道义、侠义而扶助“富连成”的，因此，他可以随时走人。为了能让尚小云长期为“富连成”教戏，至少能使他待到富连成恢复元气之后，萧长华提议让尚长春和“世”字科的李世芳、毛世来、袁世海、阎世善结为把兄弟。也就是说，尚长春虽然加入富连成，但他并未与富连成签订“卖身契”，而与“世”字科的学员结成把兄弟，便成为事实上的“世”字科学员。

最初，尚长春在富连成的待遇的确很特殊。比如，他常被准许到前院和叶家兄弟之一的叶盛长，以及文书关先生等富连成教习同桌吃饭。教习们的伙食比学生强多了，四菜一汤。尽管年幼的长春

⊙尚小云与李世芳（左一）、张君秋（右二）、毛世来（右一）

反而更愿意在后院，与同龄的孩子们在一起吃饭，既随意，也热闹，可他是尚小云的儿子，是要被照顾的。

但是，在正式学戏后，富连成对尚长春似乎不太友好。长春练基本功半年之后，开始随管事王连平学戏，头一出学的是《淮安府》，随他一起学的有谭氏子嗣谭元寿，还有李元瑞、茹元俊等。虽然他悟性高，也刻苦，却被安排饰演其中的小老道。接着，他随王喜秀学习《四郎探母》，这次还算不错，演杨宗保。之后，他随刘喜益学习演《三角寺》里的灯童儿。刘喜益见他的灯童儿演得不错，就又传授了一出《小天宫》。当他重新随王喜秀学习《朱砂痣》时，却又不能演主角了，演的是吴惠泉，戏中被称为"病鬼"的角色。

这个"病鬼"，就成为尚小云与富连成彻底闹僵的导火索。

由于尚长春并未"卖"给富连成，所以他只算是"走读生"，不用住在科班里，每天可以回家。有一天，长春学完戏，从富连成返家，五叔尚富霞随口问了一句："今儿个学什么戏了？说给我听听。"

尚长春回答："学《朱砂痣》呢。"

尚富霞正拨弄着胡琴，听长春这么说，便说："《朱砂痣》是出好戏啊。"然后，他又说，"来，我给你吊吊嗓子，让我听听你学得怎么样？"

尚长春正在兴头上，张嘴就唱了起来。还没唱完两句，尚富霞就停了胡琴，脸色也变了，不再笑眯眯的了，语气也变得严厉起来："你学的什么活儿啊？"

尚长春毕竟年幼，还不懂得主角配角之分，便说："我学的是吴惠泉啊。"

一向好脾气的尚富霞气极了，大声道："啊？你爸爸这样给富连成卖命，就让你学个病鬼？"说完，他拉着长春就来到了尚小云的面前，气乎乎地，没头没脑地，只说了一句话："明儿个，别让长春去富连成了。"

尚小云不明就里，很疑惑，便问："怎么了？"

尚富霞还在气头上，懒得解释，冲着长春一努嘴："你问问他学的是什么戏。"

尚小云只好转脸问长春："你说你学的是什么戏啊？"

尚长春很天真，大声道："我学的是《朱砂痣》，演的是吴惠泉。"

尚小云不吱声了，他明白尚富霞缘何气成那样了。依照他的火爆脾气，他应该当即大发雷霆的，但是，也许是考虑到在长春面前不便失却尊严，他没有发火，只是沉默了很长时间，然后才说了句："不去就不去吧。" 第二天，尚长春果然没去富连成。从此以后，他离开了富连成。

可以想见，尚小云的内心是火气冲天的，他让长子入富连成，自然是因为富连成是京城首屈一指的科班，他指望长春从学戏之始就能受到正规的科班教育。客观地说，他不是没有希望"富连成"捧一捧长春的想法，特别是他在为富连成掏心掏肺的时候。如果"富连成"有感恩之心，哪怕是作为对他付出心力的回报，也不至于在教长春时，如此手段。

其实，尚长春初学小老道之类的角色时，尚小云也在心里犯嘀咕。这个时候，关于他和富连成的风言风语，已经随风钻进他的耳朵。但是，他不是个敏感多疑的人，有的时候，甚至过于粗枝大叶。他没有将富连成往坏处想，而只是自我安慰：小孩子刚刚学戏，哪能一下子就学主角呢？从配角学起，也好，正好可以锻炼锻炼嘛。

然而，长春除了演过杨宗保，还算是个不错的角色外，尚小云看不到富连成对长春有特别栽培的一面。在一段时间内，长春不是演小老道，就是演小灯童，一个像样的角色都没有。对此，尚小云难免有些不舒服，不过，他没有表露出来，他在耐心等待。如今，富连成不但没有教长春主角戏，居然干脆让他演"病鬼"了，这不是明摆着捉弄人嘛。

尚小云看出来了，富连成是故意这么做的，就是为了做给他看的。这个时候，尚小云彻底相信，富连成已经相信外面的闲言碎语了，而对他则不再信任了。他觉得，富连成践踏了他的真诚。

富连成的这一招够艺术，既叫尚小云心里难受，又使他的火不好发得出来。尚小云虽然脾气爆烈，却也不是个莽汉。遇到“病鬼”这件使人恼火的事，连他好脾气的弟弟都忍不住了，而他却显得很冷静。从这一点也可看出尚小云的聪明。他知道，富连成毕竟没有与他当面锣对面鼓地叫板，他若贸然前去责骂，既失身份，又易讨没趣，而彼此必然撕破脸皮，双方闹翻的责任就由此可能被推在他身上，或将成为外人闲话的把柄。最终，尚小云选择的是悄然离开，从此不再过问富连成的事。就像尚长春因为没有与富连成签过“卖身契”，所以说离开就离开一样，尚小云与富连成之间也没有契约，说走，也就走了。双方没有任何争执，看似好聚好散地散了。

当然，尚小云心里的疙瘩并没有解开。打碎牙往肚里吞，不是他的性格。来而不往非礼也，他要给富连成一点教训。好像早年言菊朋突然辞班，尚小云不但不挽留，反而随即聘请马连良作为回应一样，此次，尚小云对富连成显得有些忘恩负义的行为，也要有所回敬。而“武器”便是刚刚出科就搭班重庆社，但人还是属于富连成的袁世海。

袁世海出生于1916年，祖籍北京，祖父以喂养大象为业，家境贫寒。袁世海不得不于11岁时入富连成学戏，初学老生，后改架子花脸。他生性活泼，被人戏说为“精力过盛”。在台上，他喜欢制造噱头，很讨喜，得到的彩声也多。在台下，他喜欢充当参谋的角色，摇着小扇子为他人出谋划策。像他这样的人，脑筋活，点子多。尚小云看中他的，就是他的聪明，对他的指点也多。比如：袁世海在演尚派名剧《汉明妃》里毛延寿的时候，有一场写毛延寿到王嫱的父亲家去索贿。在请出小姐相见之时，王嫱说道："大人在上，容小女子参拜。"毛延寿急忙说道："慢来慢来，小姐不久进宫，就是贵妃娘娘，我乃臣子，怎能越礼？下官实实地不敢。"当袁世海念到"实实地不敢"时，尚小云提醒他说："这儿不能这么平平淡淡。你念过'实实地'之后，应该化用郝（寿臣）老板惯用的鼻音'哼哼'。其实，郝老的这一手，什么辙口都能用，在'实实地'之后，用'唏唏'似乎更合适。另外，念'唏唏'时最好有一个撤步，怎么撤才最好，你自己琢磨去。"这番话，对袁世海启发很大。于是，他将《青梅煮酒论英雄》中曹操的一个撤步借用到毛延寿身上，很受尚小云的赞赏。

袁世海以他的聪明，以及善于变化和创新，特别是他在演出《霸王别姬》大获成功之后，与李世芳、毛世来成为富连成顶梁柱的人物，按照他自己的说法，就是"在科里占了相当重要地位的人"。正因为如此，使他成为尚小云与富连成矛盾公开化后彼此争夺的对象。

1935年年底，尚小云的重庆社连续公演了《汉明妃》、《龙女牧羊》等几出新戏之后，应邀去天津演出了十二天，很受欢迎，上座极佳。这次演出，袁世海也参加了。能够搭上重庆社这样的大班，又能参与演新戏，而且出京城到天津演出，相比于富连成的其他学生，自令袁世海感到很幸运。从天津回来后不久，重庆社又忙着准备赴济南演出。袁世海也兴冲冲的，积极做着准备。然而，临出发前，重庆社的管事赵砚奎突然对袁世海说："我们这次到济南演出，时间不短。我们觉得你应该退出富连成，不然的话，到济南演出，你就先别去了。"见袁世海不说话，停了片刻，赵砚奎又说，"回去想想吧，明儿个，给我个回话。"

表面上看，重庆社给了袁世海选择的机会：要么退出富连成，随我们去济南；反之，就别去济南了，也就是被重庆社开除了。但实际上，重庆社的本意是让袁世海退出富连成，留在重庆社。唯

⊙《牡丹亭·拾画叫画》尚小云饰柳梦梅

有如此，才能给富连成当头一棒。试想：将富连成的顶梁柱都挖过来了，岂不是动了富连成的筋骨？这似乎是最好的“给你好看”的方式。

可是，这对袁世海来说，却是一个艰难的抉择。此时，他实足19岁了，成人了，也明白事理了。他清楚尚小云与富连成的矛盾已经公开了，他知道他已经不能“脚踏两只船”了。因为“两只船”是水火不容的对手，他只能选择一方，而舍弃另一方。但是，对于他来说，富连成是他的母校，是栽培他培养他的地方，算得上是他的恩人，虽然他已经出科了，但他还是富连成的人，况且富连成给予他最优厚的待遇，他哪能在翅膀硬了之后，一脚将恩人踹开呢？

可是重庆社会给他比富连成更大的舞台，给他展翅的更广阔的天空，尚小云又那样地看重他、提携他，他又怎能舍弃这艺术的大好前途？仅从面子上来说，也说不过去。当时，他能够搭班“重庆社”，让多少师兄弟钦羡啊。都说“搭班如投胎”，可他搭班搭得太顺利了，而这是拜尚小云所赐。如今，搭班未过年半，难道就自动离开？如果是那样，他若想再搭其他大班，就很不容易了，这无异于自毁前程。还有，重庆社曾经为他作保借贷了三千元戏装费，如果此时离开重庆社，重庆社自然要撤保，他用什么去还呢？舍不得这个，离不了那个，袁世海陷入两难之中，非常矛盾，也非常痛苦。

一夜未眠，袁世海想不出两边都不得罪的万全之策。天光大亮，他去见赵砚奎。赵砚奎正等着他的回话呢。

赵砚奎不等袁世海开口，抢先说：“想好了吧！听我的，好好干，我们给你增加戏份。退出富连成的信，已经给你写好了，念给你听听，然后，你就去交给他们吧。”

很多年以后，袁世海回忆那封信的内容，只能记得大概了：因重庆社要去济南演出，时间较长，恐误科班演出云云。其中的最后几句话，袁世海难以忘怀：“……青山不倒，绿水长流，他年相见，后会有期……”他之所以记得那么清楚，是因为他认为：“对母校使用这类词句很不恰当。”但是当时，既然他自己无从选择，而重庆社替他选择了，他只能顺应。对此，他这样回忆说：“那时，如果去富连成讲明难处，会得到同情的。可我既没有文化，又是初出茅庐，没有社会经验，遇到这类较复杂的事情就不知所措了，完全听从摆布。”[①]

袁世海虽然为难，但话中已透露出他的意愿，即还是想留在重庆社，而赵砚奎也似乎早已料到袁世海肯定做这样的选择，这才代他作主，先将信写好了。为袁世海个人前途着想，他的选择并没有错，错只错在未先与富连成有个交代，如他自己所说。但即使去与富连成讲明难处，也未必会得到谅解与同情。

袁世海将那封信寄给了富连成。也就是说，他退出富连成。可以想见，富连成对袁世海的忘恩负义该是怎样的恼怒。他们当然清楚袁世海退班事件背后的缘故，因而也能理解袁世海的不得已而为之。但是，骂还是要骂的：“吃着富连成的馒头长大，学了本事，翅膀硬了，听外人话挟制富连成。”[①]袁世海正暗自愧疚，挨顿骂，也许心里反倒舒服些。

其实，真正“翅膀硬了”的，不是袁世海，而是富连成。在尚小云的扶助下，它已经重新步入正轨。在排演了几出尚派戏之后，富连成自己也加紧排演了新戏。特别是叶盛章的新戏《白泰宫》、《藏珍楼》等，颇受好评。换句话说，富连成恢复了元气。正因为如此，他们才不再需要尚小云了。这恐怕就是他们敢于让尚长春演“病鬼”的原因之一。或者说，他们以让长春演“病鬼”这样的极端方式，无声地让长春走，让尚小云走。同样地，袁世海对他们来说虽然重要，但也并非离不了他，走，也就让他走了，没有追究与纠缠。

富连成对尚小云，有怀疑，有警惕，有防范，是可以理解的。但是，他们对尚小云的不够信任、不够尊重，却使年幼的尚长春受连

① 袁世海口述，袁菁整理：《艺海无涯》，中国青年出版社1985年6月版，第183页。

累，这种做法委实不宜。因为尚长春，尚小云对富连成心中有怒，有怨，有气，也是可以理解的。但是，重庆社因此以无辜的袁世海作为“筹码”，陷他于不仁不义的漩涡之中，使他扛背“忘恩负义”的重负，当然也不妥当。

综观整个事件，富连成与尚小云是两损俱伤，所涉及者没有受益方。不过，这个事件的后果，也并不都是负面的，正面结果便是尚小云在一气之下，下决心创办自己的科班。尚小云的荣春社就是在这种情况下创立的。荣春社、富连成和中华戏曲专科学校一度并驾齐驱，是当时的三大京剧科班。

有意思的是，重庆社在从济南演出结束后回到北平时，富连成的继任社长叶龙章和叶家二子叶荫章居然一起到车站迎接。他们的这个行为，实则向尚小云传递出这样一个信息：前嫌尽释，重归于好。俗话说，不打笑脸人。对富连成的主动示好，一向爽气的尚小云也就相逢一笑泯恩仇，他很适时地接过了对方抛来的橄榄枝。有人对此不能理解，事实上却不难理解：

首先，双方从来没有撕破脸皮，彼此的过节也只由于疑心生暗鬼，远未发展到不共戴天的地步，再次握手也就不是难事。其次，受了委屈的尚小云激流勇退，其相助富连成的无私更加凸显，不能不使本即对尚小云存有感恩戴德之心的富连成惭愧而追悔，这才主动求和。

至于尚小云，有人评价他“傲骨多于媚骨”，别人对他有情，他会加倍对别人有义；别人对他不仁，他也就一走了之。毕竟他是大度的，既然对方知错而回头，他也马上原谅人家。他对富连成的真诚付出，更多的是出于侠义之心，就像他义助贫困一样，并不求回报，也就对富连成的小气、猜忌和不信任淡然视之。自认“从不绷着身价”的他，此时，也不会绷着身价绝不饶恕对方。

1935年隆冬时节，富连成的创办人叶春善病逝，富连成因此停演十天。尚小云闻讯，立即赶到叶家问吊。想到少年时，叶春善嫌弃他“骨架过大”而将他置于富连成的大门外，又想到不久前与富连成的恩怨，尚小云不免百感交集。如今人去灯灭，一切化为乌有，包括所有的过节和怨怼。

次年春夏之交，梅兰芳自沪返平。这是他自四年前南迁后的首次北返。刚刚落脚，他就直奔富连成，一为追悼不久前病逝的叶春善，一为看看那个被称为“小梅兰芳”的李世芳。在叶龙章的安排下，梅兰芳与“小梅兰芳”见了面。两人果然有几分相像，梅兰芳心甚欢喜。当晚，梅兰芳在华乐戏院看了一场“小梅兰芳”唱的《霸王别姬》和《贵妃醉酒》。这两部戏都是梅派名剧。看完之后，他对“小梅兰芳”更加喜欢，问长问短的。几天后，梅兰芳与齐如山等人又到富连成，由齐如山提出梅兰芳想收李世芳为徒。当时，他问叶龙章：“梅畹华想收世芳做徒弟，并想举行一个仪式，你看怎么样？”

叶龙章不免犹豫。按照富连成科班的班规，学生在坐科学艺期间不得拜别人为师，但允许学生向名家名派学戏求教，不过不得行拜师礼。李世芳、毛世来拜尚小云为师，便是此例，未行拜师礼，称呼上仍然是“老师”，而弟子对师傅的一般尊称是“先生”。这是叶龙章之所以犹豫的原因之一。原因之二，便与尚小云有关了。尽管李世芳、毛世来对尚小云未行过拜师礼，但在事实上，尚小云是他俩的师傅。众所周知，拜师礼不过是一种形式而已。当时，两个孩子拜尚为师，叶龙章是严格按照班规行事，未同意他俩对尚小云行拜师礼，如果现在同意他俩拜梅兰芳为师，而且行拜师礼，那么，对尚小云岂不是不公平？这对于双方刚刚恢复的友好关系，无疑有很大的破坏性。

见叶龙章只是尴尬地笑笑，并未即刻点头，齐如山便说道：“龙章先生你要知道，一个人要拜梅先生为师，是很不容易的。今天是梅先生亲自提出要收世芳为徒，对于老兄和世芳来说是千载难逢之

⊙尚小云与李世芳

事，对于您和富连成也是个光荣。梅先生在国外、国内享有偌大名誉，又是尊父喜连成时之艺徒，关系这样密切，尤其‘小梅兰芳’拜‘老梅兰芳’为师，也是理所当然的事。望您不必有其他顾虑。世芳是您叶家的徒弟，您自可主张，您如果同意，那么您叫您弟子拜谁，别人哪能提出异议？”

虽然无法获知齐如山在说这番话时是以何种语气，但是，从这番话的内容来看，它充满傲气和霸气，甚至是不可一世。他的言下之意似乎是，梅兰芳欲收富连成的学生，是给你富连成面子，别不识抬举。梅兰芳“在国外、国内享有偌大名誉”是事实，学戏的孩子能够拜他为师，也确是机会难得。但是，这并不能成为破坏规矩的理由。富连成从创办之始的喜连升到喜连成再到富连成，规模不断壮大，直至成为京城首屈一指的著名京剧科班，很大程度上便是它的性质虽然仍然属于旧式科班，但却比旧式科班有更加规范、更加文明先进的管理模式，通俗地说，就是特别讲规矩。

另外，所谓“小梅兰芳拜老梅兰芳”也根本谈不上“理所当然”。梅兰芳欲收李世芳为徒，是出于爱才心理，是一种主观愿望，并不存在必然性。更重要的是，齐如山不可能不知道李世芳曾拜过尚小云为师，即便没有行过拜师礼，但他也是事实上的尚小云弟子。虽然那时并不严格禁止一个人同时拜两个人为师，何况尚小云收李世芳为徒未行拜师礼，但是，齐如山明确要求行拜师礼，这对同为四大名旦之一的尚小云来说，既不公平，也是伤害。

叶龙章还是没有立即答应齐如山的要求，只说还要和总教习萧长华以及其他老师商量商量。萧长华首先表示赞同，其他人也无异议。在这种情况下，叶龙章也只好答应。不过，他又想：既然拜梅兰芳的机会难得，如今机会送上门来，如果只叫李世芳一人拜梅，岂不有些亏？何不再挑几个孩子，一同拜梅，这样的话，岂不可以多培养几个优秀人才？他的这个想法，可以说是非常聪明的。

同意李世芳拜梅，实际上是破了规矩，从此以后，将很难阻挡其他孩子拜师。如果在李世芳之后继续坚守老规矩，将很难服众。既然拜梅无法阻止，一个拜也是拜，几个拜也是拜，少自然不如多；既然如齐如山所说“对富连成是个光荣”，那么就让富连成的孩子多几个得到这份光荣吧。于是，与李世芳同时拜梅兰芳为师的，还有也曾拜过尚小云的毛世来，以及李元芳、刘元彤、张世孝。

在收到富连成送来的邀请参加拜师仪式的信函之前，尚小云就已经知道了拜师这件事。他不恼，不怒，没事人一样，一如既往地唱戏、写字作画、欣赏字画、把玩古玩，甚至照旧与梅兰芳一起喝茶吃饭聊天。身边的人却为他鸣不平：“你收李世芳、毛世来时，未行拜师礼，梅畹华收徒，却行拜师礼，这不是歧视吗？”尚小云哈哈一笑，说：“这有什么，谁收他们，还不一个样，能让这些孩子继我们之后，做新‘四大名旦’，不是挺好？国剧后继有人，不是更好？”当他收到邀请函后，又有人问他：“你当真要去？”他眉毛一扬，圆眼一瞪，说：“去！当然要去！这是喜事，干吗不去？”

拜师仪式在位于绒线胡同齐如山参与创办的国剧学会举行，所有酒席由富连成承担。梅兰芳收徒是大事，很轰动，因此拜师仪式很隆重，仅以参加人数多达数百论，就可用“盛况空前”形容。应邀参加的有梅兰芳之前收的所有徒弟，和梨园行老前辈杨小楼、王瑶卿、余叔岩、徐兰沅，以及谭小培、姜妙香等，加上在北平的所有旦行演员，包括四大名旦中的程砚秋、荀慧生，还有就是尚小云。

尚小云毫无芥蒂地出席拜师礼，让富连成多少有些愧疚的心总算放了下来。尚小云真诚地祝福也算是他的弟子的李世芳、毛世来，嘱咐他俩要珍惜这大好机会，好好向梅先生学戏，勤奋练功。他的亲切和大度，也让两个孩子放下了包袱。可以说，因为尚小云，这个拜师仪式才得以真正的顺利和圆满。

虽然李世芳日后以梅派弟子身份而名声大噪，但尚小云从来没有对李世芳改投他师的行为心存怨气，对他在艺术上的点滴，一直很关注。这不能简单地用“大度”两个字来解释。对于对后辈的提携，对于对戏曲人才的培养，尚小云与梅兰芳的心是相通的。在这个问题上，他们不分彼此，他们的目标也都是相同的。

20世纪60年代初，也就是在梅兰芳去世前半个月，已定居陕西西安的尚小云随省戏校同州梆子演出团赴京作汇报演出时，与梅兰芳重逢。梅兰芳不顾逼人溽暑，连着观看了数场演出。散戏后，他到后台慰问演员。然后，他在和尚小云交流时，风趣地说：“我们要千方百计地培养出一些二十来岁的小梅兰芳和小尚小云，让他们来继承咱们的事业，丰富人民的文化生活，才不致辜负党对我们的期望。”

尚小云听了，深以为然。尽管此时距李世芳拜师已经过去了二十多年，但显然，这样的思想，早在那个时候就已经形成了。无论李世芳是谁的弟子，无论他日后成为小梅兰芳，还是小尚小云，对于梅兰芳、尚小云来说，都是一样的，都是中国京剧的人才。由此可见梅兰芳的胸怀，也可见尚小云的胸怀。

可惜的是，1947年元月，李世芳因飞机失事遇难，年仅26岁。作为师傅，梅兰芳在上海的中国大戏院为李世芳的妻女组织了一场义演。随后，时任北平国剧公会理事长的尚小云以国剧公会的名义，又组织了一场义演。接着，富连成也组织了一场义演。在北平的两场义演中，尚小云率先演出拿手戏，献给天国的、也算是他的徒弟的李世芳，以表师徒之情。

尚小云与富连成的关系，因为尚小云的侠义心肠，始终未断。

1942年的“九一八”那天，突如其来的一场大火顷刻间焚毁了位于北平鲜鱼口的华乐戏院。也算富连成不走运，年初，它刚刚与该戏院经理万子和订立了在此演出的长期合同。一场大火不仅烧掉了富连成赖以生存的演出场地，更烧掉了价值三十余万元的服装道具。富连成再次遭遇重大危机。与华乐戏院同时毁于一炬的还有与之紧邻的长春堂制药社。两家的房屋共计150间尽数被焚，损失高达八十余万元，因此被称“空前未有之惨剧”。

那么，这场火是如何烧起来的呢？有报道称：是长春堂在制造白粉时不慎引致锅炉爆炸而造成大火。这种说法起初原本只是一种揣测，并未得到证实。但是，长春堂经理张子余却于当晚慌慌张张地在其所开设的庆丰堂饭庄大摆宴席，招待警、政、新闻界实权人物。应邀参加的有警察局局长、督察长、侦缉队长和报社社长、有关记者等，多达百余人。一顿饭自然不够，据说张子余饭后又私下进行贿赂。这一行为，间接印证了之前的传说。

既然大火是由长春堂引发，责任就在长春堂。那么，富连成的损失应该由长春堂承担。研究商量之后，富连成由社长叶龙章出面，向地方检察厅起诉，告发长春堂私自制造毒品并引致大火，要求长春堂赔偿富连成的全部损失。

然而，早已被张子余买通的检察厅一直拖延不予理睬。在富连成的一再催促下才不得不开庭，却又违背“刑事案件必须当事双方本人亲自出庭听审，不许聘请律师代表出庭”的刑法条文，在张子余根本不出庭的情况下，开庭宣告：“起火原因是华乐戏院与长春堂夹道之间电线走火引起，并非长春堂起火。如不服本判决，在十天之内可向高等检察厅起诉。”叶龙章当然不服判决，向高等检察厅上诉，高等检察厅却维持原判。

当正常的法律途径无法解决问题时，受害者在不满情绪下不免有极端行为。起先，富连成的全体管事人员商议去请愿，因担心反受违反《治安条例》的惩罚而作罢。正在此时，叶家三子叶盛章从上海演出回来，当晚便手持钢刀只身去找张子余，被人强行劝止。张子余闻知此事，大惊，担心性命不保，遂一改以往尽量躲藏、避而不见的做法，委托双方挚友出面说和。尚小云便是其中之一人。

长春堂之所以也邀请尚小云，原因之一是：在梨园界，尚小云以正直侠义乐于助人著称，又极具声望，他的劝和，容易使纠纷双方接受。也正因为如此，尚小云早在20年代中期便参与梨园公会的工作。这么多年来，对于协调处理本界同业之间的摩擦、不和等，积累了相当的经验。原因之二：尚小云与富连成的关系，梨园界皆知。在长春堂看来，就尚小云对富连成的了解，由他出面协调，比较合适。

那天，尚小云与郝寿臣作为梨园界的代表，与警察局督察长吉世安、外一区警察署长李锐、外二区警察署长窦公映、侦缉队长王德人，以中间人的身份，在庆丰堂饭庄设宴。肇事方张子余，受害方叶家兄弟叶龙章、叶盛章，以及华乐戏院经理万子和、副经理吴明全等如约到场。应该说，华乐戏院也算是受害方，但是因为该戏院副经理吴明全与长春堂的张子余是儿女亲家，所以在失火后，双方已经私下商妥。因而事实上的受害者只有富连成。

当天的谈判，因为富连成坚持全额赔偿，长春堂执意不肯而宣告破裂。几天之后，尚小云等中间人再次邀集双方，进行二次谈判。在这之前，尚小云两头说服。一方面，他对张子余吓唬加诱导：“检

⊙尚小云与荣春社部分学生合影（前排左起：李荣岩、方荣慈、汪荣汉、郭荣相、吴荣森；后排左起：周仲春、黄荣俊、杨荣环、陈茂春、尚小云、李德春、梁荣甫、蔡松春、时荣章、王嘉春、李甫春、耿玉春）

察厅的判决是否与事实相符，明白人都知道，长春堂赔偿富连成理所当然。如果事情一直这样无休止地拖下去，保不定陷于困境的富连成再会有什么惊人之举，甚至穷追猛打私制‘白粉’的事情，也说不准。这样说来，还不如快刀斩乱麻，尽快了结此事。然后，你制你的药，他唱他的戏。”听尚小云这么说，张子余心有所动。

另一方面，尚小云又去劝叶龙章：“张老道（张子余是道士，人称‘张老道’）神通广大，与官勾结，这也是没有办法的事。富连成依靠唱戏吃饭，自负盈亏，停唱一天，就少一天的收入。这件事已经拖了这么长时间，没有经济收入，无法教学，更不能登台，时间拖得越久，富连成的损失越大，不如也退让一步，以让富连成尽快恢复练功排戏为首要。更何况，北平这么多年来，凡遇大火致害，又有谁能获得赔偿？如果长春堂能够赔偿，哪怕不是全额，也算是富连成的胜利。”实际上，富连成的教师、执事们也这么认为。

在这种情况下，第二次的谈判顺利多了。双方都做出了让步。富连成不再坚持30万元的全额赔偿；张子余不同意用“赔偿”两字，而只愿意以“补偿”为名，支付给富连成10万元。事情的解决虽然称不上圆满，但终究和平解决了。至少，富连成凭借这10万元钱重新置办了服装道具，又召回临时解散的学生，恢复了教学、练功、排戏，又暂借广德楼演出夜戏。尚小云在这次事件中起了很大的作用。可以说他对富连成，前有情，后有义，称得上仁至义尽了。

收张君秋为义子

在京剧界，除了梅兰芳、程砚秋、尚小云、荀慧生这人所共知的“四大名旦”之外，还有雪艳琴、章遏云、新艳秋、金友琴这“四大坤旦”；之后，又产生了“四小名旦”；再后来，又有“新四小名旦”之称。那么，四小名旦、新四小名旦是如何产生的，又是哪四个人呢？

梨园界历来都有举办童伶选举活动的惯例，尚小云就曾有过“第一童伶”、“童伶大王”的美誉。1936年，北平的一家以发表戏曲界动态为主的《立言报》针对许多读者提出的谁能继承四大名旦资格的问题，举办了一次童伶选举，要求选出生、旦、净、丑各部的冠亚军，候选对象是中华戏曲专科学校的“德”、“和”两期的男生，和富连成第五期的“世”字科男生。这个活动轰动一时，大家每天都在关心报上各人得票数字的变化。票数此涨彼落，竞争得非常激烈。在半个月的投票期结束后，经《实报》、《实事白话报》、《北京晚报》、《戏剧报》等报社派人当场监督查点票数以后，公布的结果是：

童伶主席：富连成的李世芳，得票近万（另有说法是4113票）。

生部冠军：戏校的王金璐；亚军：富连成的叶盛长；

旦部冠军：富连成的毛世来；亚军：戏校的宋德珠；

净部冠军：富连成的裘世戎；亚军：戏校的赵德钰；

丑部冠军：富连成的詹世辅；亚军：戏校的殷金振。

评选结果揭晓后，在虎坊桥路南的富连成社址举行了颁奖仪式。应邀参加的嘉宾多达两千余，热闹异常。当晚，在华乐戏院又特别为“童伶主席”李世芳举行了加冕典礼。各界所赠联幛花篮摆满全场，气氛十分热烈。

这次活动实际上是选举“四小名旦”的前奏。仍由《立言报》主持，北平其他各报参与推举出了四小名旦。“童伶主席”李世芳、“旦部冠军”毛世来和宋德珠自然当选，另外一个，是张君秋。《立言报》主编吴宗祜请他们四人在长安戏院联袂演出《白蛇传》，每人一折，李世芳演《合钵》，毛世来演《断桥》，宋德珠演《金山寺》，张君秋演《祭塔》，当时被称为“四白蛇传”，影响颇大。

另外，四小名旦效仿四大名旦，在新新大戏院合作演出了《四五花洞》。自此之后，“四小名旦”的称呼便流传开来。虽然它的产

⊙张君秋之《汉明妃》

生并没有经过观众投票评选，但因为是由内行人士公认的，所以也具公信力。1947年年初，李世芳因飞机失事不幸遇难，之后，北平《纪事报》又举办了一次“新四小名旦”的选举，他们是张君秋、毛世来、陈永玲、许翰英。

四小名旦中，有三人，即李世芳、毛世来、张君秋都曾拜过尚小云，但都未行拜师礼，李、毛自不必说，张君秋呢？如何成为尚小云的弟子？为何也未行礼？

张君秋与李世芳、毛世来、宋德珠有两点不同：一、他不是科班出身，而只是别人的手把徒弟。这个“别人”是王瑶卿的弟子，名李凌枫。二、正是因为他不是科班出身，所以没有受过武功的基本训练。相比于坐过科的李世芳、毛世来、宋德珠，他虽然天赋歌喉，嗓音嘹亮，唱工一流，但武功逊色于其他三人。

据说，尚小云初闻张君秋之名，缘于他的琴师、重庆社的管事赵砚奎和华乐戏院经理万子和之间的一次打赌。当时，对于张君秋，万子和直竖大拇指，说：“好样的，日后定能成气候。”赵砚奎却不以为然。两人便有些争执，谁也说服不了谁。万子和急了，便打赌说：“若张君秋日后成不了气候，就让我的这两只眼睛瞎了。”赵砚奎也不示弱，也打赌说：“张君秋日后真的成了气候，我把闺女许给他。”（后来，张君秋真的娶了赵砚奎的女儿赵艳容。）

尚小云对他俩这样的打赌感到十分好笑，不过，他也因此对张君秋有了好奇，很想认识认识。那一天，张君秋在华乐戏院演出《二进宫》，万子和竭力鼓动尚小云去看戏。尚小云去看了，一下子就喜欢上了这个孩子，嚷嚷着让万子和立即把张君秋带过来。当还没有来得及卸装的穿着水衣彩裤的张君秋匆匆而来，有些手足无措地站在尚小云的面前时，尚小云对眼前这个有着挺拔身材、白净脸庞、细皮嫩肉、羞怯如处子的翩翩少年更有了好感。

对与尚小云的初次见面，张君秋记忆犹新。在尚小云诞辰85周年的纪念会上，他回忆道：“对我来说，得以结识尚先生，实在是件意想不到的事。那时我 16 岁，搭班王又宸的班社。有一次在华乐戏院演出《二进宫》，尚先生来看了我，让经理叫我到前台柜房去见见面。我的母亲，还有李多奎先生，带我去见了尚先生。一见面就使人感到他热情豪爽。没谈几句话，就叫我到他家里去，要亲自教戏。我那时去拜见尚先生，连一份像样的晋见礼也拿不出。在那‘艺不经传’的旧社会，尚先生如此主动，热情提携后进，实在令人感动。”

巧的是，张君秋母亲张秀琴与尚小云夫人王蕊芳一度关系亲密，还曾以姐妹相称呢。原来，张秀琴曾经是田际云的玉成班里的梆子青衣。当年，玉成班住的院子后门直通王蕊芳的家。王家因此与玉成班的演员常来常往，很熟络。王蕊芳与张秀琴最谈得来，彼此视为闺中密友。

有了这层关系，彼此都感觉亲近，尚小云也就对张君秋更加疼爱了。他的那句最著名的话，自然而然地冒了出来：“上我家去，我给你说说戏。”

尚小云一见到他喜欢的孩子，都想让他们“上家去”，这似乎是他表达喜欢的方式，并没有强收门下的想法。但是，在张君秋的师傅李凌枫听来，这意味着尚小云要收张君秋为徒。如果这样的话，那他这个师傅算什么呢？张君秋毕竟还未满师，还是他的手把徒弟啊。然而，他又是有自知之明的，他哪能和四大名旦之一的尚小云比肩呢？更不可能去和尚小云理论。于是，他上门去求王瑶卿，希望王师出面制止尚小云。王瑶卿好歹也算是尚小云的师傅。

王瑶卿也觉得尚小云此时收张君秋为徒确实不妥，便一个电话打到尚宅。尚小云何等聪明，一听王瑶卿的口气，就知道是怎么回事了，他直截了当说：“您老放心，我没有要收君秋为徒的意思，我只是喜欢他，就想给他说说戏而已。”

张秀琴带着儿子张君秋如约来到尚宅。刚一见面，尚小云就对他们母子说：“从此以后，你们常来。我有多少，就教君秋多少。不过呢，君秋还得照常到李凌枫那儿去学戏，别耽误了，君秋终究还是李凌枫的徒弟，我不夺人之好。我们两家也算有交情，我们就认个干亲，我收君秋为义子，君秋就认我为干老子吧。”然后，他才问：“怎么样啊？同意吗？”母子俩怎么会不同意呢？随后，张君秋磕了头，正式拜尚小云为义父，事实上，也拜尚小云为师。

既然是义父义子的关系，张君秋出入尚宅，也就是自然的了，而不再招来闲话。张母为人也很周到细致，每次她都陪着儿子一起到尚家。君秋听尚小云说戏，她就到后院和尚太太王蕊芳拉家常。更多的时候，她也帮着王蕊芳一起做些针线活。缝补戏衣，是她俩常常在一起做的事情。不等到开饭，她就很适时地起身告辞，然后领着儿子回家去。她的懂道理、明事理，很受尚小云的敬重，对于教授君秋，他也就更加尽心尽力，恨不得一下子就掏出自己的所有。

尚小云就是这样的人，没有门户之见，无论是谁的弟子，他都愿意教；他对自己的艺术，从不藏着掖着不肯示人，只要他看中的孩子，他都有教的欲望和冲动。这是因为在他的内心深处，始终有对戏曲后继无人的担忧，以及尽力培养后备人才的紧迫感。或许，这是他之后创办荣春社科班的思想基础。

张君秋师从尚小云，学到的不仅仅是戏的本身，唱腔也好，身段也罢，他学到的是一种方法，更体会到的是一种坚持不懈、刻苦努力的精神。在随尚小云学戏阶段，张君秋还参加了尚派新戏《青城十九侠》、《九曲黄河阵》的创排。

在剧本写出来以后，尚小云叫来张君秋，给他台词本，说：“咱爷俩一块背！”

张君秋接过台词本，找个角落，默默地背起来。却见尚小云手握台词本，倒背双手，仰面朝天，在屋子里来回走，嘴里大声地将台词念出来。一会儿，他停下脚步，将台词本举到眼前，看几眼，又恢复原样，一边走，一边大声念。这就是他背台词的方式。张君秋看着，十分好奇。尚小云一旦进入“背”的状态，周围的一切似乎都不在他的眼里，不论是否有人进进出出，他都视若无睹，大有“目中无人”之势。不过，如果有人不管那许多，执意要打断他，问他这，问他那，他也不发火，而是停下来一一作答。问的人走了，他叹口气，嘀咕一句：“又断了线了！”然后，他重新开始。基本上，他背不好，是不会停的。

当他叫过张君秋，问他“怎么样，背完了吗”时，其实正说明，他自己是背好了。张君秋不敢将话说死，只说：“差不多了吧。”尚小云便将他的台词本递给张君秋，说：“你拿着，看我背得对不对。”一般而言，他背得的，总是和台词本上的只字不差，这让张君秋惊异不已，又自叹不如。

每背好一段，尚小云就问张君秋：“对不对？”

张君秋总是只有一个字：“对！”

尚小云就说：“那段可以撕了。”

张君秋就将那页纸撕了。

于是，一段一段地背，一页一页地撕。全部的台词背完了，台词本也撕光了。这就意味着，尚小云已经将整出戏都背熟了。到了排练的时候，他真的不用看本子，也不用别人提词儿。他不仅将他自己的台词背得很熟，对其他配角的台词也了解得很透。至于唱腔、身段等，他事先都做好了安排。于是，整出戏排起来顺畅流利，从来没有疙疙瘩瘩，而且主配角配合得也严丝合缝，不露破绽。不出几天，这出新戏就上台亮相了。这一切，都让张君秋佩服不已。

不过，对尚小云在舞台上的即兴表演，张君秋有些不大适应。

⊙《红鬃烈马》，尚小云饰代战公主（左），张君秋饰王宝钏。

比如：

有一次两人演《乾坤福寿镜》，尚小云演胡氏，张君秋演丫环寿春。有一场戏需要丫环搀扶着胡氏下场，但那天演到这里时，尚小云突然站在台口，不动了。张君秋愣住了，不知该怎么往下演了，只能也干巴巴地站着。台下的观众更是不知道出了什么状况，也不敢出声。台上台下，一片死寂。

好一会儿，尚小云才做了一个身段，然后乘势凑到张君秋跟前，悄声说："把我抱下去！"原来，他临时起意，改丫环搀扶胡氏下场为丫环将胡氏抱下场。张君秋虽然心里犯嘀咕："过去可从来没有这

么演过啊。”但他不敢违抗师傅，只得伸手去抱“胡氏”。怎奈尚小云身高体壮，张君秋年幼体弱，拦腰去抱，却抱不起来，又不能撒手。可怜张君秋几乎要使出吃奶的力气了，拼足劲儿将“胡氏”抱起来，然后一步一步，踉踉跄跄艰难地下了场。这个时候，观众看明白了：“敢情尚老板改戏了！”于是，掌声、喝彩声几乎将戏院的天花板掀掉。

在张君秋认尚小云为干爹后，报上刊登他的戏目广告时，总是会加上一句“尚小云亲授”。这是尚小云提携张君秋的一种方式。1938年，马连良应上海黄金大戏院邀请，准备南下演出。组班时，他邀请林秋雯为二牌旦角。林秋雯本就是马连良从上海带到北平的，随马回沪，似乎理所当然。但是，林秋雯却不给马连良面子，狮子大开口，要价很高。马连良一气之下，弃用林秋雯，改约张君秋。这时，张君秋只能算是初出茅庐，没有属于自己的全套行头。尚小云知道后，便借了行头给他，还特地派人为张君秋买了件皮领的大衣，他说：“为你壮壮声威。”张君秋就穿着这件皮领大衣，去了上海。

尚小云看中张君秋，很大程度上是因为张君秋的嗓子既润且亮，这是他俩相同的地方。这样的嗓子适合唱工见长的戏，尚小云传授给张君秋的，便是《玉堂春》、《祭塔》、《二进宫》、《四郎探母》、《桑园会》等传统戏，很显他的唱工。

技术范畴的东西，好学，但性格是学不来的。尚小云的表演热情乃至火辣，张君秋更文一些柔一些，却正好弥补了尚小云过刚的缺陷。比如，《祭塔》这出戏，在张君秋之前，尚小云最为拿手。张君秋脱颖而出后，戏迷们这才发现，尚小云的唱法虽然高亢激越，但失之于太刚，而张君秋的唱腔比尚小云柔和，该高的地方必高，响遏行云，该低的地方必低，低回婉转。

尚小云鼓励弟子保持自己的特色，根据自身条件扬长避短，所以他从来不严格限定张君秋必须亦步亦趋尚派唱法。张君秋师从尚小云，他“拿来”尚派唱法中的刚，却不“抛弃”自己唱法中的柔。因为尚小云的宽容，张君秋并不视尚派”为唯一。日后，他也宗梅派，学程派，最终，形成了他的张派。

义助长庆社

尚长春自离开富连成后，赋闲在家。尚小云眼见着儿子刚刚学成的基本功一天天在荒废，心中着急。京城科班，除了富连成，也没有几个上规模的。富连成，是入不了了，其他的小科班，尚小云又看不上。权衡之下，他决定请师傅上门。经人介绍，有两位师傅被请进了尚宅，一是沈富贵，一是陈富康。看这两位的名字中都有一个“富”字，便可知，他俩曾是富连成“富”字科的学员，与尚富霞同科。于是，在煤市街的泰丰楼饭庄，尚长春叩头拜了师。

沈富贵给尚长春说的第一出戏，也是尚长春在富连成学的第一出戏，《淮安府》。他随沈先生学的第二出戏，是《罗四虎》。陈富康教的戏，是《武文华》。长春跟随陈富康，更练毯子功，整天下腰、折腿、小翻等。就在尚长春随两位师傅学武生戏时，张君秋走进了尚家，随尚小云学旦角。

学，是为了演。那么，尚长春该搭什么班登台呢？一般人认为，尚长春作为尚小云的儿子，自可以直接搭班重庆社，参加演出。但是，尚小云并没有那么做。重庆社是大班，名气大，上座佳，能搭上这样的大班，是许多演员梦寐以求的。尚小云却不愿让还处于学习阶段的尚长春一步登天，一下子就搭重庆社演出。这是因为他对儿子要求严格，认为功夫未到家就入此大班，对孩子成长不利。

更重要的是，尚小云并未将重庆社视为个人财产，它的盛衰，关乎到社里全体同业及他们的家属的生活，大意不得。虽然也不至于收了一个尚长春就会使整个班社受多大影响，甚至砸了重庆社的招牌，尚小云可能是顾虑如此将开一个不好的头，招旁人闲话。

陈富康除了是尚长春的老师以外，还是长庆社科班的社长。当时，长庆社里有二十几个学生，像一般科班里的学生一样，练功、排戏。但是，与富连成这样的大科班不同的是，因为缺乏资金，长庆社登不了台演不了戏。也就是说，“长庆社”正处于勉强维持的状态。

尚小云有了主意，他向陈富康提议：“长春就搭您的班演戏吧。”未等陈富康开口质疑资金问题，尚小云又说，“至于钱嘛，我全包了。”陈富康听出来了，尚小云此举，与其说是为了给长春找一个班搭，不如说是义助长庆社。毕竟长春随便搭哪一个班，都有戏唱，而长庆社若没有资金投入，关门在即，有了钱，长庆社便活了。自然地，陈富康对尚小云充满感激。

事实上，尚小云不仅仅是投钱了事。从赢得更多观众的角度，他为长庆社投了钱，当然希望有所回报，也就是希望长庆社不但能登台演戏，而且还要上座好，有影响。反过来，长庆社有了钱，固然能演出，但并不能保证有好的票房。如果有“尚小云”这块招牌支撑，那就更有号召力了。因而，尚小云对于长庆社更大的帮助，便是时不时地亲自参加长庆社的演出。

与尚长春同时搭班长庆社的，还有张君秋，以及正搭班重庆社的袁世海。一番准备之后，长庆社如期登台了，尚长春也正式亮相了，他最先唱的是《淮安府》。事后，他回忆说：“在未上台时，高兴得连害怕都忘了，上去也不知怎么唱的，就下来了，只是觉得心都要跳出嗓子眼了。”然后，长春又唱《武文华》，君秋唱《玉堂春》、《桑园会》、《坐宫》等，而尚小云演他的拿手戏《乾坤福寿镜》。随着演出的日益增多，长庆社的收入愈加可观。当然在很大程度上，缘于尚小云参与演出。

最初，长庆社在华乐戏院演出，上座越来越好，尚小云、陈富康和华乐经理万子和都很高兴。后来，尚小云与万子和发生了矛盾。

起因在于尚小云对万子和在演戏日子的安排上有所不满，认为万子和的安排于长庆社不利，提议要改日子。万子和不同意。尚小云脾气急，坚持己见；万子和要面子，不肯低头，几次协调都未能达成一致。尚小云是这样的人，别人越是和他拧着干，他越是倔，越是火。于是，他干脆说：

“我们不在你这儿演了。难不成，除了华乐，我们就没其他地儿了？”

万子和也气了，说：“不演就不演。不过，不在这儿演，您能上哪儿去演？要知道，我这儿可是个有上千座位的大园子（过去的戏院，俗称‘戏园子’）。”

尚小云不信邪：“那又怎么样！难道我就找不出也有上千座位的园子？”喘口气，又说，“你等着，我偏要找出一个比你的园子还要大的更大的园子。”

这个“更大的园子”，就是能够容纳三千观众的第一舞台。与华乐戏院相比，第一舞台不但座位多，而且设备先进。但是，也正因为如此，一直以来，只有名角儿云集的大义务戏，才多在这儿公演，没有一定叫座能力的演员，是不敢轻易在这儿登台的。有上千座位的华乐戏院，如果能有一半观众，戏院里也不显得太空；有三千座位的第一舞台，即使能有一千观众，戏院里也显得稀稀落落的。演员多是“人来疯”，观众越多，气氛越热烈，唱得就越来劲。大而空旷的戏院，很容易有冷清之感，也就影响情绪，无法兴奋。就是唱得再好，掌声再响，也成不了雷鸣，不会有震耳欲聋的效果。所以演员在这样的戏院里唱戏，常常是出不了三天，就得“跑”。

要强又倔强的尚小云，硬是带着长庆社从华乐戏院搬到了第一舞台。与此同时，他的重庆社也在此演出。在不到一年的时间里，重庆社的几出新戏，如《北国佳人》、《青城十九侠》等都是在第一舞台首演的。但是，1936 年年底，长庆社还是解散了。有人说，是第一舞台葬送了长庆社。此说有些片面，解散长庆社，似乎与尚小云创立荣春社有关，毕竟他将更多的精力放在荣春社身上，而无暇顾及长庆社。不过，长庆社解散后，社里的学员，大多转入荣春社。然而不管怎么说，第一舞台确实不是尚小云的“福地”。第二年，他承包了第一舞台，谁知短短几个月以后，“第一舞台”毁于大火！

与袁世海的分分合合

1937年“七七事变”爆发的时候，尚小云和他的重庆社正在上海黄金大戏院演出。因为通讯信息的滞后，消息传到上海时，已经过去了几天。所以，重庆社的演出并未中断，按期在11日演完最后一场。东北、华北先后失陷，中华民族岌岌可危的局面牵动着每个中国人的心，使他们为祖国的命运担忧，为自己的前途焦虑。坐在返平的火车上，尚小云的心情异常沉重，为动荡的时局，为茫然的未来，也为重庆社与弟子袁世海的矛盾，和袁世海决绝地离开。掐指算来，袁世海搭班重庆社不过一年半。

尚小云与袁世海之间的问题，很难用谁对谁错加以归纳判断。在尚小云看来，袁世海虽然谈不上野心大，但至少不太安分；站在袁世海的角度，他也有一肚子委屈。

当初，赵砚奎为了让袁世海下决心脱离富连成，曾经答应给袁世海增加戏份。可以说，这样的许诺对于家境贫寒、经济拮据的袁世海来说，极具诱惑，不能不说这为他下决心离开富连成增添了砝码。然后，他就随重庆社到济南演出了。一般来说，到京外演出，一场戏的戏份是原先的三倍。袁世海在京演一场，是4元。那么，在济南演一场，就应该是12元。但是，袁世海却只拿到8元。在未脱离富连成的时候，他每个月还能从富连成那里拿到20元。如今离开

⊙《九曲黄河阵》，李宝奎饰姜子牙（左二），袁世海饰赵公明（右二）

了富连成，20元是没有了，在重庆社演出的戏份，又没有如赵砚奎许诺的那样有所增加。因为如此，这年过年，过得很寒酸，更谈不上偿还坐科时借的外债了。这让袁世海有些不舒服。

不久之后，备受经济压力之苦的袁世海有了一个随著名坤旦章遏云赴南京演出的机会。这次演出时间一个月，包银有750元。然而，尚小云早就定下规矩：搭班重庆社的演员，不得兼搭其他班社。这不是尚小云小气，而是情非得已。当时，北平班社多如牛毛，彼此竞争得十分激烈。一些名角儿常常是班社争夺的对象。如果允许他们兼搭，势必影响本班社的生意。

袁世海其实大可以向尚小云说明情况，请求特别获准，即便一时难以让尚小云松口，至少也能让尚小云了解他的难处和苦楚。尚小云一向仗义疏财，对陌生的上门求告者他都能慷慨以待，如果他了解弟子的窘状，依常理看，他应当不至于有难不帮。但是，尚小云的火爆脾气和倔强性格，袁世海是领教过的。比如：

马连良曾想让袁世海在不脱离重庆社的基础上，兼搭他的扶风社，但尚小云就是不肯答应，他只同意袁世海兼搭徐东明的班社。为此，袁世海有些不满。在他看来，尚小云之所以允许他搭徐东明的班，一是因为徐东明无甚名气，她的班不至于与重庆社抢生意，而马连良的扶风社就不同了，它是重庆社强有力的竞争对手；二是因为徐东明是重庆社管事之一的善宝臣的儿媳妇。尚小云是看在善宝臣的面子上，才让袁世海兼搭班的。

事实上，之后不久，尚小云不允许兼搭班的规定已经有所松动。当以演关公戏著称的李洪春筹排《三国》时，邀请袁世海参加，这次，尚小云并没有反对。但是，袁世海清楚，参加《三国》的演出，只是一时的，尚小云容易答应；而随章遏云去南京，时间长达一个月，他料定，尚小云是不会答应的。因而，他几次欲说还休，最后还是开不了口。而最终，他竟采取了“先斩后奏”的极端方式，给重庆社写了一封请假信，然后就不声不响地走了。

可想而知，尚小云在看到袁世海的那封信后，是如何火气冲天，他大骂袁世海无情，说，想当年若不是他尚小云的提携，让袁世海刚刚出科就搭上了班，哪会有他袁世海的今天，等等，甚至扬言就此将这小子开除出重庆社。其实，袁世海胆敢如此行事，内心已经做好了被开除的准备。

然而，尚小云没有开除袁世海。其中原因，一是尚小云这个人，虽然脾气急，火气旺，动辄大动肝火，但是，他心肠并不硬，凡事又都不往心里去，往往发了火、骂了人，转眼也就过去了，忘了，算了。对袁世海也一样，口口声声说“开除”，却并不付诸于行动。二是重庆社此时（1937年3、4月间）正在赶排新戏《九曲黄河阵》，剧中角色“赵公明”，尚小云挑来选去，都找不到合适的扮演者。在他心里，唯一的人选，其实就是袁世海。从这个角度说，他也不能开除袁世海。

袁世海自知不告而别的行为太不地道，便从南京带回来不少土特产，回平后送去给尚小云，以示歉意。过去的事，尚小云什么也没有说，只是乐呵呵地收下土特产，然后将“赵公明”交给袁世海，让他尽快背好台词，参加合练。原本，他们之间的矛盾就此解决了，却不想，又因“赵公明”而节外生枝。

不可否认，袁世海非常聪明。喜欢他的人，说他“创造能力极强”，不喜欢他的人，说他“爱搞噱头”。比如，他在《比目鱼》中饰演河神，剧本里只有一场戏，而且没有几句台词，但是，他在演出中，“把《嫁妹》头场的表演融进来，又是跳判儿，又是吹火，又是马趟子，还唱了一段昆曲，弄了个满热闹”。[①]

此时饰演“赵公明”，他忍不住又有新创造。照常规，赵公明的扮相，是勾黑脸、画三只眼。他却别出心裁，在画位于两眉中间的第三只眼时，在眼上安了个小灯泡，将开关掖在鸾带上。当“赵公明”亮相时，他暗地按一下开关，第三只眼就亮了。观众看着，感觉新奇极了，当然不吝掌声和喝彩了。其实，这不是他的原创，他只是借鉴了周信芳在演《封神榜》时类似的方法。在“赵公明归天”一场时，袁世海将第三只眼上的灯泡涂成蓝色，表示眼睛失神，然后又以“翻吊毛”、“摔硬僵尸”等舞蹈动作，表示临死前的挣扎。“赵公明”是剧中的“财神爷”，在他被姜子牙射死后，袁世海又加跳了一段财神爷舞蹈，“最后拉着元宝车、珊瑚树，在‘急急风’中走蹉步下场”。[②]

总之，袁世海在这几场戏中的表演，热闹火炽，又有很多新创意，所以非常受欢迎。但是，在重庆社的管事赵砚奎看来，这是“抢戏”，是“出风头”。为此，他非常不满。袁世海刚一下场，赵砚奎

① 林祥主编：《世纪老人的话：袁世海卷》，辽宁教育出版社2003年4月版，第60页。

② 袁世海口述，袁菁整理：《艺海无涯》，中国青年出版社1985年6月版，第202页。

就没好气地说："这出戏唱的不是三霄，唱的是赵公明！"这话对袁世海来说，不啻兜头一盆冷水，令他丧气极了。虽然这句话并不是尚小云亲口所说，但是赵砚奎是重庆社的重要人物，他的话代表的往往不仅是他个人，而是重庆社，重庆社又是尚小云的。这样说来，表面上看，是赵砚奎得罪了袁世海，实际上，袁世海是与重庆社、与尚小云矛盾加深，越来越不和了。

之后，袁世海又接到文杏社班主李盛藻请他参加《青梅煮酒论英雄》演出的邀请，饰演曹操。这又牵涉到兼搭其他班社的问题。袁世海没有把握能让尚小云同意，便在不影响重庆社演出的前提下，参加文杏社的排练。临演出前，文杏社管事李盛荫去见尚小云，一为叙旧，一为袁世海。

李盛藻、李盛荫是叔伯兄弟，也都是尚小云前岳父李寿山的侄子。这样算起来，李氏昆仲与尚小云算是亲戚。对于李盛荫"邀袁世海演曹操"的请求，尚小云二话不说，就同意了，非常爽快。这固然有看在曾经亲戚分上的因素，但实际上，尚小云原本就是个通情达理的人。

这说明，之前袁世海为赴南京因担心尚小云会阻挠而不敢直言，确实过于多虑，或者说，他对尚小云还不太了解，并且因此而擅自行动，确实不妥。

袁世海的"曹操"演得很成功。尚小云也去看了演出，之后，他说了一句话："他（指袁世海）已经是离槽的马，重庆社恐怕拴不住了。"对于珍惜人才的尚小云来说，他是很想"拴"住袁世海的，但马儿强壮了，就要跑，鸟儿翅膀硬了，就要飞，尚小云明白这个道理，他只是很伤感，很感慨。

尚小云的重庆社与袁世海最后的合作，便是"七七事变"前一个月，在上海黄金大戏院。之前，袁世海跟着"文杏社"南下南京，北上济南，演得热火朝天。当重庆社应邀要赴上海时，紧急给袁世海去信，让他限期赶到上海。但是，袁世海在济南的演出还没有结束，怎么能说走就走呢？于是，他给尚小云回信，说明情况，请他另请别人。戏界有语“救场如救火”，袁世海此举近于“不救”，而且是自家的场子。尚小云于是大怒，立即派管事善宝臣从北平赶到济南。表面上说，是“请”袁世海去上海，但不能不说有“押解”的成分。

当袁世海不得不提前结束在济南的演出，急急忙忙赶到上海时，还是误了头三天的打泡戏。在他从火车站赶往住地时，中途经过黄金大戏院，看见剧目牌上有他的名字。可是，第二天，他的名字被撤掉了。“迟到”一事，使尚小云彻底死了拴住袁世海的心。名字被撤掉，也使袁世海对重庆社彻底失望。

尽管尚小云很清楚他是无法拴住离槽的马儿的，但是，当袁世海真的脱离重庆社的时候，他还是忍不住对袁世海生出强烈不满和满腔怒火。他的不满与怒火，仍然归结于袁世海的“忘恩负义”。然而，冷静下来细想想，他又谅解了袁世海。袁世海在富连成科班时，是顶梁柱，备受器重。虽然不能说重庆社对他不重视，但是重庆社毕竟是尚小云这个名旦挑头牌，戏目以旦角为主，少有架子花脸的戏，而袁世海是唱架子花脸的。因此，他在重庆社，唱、念、做、打等，都难以尽情发挥。他在《九曲黄河阵》中所谓“抢戏”、“出风头”，也实乃他长期被压抑的结果。他有玩艺儿，却难以施展，而一旦有了机会，他当然要表现，这怎能怨他怪他责备他呢？

袁世海自己说，他离开重庆社，有两个方面的考虑，一是经济上的，一是艺术上的。从经济上来说，他在文杏社，收入要比在重庆社多。更重要的是，他自由得多，少了兼搭班的限制。能够同时搭几个班，也就意味着有更多的收入。从艺术上来说，正如尚小云感觉到的一样，尚派戏里，架子花脸的戏份不多，而在文杏社，他有更多的机会演出郝（寿臣）派 戏，这对于自称是“郝癖”的他来说，有着极大的吸引力。

无论怎么说，尚小云是老师，袁世海是学生，这是永远无法改变的事实。然而，他们之间的僵局，却是由老师尚小云主动打破的，这是因为他坦荡、大度和宽容。其实当尚小云想通了一切之后，气，也就全消了。

一年之后的1938年10月19日，李少春拜余叔岩为师的拜师仪式在泰丰楼饭庄举行，应邀参加的有朱家奎、鲍吉祥、叶龙章、郝寿臣、王福山、吴彦衡、李洪春、高庆奎、王凤卿、谭小培、阎世善、慈瑞全、李玉安、丁永利等，另外便是尚小云和袁世海。

目前已很难考证这是不是他俩隔膜后的第一次会面，可以确认的是，这是一次破冰重逢，似乎很意外，但就尚小云的性格而言，也在情理之中。

当袁世海被李少春介绍给余叔岩的时候，一旁的尚小云插话道："这孩子出了科，在我那儿呆过几年。他挺有心胸，很见起色，混得不错。"实际上，袁世海早就看见了尚小云，只见他穿着一身浅色西装，中分式头发，像以往那样，梳得整整齐齐纹丝不乱。从他本意来说，他很想主动上前和尚小云打招呼，毕竟尚小云对他有提携之恩，但是，未及他开口，就被李少春拽到了余叔岩的面前。

尚小云的这番话，是说给余叔岩听的，是诚心夸赞，但在有些心虚的袁世海听来，有些让他脸红。"挺有心胸"，言下之意难道是"野心大"？"混得不错"，又是什么意思呢？难道是在讽刺他？就在袁世海胡思乱想的时候，又有几位客人来向余叔岩打招呼，他正想乘机躲到一边去，却被尚小云叫住了：

"好小子！"尚小云还是一如既往的爽朗，"我正要找你呢。你把《霸王别姬》给我们荣春社的学生说说。"

袁世海立刻确认老师对他已不存芥蒂，于是爽快应道："好！哪天他们有时间，您随唤，我随到。"

果然不多久，尚小云派人将袁世海接到荣春社，请他为学生们说戏。对于袁世海来说，尚小云给了他一个弥补裂隙的机会，一个与恩师重修旧好的机会。所以，他当然不会放过。他极为认真，讲解得相当详细，还连说带示范。上完课，尚小云请袁世海到他家去吃饭。袁世海没有拒绝。席间，尚小云感慨道：

“我没想到,咱爷俩还能又坐在这儿一起吃饭！知道吗？你离开重庆社，我很不高兴！后来，听说你混得不错，台上挺见起色。我压下火细一想，你出去闯练闯练也好，比在我这儿戏路宽，得发展。我让你教《霸王别姬》，是试看你忘旧不忘。好小子！不错，你实心实意，一遍遍说得挺细致，我很满意。你没有忘旧。好！说破无毒！来！吃！”他一边说着，一边使劲儿往袁世海的碗里夹菜。

这番话，几乎要让袁世海落下泪来。严格说来，他离开重庆社，错不全在他，更谈不上忘恩负义、无情无义。但是，他的有些行为，客观上的确伤害了尚小云和重庆社。所以，他是怀有内疚之情的，也是期盼尚小云谅解的。如今，尚小云袒露他的心扉，承认他当时的“很不高兴”，又自压怒火，理解弟子，宽容弟子，更为弟子有进步有前途不忘旧而满意。归根结底，他是爱才的，因为爱才，他不高兴袁世海离开；也因为爱才，他又高兴袁世海的离开。他不计前嫌，主动打破僵局，不仅是因为爱才，更是他大度宽容性格的表现。这一切，怎能不让袁世海感动呢。

正如尚小云所说：“说破无毒。”话说开了，心中的疙瘩也就解开了。1940年年初，袁世海结婚。尚小云送给他一幅《送子图》。这是一幅工笔画，画面上有一株石榴树和双喜字，还有正在树上地下抢摘石榴的七个顽童。袁世海非常喜欢这幅画，不仅因为它画工精致，色彩艳丽，人物生动，更因为是尚小云所送，这是他俩历经波折情谊永存的见证。这幅画，他珍藏了二十多年，直到“文革”开始，在“破四旧”的风潮中被焚毁。

有意思的是，尚小云因为参加了袁世海的婚礼，对负责扶轿杆送亲的袁世海新婚妻子任遇仙的哥哥任志秋很有好感。任志秋也是唱旦角的，很清秀很文雅，当时正随原富连成学员于莲仙学戏。待他出师后，搭言菊朋的班社，挂二牌，尚小云还特意去看他演戏，因而对他更是喜欢。不久，尚小云将长女许配给了任志秋。于是，尚小云与袁世海便成为亲戚了。

承包第一舞台

北京的戏院，最早以“舞台”命名的，是建于清光绪末年、位于东安市场内的中华舞台。规模最大、设备最先进而名震四方的，就是第一舞台。也不知道是为什么，无论是中华舞台，还是第一舞台，都难逃火魔。民国初年，中华舞台被毁于大火。第一舞台于1914年6月9日开幕演出那一天，就遭遇火灾。于是有人说，第一舞台所在地的风水不好，原因是这里原来是座火神庙，在此建戏院，侵犯了火德真君，所以受到惩罚。若要消灾解火难，必须将戏厅前中门堵死，另在后面建一阁楼，专门供奉火神爷牌位，晨昏三叩首，早晚一炷香。然而，一一照做后，却仍然难阻火神爷发怒。

“七七事变”后，市场一片萧条，当然也波及到娱乐业。唱戏的以唱戏为生，一旦没有戏唱，生活很快陷于困顿。对于像尚小云这样的名角来说，一时还不存在没钱吃饭的问题。但是，此时的他，已经不仅仅是一名演员，也不仅仅是重庆社的班主，更是梨园公会的副董事长。由于董事长杨小楼年高体弱，又重病缠身，尚小云实际上成为执行副董事长，大小事情都得他操心。

在前一年的夏季，北平市社会局以梨园公会未经登记为由，责令其改组。于是，7月28日，梨园公会在前门外樱桃斜街34号会址召开大会，对梨园公会进行改组。经过投票，选出改组后的梨园公会首届董事15人，候补董事15人以及监事等。其中董事中，获票最多的是杨小楼和尚小云，均为81票。其次是荀慧生79票，程砚秋77票，筱翠花、梅兰芳76票，余叔岩75票，谭富英73票，赵砚奎72票，马连良71票，高庆奎70票，王又宸22票……由于杨小楼是梨园前辈，名望高，虽然与尚小云同为81票，但理所当然地成为董事长。

尚小云能被推举为副董事长，很大程度上缘于他的侠胆义肠和乐善好施。很多贫苦同业受过他的恩惠他的帮助，对他很依赖很信任，所以投票给他，不足为奇。在动荡的社会环境下，梨园同业为生存而挣扎，也就更指望梨园公会成为他们的依靠，能为他们分忧解难。也正是出于维持贫苦艺人的生活考虑，尚小云没有在国破家亡的情况下避世逍遥。他不但没有停止演出，更承包了第一舞台，每周演一场。

在当时，除了梅兰芳早在“九一八”之后不久就迁居上海，后来隐居香港外，其他大多数演员，为了自己和同班同业的生活，不得不继续舞台生活。程砚秋就曾在给友人的信中这样说：“惟同业生活极窘，又届严冬，势又不能坐视，终须出为维持耳。”梅兰芳于乱世之中蓄须明志拒绝舞台，固然令人敬佩，而尚小云等人与梅兰芳到底是有不同的。梅兰芳是享誉国际的艺术家，更曾两次赴日本演出。日本人欲打“中日亲善”的幌子，首先要拉拢的就是他们十分熟悉的梅兰芳。事实上也确是如此，早在“九一八”之后，梅兰芳就频受日本人骚扰，他南下上海，又退避香港，是一种消极对抗的无奈选择。尚小云也好，程砚秋也好，荀慧生也好，他们尽管也是名旦，但在日本人的眼里，在利用价值方面，毕竟逊于梅兰芳。从这个意义上说，他们也没有必要完全退出舞台。

尚小云在戏界的号召力固然毋庸置疑，但是，第一舞台的座位有三千，又处于乱世，即便他的名气再大，也实难凭借个人力量吸引观众满堂。所以许多人都认为尚小云此举无疑是铤而走险，甚至自寻绝路。

然而，尚小云是智慧的，他在决定承包第一舞台之前，内心已经有了打算。他对这个戏院是熟悉的，他曾多次在这里演出义务戏。前一年，他还带领长庆社在此演出。他知道它的缺陷，也知道该如何利用它的优势。

首先，他出资将戏院内外重新装修粉饰，又在大门前竖了一块巨型广告牌，在广告牌上悬挂着各色霓虹彩灯。无论有否演出，每天晚霞退去，夜幕拉开后，广告牌上的霓虹灯就被打开，亮得耀眼，闪得喜庆。灯下映照着热辣火爆的广告词，诸如“惊人的消息”、“霹雳一声，年只一演”等。

有的时候，途经戏院附近的戏迷们会惊讶地发现，一串串彩色小纸旗悬挂在戏院四周，甚至一直延伸到附近的小街小巷。彩旗上或者写着《青城十九侠》，或者写着《九曲黄河阵》，或者写着《北国佳人》等新戏名。这就是广告，这就是宣传。这也说明尚小云已经懂得商业规律，善于利用商业操作手段。于是，一传十、十传百，人人都知道尚老板要演新戏了。

其次，他仍然坚持平民化路线，实行低票价。在广告牌上，时常会出现“票价平民化”五个大字。一般来说，尚小云作为四大名旦之一，看他的戏，票价必定不低于一元。但是，他的重庆社是经常减价售票的。在他率长庆社在第一舞台演出时，曾经将票价减至6角钱，有时甚至直接减价一半，5角钱。那时，尚小云正提携张君秋，时时让他挑大梁，演大轴，这时的票价，往往只有3角钱。此举并非小视张君秋，恰恰是为了扩大他的影响力。唯有低票价，才能吸引更多的人进戏院，才能让更多的人认识张君秋。此番入主第一舞台时，正值市场萧条，降价售票，更不失为一剂猛药。

再者，他利用第一舞台先进的舞台装置，在台口使用大幕，废弃台后的门帘大帐，以大幕替代，同时加大灯光布景的使用，投入巨资购置新颖别致的照明设备、布景制作工具等。比如，在演《天河配》时，有一场七仙女在莲花池中洗澡的戏，尚小云大胆设计、制作，在舞台上真的喷出水来。

尚小云的这一切手段，很见成效。在他承包第一舞台的最初一段时间，京城戏院，唯第一舞台生意奇好。尽管票价很低，但因为场场爆满，三千座位时常座无虚席，因而收入比一千座位的华乐戏院还要高。

然而，尽管因为尚小云，第一舞台创造了辉煌，但好景不长，它终难摆脱“风水不好”的厄运。尚小云只承包了四个月，11月17日，第一舞台又遭火袭。次日的《世界日报》上，有一则“特讯”，这样记载道：

> 昨日下午2时许，该台后楼电门不知何故，往外滋火。适因是日无戏，且在后台楼上，注意未及，看守人发觉较晚，致成燎原。其时外二区第一段巡长白文瑞，正在该台门前巡查，忽睹该台西楼北端窗中，突有火焰扑出，即鸣警笛。同时该台西邻为宪兵分驻所，亦即用电话报告各机关。而南新华街之警钟台睹状，频敲警钟。外二区三段巡官李仲勋接得报告，急电消防队驰往扑救。第一舞台，殆已全部化为大火炉，火势熊熊，不可响弥矣……

不能说扑救得不及时，但无奈火借风势，蔓延得太快。消防队赶到时，已经难以控制了。大火从下午2点烧到傍晚6点，直将整个第一舞台烧成黑炭。

当尚小云和重庆社其他人闻讯赶来时，面对熊熊大火，束手无策，只能眼睁睁地看着第一舞台渐渐被火龙吞噬。尚小云的心痛得不得了，不仅为存放在第一舞台内的价值高达万元的服装道具全部被焚而痛惜，也为建筑费高达二十余万元、京城首屈一指的戏院就这样葬身火海而扼腕，更为他这几个月来苦心设计而打造成功的辉煌毁于一旦而悲切。第一舞台从此消失。尚小云黯然移师其他戏院。许是此次的打击太严酷，受到的伤痛锥心镂骨，在此之后，他再也没有承包过其他戏院。

第三章

倾家办学

荣春社的创设缘起

回望尚小云的一生，荣膺“四大名旦”，意味着他在艺术上达到辉煌的高峰，这是他个人价值的体现；创办荣春社，是他的又一个骄傲。从此，他由一名单纯的演员转而成为惠及戏曲后来者的教育者。如果说，当年他选择唱戏，是为了生存为了生活的话，那么，后来他办学校，投身戏曲教育，为的则是理想的追求。戏曲于他，不再是谋生手段，而是一份事业。

从纯粹意义上说，荣春社是已经消失了的、创造了令人难以置信奇迹的戏曲教育机构，它的戏曲人才的培养模式，时至今日，仍然是戏曲教育的典范；然而，在那个政治占据了一切，浸透了生活的方方面面以至每个角落的特殊历史时期，荣春社却不可思议地成为尚小云人生中的“污点”，成为他被批判的把柄和理由。

1949 年，改朝换代，人们都在努力适应新时代新政治，都在学习重新做人。作为提高政治觉悟的单一方式，就是反省过去，与旧社会的一切决裂。1949 年便成为一道泾渭分明的界限，之后的，是新的，是美好的，是要赞颂的；之前的都是丑恶的、封建的，是要被踩在脚底下的。

尚小云的荣春社，作为“过去的”，自然是要被批判的。在一次政治座谈会上，曾经的荣春社学生提起荣春社，很有些忿忿然：“以往荣春社学戏的那种苦法子，这也该是地主对我们的剥削吧！”尚小云不是这次会议的参加者，他是事后从旁人的嘴里听到的。听到这句话，他气得浑身发抖，血直冲脑门，几乎要从眼睛里喷射出来。“难道我是地主？难道我剥削了你们？”

当更大的政治运动席卷大江南北时，尚小云因为荣春社被狠狠批判，力度和强度比暴风雨更加猛烈。他的“罪名”由“封建尚王的后代”、“反动学术权威”、“文艺黑线的代表人物”等，进一步扩大。他的新“罪名”是“反动大戏霸”。也就是说，他由“地主”升格为“戏霸”。

尚小云被他的学生说成“地主”时，他气；被人说成“戏霸”时，他则几乎要爆发狂笑。不知为什么，有一句诗词，始终在他的脑际萦绕，在他的心底盘旋：“仰天大笑出门去，我辈岂是蓬蒿人。”无数的批斗会上，他默默地接受着“戏霸”之类的破口大骂，也在默默地吟诵这句挥之不去的诗句，一遍又一遍。

还是在1949年，梅兰芳的秘书许姬传随梅剧团时常自沪北上进京演出，也因此有机会常与尚小云叙旧。这个时候，尚小云栖身在友人杨守一的家。许姬传不免好奇，问他：“你的位于椿树下二条的大宅呢？”提起这所大宅，许姬传的语气中充满钦羡，“我还记得‘芳信斋’里那许多的古玩字画呢。”

“卖掉了！七所房子，一部汽车，都填进荣春社里去了。”尚小云还是那么爽朗。但是，许姬传还是能够听得出他有些无奈，因而有些激动。

许姬传很吃惊：“卖掉了？而且卖掉了七所房子，一部汽车？我就不明白，办科班是要花钱的，这我知道，但是叶春善办富连成，后来就有盈余，因而家道小康，你何以会如此呢？不仅没有盈余，还往里倒贴？”

尚小云知道自己有些激动，平息了一下，说：“叶春善创办富连成，是在光绪末年，他有银东姓牛的出资，他负责招生请老师，由小规模而逐渐扩大，后来学徒出了不少尖子，能够叫座，所以能维持开支，并且有盈余。我是白掏钱，又赶上‘七七事变’，所以把家产全部赔垫进去了。”

他所说的“赶上‘七七事变’，并不准确。更确切地说，他的荣春社从筹备开始算起，直至宣布解散，存在了十一年，其间经历了八年抗日战争、三年解放战争。在如此动荡复杂的时局中求生存、求发展，谈何容易！他不卖房、卖车，如何能够坚持下来？他不是财主，他只是一个演员。

为了荣春社，尚小云倾家荡产，这是地主吗？这是戏霸吗？这是剥削吗？

关于荣春社的创立时间，目前普遍说法是在1936年，更有学者将此时间明确为“1936年3月15日”。然而，“1936年”说，与事实不符。

关于荣春社的创立缘由，一直有这样的说法：它是尚小云为长

⊙ 1944年，尚小云在北平春树下二条1号家中与荣春社部分学生合影

子尚长春办的。尚长春说，此说不确切，但也有一定道理，起因确实是由他而起。尚长春还说，他小时候呆过三个科班，一是富连成，一是长庆社，一是荣春社。他进入富连成的时候，尚小云正在扶助富连成。之后，父子俩同时离开富连成，时间大约是在1935年冬。随后，尚小云资助长庆社，尚长春搭班长庆社，并随父亲尚小云演出于第一舞台。

尚长春在他的回忆文章《尚小云与荣春社》中，有这样一句话："过了一年的样子，因为一些原因，我又从长庆社退了出来。"也就是说，他在长庆社待了约一年的时间。长庆社也确实是在1936年年底解散的。

因此，荣春社不可能是在1936年年初开办的。

准确地说，荣春社是在1937年年初筹建，1938年春正式成立。

实际上，起初，尚小云并没有创办科班的主观意识。在尚长春退出长庆社、长庆社随即解散之后，尚长春再一次面临如何学戏的问题，是重新再找一家"科班"，还是重新再请老师上门传艺？入科班，除非能入富连成这样的大科班，但入富连成是不可能的。所以，唯一的选择还是聘请老师。

这次，尚小云考虑到一个老师教长春一个孩子，教得没劲，学得也没劲，没有比较，也不知道教得好不好、学得好不好。于是，尚小云决定借鉴陪读的方式，另外再找几个与长春年龄相仿的孩子，陪着一起学，也好让长春有个能在一起互相对对戏、打打把子的伴儿。

如何找到既与长春年龄相仿又有学戏愿望的孩子呢？尚小云很聪明地想到用广告的形式。于是，他贴出广告，招收十名9岁左右有意学戏的孩子。令他万没想到的是，广告刚刚登出，闻讯前来报名的孩子就远远超出了十名。看着孩子们和他们的家长渴求的眼光和急迫的神情，尚小云很是感慨：在他们那个年代，被视作"戏子"

的地位极为低下，除非贫穷困苦到吃不饱穿不暖的地步，家长是万舍不得送孩子入戏班的。如今，尽管也有不得已而学戏的孩子，但更多的，却是为学戏而学戏了。随着时代的进步，演员的地位有所提高，又因为班社体制的变化，而由原先的“集体挑班制”转为“名角儿挑班制”（即“明星制”）。学戏做演员，有了更多成名角儿、明星而一步登天、风光无限的可能。

有那么多孩子想要学戏，尚小云很高兴。谁说国剧正走向末路？只要一代紧跟一代地不懈坚持，莫说国剧不会走向末路，重振辉煌也不是不可能。有了这样的思想，也因为不忍心看其他“落榜”的孩子落寞和失望的眼神，他改变初衷，一下子收了十八个孩子。这十八个孩子，被尚小云戏称为“十八子”。他们也就算是荣春社最早的一批学生。

在十八个孩子的陪同下，尚长春又恢复了学戏。然而，尽管尚小云的招生工作早已结束，仍然不断有家长带着孩子来到椿树下二条的尚宅，要求加入，共同学戏。尚小云心软，想想，十八个孩子是教，再来十八个孩子，也一样地教。难道再收十八个？他征询夫人的意见，说：“不如就再凑个‘三十六友’吧。”尚夫人王蕊芳本就是菩萨心肠，对家里一下子拥入这么多孩子，不但没有埋怨，反而十分欢喜。于是，又一批孩子，又一个“十八”加入进来。

正是因为尚小云心软，他的有求必应，使他常常陷入为难境地，因为“三十六友”组成以后，还是源源不断有人上门，再三恳求尚小云收下为徒，甚至来人越来越多，到最后，几乎每天都有人堵在大门外、守在尚小云出门进门必经的路上。一旦被人“抓”到，他就无法脱身，被缠，被磨，让他十分头疼。怎么办呢？

一天，一家人和被请来的老师一起坐下来研究这个问题。有人说，有三十六个人了，已经太多了，不能再进人了，否则，连练功的地方都找不到了。又有人说，长春是属龙的，要不专收属龙的孩子，与长春凑成“一百条龙”吧。有人表示反对，这对其他不属龙的孩子，岂不造成歧视？大家你一言，我一语，争得热闹，唯有尚小云，笑嘻嘻的，并不插嘴。大家吵够了，这才回头看他，等他拿主意。好半天，尚小云用力拍了一下桌子，把众人惊得一激灵，只听他以其“铁嗓钢喉”大声说：

“干脆敞开大门，收吧。来多少，收多少，凑成一个富连成。”

他所说的富连成，其实不是存在着的富连成，而是科班的代名词。也就是说，他有意办一个与富连成类似的京剧科班。换句话说，荣春社科班是尚小云被无数迷恋戏曲舞台的孩子们“逼”出来的。

原本只是招收几个学生，陪着长春学学戏、练练功，如今却发展成了要办科班了。这可是件大事，不是说办就能办的，它需要校舍，需要教师，需要练功场地，这一切都需要钱。于是，有朋友极力劝说尚小云放弃这“荒唐的想法”。尚小云不听劝，而且振振有词：“自古道，前人栽树，后人乘凉，如果没有当年的三乐班，哪能有今天的尚小云？如果大家都不办科班，那么京剧今后还能有谁呢？我们不能一边为‘国剧走向末路’而痛心疾首，一边却畏首畏尾。我办科班，关系到京剧后继有人的大事，即使把家当摔了，我也觉得值。”

这也说明，尚小云此时已经完全下定了办科班的决心。而他这个人，一旦定下目标，是可以不顾一切的。“即使把家当摔了”，便显示了他的决心。不知道是不是上天为了考验他，事实印证了他的誓言，后来，他卖了七所房子、卖了一部车子，真的“把家当摔了”。

也许，艺人办科班，并不是件新鲜事。比如，富连成的创始人叶春善之前就是个文武昆乱、生旦净丑的全才演员。但是，少有艺人自己投资自筹经费办科班的。比如，富连成的经济后盾，之前是吉林财主牛子厚，之后是北京外馆[①]财主沈昆。与富连成齐名的中

① 外馆：在当时，往来于北京和蒙古一带做生意的人，被称为“外馆”。

华戏曲专科学校隶属于中华戏曲音乐院，而该音乐院是由国民党元老李石曾以其掌控的庚子赔款创立的。在尚小云的荣春社之后，于1939年成立的上海戏剧学校，是由实业家许晓初联合上海的实业家、企业家、影剧界名流和大剧场大饭店的经理等共同投资成立的。

因此，尚小云以艺人的身份自费创建科班，便成为轰动九城的大事件。而他张贴出去的“招生启事”，更成为大事件中的大新闻。它的内容几乎让所有人看了以后都不免目瞪口呆。启事中这样写道：

鄙人早年丧父，随母苦度时光。幼入科班，虽有教益，但历尽艰辛。古人言：“择其善者而从之，其不善者而改之。”为了使下一代新人免蹈先辈人身卑贱之覆辙，特招徒收生，举办科班之际，愿开风气之先，约法三章：

其一，入科学生均有人身自由，不立卖身契约；

其二，入科学生必从学习文化入手，革除盲不识字、口传心授之弊端；

其三，保证学生温饱，做到入科学有所获，出科职业有所保证。

这个“约法三章”，的确如尚小云所说，是开风气之先的。

关于第一项。尚小云之所以订立这样的约法三章，很大程度上缘于他自己的经历。当年，他是被“卖”给科班的，从此失去了人身自由，成为戏的奴隶、师傅的牛马，任打任骂，不得有怨言。他差点死在师傅的棍棒下，他的弟弟就死在师傅的棍棒下。他对这样的所谓“祖宗传下来”的清规戒律深恶痛绝。他虽然不是个多愁善感又怀恨记仇的人，但是，“七年大狱” 的科班生活，还是成为他心中永远的痛。那时，他弱小无助，他无力改变；如今，他有了改变的能力。所以，他一定要改变。他在学生报名时，经常将他自己的“卖身契”拿给学生看，让涉世未深的孩子们了解他们上代人曾经受过的屈辱，切身感受时代的进步。同时，他以此希望他们能够珍惜有着天壤之别的学习机会。

关于第二项，应该不算尚小云的创举。中华戏曲专科学校在1931年创办时，教学宗旨便是以教授京剧为主，兼授文、史、算术、英文等文化课。学校除了聘请京剧老师，如迟月亭、高庆奎、王瑶卿、朱桂芳、郭春山、曹心泉等知名京剧演员外，也聘请著名学者如华粹深、吴晓铃和剧作家翁偶虹等，出任文化课教师。实际上，“四大名旦”这一代的京剧演员，与前辈相比，已经有了很强烈的学习文化、提高艺术修养的意识和行为，所以他们许多人都能诗善画。但是，将学习文化纳入到约法三章中，却是尚小云首创。

关于第三项中的“保证温饱”，或许其他科班也并不难做到。但是，能够保证入有所获，出有所成，却需要足够的魄力和胆量。这也显出尚小云信心满满。

正因为这样的章程前所未有，所以一经传出，哗然一片。大多数人都不相信尚小云能够办得到。他们虽然钦佩他的信心他的决心，但他们认为在越来越动荡的社会环境下，在国家民族危在旦夕的艰难时局中，尚小云的理想，只能是空中楼阁，是虚幻的一个梦，于是便发出这样的感叹：“脱口而出容易，付之实施不易，难啊！”

对于局外人的怀疑担忧甚至嘲笑等各种复杂心态，尚小云视若无睹，他正筹划着该给科班起个什么样的名字呢。夜半时分，他躲在书房里，欣赏名人字画，把玩珍藏古玩，期冀它们给予他灵感。然而，他最后的目光还是落在“全家福”上。看着照片中的长子尚长春，他的心头一动。既然这个科班是因长春而设，不如就叫“长春社”？可是，这样也太直白了，毫无创意。他摇了摇头，自我否决了。但是，总得有长春中的一个字，以示纪念嘛。那么，是取“长”字，还是“春”字呢？想到“春”字时，尚小云想到了曾经的一个科班，梅兰芳的外祖父杨隆寿创办的小荣椿班。这个科班培养出了著名武生杨小楼、著名小生程继先和富连成的创始人叶春善，以及郭春山、蔡荣贵等。

小荣椿班之所以得以留名，之所以培养出像杨小楼这样的名角儿，是因为杨隆寿办社有方、治学严谨。如今，尚小云创办科班，小荣椿班是他的榜样，也是他的奋斗目标。于是，新科班的名字蹦了出来：荣春社，既与小荣椿相区别，在读音上却又与荣椿相合，表明他对小荣椿的尊崇以及暗含欲将“荣春”办成“荣椿”的意念，同时又有一个“春”字，“长春”的“春”，也不违背初衷。真可谓一举三得。妙啊！尚小云很满意自己的创意。他急奔至书桌前，研墨铺纸，然后取过一支粗毛笔，吸饱墨汁，提笔凝神，然后下笔，如疾风扫落叶。随即，“荣春社”三个字跃然纸上，粗壮、结实，却充满灵动，预示着“荣春社”必定茁壮而富有生气。

荣春社的正式成立

尚长春说过这样一句话：“过去的科班，在进行大量的教学之外，还要演出。”荣春社首次亮相演出，是在1938年3月。这年，尚长春10岁。尚小云以这次公开演出，宣布荣春社正式成立。从当初欲招生十名孩子陪读，到“十八子”，到“三十六友”，到“一百条龙”，再到现在，时间过去了一年，荣春社的孩子已经超过了两百。经过一年的学习、训练，这二百多个孩子能够演出的剧目有一二百出。可以说，荣春社已初见成效。

尚小云一向懂得广告妙处而善于宣传。在荣春社于北平中和戏院正式亮相时，也就是荣春社正式成立时，他特别印制了《荣春社科班纪念刊》，在梨园界免费发送。前来观看“荣春社”首场演出的观众也人手一册。

⊙《荣春社科班纪念刊》封面

这本纪念刊印刷很讲究，由位于李铁拐斜街的华昌制版社制版印刷，前后印刷了两次，首印了两万五千册，后又加印了两万多册。这在当时，四五万册的印刷数量是相当可观的。两次印刷的封面不尽相同，第一次印刷的纪念刊封面套色，图案为十八个孩子，有打腰鼓的，有打锣的，有举三角小旗的，旗上便是“荣春社”三个字，这象征着“荣春社”是由“十八子”开始的。第二次印刷的纪念刊封面是白底红色小花纹，上面是尚长春的一张戏装照，这象征着“荣春社”起意于尚长春。

纪念刊的封二是“本社特排新剧惊人预告”，上写：“本社所排全部名剧。戏，别开生面、奥妙无穷。”预告的剧目是：“剑侠神秘伟大名剧《崔猛》、《十龙探海岛》、《五鬼一条龙》、一至八本《太平天国》、上古服装节孝佳剧《娥皇女英》、八本《目莲僧救母》带游地狱、全部《蜀山剑侠传》、飞仙剑侠奇情伟剧《蛮荒侠隐》、大贤大孝伟大名剧《大舜耕田》。”看这些新剧目的名称，多是奇侠神鬼、民间传说，这与以往不少尚派剧目类似。显然，荣春社虽然聘请了各行当各具特色的名角儿出任教职，但荣春社的风格还是尚小云的，透出尚小云的个人喜好。

纪念刊的封三是荣春社全体学生一览表。它分为“荣”和“春”字两科。1941 年左右，荣春社招收第二期学生，分为“长”和“喜”字两科。

从纪念刊印发的人物肖像和戏装照，可以对荣春社的管理人员构成、挑大梁的学生，以及荣春社在以往一年内所学习的剧目，有个大致了解。

其中的肖像人物有：

创办人：尚小云。他也是名誉社长。

社长：赵砚奎。长期担任尚小云的琴师，自任社长后，就不能为尚小云操琴了。于是，尚小云的琴师改由赵砚奎的学生张长林担任。赵砚奎的儿子赵和春也在荣春社工作。

常年中医：陶振东。

常年西医：郭菊荪。

庶务主任：迟绍峰。他原来在重庆社担任管事。

总务主任：善宝臣。他主要负责荣春社的财务。

文书主任：王颉竹。他负责训育工作，兼授文化课。但是实际上，荣春社的课目并不多，也没有专门的文化课目。尚长春日后承认这是“一个缺陷”。

教育主任：张寰如。

其中挑大梁的演员和主要剧目有：徐荣奎、张荣林、黄荣俊、崔荣英、谢荣珊的《珠帘寨》；孙荣惠的《贵妃醉酒》；尚长春的《恶虎村》；尚长春、尚荣芳的《画春园》；孙荣胜的《托兆碰碑》；尚长春的《虎乳飞仙传》；尚荣芳、时荣章的《拾玉镯》；徐荣奎、孙瑞春的《八大锤》；孙瑞春、王福春的《长坂坡》；尚长春的《水帘洞》；罗荣亭、陶荣耀的《战樊城》；尚长春的《安天会》；尚长春、王永春、徐庆春的《凤凰岭》；尚长春的《义旗令》；孙瑞春、贾寿春的《连营寨》；尚长麟的《青石山》；尚长春的《五鬼一条龙》；王永春的《巧连环》；尚长春、赵和春的《曾头市》等，以及群戏《十龙探海岛》，和尚长春、贾寿春、孙瑞春、赵和春、王永春的练功姿势照。

从这份名单中可以发现：一、尚长春是荣春社的绝对主角，由他参与演出的剧目最多。看得出来，尚小云有意栽培长子成为梨园新一代领军人物。只不过，他并没有要让长春继承其旦行衣钵的打算。长春专工武生。二、“荣春社”的“荣”字科学员，学的是文戏；“春”字科学员，学的是武戏。尚小云有意培养旦角演员和生行演员，

⊙荣春社社长赵砚奎

因为他是旦角，尚长春是武生。三、尚小云的次子尚长麟也涉足戏坛了，尽管此时他不过才6岁，已经在《青石山》中挑大梁了。

与长春不同的是，尚小云有意让长麟唱旦角。这时，尚小云除了长女，只有两个儿子，他却让两个儿子都成为“唱戏的”，这与程砚秋坚决反对子女们入戏界形成鲜明对比。虽然不能说程砚秋瞧不起唱戏的，如果这样的话，那他岂不是自己瞧不起自己？只是因为他的自尊心过强，难以忍受艺人被人视为“下九流”而处于极低的社会地位，他不想让子女们重新陷于屈辱的境地。

与之相比，尚小云更加开朗更加洒脱。他也承认艺人的社会地位是低下的，总是被人瞧不起，但他很有自信，他自己从来没有瞧不起自己。他认为，只要自己知道自己是谁，自己瞧得起自己，别人的看法，理它作甚？何况，他非常热爱戏曲，非常喜欢唱戏，他从来也不认为“唱戏的是耻辱”。他的心底是纯净的。美国小说《飘》的作者玛格丽特·米切尔说过：“自卑的人偏要维护他的自尊”，这恰能说明，尚小云不是一个自卑的人。

关于荣春社

《荣春社科班纪念刊》里最重要的内容，便是尚小云写的一篇序言。序言长达近千言，除了一个“特请赵砚奎为本社社长，所有一切对外事项，均由赵君一人负责办理”的声明外，其内容共分五个部分：

一、关于创办荣春社的思想基础，尚小云在序言中首次公开披露：

窃以戏剧一道，关系市面繁荣，影响世道人心者至深且巨。溯自咸同光宣以来，人才蔚起，规律谨

严，前辈风徽，至博美誉；降及民初，我梨园事业，犹称极盛；近则老成凋谢，继起无人，丝竹中年，徒怀惆怅。加以同业子弟多半清贫，求学则膏火难供，为商则营谋计拙，饔飧不断，流浪堪虞！云也半生碌碌，力惭绵薄，纵匡扶之有志，终救济之乏术，平居论列，时切轸念。客岁始得排除万难，勉与诸朋好商酌，创设荣春社科班。

当年秋天，尚小云在为《立言画刊》撰写的文章《我对于演剧的感想与兴趣》一文中，在提及缘何创办荣春社时，他以一句话加以概括："近些年来，大家感到梨园缺乏人才的危机，所以我才下决心办荣春社。"两年后，他应《半月戏剧》编者梅花馆主之约，为该刊新年号撰写了一篇《我对于科班的感想》，文中再次提到他创办荣春社的动机："同时感到梨园现状……日渐没落，长此以往，旧剧艺术的精华，势将完全消灭……才产生这个荣春社。"又许多年之后，他在南京演出，回忆荣春社时，这样说："我感觉到京戏艺人自个儿力争上进是对的，但不应只偏重个人发展，同时还要致力于培养人才。"

在《荣春社纪念刊》里，还有一篇社长赵砚奎写的说明，同样也提到创办荣春社的原因。他这样写道："……而尚君此项组织，既无牟利企图，又非一时兴至之举，纯以救济梨园贫寒子弟及作育人才为目的，大义所在……"

这几种说法互相印证，便可以得出这样的结论：尚小云是为了京剧界后继有人而立志培养戏曲人才才创办荣春社的。虽然在开始时，他并没有如此清晰的认识，是源源不断要求加入的大量想要学戏的孩子及其父母对戏曲的渴求和向往，激发了他内心深处潜在的理想和精神追求，以及强烈的社会责任感。

二、关于荣春社宣布成立时在中和戏院的首次露演，"序言"道：

在诸生薄技初谙，本未敢遽出问世；乃昨岁津门实习以还，各戏院谬彩虚声，群相邀聘，而各界敦促出演函件，又复纷至沓来，迭承宏奖，转疑阿私，遂于客腊在中和戏院彩排试演，邀请各界友好责临批判。草草终场，幸无陨越，复荷谬赞，惭汗交并。兹应各剧院之聘，正式相继出演，事属草创，完美难臻，仍祈各界人士朋好故旧，乃我梨园诸老前辈，不吝珠玉，严加指正，俾得遵循改进，诸生幸甚，云亦幸甚。

正如尚小云所说，荣春社公开亮相，是为了接受“各界友好责临批判”的，因而头三天的戏，完全用来招待各界友好，并不论票房。虽然演出的是荣春社的学员，但是，演出顺序还是严格按照旧俗，符合传统演出程序。比如，开场是《跳灵官》，接着《跳加官》，然后《跳财神》，之后，才是正戏。第一场戏，是群戏、舞蹈戏《天官赐福》，由荣春社里数十个10岁左右的孩子参与演出。他们化着彩装，穿着各色戏曲服装，跳着、舞着，很热闹。他们跳得很认真，也正是因为认真，所以也很滑稽，惹观众捧腹，也得他们的喝彩。

之后的戏码分别是《御果园》、《文章会》、《鸳鸯桥》、《珠帘寨》，最后的大轴由尚长春担纲，戏目是《水帘洞》。这出戏取材于古典小说《西游记》，一群猴子的故事，很适合孩子们表演。与长春配戏的有“荣”字科学员徐荣奎、崔荣英、时荣章、尚荣芳、罗荣贵等，“春”字科学员王福春、贾寿春、孙瑞春、耿雨春等。尚小云呢，穿着整齐，倒背双手，立于台帘后，为孩子们把场。

三、关于荣春社所聘教师，尚小云在“序言”里这样写道：

成立以来，先后招收同业及亲朋子弟二百人，量才施教，

⊙荣春社成立三周年全体教师在北平同兴堂饭庄合影

各授技艺，期于培植孤寒之中，兼寓作育人才之意，所聘文武昆乱各行教师二十八位，均系云深交至好，又皆艺业精纯，极负时誉者。

师资力量雄厚，是荣春社科班的最大特色之一。荣春社的教师人数，被认为“居当时私人创办科班之首”[①]。尚小云所说“教师二十八位”，是在荣春社初创时的教师人数。1941年3月，荣春社成立三周年之际，尚小云召集全体教师，在“同兴堂”饭庄合影留念，这时，教师人数已达38人。在荣春社达到顶峰时，教师人数更多达50人。这是北平大多数科班所无法与之相比的。正如尚小云所说，他聘请的教师，不仅为其“深交至好”，更是“艺业精纯，极负时誉者”，主要包括四类：

第一类为著名演员。如：尚和玉、程继先、筱翠花、王凤卿、阎岚秋、戴韵芳、李洪春、于永利、罗文奎、钱富川、郭春山等。他们与尚小云素有交谊，不仅有较高的文化素养，更有丰富的舞台经验，其中大多数人收过徒弟，对于传授技艺，也有心得。尽管他们是荣春社的骨干，是尚小云离不了的得力助手，但是，他们却是获薪最少的。不仅仅因为他们与尚小云感情笃深，更因为他们赞佩尚小云自费办学的无畏精神，而对他的行为积极支持，所以主动不取报酬。不过，尚小云总是在逢年过节时，给他们每人送上一份礼物，以示感谢。

第二类为曾经或者正搭班重庆社的著名演员。如宋富亭、高富远、高福全、孙盛文、范宝亭、沈富贵等。尚小云每个月付给他们的薪水并不高，他们要求的也不高，他们说，他们在重庆社演出，有戏份，为荣春社的学生说戏，算是理论与实践相结合，所以也没有理由获取更高的报酬。

第三类为技艺精湛、擅长翻跌扑打的武功教练。这部分人主要

① 马少波：《刚阳不阿　艺如其人》，《京剧艺术大师尚小云》，陕西人民出版社1990年4月版，第32页。

是重庆社跑龙套和武打演员，本身的戏份就不多，所以，他们在荣春社的薪酬是比较优厚的，尚小云每个月都固定发放。

荣春社除了有一批固定的教师外，尚小云为请到其他有专长的人来社临时授课，不惜花大价钱。有的时候，为了学某位演员的某出拿手戏，他可以领着学生上门恳求，很大度地让学生磕头拜师，而毫无门户之见。有的时候，同样一出戏，他同时请几个教师教，以此让学生接触到不同流派的不同演法。

对任课教师，尚小云很照顾。每天早上上课前，管杂务的都会给有课的老师送上两套烧饼麻花和一壶茶。中午，老师的伙食比学生好，八菜一汤，八人一桌，每天都有几桌。特别有名望的、或者曾经是尚小云的老师，如孙怡云等，都由尚小云陪着，在前院单独用餐。

尽管如此，尚小云对老师们还是有着很高的要求。他经常去观摩老师们上课，看他们的课教得怎么样，学生学得怎么样。如果发现老师态度不认真，或者课教得不得法，他会毫不客气地指责道："我花钱请你，你得实授。你不实授，学生们将来到外头演出，人家一问，哪儿的？荣春社的。谁起的荣春社？尚小云。我挨这个骂？"在他的督促下，老师们不敢有丝毫懈怠。

四、关于具体的教学，尚小云在"序言"中也有所涉及：

初意小试其端，未必便有成就，是以创设以来，夙夜在心，兢兢业业，不敢荒废。自朝迄夕，除经各教师尽心教练外，举凡生旦净丑各角，以及杂末龙套之微，咸由云亲加纠正指导，始而逐一个别教练，继以共同轮流演习，互为砥砺，众相观摩，历时一载，共能剧二百余出，皆经云亲自过问，排演多次，绝不令稍有疏懈挂漏之弊。

⊙1938年12月1日，尚小云率荣春社学生赴天津演出。受到天津各界热烈欢迎。这是王伯龙设宴招待尚小云一行

在荣春社，尚小云是创办人、是老板、是东家，兼管理人员，也是教师之一。虽然他的演出任务很重——他不能不演出，因为要挣钱维持荣春社巨大的日常开支，但是他对荣春社的管理一刻也不放松。尚长春曾经回忆说：

“起社后，父亲从早上察看学生上课，一直到晚上亲临舞台为学生把场，几乎把整个身心都扑在学生身上，光是每天往后院科班跑，都得有几十次。”

弟子孙荣蕙回忆说：“记得荣春社科班在演出时，尚先生总是每场都站在下场门处监督，一招一式地指点，数十年如一日，从不放松。这就是在京剧界广为流传的尚小云亲自登台把场的佳话。”[①]

学生们对于尚小云每场戏都要亲自把场，既高兴又害怕，有师傅在旁边，气足腰板硬；害怕于师傅太严厉，不容丝毫差错和偷懒，否则就得挨骂、挨板子。尚小云把场时，神情变化很大，学生演得好，他很开心，笑容可掬，有时还会随着腔调轻打着拍子。可当演得疙疙瘩瘩的时候，他就会双眉紧蹙，脸色转阴。

排戏时，如尚小云自己所说，“亲加纠正指导”；演戏时，特别

是在演大轴戏时，他必定昂首站在下场门台帘那儿，两手背在身后，两眼炯炯有神，头发一丝不乱，古铜色长袍，挽着雪白的袖口，神采飞扬，气度非凡。经常地，他这样一站就是一个晚上，只要有荣春社的演出，他大都如此。他一方面的确是在为学生们把场，一方面是以他的名望，为荣春社做着宣传。观众看见台帘旁的尚小云，给予荣春社的掌声也就更加热烈。

荣春社初演时，尚小云邀请杨小楼在学生演出之后合作《湘江会》。他很聪明，他的目的就是使观众为了看《湘江会》，而不得不顺便看荣春社学生的演出。有的时候，为了得到观众对荣春社的支持，他又在学生主演的剧目中，客串一个角色。最值得称道的一次客串，是他在《四郎探母》里饰演萧太后。

那是在 1939 年 2 月 14 日，农历腊月廿六，那天是荣春社成立之后第一次演年底封箱戏，主要剧目就是《四郎探母》。起初，参与演出的学生都以为只是他们自己演。等到了中和戏院，看见前台有块牌子，上面写着："今晚特为酬谢观众——尚小云饰萧太后"（另有一种说法，牌子上写的是"特烦尚君小云——《四郎探母》太后"）。他们这才知道，原来尚老师将和他们一起演出这出戏，而且扮演他从来没有演过的萧太后一角。

观众也是在进场后才发现他们有意外收获。因为他们买的是两角一张的票，原以为看到的只是荣春社学生演的《四郎探母》，却未料还能看到尚小云首次饰演其中的萧太后，而且"萧太后"这个角色，长期以来一般都是由二路旦角演员饰演，头牌旦角从来不会自降身份饰演这个配角。如今，能够花"听小孩儿"的票价看名角儿演配角，观众不免大呼过瘾。

当时的角色安排，除了尚小云的萧太后外，其余角色均由荣春社的学生扮演，尚小云以前常演的铁镜公主由孙荣蕙饰演，吴荣森

① 孙荣蕙：《尚派艺术流芳百世——纪念我的师傅尚小云先生》，《京剧艺术大师尚小云》，陕西人民出版社 1990 年 4 月版，第 68 页。

饰前四郎，徐荣奎饰后四郎，罗荣亭饰杨延昭，时荣章饰大国舅，郭荣相饰二国舅，张荣林饰佘太君等。尚小云的这个行为，实际上是以身教替代言传，让学生在实践中学习。

对于不同行当教师的不同分科，尚小云也有细致安排。比如：

基本功教师有：耿明义、陶玉正等；

旦角教师有：孙怡云和其子孙甫亭、筱翠花、李凌枫、朱盛富、陶玉芝、孙少华、贾多才、罗小奎等；

老生教师有：蔡荣贵（曾经教授过马连良）、王少芳（尚夫人王蕊芳的侄子）、韦三奎（尚小云在“三乐班”坐科时的同窗）等；

小生教师有：程继先、姜妙香、尚富霞、萧连芳等；

武生教师有：丁永利、钱富川、沈富贵等；

净角教师有：范宝亭、宋富亭、孙盛文、李洪春等；

丑角教师有：郭春山、高富远、高富奎等。

经常性地，当学到某出戏时，尚小云就会请来演这出戏最拿手的演员为学生们说戏。比如，老生戏《宝莲灯》，王凤卿演来最得心应手，尚小云就请王凤卿专门指导这出戏；《宁武关》、《贩马记》、《探庄》等戏，则票友包丹庭最拿手，尚小云对票友从来没有偏见，一样请他来指导；《梅玉配》、《娟娟》等花旦戏，是筱翠花的代表作，自然由他来传授。除此之外，尚小云也常领着学生到王瑶卿的家上门求教。尚长春说：“程砚秋先生有时也来科班看看。”

尚长春对社里教基本功的耿明义先生的印象，记忆深刻。他评价耿先生“是最出力的，是班主任，又是教师，而且什么事都管。他的家住在科班附近，但他经常不回家，住在科班，晚上看学生睡觉，早晨叫学生起床。”类似耿先生这样敬业的老师，荣春社里还有许多，这就保证了科班的教学质量。

说到武生老师丁永利，还有这样一则有趣的故事：

据说，当年凡是在京城的武生演员，没有不拜丁永利的。丁永利是杨（小楼）派的继承人。杨小楼因性格原因，不爱收徒，他的杨派艺术的传播，很大程度上依靠的就是丁永利。有人说，真正得杨小楼亲授的只有两个人，一个是女婿刘砚芳，一个是孙毓堃，除此之外，其他杨派传人的杨派艺术其实都是由丁永利所授。可见，在武生行，丁永利有着怎样高的价值和地位。

尚小云与丁永利是邻居，都住在椿树下二条，两家斜对门。当尚小云决定让尚长春入戏界学武生时，不可能不想到丁永利这个人。应该说，让长春去拜丁永利为师，是理所当然的。单就方便而论，长春也似乎应该拜师丁永利，学戏时，一抬脚就到师傅家了，更何况丁永利在武生行，是数一数二的人物。

但是，最初，尚小云却没有让长春拜丁为师。他当时的心理状态与众不同：为什么所有戏班里学武生的都得跟着丁永利呢？这样的疑问，表面上看似乎是明知故问，但实际上，也不是完全没有道理。武生行只有杨派吗？武生演员都必须继承杨派吗？尚和玉也是武生能者，尚派就可以忽略吗？难道武生演员就不能学尚派吗？因此，他对所有武生都拜丁永利为师颇不以为然。

从这件事可以看出，他性格中有执拗的成分，甚至还有逆反的心理，当然也有骄傲。这个“骄傲”，不是瞧不起人，看扁别人，而是不人云亦云，不一味从众，他有主见，有个性。难怪曾经有人只用两个字评价尚小云：“性傲。”

戏班里学武生的都跟着丁永利，是冲着丁永利是杨派传人去的，而丁永利除了演戏功夫，对戏曲教育也很有独到见地。很多情况下，一个好的演员不一定是好的教育者，而丁永利却两者兼备。尚（和玉）派在武生行的确也卓有建树，但学习尚派，未必会妨碍学习杨派。何况客观地说，杨派表演技艺更全面、更精致、更富有内涵。杨小楼的“国剧宗师”也不是随便封的，他以其独特的“武戏文唱”的表演方式将京剧武生艺术提高到了一个全新的水平。从

⊙尚长春之《八蜡庙》

这个角度说，武生演员热衷学杨，不但是可以理解的，甚至是必然的。

随着尚长春年龄的增长，能戏的增多，尚小云意识到长春若专工武生，还是应该请一位武生专门老师为他传授技艺，否则，他虽然领受过许多老师的教诲，学得杂，学得多，但在武生行却不够专，也不够精。这时，也有人向尚小云建议，要让长春“走正路”、“从上品”，还是应该拜丁永利为好。

这个时候，尚小云动心了。不过，他知道此时向丁永利提出拜师，丁永利必不会答应。当他对武生演员都拜丁永利表现出相当的不以为然时，有好事者转告给了丁永利。在丁永利看来，这个“不以为然”就是不屑，就是瞧不上，就是看低。丁永利也是很有脾气的人，他对尚小云，很有气。

尚小云“性傲”，但他却不是个放不下面子的人。他的“傲”，不是不分场合，不分环境，不由分说的傲慢。当他认为有必要时，他从来不会因为所谓的自尊而紧绷着身价。这类事情他看得很开，心态也调整得很好。眼下为了儿子的前途，他愿意低身求人。他托人去请丁永利。

丁永利心中还有疙瘩，对尚小云的请求不大愿意，没有答应，但是，也没有一口回绝，只是开出了比较高的条件。他想以此方式试探尚小云，看他是否真的有诚意，真的改变了过去的观念。他想，如果尚小云答应了，说明确有悔意，那就好办，不就是多收一个徒弟嘛，无所谓，何况长春这个孩子也有前途；如果尚小云不答应，自己也没有损失，反而还保住了面子。

丁永利提出的条件包括：举行隆重的拜师礼，焚香叩头、大摆宴席、赠送厚礼和大红包等，一个也不能少。除此之外，丁永利还要求：每天中午在尚家吃饭；教戏时，身边不得有旁人，实则暗示尚小云不得在一旁盯着。在外人看来，这些条件不免苛刻，但尚小云却没有二话，一一答应。

拜师礼在前门外的同兴堂举行，仪式全部按照老规矩，很讲究。尚小云摆了几十桌酒席，几乎将在京城的所有演员都请来观礼。他另外还备了四样厚礼，取“四四如一”之意，还给丁永利奉上一个大红包。尚长春叩了头，正式拜了师。

授课第一天中午，丁永利真的就在尚家吃饭，而且当仁不让地坐在主位。尚小云作为家长，一旁作陪。荣春社的部分管理人员和教师也在座。席间，尚小云向丁永利敬酒，自然要说一些“严格管教”之类的客套话。丁永利端起酒杯，不喝，也不言语。座上的人都很紧张，包括尚小云，不知丁老板将有何惊人之举。停了好一会儿，丁永利大声对尚小云说：

“今儿个，你用着我了吧！”

不等尚小云反应，他一仰脖，喝干了手中的一杯酒，啪的一声将酒杯掼在桌上。他的这句话，显然含有指责与不满。在座的所有人都惊住了，不敢言语，也不敢偷眼瞧尚小云。他们在心里嘀咕：你丁老板有火气，脾气大，尚老板可也是点火就着的主儿，这谁不知道啊，你这不成心找茬吵架嘛。大家按捺住心跳，紧张地等待着尚小云发脾气。家人更是猜想：他又要掀桌子了。

然而，尚小云非但没有半分不悦，反而接过丁永利的话头，说：

“干吗今儿用着您哪，往后都离不了您啦！”随后，他哈哈大笑起来。他的满不在乎，他的爽朗大笑，一下子就缓解了紧张气氛。大家随之放松下来，你一言我一语地胡乱打着岔，试图平息丁永利的怨气。实际上，尚小云的那句话，已经让丁永利的气消了大半。一句“往后都离不了您”，让丁永利听出了恭维的成分，也让他看到了尚小云的低头。这让他的心里舒坦了许多。其实，他的挑衅，无非是自尊心作祟，一旦当面从尚小云那里得到尊重，他也就不气了。

尚小云的有个性，不仅仅在于他性傲，更在于他懂得在有些时候，能够放下身价，能够分清利弊而不犟牛似的坚守所谓的自尊。就像当年他为了提高技艺，主动恳请与龚云甫合作，即便遭受讥讽和嘲笑，也不改初衷。

五、尚小云的“序言”中，还论及到日常生活中的饮食起居、卫生健康：

> 至于诸生饮食起居，则悉委专人照料，务求安适，并聘请名中医陶振东先生、名西医郭菊荪先生为本社常年嘱托医士，随时指导卫生设备，以重诸生之健康，此本社成立以来之大略情形也。

关于饮食起居问题，虽然尚小云只说了一句“委专人照料，”实则包含的内容相当丰富。他对学生的衣食住行都有细致规定，并且事无巨细，都要过问。

衣：荣春社一年一次给学生统一发服装。冬天戴航空帽[①]，穿青布棉袍罩大褂，戴白手套、白口罩；秋天戴瓜皮小帽；夏天戴德国盔，穿竹布大褂。为此，尚小云雇了三个裁缝，每年到发服装时，裁缝们都得应尚小云的要求，到位于大栅栏的最有名的瑞蚨祥布店购买许多衣料，拿回去自裁自做。

这些服装应当算是荣春社的社服，是用来外出时穿的。集体外出时，学生们统一服装，每人都在胸前佩戴一枚社徽。社徽呈圆形，上面有一个金元宝的图案，下面写着“北平荣春社科班”几个字。当然，社徽是尚小云订做的。

20世纪60年代初，尚小云应邀给青年演员讲学，在谈到扮戏问题时，他说：“要尽量给观众好的印象，感到你的扮相干净漂亮。我们旦角演员扮戏，讲究三白：手、脚、项。武生、小生的三白是：靴、袖、领。”虽然他谈的是扮戏，但也可以看出，他很注重仪表，讲究整洁干净。学者黄宗江曾说，尚小云留给他的印象是，“便装黑绸褂，挽着白袖口，人虽已入中年，却仍风采翩翩”。[②]

当人们在街上看见一群统一服装、胸前佩戴着社徽、每人都戴着雪白无瑕的白手套的孩子们时，就知道，那是荣春社的学生。仅从着装上就可以得出这样的结论：荣春社是一个讲究规范、纪律严谨的新式科班。每有演出，学生们穿着社服，排着队穿过琉璃厂去往戏院。半道上，一辆黑色轿车随即跟上来。街边的市民悄悄议论：那是荣春社，那是尚老板的车，今儿又有演出了。

至于戏服，尚小云就更讲究了。大量排演新戏，是荣春社的特色之一。每排一出戏，尚小云都要为配合这出新戏的演出新订制戏服。有时，他自己亲自参与设计戏服。一出戏有一出戏的戏服，长此以往，科班的戏服多了很多。对于戏服的制作，尚小云也从不马虎，对做工用料都有严格要求。所以，尚长春说：“我们一套服装往往是别人三套服装的价格。”

看得出来，尚小云为荣春社，是不惜血本的。这固然能够使科班上规模上档次，但也意味着他在经济上的付出是巨大的。虽然日

① 据尚长春回忆，这种航空帽上有一个风镜。北京冬天风沙大，学生外出时，可以将风镜放下挡风沙，可以起到保护眼睛的作用。

② 黄宗江：《京剧艺术的生命》，《京剧艺术大师尚小云》，陕西人民出版社1990年4月版，第62页。

后他卖房卖车有其他客观原因，但也显然与他的办学思路、管理方式有很大关系。

尚小云对学生在练功时的穿着未做要求。学生自备练功服、练功鞋，只要不影响练功，穿什么都行，不穿也行。三伏天，有些孩子怕热，便光着膀子挥汗苦练，这时，尚小云也不说什么。有的老师也认可，但是，有的老师认为即使练功也得穿戏服，否则上了舞台，怎么能够适应呢？比如沈三玉老师，就要求学生在练功时，不但要穿练功服，而且还要多穿，凡舞台上穿得着的尽可能都穿上，直到几乎动弹不得。这样做确有好处，平时练得苦，上了舞台，就轻松了。对各个老师的不同规定，尚小云从不干

⊙黄荣俊、张荣林、徐荣奎、崔荣英、谢荣珊之《珠帘寨》

涉，一律尊重。

食：荣春社的学生在荣春社成立时有二百多，后来不断有所增加，最多时，高达五百多人。这么多人，若站在一块儿，嘴巴一齐张开，一定是个可怕的景象。而这些嘴巴的主人，都是正在长身体，苦练功的青少年，他们的胃口，他们的消化力，都不是开玩笑的。所以，荣春社的厨师基本上维持在十几个，承担着数百人的伙食，工作量很大。

在饮食方面，尚小云一样很大方，从不吝啬克扣。他常对负责财务的善宝臣说："孩子进入科班，父母亲就把一切交给我们了。人常说，在家靠父母，入科靠老师。我们得把这些孩子当作自己的亲生子女对待。"

因此，他对厨师们的要求极高。他规定：每日必须有三餐。早餐，豆浆油条。同时，他也允许学生们自己掏钱买烧饼麻花，作为补充。当时，有一个姓王的小贩专门在荣春社门口，做小吃生意。午餐和晚餐，主食以面食为主，也有适量米饭，很少或基本不吃杂粮，同时必有菜有汤，还要有肉。如果下午 1 点钟有戏，散戏后，3 点钟左右，参加演出的人，每人必有三个芝麻酱烧饼。

另外，尚小云要求每个月改善一次伙食。逢年过节，他就让学生们回家，与家人在一起吃顿家常饭、团圆饭。隔一阵子，他也会安排厨房为学生们包一次饺子。因为人实在太多，十几个厨师全部动手也来不及包，只好另外再请十几个帮工来帮忙。有的帮工因为连续不断地擀饺子皮，手都磨破了。

尚小云不但要求让孩子吃饱，而且还要吃好。尚长春曾说："新鲜菜下来时，学生准是吃头口儿。这个条件，在当时的科班中算是上等的。"

每天中午 11 点 45 分，学生们结束练功。然后，他们洗脸、洗手、搭桌子[①]，再面对面坐下，准备吃中饭。一般来说，六个学生一组，每组两盘菜、两碗汤，都是大盘大碗盛装。饭菜上桌，学生们一一就座，却并不动筷子。然后，由当天值班的学生负责到前院去请尚小云。

尚小云来到桌前，挨着个儿将菜、汤一一尝过。觉得可口，他就说："你们吃吧。"觉得不可口，他就眉头一锁，狠狠地说："不行，重做！"一旁等着的厨师会紧赶着将这道菜拿回厨房回炉。这样的程序，每天两次，雷打不动。有一次，他尝了菜和汤，发现油少味又不正，大怒，脾气上来了，抓起一根藤杆儿，将桌上的盘盘碗碗、汤汤水水全部扒拉到地上，还不解气，拎着藤杆儿冲到厨房一阵子猛砸，一边砸，一边高声叫骂：

"你们就给孩子们这饭吃？我的钱花在哪儿了？你们指着谁吃饭呢？你们是指着这些孩子，是他们演戏挣钱养活了你们。你们知道吗？"

骂累了，砸累了，他歇下手，想想还有气，说："我不用你们了，都给我走！"

回头看看没有饭吃的学生，他怜惜地说："你们都去门口买烙饼卷酱肘子吃。凡是回民的，都到前门的月盛斋买酱牛肉吃去。"

孩子们高兴极了，欢天喜地地跑出去，各自找好吃的东西去了。

这时，尚小云也平静了下来，他将管财务的和所有厨师集中在一起，开始训话："我儿时的科班生活如同昨天，决不能成为这些孩子科班生活的今天。这地方是贴本培养京剧人才的地方，不是赚钱图利的场所，不能在学生的伙食费上揩油。我告诉你们：资金不足，缺这少那，却要求伙食像样，那就叫好媳妇难做无米之炊，责任在我，我负责保证伙食费用。但是，因你们身懒或者揩油，降低学生伙食标准，那可就是你们的事了。我可就要找你们算账了。"

① 所谓"搭桌子"，就是将四张长条桌子拼在一起。

从此，厨师们无不小心谨慎，再也不敢出半点差错了。至于克扣、揩油，那更是想都不敢想的。不管是荣春社的学生，还是他们的家长，对科班的伙食都毫无怨言，相当满意。

住：荣春社的规章制度是，必须按时作息，不许偷睡懒觉和大声喧哗，不许迟到早退，必须坚持住在社里，不许随便外出他住等。

行：一般而言，学生不得随意出社。外出，多是去戏院演出。尚小云规定，必须排队进入剧场，不许拖拉掉队等。

关于卫生健康问题，尚小云在“序言”里只提到“名中医陶振东”和“名西医郭菊荪”。这两位医生负责学生平时的医疗，如果病情严重，需要住院的话，尚小云早就与位于李铁拐斜街的顺田医院的院长董子鹤联系好了，将这家医院作为荣春社的专门住院医院，又联系了一家由日本人开办的园田医院作为急诊医院。科班学生练功是首要，因此，骨折是经常发生的。为此，西单报子街的徐泽川被尚小云请来，作为荣春社的接骨医生。

这一切都是为了学生看病的，而尚小云更重视对学生日常卫生习惯的培养。他规定，每人必须准备洗漱用具一套，早晚都要刷牙。为保证学生每星期能洗一次澡，他包下椿树二条枣林胡同的一家浴室。

平时养成良好卫生习惯，病时能够及时得到治疗。因此，荣春社在存在的十一年多的时间内，没有一个学生患过疥疮和秃疮。这两种病，是旧时科班、戏校学生的常见职业病。至于食物中毒、传染病等，也从未发生过。这在当时的环境下，是非常难得的，也是不可思议的。

千字“序言”，不可能涵盖尚小云为荣春社的所有付出。“序言”之外，还有更广泛的内容。

荣春社初创时的社址，其实就位于椿树下二条1号的尚宅后院。后院有十一间房子，尚小云腾出其中三间做厨房，四间正房作为

⊙ 1938年，尚小云与荣春社部分学生摄于北平椿树下二条1号家中（左起：孙荣蕙、徐荣奎、尚长麟、尚小云、李荣安、尚长春）

学生宿舍，中间的是佛堂，供奉着梨园祖师爷。因为后院的院子相当大，学生练功就在院子里。院子的地面原先是砖地，为避免学生练功受伤，尚小云斥资在砖上铺上厚实的地板。冬天，他在院子里搭个巨大暖棚，四周装上玻璃，风雨不进。三九寒冬，学生们却可以在温暖如春的暖棚内自由练功。夏天，他拆掉暖棚，搭个巨大席棚，通风遮阳，三伏酷暑，学生们却可以在凉爽的席棚内练功自如。

随着学生的日渐增多，尚宅后院显然不够大了。尚小云便在椿树上头条13号（余叔岩就住在椿树上头条）租了一所房子，又在西草厂租了一所房子，全部用来作为社址。这三处房子，椿树下二条1号尚宅，被称为荣春社总院，学生学戏、练功、吃饭都在这里；椿树上头条13号，被称为南院；西草厂的房子，被称为北院，是学生宿舍，有时也用来授课练功。

说到练功，尚长春说：“我们练功的条件还是不错的，那时虽没海绵垫子，可我们翻大跟头时，用很厚的长条毡子，外面包上麻袋，麻袋外面再纳上水龙布做成的垫子，练小跟头时，有两块小地毯。”可以看出，尚小云一方面对学生的练功要求十分严格，同时也很注重安全性。

严明的纪律，是荣春社得以维持十多年的重要保障。尚小云对社风、社纪抓得很严，除了衣食住行方面有严格的规章制度外，在行为举止方面，他也有详细规定，比如，必须忠诚老实，不许诈骗撒谎；必须行为端正，不许抽烟饮酒和沾染吃喝嫖赌恶习；必须端正台风，不许外人进入后台等。

在当时环境下，演员中普遍存在赌博现象。尚小云却从来不参与，至多在腊月三十，和学生们一起玩一种叫做“状元筹”[①]的游戏。游戏时，他总是故意让学生赢。有时，他为了不让学生看出他是故意输的，以免使学生心里不安，就偶尔赢一两次。即使他赢了，他也会把赢来的钱，包括老本儿，全部留给学生。这种游戏，对于赌徒来说，是赌博，对于尚小云来说，只是游戏，图个热闹和喜庆，也是为了拉近和学生之间的距离，因为他在平时的学戏练功中，是相当严厉的。

无论玩得有多高兴，无论谁赢谁输，无论是否尽兴，一到夜里12点，他准时叫停，不准任何人再继续玩下去，同时催促大家回去睡觉。他自己很重视睡眠，每天的睡眠时间，无论怎样都要充分保证，这是出于健康考虑，也是为了演戏时能有好的体力。他很讲究身体保养，经验就是：“饮食起居必须随时注意，凡是有害于身体的嗜好，绝对不沾它”。他自己如此，也对学生有这方面的要求。正是因为他事无巨细地严格管理，荣春社在存续期间没有出现过酗酒、闹事、赌博和打架等不良行为。这又是一个奇迹。

尚小云的严厉，使学生们对他有更多敬畏，这自然是学戏的需要，也是管理班社的需要。他对学生的严厉，缘于他为人处事的绝对认真。特别是对于演戏，他更容不得别人有丝毫差错。20世纪50年代，他到佳木斯演出。有一天晚上，正唱得起劲儿，鼓师不知道为什么，突然打错了一个鼓点，一下子就打乱了尚小云的演唱节奏，幸好他机智，及时挽回了错误。虽然这个小插曲，一般观众感觉不出来，但尚小云还是对鼓师犯的错，怒不可遏。下了台，平时温文尔雅、态度谦和的他，像换了个人似的，一把将自己身上的小褂扯开，一排纽扣瞬间应声而飞，蹦落一地。然后，他猛扇自己的耳光，边扇边叫道："我是个棒锤，五十多岁的人了，还搽胭抹粉地跟你们扯这个……"大家见他真动了气，一时有些手足无措，好半天才缓过神来，赶紧推那鼓师上前道歉又说情，又赔礼，好不容易才让他的怒火平息下来。接下来的演出，人人都打起十二分精神，不敢有任何懈怠。

如果有人做错了事，尽管平时交情深厚，他也可以当即翻脸，甚至许多天都不搭理那人。他还有一个让许多人啼笑皆非的妙招：一旦生某人的气，就在会客室门口挂上一块牌子，上面写着"×××莫入"。

琴师、管事赵砚奎有一次没有把事情办好，尚小云很生气，不想理他。赵砚奎自知有错，便到尚宅，想当面认个错，可来到会客室门口，抬头一看，门上挂着牌子，上面写着："赵砚奎莫入"。他跟随尚小云许多年，对他的脾气是了如指掌的，知道此时是绝对"莫入"的，便叹口气，走了。正因为他深知尚小云，所以也知道尚小云的气不会长久，转眼就会忘的。果然，第二天，尚小云竟主动打电话给他，还问他："你昨天怎么没来呀？"赵砚奎一时语塞，认错的话也说不出来了。

① 状元筹：据尚长春介绍，这种状元筹是由象牙做的，签状，上面画有人物，写着状元、秀才等字。

“一个嘴巴五块钱”

尚小云的严厉，更多表现在不容学生在舞台上有丝毫差错。如果某一次的演出，学生或有松懈，或有错处，散戏后，他必定不允许卸装，而是要求他们从头至尾重演一遍。这个时候，台下，只有他一个观众。他坐在台下，一边观看，一边纠正错处。一般来说，夜戏散场后，已近午夜。如此重新演，重新排，重新纠错，结束时，往往天光已经微明。学生们疲累，唯有尚小云，两眼依然发光，嗓音仍如洪钟。在艺术面前，他的精神总是亢奋的。

至于每天练功，尚小云更是要求严格。有一句话，他常挂在嘴上：“饭要天天吃，功要天天练。”只要他没有外出演出的安排，他对学生练功情况的督促和检查，就从来不会停顿。在学戏方面，他从吐字发音到归韵收音都有要求，每字每句，非达到字正腔圆、抑扬顿挫不可。在快慢轻重、气口安排上，又非要求与剧情紧密结合而达到声情并茂不可。如果有不合之处，他从不放过，一定要求学生反复练习，直到练准练好为止。

当时，尚小云在教授长春、长麟学习《汉明妃》时，要求他们每天练功三四遍，不分寒暑，一直练了三年，才让他们正式登台。在教授长麟学习《祭塔》时，一个星期只教了一句导板。在经过一个相当长时间的学习后，他才放心让长麟演出这出唱工戏。弟子孙荣蕙曾经回忆说：“师傅特别注意脚步上的功夫，让我穿着厚底的不跟脚的‘老头乐’、大毛窝跑圆场，还练《御碑亭》‘避雨’一场的三个滑步。我摔了一百多跤啊，但这样苦练，穿着彩鞋上台就感到轻松了。”

尽管现代教育观念并不完全拒绝适度的体罚，因为这有助于提高教育效能，但还是有人认为，荣春社也有不够文明的地方，那就是因为尚小云的过于严厉，科班仍然没有摆脱打骂学生的旧习。

⊙尚长春之《水帘洞》

荣春社正式成立公开亮相时，尚小云就打人了。不过，他打的是他的儿子尚长春。所以说，他并不只是打骂学生，一样也打骂尚长春。可以看出，他的打骂是对事不对人，是他认真于艺术的一种表现。

第一天的演出，大轴是由尚长春担当的《水帘洞》，他演猴子孙悟空。上场后，唱了一曲[粉蝶儿]：“水洞英豪，气昂昂水洞英豪，美猴王菩提得道，俺这里仗神通变化奇巧。碧山头，金光现，星移月照。”接下来，该念诗了。也许是头一次担任如此重要角色，只有10岁的长春太兴奋了，也太紧张了，竟然忘词了。想了半天，就连第一句诗，他也想不起来了。

正在台帘后把场的尚小云见长春半天念不出词，沉不住气了，有些气急败坏地直嚷嚷：“怎么不念词儿啊？你他妈的怎么不念词儿啊？”一着急，他又骂人了。可是，他越是如此，长春越是紧张；越是紧张，越是想不起词来。

长春急坏了，又没有随机应变的经验，只好做了几个动作，移身到侧台，然后小声问：“先生，念什么词呀？”他的这些“小动作”，被台下的观众看个真切，也听得清楚。不过，因为这是荣春社的首次亮相，又是长春头次演大轴，所以观众们很宽容，鼓起掌来，又叫起好来，算是给他鼓励。先生提醒，长春终于想起来了。想起了第一句，接下来的词，他也都顺下去了。还算不错，这出戏，也就出了这点岔子。

尽管接下来的戏长春演得不错，很流利，很顺畅，但是台底下有一个女观众的心里却仍然七上八下，不得安宁。她是著名小生演员姜妙香的夫人、尚夫人王蕊芳的姐姐、尚小云的大姨姐、尚长春的大姨妈。戏一散，她就忙不迭地赶往后台。她身体不好，走路要人搀扶。于是，她就被人搀着，几乎是跌跌撞撞地直奔后台。因为她知道，这顿打，长春是躲不掉了。

果然，戏刚一散，长春就被尚小云要求趴在长条凳上，乖乖挨打。姜夫人赶到时，尚小云正挥舞着舞台上用的竹子做的堂板，狠狠地抽打着长春。一旁的老师大着胆子为长春说情："尚老板，算了，甭打了，少老板（荣春社的人都这样称呼尚长春）头次演，出点小错，没啥，他还是个孩子嘛，以后会好的。"

尚小云哪能听得进去，一边打，一边咬牙切齿道："不行！旁人可以只打五板，这小子，一定就得打十板；旁人打十板，他就挨二十板。不打不成。"他态度坚决，又正在火头上，老师们不敢再言语了，学生们更被吓得大气不敢出。

正骂着、打着，突然，姜夫人冲进来，一下子就扑在长春的背上，一边叫道："不能打了！不能打了！你这是要打死他啊！"

尚小云的板子收手不及，竟落在姜夫人的身上。他吓坏了，赶紧停手，扔了堂板，扶起姜夫人，问："您怎么样？伤着没有？要不要请大夫？"

姜夫人的身体原本就十分虚弱，无故挨了一板，又过度惊吓，回家后一病不起，不几天就去世了。从此，家人每每提及这位善良的大姨妈，总是要责怪尚长春："都是因为你！"尚长春也一直很自责，自然也不申辩。

这次责打，对于尚长春来说，不是第一次，更不是最后一次。虽然姜夫人因为长春挨打间接丢了性命，但是，尚小云却没有因此少打长春。只要长春偷懒，只要长春在台上出错，他的打，从来没有减少过。

有一次演《武文华》，尚长春左看右看，没有看见父亲在台下，也不见父亲在台帘后把场，心中暗喜，以为父亲不在戏院里，便在演出时稍稍偷了点懒，应该走三十个旋子的，他只走了二十五个。为此，他还暗自得意。

散了戏，尚小云不动声色地对长春说："你别卸装，这出戏，咱从头排一遍。"

尚长春不明就里，心中疑惑："怎么啦？今晚上，我没有出错啊。"

在严厉的尚小云面前，尚长春哪敢偷懒？演到走旋子时，他规规矩矩地走了三十个。正当他要继续往下演时，尚小云大喝一声："等会儿！"

然后，尚小云问："走了多少？"

尚长春老实作答："三十个。"

尚小云又问："刚才你在场上走了多少个？"

尚长春到底是个孩子，居然撒谎道："三十个。"

话音未落，周围的老师和学生只听见啪的一声，耳光响亮。

尚小云暴怒，一是因为长春偷懒，一是因为长春偷懒后还撒谎。他转身对其他人说："你们都卸装吧。"他转回头，对长春说："你重新走这三十个旋子，我不说停，你就不准停。"

于是，尚长春左一个三十，右一个三十，也不知道走了多少个三十。总之，他走得精疲力尽，却始终听不到父亲的一个"停"字。此时，他知道，试图躲过父亲锐利的眼光，那是不可能的；意图偷懒，那也是不可能的。他一边重复着走旋子，一边想：从此以后，再也不敢了。

有人以为尚长春作为荣春社的少老板，是可以享受到特殊待遇的。然而，尚小云给予儿子的所谓特殊待遇，便是每顿饭可以多要一两个菜而已。如果说除此还有什么特殊的话，那就是在挨打时，别的学生挨五下，长春就必须多一倍。

就连“童伶主席”李世芳，也挨过尚小云的板子。那是在演《昆仑剑侠传》时，在舞台上，李世芳的裙子掉了。显然，他是因为事先没有系牢扎裙子的腰绳。在台帘后把场的尚小云气坏了。其他老师和学生都以为，尚小云平时最疼爱李世芳，对他最好，有什么好吃的东西都会想着他，还常给他好料子做衣服，所以他是不会打世芳的。

谁知道，当李世芳拎着裙子有些惭愧地回到后台时，只见尚小云已经举起了板子，嚷嚷着要打他五板子。李世芳自知有错，也不敢逃避。有的老师出面说情，对尚小云说：“世芳现在可有点儿名气了，您就别再打他了。”

尚小云硬呛呛地说：“不行！是听你们的，还是听我的？难道你们不知道，台上掉裙子，是舞台上的十大款(即十大忌讳)之一吗？这还得了！”

有人请来了元老级人物萧长华，以为萧老出面，尚小云会给面子。可是，尚小云对萧长华说：“二叔，您这可不应该，您是懂得十大款里台上掉裙子该当什么罪的。我打他对不对？如果不对，我趴在那儿，您打我，谁让我管您叫二叔呢？”

一番话说得合情在理，萧长华不吱声了。很多年以后，尚长春回忆起这段往事，笑言：“李世芳这个小名角儿，到底没逃过老师的板子。”

对普通的龙套演员，尚小云也同样有严格要求。尚长春说过这样一个故事：

有不少人以为舞台上龙套的标子举得齐不齐没什么要紧的。可我们这儿还就是要紧得很。有一回演《大回朝》，在[五马江儿水]曲牌里，龙套的标子没举齐。回到住地，父亲说：

"今儿个《大回朝》都是谁的龙套？都过来。"大伙儿忽啦啦地站了一大片。

"今儿个你们的标子为什么不齐啊？怎么回事儿？"大伙儿你看看我，我看看你，无言以对。

"把你们的大棉袄找出来，拿藤杆儿把大棉袄挑起来，举齐了。"

等大伙儿挑着棉袄举齐了，父亲上头院了。好几排人就这样站着，举得大伙儿直打哆嗦。

那时散戏晚，我们回到家怎么也得一点多钟。再这么一折腾，半夜过去了。

有的老师看着差不多了，便到头院去说情："您饶了他们吧，他们下回不敢了。"

父亲来到后院，把大伙骂了一顿之后，说："收了吧。告诉厨房，给他们一人弄碗热汤面吃。"

尚小云常常都是这样，体罚犯了错的学生，并不意味着他对学生是冷酷的，相反，他对孩子们的关爱，如父亲般自然。无论荣春社在北平，还是跑码头到外地演出，每天晚上，他都要仔细查铺，看是否有孩子夜不归宿，看是否有孩子睡觉不安生，蹬了被子。有的时候，他的体罚，恰恰是关爱的一种表现。比如，他非常强调保护嗓子、保养身体，如果哪一个学生在演戏后脱了戏服就站在风口，准得挨他的骂，严重点儿，就得挨顿打。他还不允许学生乱吃乱喝，特别不准演完戏浑身是汗的时候猛喝凉水，甚至连性寒的瓜果，他也要吩咐厨房用开水烫过后，才给学生们吃。

有一年夏天，荣春社二期"喜"字科的学生赵喜芹在吃饭时嫌饭太烫，悄悄往饭碗里倒上冷水。冷水泡饭，赵喜芹吃得有滋有味。恰在这时，尚小云来到后院，得悉此情，怒不可遏，摔了赵喜芹的

⊙尚门昆仲（右起：尚长春、尚长麟、尚长龙、尚长荣、尚长贵）

饭碗，又将赵喜芹打了一顿。

一次，尚长春偷吃了些西瓜子，以为不会有什么问题。谁知道，第二天上台时，嗓子好像粘住了一样，变了味儿。下场后，尚小云问他：

“你的嗓子是怎么一回事？昨儿个晚上，你偷吃什么东西了吧？”

“我也不知道是怎么一回事。”尚长春这样说。倒也不是他有意抵赖，他确实不知道吃点儿西瓜子会有这么严重的后果。

可是，未等他的话音落下，一个大嘴巴已经扇了过来，落在长春的脸上。

尚小云继续逼问：“说，你昨晚上到底偷吃什么来着？快说实话！”

尚长春想起来了，是偷吃了西瓜子。可是，他不知道是说好，还是不说好。说，就意味着他承认他确实偷吃了东西，也就是违反了社规，肯定挨打；不说，他知道父亲是不会轻易放过他的。犹豫了一会儿、挣扎了一会儿，他选择了继续坚持，便还是说："我什么东西也没有吃。"

"趴下！"尚小云大喝一声。尚长春只得老老实实地趴在长条凳上。这一次，他足足挨了十下板子。他还没有卸装，不敢哭，怕眼泪弄花了脸上的妆，他还有戏呢。小小年纪的他，只得忍着。

正在这时，轮到尚长春上场了。有人来唤，尚小云便说："快上台去！"

尚长春从长条凳上爬起来，上场了。他以为事情就此完结。不承想，当他演完一段，从台上下来，见尚小云还在那儿等着他呢。尚小云继续追问：

"说，吃什么来着？"

之前未说实话，现在就更不能说了。尚长春还是说："我什么东西也没有吃。"

"趴下！"尚小云又是大喝一声。尚长春趴在长条凳上，又挨了十板。

又轮到尚长春上场了。他从长条凳上爬起来，又上场去了。演完一段，他下了场，见父亲还等着他。这次，他也不等父亲开口，自觉地趴到长条凳上，挨上十板。如此一而再，再而三，长春一次次上场，下场后一遍遍挨打。他后来回忆说："直到打得我无可奈何，只好招认就吃了点儿瓜子儿为止。"

诸如此类的体罚，让尚长春以及其他受过尚小云体罚的学生，刻骨铭心而难忘他们犯过的错，从此不再犯同样的错。

尚小云的严厉，使每个学生都怕他。他经常苦口婆心地对学生们讲："咱们是干什么的？咱们是唱戏的。人家花了钱，你在台上就得对得起人家，尤其是遇上刮风下雨还来看戏的观众，我们更得使出全身的力气来唱，否则不但对不起观众花的票钱，更对不起人家的这点精神。"这段话很朴实，没有一句大道理，也不冠冕堂皇，它却可以解释尚小云之所以严厉的原因，更反映出他认真于艺术的原因。这一切的原因，就只为了对得起观众。

这虽然是艺人最起码的职业素养，但是，即便如此，也很少有人能守得住这份道德。尚小云却做到了。他自己如此，对学生对儿子，也有这方面的要求。有一次，尚长春演《连营寨》，那天天气不好，一直下雨，进戏院的观众因此比平时少了很多。见此，尚长春也少了热情，偷了懒，将要的把子"大下场"擅自改为简单的"小下场"。他刚回到后台，就见父亲怒气冲冲向他扑打过来。幸亏众人极力拦阻，长春才躲过一顿打。但是，罚还是免不了的。尚小云要求长春连续不停地耍五十个"大下场"。长春不敢违抗，身扎沉重的大靠，戴着沉重的盔头，穿着沉重的厚底鞋，咬着牙，大汗淋漓地接受了惩罚。事后，尚小云对他说："从此记住，哪怕台下只剩下一位观众，也绝不许泡汤。"

很多年以后，尚小云在与青年演员谈"怎样才算成功"时，这样说："我们在舞台上演戏，不管台下的观众有多少，必须遵守台上的规矩，严肃认真集中精神演出。观众多，是这样演，观众少，也是这样演；千万不要受观众人数的影响，观众多我就卖力气，观众少我就泡汤。须知观众虽少，那可能是我们真正的知音，更应该好好地演。既要演出，就是要对观众负责，用自己的艺术同观众建立感情联系，让观众欣赏我们的艺术，满意而归。"

这或许便是他之所以获得成功的最重要的原因。

对荣春社的学生，尚小云不全是罚，更有奖。他奖的方式，一种是给五块钱，一种是张贴红榜，一种是让受奖的学生到前院和他一起吃顿饭，一种是演完戏后，让演得特别出彩的孩子坐他的汽车回去，一种是吩咐厨房开小灶。一般来说，五块钱的奖励方式是比较常用的。只要唱得好，受观众欢迎，尚小云就很高兴，就会在散戏后，奖励这个学生五块钱。

有的时候，学生受了委屈，尚小云也给五块钱，作为安慰。比如，他和学生合作《乾坤福寿镜》，他演胡氏，学生演丫环寿春。在演到胡氏因失子而惊疯时，面对寿春，胡氏在锣鼓声中左手拉住寿春，右手转袖抓袖举起手，对寿春说："你把我亲生的子呀，藏在了哪边？"然后甩手就给了寿春一个耳光。尚小云的表演一向追求逼真，因而，这个耳光也就真打。"寿春"受其感染，置身戏中，也很配合。所以这场戏往往能够激起观众深切的同情，效果很好。

演出结束，有人夸赞尚小云："今儿个，您打嘴巴的动作，真是好极了，太真实了。"这个时候，尚小云才意识到他太入戏了，很可能出手重了，连忙吩咐管事："快给那孩子送去五块钱，别委屈了孩子。" 演"寿春"的学生乐不可支：台上挨打，台下得赏，一个嘴巴可以换五块钱，非但不觉吃亏，还赚了呢。在尚小云不发脾气的时候，他开玩笑道："先生下回演这出戏时，还这么打耳光，再给五块钱。"从此，只要台上打了学生一个耳光，台下，他都要补偿五块钱。天长日久，尚小云"一个嘴巴五块钱"的说法，就在梨园界流传开了。

尚小云对于金钱很淡漠。他救济贫困，有"尚五十"之称。他创办荣春社。不惜投入巨资，乃至最后几乎倾家荡产。他视他的学生只是京剧后辈人才，而绝不是摇钱树、赚钱工具。虽说荣春社正式成立后时有演出，票房也有不错的时候，有一定的收入，但相比投入，这些收入微不足道。荣春社的收支似乎很难有平衡的时候，但尚小云从不在意，只顾投入。而他的投入，本来就不是为了产出。

众所周知，旧时京剧科班的坐科学生，不要说在七年时间内演出收入全部归师傅，就连期满后也还得为师傅白唱一两年。荣春社却有着与此完全相反的做法。一般来说，学生学了两年，就有"小份儿"（即零用钱）了。演出后票房收入，尚小云每隔几天，都要分一次，每个学生虽然每次只能分到几十枚铜子儿，最多时也不过四十个铜子儿，但也能够每天买点烧饼麻花之类的小吃。学生出了科，愿意搭别的班，尚小云绝不拦着；如果愿意搭重庆社，或者留在荣春社，尚小云也都欢迎，一旦参与演出，他就开“份儿”(即工资)，而从不克扣学生的演戏收入。从这方面看，也可以得出这样的结论：尚小云创办荣春社，就是为了培养京剧人才，而不是将荣春社作为一门生意。他是只算艺术账，不算经济账。

弟子偷鸡章

尚小云对待学生固然非常严厉，容不得他们犯错，但也并不是所有学生犯的所有的错，都会被严惩，都会被重罚。尚小云会根据错误的轻重、性质而分别对待。有的时候，他很宽容，很容易原谅学生。这个时候，他更像是一位对顽劣小儿颇有些无可奈何的慈父。

尚小云有一套由十二枚雕刻着十二个生肖图案的玛瑙图章。每枚图章的雕刻玲珑剔透、栩栩如生，特别是十二个神态各异的小动物造型，尤为逼真传神。无论从古玩本身的艺术价值而言，还是从个人的喜爱程度来说，尚小云都视其为珍品。因为神话剧在传统戏曲剧目里占有很大的比重，而在这些神话剧中，又时常会有动物形象出现。比如，《宝莲灯》里有狗，《武松打虎》里有虎《白蛇传》里有蛇《天河配》里有牛，《西游记》里有猴、龙等。

于是，这套图章，也是尚小云研究动物造型的参照物。平时，他将它们排列整齐，并排存放在芳信斋书房里的一个大玻璃罩内。有一天，他照例到书房用功，无意中发现，十二枚图章中，少了一个鸡章。这让他大吃一惊。

芳信斋里如此众多古玩珍品，却独独少了一只“鸡”，显然不可能是小毛贼所为。家人素知尚小云爱之如命，也不可能随便取走不小心弄丢。唯一的可能，只能是荣春社的学生干的。这样分析下来，尚小云也就不着急了。接着，他就要判断到底是哪一个学生干的。此时，他像一个侦探，细细推理：这间书房，平时由长子尚长春和其他几位年龄稍长的学生负责打扫。也就是说，经常出入书房而有可能取走鸡章的，必定是他们其中一人。于是，尚小云将他们几个人叫来问话。虽然他不能断定是不是他们中的某人干的，但是，他却只问除了他们还有谁进过房间。这一问，果然有收获，还有一个师弟进过房间。

尚小云将所有进过书房的孩子集中在一起。显然，他很懂得小孩子心理，并不逼问他们谁拿了鸡章，而是故作随意地问："你们谁是属鸡的啊？"

那个师弟立即作答："我属鸡。"

尚小云笑了，又问："你看见房里玻璃罩下的鸡章了吗？"不等他回答，他又说，"你是属鸡的，你一定很喜欢鸡，你肯定看见了那只'鸡'，对吗？"

那孩子轻声嗯了一声，低下了头。尚小云全明白了，便直截了当地问："那只鸡章是不是你拿走了？"他小心地用了一个"拿"字，而没有用"偷"字。

"是我拿的。"学生承认得很爽快。

"那鸡章现在在哪儿呢？"尚小云问。

"被我卖了五毛钱，买糖吃了。"他交代得也很彻底。

原来，这个小师弟刚刚入科，对所有的一切都感好奇。那天，他见长春等师哥要去芳信斋打扫，便也吵着进去看看。一进房间，他就被屋里的古玩珍品、名人字画等迷住了。更吸引他的，当然是那可爱的十二生肖。他隔着玻璃罩看了又看，再也挪不动脚步了。毕竟年龄小，实在忍不住，乘长春他们忙着打扫，都没有注意他，他悄悄地掀开玻璃罩，取出了那只"鸡"，迅速塞在裤兜里。回去后，他又把玩了一会儿，又觉没有意思了，怕送回芳信斋被人看见。正犹豫着如何处理时，门口有一个打小鼓收购杂货的小贩，正在吆喝。 这个孩子便将鸡章卖给了他，卖了五毛钱，然后买糖吃了。

对于这个弟子的小孩子行为，尚小云又好气又好笑。他一方面耐心教导那孩子：不经别人允许就拿人家东西，是很不好的行为；一方面派人去找那小贩，试图买回鸡章。好不容易找到了小贩。可是，小贩说，鸡章早就被他卖到琉璃厂的荣宝斋了。尚小云闻讯，又赶到荣宝斋。实际上，他已经不抱希望了。试想，这样一件珍品，几经转手，怎么可能物归原主？

令人意外的是，那只小鸡章仍然完好无损地待在荣宝斋。原来，荣宝斋是尚小云经常光顾的地方，那里的经理和店员，与尚小云都熟。当他们从小贩手上买来鸡章时，就认出，那是尚小云的珍藏。所以，当尚小云心急火燎赶来询问鸡章的下落时，他们都笑了，说："尚先生，别急，东西一到，我们就认出是您府上的，就等着您上门来呢。"不过，在商言商，他们没有白白奉还给尚小云。尚小云花了50元钱才买回了鸡章。尽管如此，他还是乐得合不拢嘴。

从此，那个偷鸡章的弟子，常常因为这件事被其他学生嘲笑："瞧你，五毛钱，就让师傅的'鸡'飞走了，害得师傅花了50块钱才买它回来。"他也自知犯了错，提心吊胆地等待着师傅的惩罚。尚小云却始终没有骂他，打他，责备他。在尚小云看来，这不过是顽皮孩子的天性使然，与在艺术上偷懒或投机取巧，有天壤之别。前者，是可以原谅的；后者，则是必须受到惩罚的。

荣春社的孩子本都是尚小云的徒儿，在尚小云的眼里，他们都像是他的孩子。这些活泼好动、顽皮可爱的半大小子，有的与长子长春年龄相仿，有的与次子长麟年龄相近。所以他对他们更多了一种"幼吾幼以及人之幼"的情怀。平时，在称呼上，他总是以昵称称呼他们。比如，称孙荣蕙为"狗牙"，称杨荣环为"小羊"。

“狗牙”之名因何而来呢？原来，孙荣蕙在随尚小云学旦角后，尚小云总嫌他笨。在民间，都认为大象最笨，原因便是象牙太长太大，十足的笨样。但是，尚小云认为，孙荣蕙比大象还笨，不能唤作“象牙”，而只能叫“狗牙”了。于是，他就“狗牙狗牙”地叫开了。谁都知道，这是尚小云在开玩笑呢，因为孙荣蕙其实一点儿也不笨，是师傅嫌他聪明得不够。他们也知道，这是尚小云想以此方式激励孙荣蕙。孙荣蕙也从来不认为“狗牙”之名有什么不雅，他反而因此感受到老师如慈父般对他的疼爱。日后，继承尚派比较成功的，孙荣蕙是其中之一。

有的时候，尚小云犹如护犊子般护学生。一天，荣春社学生演一出武戏，打着打着，其中一个孩子不小心从舞台上跌了下去，一头栽到观众席中。这一摔，将桌上的茶碗震翻，四溅的茶水泼了一男一女两个观众一身。他俩勃然大怒，男的顺手拾起茶碗，朝那孩子砸去，女的也捡起茶碗盖扔过去。在台侧把场的尚小云见状，立即让场面停锣止鼓，一步冲到台口，大声斥责那两人：“脏了你们的衣服，值多少钱，我姓尚的照赔。你俩打了我的学生，怎么说？难道不应该赔个礼，道个歉？”两人还想申辩，尚小云不给他们机会，不依不饶，又道：“你俩跟个孩子计较，也不寒碜？何况孩子又不是故意犯错，跌了，摔了，已够可怜的了，难道你俩还忍心雪上加霜？”

说着，他跳下舞台，搀扶起那孩子。他的一番话立即引起其他观众的共鸣，大家七嘴八舌，纷纷指责那一对男女，直说得他俩好不惭愧。

因材施教

尚小云并没有接受过教育理论与教学实践方面的系统知识教育，却在创办荣春社期间，表现出相当强的教育管理和教育教学的天赋。

从管理上说，他制定严格的规章制度，学生的言行举止，事无巨细，一切以规章制度作为准绳，遵守，有奖；违反，有罚，似乎很简单，但却很有效。从教学上说，他也沿习了不少旧的练功和授戏模式。比如，对于练功，遵从没有捷径可循的苦练原则，信奉“若想人前出头，必在人后受罪”的传统；对于授戏，不可避免地存在口传心授的传统方式，仍然从教授老戏开始，逐渐过渡到创排新戏。

尚小云对先进教育模式的先知先觉，表现在他在并不完全抛弃传统的基础上，赋予不少新的、文明的教学方法。其中最重要的，便是发现人才、人尽其才、因材施教。实际上，尚小云在收张君秋等为徒后，“因材施教”的思想就已经体现出来了。然而，对于个体的弟子，他比较容易贯彻这样的教育思想；对于群体的荣春社学生，他又如何能够做到呢？

对于一般科班来说，习惯上将主要精力放在对有培养前途的学生身上。在戏班体制由“集体挑班制”转为“明星挑班制”后，像这样培养重点的教学模式，在科班里是相当普遍的，以为只要培养出金字塔尖上的几个人，就算是教学的成功。对于大多数能力普通的学生往往重视不够，只让他们跑龙套、演配角，甚至漠不关心，放任自流。对此，尚小云不以为然。他的办学宗旨是，尽可能让每一个学生都成才。

和大多数科班相仿，荣春社也是在学生入科后，按照各自的条件，分行当学戏。但是，荣春社比其他班社多了一道程序，那就是在荣春社开办之初、尚小云对各个学生的具体情况还不够了解的情况下，以排练演出“群戏”为主。比如，他将《白水滩》、《通天犀》、《劫杀场》等折子戏串在一起，编成全本《血溅万花楼》；将《关索招亲》、《七擒孟获》、《祭泸江》等串成全本《蛮荒少女》；将《段桃娘》、《追韩信》、《霸王别姬》等串成全本《西汉》等。他这样做的目的，一是为了让更多的学生有参与表演的机会，二是为了便于从中发现每个学生的不同特点和所长，然后据此为他们选择行当。

在学生们初步确定专工行当后，尚小云仍然没有放弃对他们平时训练、演出的观察，一旦发现有的学生以他的个性和喜好并不适合所选行当，他就立时改弦更张，安排他改学他行，尽量使他们充分发挥出自己的特长。当有的学生在改行后仍无起色，他就安排再改，直至改到满意为止。有的学生虽然适合本行当，但是，如果专工另一行可能会有更大发展，而且更符合科班演出的需要。尚小云就会晓之以理，动员他放弃原来的行当，改学他行。尚长春说，类似这种情况，在荣春社里是不少的。比如：

"春"字科的学生贾寿春，原来唱武花脸，《白水滩》中的青面虎、《竹林记》里的余洪等角色，是他的专长。但是，尚小云经过观察后认为，贾寿春的父亲是唱小花脸的，寿春有这方面的遗传，又因为自幼耳濡目染，所以对这个行当既很熟悉，又有天分。何况，科班的小花脸人才比较欠缺，很需要有人专工这一行当。于是，贾寿春就由武花脸改学小花脸了。

专工武生的刘雪春武功底子好，练功又极刻苦，左右旋子很为尚小云称道。刘秀春说话有些结巴，不擅言谈，有"八十岁老头子"的绰号，但是一旦上了舞台，他的武打翻扑，动作幅度大，力度强。被尚小云看中专工武生的，还有"老铁"周仲春、"牛子"耿玉春。这四个各有特点的武生，被誉为"四架飞机"。在尚长春演出《铁冠图》时，他们是不可或缺的最佳搭档。

"荣"字科的学生孙荣顺初学老旦，因他腰腿特别有功力，后改武生；李荣安初学武丑，因他文雅秀气，嗓音清亮，尚小云认为他更合适演小生，便安排他师从程继先学习《雅观楼》、《探庄》等小生戏。旦角杨荣环对音乐有悟性，尚小云在为他传授《汉明妃》时，又为他专门请了一位琵琶老师，教授弹琵琶。因为在这出戏里，有一场戏是写王昭君被诬陷打入冷宫后，怀抱琵琶倾诉衷肠。尚小云演时，并不真的弹琵琶，他也没有学过弹琵琶。杨荣环演时，真的弹起了琵琶，自然让观众耳目一新。

改行当最成功的一例，便是孙荣蕙。他初习花脸，擅长《五鬼一条龙》里的法源僧。有一天，尚小云照例去后院看学生们排戏，发现孙荣蕙身材窈窕、模样俊俏，而且还有小嗓，心中暗喜，随即对耿明义说："耿先生，这个孩子归我了，法源僧，你就换人吧。"原来，他惊觉孙荣蕙的身体条件并不适合演花脸，而更适合习旦角。从此以后，他教授孙荣蕙旦行技艺。孙荣蕙改了行当以后，一唱而红。荣春社的旦行戏，如全本《春秋配》、《汉明妃》、《乾坤福寿镜》、《蛮荒少女》等，全部由他主演。不到15岁的时候，他就成为荣春社的旦角台柱，是荣春社"七杰"之一。因为他直接师从尚小云，唱、念、做、打完全宗尚派，在荣春社时，他被誉为"小尚小云"，日后，他是尚派艺术的主要传承人之一。

除此之外，尚小云观察后认为，李甫春、吴荣森、张荣森、徐荣奎在老生行会有前途，便有意将其培养成"四小须生"。徐荣奎原来是山东一个戏班的演员，戏班因故解散后，他来到北平。正逢荣春社招生，他便入了科。因为他之前已经登过台，又会两出戏，算是带艺入科。入科后，尚小云根据他的情况，安排他仍然工老生。徐荣奎一方面随王少芳老师学习，一方面反复用留声机听孟小冬的《珠帘寨》唱片中的主要唱腔。学完后，头一场就唱红了。荣春社的老生戏大多由他主唱。从此，他与孙荣蕙、李荣安被誉为"荣春三雄"。

尚小云的教学经验，来自于他自己的经历和多年的舞台经验。他自小由老生—武生—旦角，几经周折，最终确定自己的演艺方向。在他看来，他是走了一些弯路的。所以，他在总结因材施教的经验时这样说："我决不愿意学生多绕冤枉路，白费力气多吃苦。"

一旦确定了学生们的主工行当后，尚小云采取教师单独指授的教学模式。比如，他请老生演员王凤卿为李甫春、张荣胜说《让成

⊙孙荣蕙之《蛮荒少女》

都》、《战樊城》、《上天台》等老生戏；请著名武生演员尚和玉为尚长春、赵和春、孙瑞春说《四平山》、《晋阳宫》、《战滁州》、《铁笼山》、《麒麟阁》等武生戏；请著名花脸演员郝寿臣为王福春说《飞虎梦》、《荆轲传》等花脸戏；请著名小生演员？为李荣安、黄荣俊、马荣祥说《临江会》、《黄鹤楼》、《群英会》等小生戏；请著名花旦演员筱翠花为孙荣蕙说《战宛城》中花旦的表演方法。于是，在一出戏里，表演的虽然都是学生，但也能看到各名角儿的影子。比如，一出《战宛城》，其中的典韦，由尚长春扮演；曹植，由马荣祥扮演；花旦角色，自然归属孙荣蕙。

注重后备力量的储备，是尚小云教育教学的又一个特点。虽然，老生行有徐荣奎，小生行，有李荣安，旦行有孙荣蕙，武生行有尚长春，但是，尚小云在将他们作为重点培养的同时，又准备了一批预备队员。老生行，有李甫春、吴荣森、张荣善；在他们之后，又有吴喜玉、罗喜禄。旦行，在孙荣蕙之后，尚小云又发现了杨荣环；在杨荣环之后，又有尚长麟。武生行，有孙瑞春、赵和春、刘雪春。在这种情况下，无论哪一个演员因倒仓而暂时不能登台，总有新人接棒。所以，荣春社从来没有发生过因为学生倒仓而演不了戏的情况。

尚长麟是学旦角的，又是尚小云的儿子，一般人认为，他会得到尚小云更多的关照。尚小云对长麟的要求，和对其他学生一样的严格，甚至更加苛刻，也许这就是他对儿子的特别之处。当时，与长麟同时演戏的旦角演员，是荣春社二期“喜”字科学生关喜莲。他俩年龄相仿，又都属于同期学生，尚小云便让他俩同时跟随筱翠花学习花旦戏。筱翠花的家住在离荣春社社址有一段距离的西河沿。当时没有直通的公共汽车，长麟和喜莲每天都要步行到西河沿去学习，学完后，再步行回荣春社。有的时候，尚小云的车闲着不用，他就让司机接送他俩。但是，他从来没有因此让长麟单独享受此待遇。

有一个时期，长麟、喜莲都演《四郎探母》里的铁镜公主。长麟演时，负责管理头饰的给长麟使用只属于尚小云的被称为“私房行头”的头饰，而喜莲演时，就只能使用被称为“官中行头”的大众化头饰。在管理头饰的人看来，长麟作为荣春社的二少老板、尚小云的次子、尚派艺术的直接继承人，使用私房行头，是理所当然的。关喜莲只是荣春社的普通学生，虽然学旦角，学尚派戏，但是不能使用尚小云的私房行头，也是理所当然的。尚小云得知此情后，大为震怒，劈头就将他骂了一顿，然后亲手将私房行头一一给关喜莲穿戴上。

尤其值得一提的，是尚小云采用师哥教师弟的教学方法，这是他的大胆尝试。

几年前，陶行知创办既是学堂又是工场又是小社会的新型学校——“工学团”，创造性地打破传统学校泾渭分明的师生界线，而以会者为师，以能者为师。其后又提出“小先生制”，开展“小先生运动”，使文化程度好一些的学生专教差一些的学生，叫“先生不在学如在”。“小孩自动教小孩”，一度掀起热潮。尚小云的“师哥教师弟”与陶行知的“教学新思维”有几分相像。可是，陶行知是留洋回来的教育家，对于教育理论曾拜名师，有过系统的学习，对于教育规律，有着长期的研究和探索。而尚小云作为教育界外人士，却能有此作为，不能不令人称奇。即使“师哥教师弟”不是他的发明，而只是对陶行知教学创造的借鉴，那也很了不起。因为这种创新，教育界中人也不是个个愿意或敢于采用的，由此更可见尚小云的聪明和胆识。

科班里“荣”、“春”两科的学生，是“长”、“喜”两科学生的师兄。在师兄辈中，尚小云挑选出技艺基础全面，又有较多舞台实践经验，在观众中小有名气，且为人正直、有责任心的学生，在课余时间，负责教授初入科的师弟。比如，尚小云让李甫春为师弟们传授《朱痕记》这出戏。事先，他将学生们集中起来，然后焚香率众学生给祖师爷叩头。之后，他对学生们说：“从今天起，由李甫春为你们上课。他代表我，他说的话，就是我说的话。你们一定要像听我的话一样听他的话。否则，他有权责罚你们。”然后，他将戒方郑重其事地交给了李甫春。

李甫春授课期间，大多数学生都很守规矩，学得也很认真，唯有尚长麟不大听话。长麟学戏时不过10岁。作为荣春社的二少老板，在老师们的眼里，他毕竟不同于普通学生，对他虽然要求一样严格，但终究以宽容为主。无论是师兄们，还是同科同学，谁都不敢欺负他。在真正的老师面前，长麟是不敢放肆的，否则，肯定挨爸爸的打。但是，对于李甫春，他就有些不当回事了。

每次李甫春授课，长麟总是嘻嘻哈哈的，不认真，很敷衍。有的时候，其他学生受他的影响，也都马虎起来。开始时，李甫春还能好言相劝。好言相劝无效，他就生气了，便威胁道：“你要是再不听我的话，别怪我拿你开刀！”长麟以为李甫春不过说说而已，料想他是不敢在二少老板头上动土的，便依然故我。接着排戏，长麟错得很离谱。李甫春终于忍无可忍，用戒方打了长麟五下。尽管他打的时候已有所克制，算是轻打，但是，打完以后，他还是吓坏了，立即跑到师母王蕊芳那里，告以实情，并请求师母原谅。其实，他更害怕的是此事被师傅知道。所以，他央求师母：“您千万不要告诉师傅啊！师傅一定会生气的。”

王蕊芳了解情况后，当着儿子尚长麟和其他学生的面，对李甫春说：“我看哪，打少了，你这是给他挠痒痒呢！甭说师傅知道了万不会生气，他也要打呢。”一席话，算是给李甫春撑了腰。从此，他教得更认真了。长麟和其他调皮的学生再也不敢随随便便的了。从此，这种特殊的教学模式被推广开来。

在创办荣春社之初，尚小云就立志尽可能地让所有坐科学生成长。应该说，他实现了他的愿望。荣春社存在了十一年，先后共有520人在此接受戏曲教育，其中只有12人因天赋比较差，头脑不够灵活，无法“吃戏饭”而不得不改行。其余的学生，不仅很少改行，日后更成为京剧舞台的中坚力量。这在中国戏曲教育史上，又是一个奇迹。

开除徐荣奎

尚小云在1938年写的题为《我对于演剧的感想与兴趣》的文章中，有这样一句话：“……办‘荣春社’，过这种生活，又比唱戏难上十倍。在今日我才知道为人师表之难……”事实上，尚小云在荣春社存续期间，有一句话，几乎成为他的口头禅，那就是：“大不了，我不干了！”

他说办科班，“难上十倍”，他又时时说“不干了”。这只能说明，他曾经遇到过麻烦，经历过困难。他所说的“为人师表之难”，不在于教授技艺，不在于口传心授，不在于掏空自己的所有，而难在于与学生、与老师们、与管理人员的沟通，在于教育思想和行为如何让他们心甘情愿地接受。特别是，尚小云是有个性的，然而，当他遭遇同样有个性的学生时，冲突就是难免的。

有一段时间，社会上一度有这样的流言：尚小云的荣春社办不下去了。由此引申出去，又有两种传闻，一种是欲将其转让给荣春社的总务主任善宝臣，一种是干脆解散了事。那么，这些流言是如何来的呢？说法不一：

第一种说法，说是因为尚小云与荣春社某先生之间产生矛盾，一气之下“不干了”。传说中的事情是这样的：尚小云准备为荣春社”新排一出大戏，数日前就将剧本交给某先生，让他尽快抄出单本，然后分发给学生，让学生赶紧背熟台词。像往常一样，某先生答应得很爽快，尚小云也很放心。可是，数日之后，尚小云临要排练时才发现，学生们根本没有拿到单本，也就没有背过台词。这就

意味着，即时排练是不可能的了。尚小云很火，便去问某先生：

“交给您抄的单本，抄好了没有？”

某先生答：“还没齐呢。”

在尚小云听来，某先生的口气十足的满不在乎。他就更气了，指责道：“怎么搞的？不是让您尽快嘛。这戏，您让我怎么排？我看您是不是不想干了！”说到最后，他一时气急，竟然失口，嘀咕了一句：“他妈的！”尽管他并不是指着某先生的鼻子大骂，而只是因为心中有怨，而以此发泄了一下情绪而已，但是，某先生认为尚小云就是骂他的，当然有受辱之感，也不高兴了，说：

“老板，您若嫌我的公事不好，您可以‘下了’我，我也没什么可说的。不过，您可别骂人。我们往家挣银子挣钱，没往家挣骂！”

某先生此说，确实并非没有道理，有谁会心甘情愿地挨骂呢？特别是诸如“他妈的”这样的骂人话。尚小云骂人，的确欠妥，但是，某先生有错在先，又丝毫没有反省自己的错、检讨自己的错的意识，反而理直气壮似的，这样的态度和行为，自然激怒了肝火本就旺盛的尚小云。尚小云为荣春社排新戏，是有计划有安排的，是已经准备好公演时间的，如今莫名被耽搁，他怎么可能仍然心平气

⊙徐荣奎、孙瑞春之《八大锤》

和呢？

某先生被骂，不高兴，甚至气愤的心情，也是可以理解的。如果他将委屈和不满暂时存放在心里，然后紧赶着抄好单本，让新戏排练起来，再就骂人一事与尚小云沟通，恐怕更容易使尚小云认识到“骂人是不对的”，两人之间的矛盾也更容易被化解。但是，他却撇开必须立即完成的任务不谈，将矛头转向尚小云的“不慎失言”，使自己转瞬间由“犯错者”转为“受害者”。

某先生的“回嘴”和他的态度，无异于火上浇油，更加激怒了尚小云。原本，尚小云骂了两句后就准备离开的，如今，火气一下子重新升腾起来。于是，两人大吵。尚小云脾气不好，某先生也是有脾气的，这样两个人的碰撞，如小行星撞地球，一发不可收拾。两人的声音越叫越大，几至狂吼。荣春社上上下下都被惊动了，老师们纷纷来劝，却都知道双方都在火头上，动动嘴皮子的“各打五十大板”是解决不了问题的，只有拉开他们，分开他们，冷却他们。于是，两拨人将眼看就要打起来的两个人，分别拽离了火药现场。

以往，更多的时候，尚小云的气转瞬即逝；这次，他却气得不轻，一时半会儿无法平息。他的气，包含了太多的因素：新戏无法上马、某先生对工作的不负责任。尚小云对某先生誓不低头的不屈服态度，的确是有气的，但是，他更气于隐藏在这种恶劣态度背后的不服从和不尊重。这似乎表明，他的威信正在减弱。如果这是事实的话，那么，他是无法接受的。他辛苦创办荣春社，荣春社在抗日战争这样的复杂环境中得以生存，依靠的是他的坚持不懈，更依靠他的绝对权威。失去了权威，荣春社就只能是一座沙雕，经不起风雨侵蚀。

也许是他想得太多，但他不得不想。想到这些，他很难过。为了让他能够在这次风波中平静下来，他的一位朋友在颐和园包了两间房，劝他到那里去住一段时间，避避暑。他接受了提议，去了。可是，他放得下荣春社吗？

就在这时，有关尚小云欲转让荣春社给善宝臣的传言流传开来，甚至有些小报直接刊登了这样的消息。有人怀疑，流言传播者就是那某先生。他曾经认为，尚小云之所以对他相当不客气，甚至挑事责骂他，都是因为善宝臣平时经常进谗言。其实，这只是疑心病作祟，并非事实。

听了这个传言，有人专门前往荣春社，在练功房，找到早就从颐和园返回、正在指导学生练功的尚小云，问他是不是真有转让的想法。尚小云笑言：

“我倒乐得有人来接手荣春社呢。只要给我40万，我甚至连戏都不唱了，享我后半辈子的清福了。”

说完，他哈哈大笑起来。一切答案，都在这笑声之中。

第二种说法，与荣春社的一个学生有关，他就是“荣春三杰”之一的徐荣奎。应该说，徐荣奎是有才华的，但也正因为如此，他太有个性，因此难以被驾驭。尚小云开除过学生，徐荣奎就是其中之一。

徐荣奎的名字，是入科荣春社后改的，他原名叫徐志远。因为他是带艺入科，年龄又比一般学生大些（1923年生），所以，无论是在为人方面，还是在艺术方面，他都显得成熟些。他的嗓音洪亮高亢、苍劲有力，基本功扎实，技术全面，擅演文武老生，也能演花脸。梅兰芳曾经夸他说：“是不可多得的京剧人才。”

自然地，徐荣奎是“荣春社”的顶梁柱，深得尚小云的赏识。尚小云的为人比较直率，不善于掩饰自己的喜好，喜欢一个人，就全表现出来了。

在生活上，尚小云对徐荣奎非常关心爱护，嘘寒问暖，送吃给喝。在艺术上，徐荣奎更是尚小云的重点栽培对象。在徐荣奎初入科时，尚小云安排王蕙芳的儿子王少芳为徐荣奎开蒙。之后，又请曾经培养过马连良的蔡荣贵为徐荣奎传授技艺。荣春社的大戏，如《马义救主》、《黑驴告状》、《取南郡》、《七擒孟获》、《火牛阵》等，尚小云都让徐荣奎挑大梁。因此，荣春社的学生都很羡慕徐荣奎，常有些嫉妒地说："你可是师傅的红人啊。"

徐荣奎很聪明，头脑灵活，很有自己的想法，而且极具个性，因此在荣春社里，常有惊人之举。比如，尚小云有一个习惯，常常在演出之后奖励表现突出的学生。奖励的方式，便是在吃夜宵时，吩咐厨房给他们开小灶。其他学生的夜宵，一般只是稀粥。大多数学生能够接受这样的差别待遇，但有的学生心里是有想法的，特别是那些身高体壮、饭量比较大的学生，喝了稀粥，也无法阻止肚子的叫声，又因饥饿而无法入睡时，对尚小云便有些埋怨。这个时候，徐荣奎便自告奋勇从床上爬起来，气冲冲地奔到厨房，点着火，坐上锅，给大家做鸡蛋炒饭吃。当胆小的学生因此有所惧怕时，他总是豪言道："有事，我顶着。"

事后，厨师向尚小云告状。尚小云探明缘由，也不追究。

为配合名丑贾多才给学生们排演《罗锅抢亲》，尚小云特地从唐山请来皮影戏剧团，演出《罗锅抢亲》。对皮影戏，学生们都非常好奇，散戏后，回到宿舍，忍不住七嘴八舌议论着，猜测着演出技巧。只有徐荣奎不吱声，托着腮帮子，想着心思。第二天散戏后，徐荣奎招呼大家看他自制的皮影戏。然后，他以玻璃窗户当屏幕，一个人躲在"屏幕"后又说又唱带表演，很是热闹，惹得观看的学生捧腹大笑。突然，笑声断了，四周一片寂静。徐荣奎推开窗户，只见尚小云默不作声地站在那儿，正盯着他看。他知道，师傅是来查夜的。他不免有些心虚，赶紧收了表演器具。尚小云却没有发火，而是由衷地称赞道：

"你这小子，真是天才，这影戏人儿，做得还像模像样的哩，演的也不错。”

从此，徐荣奎多了个绰号：“影戏人儿”。

荣春社各行当的尖子生常常共同演出的一出戏是《八蜡庙》。尚长春饰黄天霸，尚长麟饰贺仁杰，贾寿春饰褚彪，陈茂春饰金大力，李荣安饰朱光祖，孙荣蕙饰小姐，徐荣奎饰院子。其中有一场戏，说的是金大力出衙私访，半道上，与急匆匆赶路的院子撞了个满怀。金大力的台词是：“这一老头儿，抬头走道，低头看人，你怎么往大爷肚子上撞啊！”院子在叙述了抢亲过程后，道：“被恶霸抢了去了！”配合这句台词，徐荣奎把髯口甩在左膀子上，浑身颤抖。金大力听说后，抓着院子的左膀子，叫了两声：“扎扎扎，哇呀呀”，然后，将院子左膀子上的髯口，用力一甩。接着，徐荣奎有一个很漂亮的屁股坐子。

一般情况下，每次演到这个地方，总能博得个满堂彩。可是有一次，台下突然爆发出一阵哄笑。原来，金大力用力过猛，把院子的髯口甩到了舞台顶上挂着的宫灯上。无奈之下，舞台检场垒起三张半桌子，爬上去，才取下髯口。这个时候，没有髯口的徐荣奎“无脸见人”，只好脸朝里，等着检场把髯口拿下来给他，他这才慌忙戴上。观众见状，笑得几乎无法喘气。这虽然是一个意外，但在尚小云看来，这是一次演出事故，不能容忍。两个演员刚下场，他就二话不说，给了“金大力”陈茂春一记耳光，却没有责打“院子”徐荣奎。

从这些事情中，可以看出，尚小云对徐荣奎的确很宽容。但是，这并不意味着他对徐荣奎没有要求。有的时候，徐荣奎的错误，让尚小云忍无可忍，也得打。

荣春社的社规，是不准抽烟的。徐荣奎是北京人，自幼随做生意的父母长年在外奔波。相比荣春社大多数单纯的孩子，他见多识广眼界开阔，但也因此不可避免地沾染上一些坏习惯，比如抽烟。

入科后，他抑制烟瘾，但无法彻底戒除，又怕被师傅察觉，只能偷偷摸摸地抽。

有一天，犯了烟瘾的徐荣奎情急之下躲进了专制戏衣的裁缝房里，钻到裁剪布料的大桌子底下，很享受地吞云吐雾。偏偏这个时候，尚小云为了一件戏衣来到裁缝房。刚一进屋，他就闻到了烟味。仔细瞧瞧，房里没有人。他正纳闷时，却见一缕轻烟从桌子底下冒了出来。他走到桌边，弯腰低头，正好与徐荣奎惊恐的目光相遇。师徒俩就这样面对面了好一会儿，一时都不知该如何收场。好一会儿，还是尚小云先缓过神来，大吼一声："快点给我出来！"说完，他大步奔出屋子，来到院子里，突然回转过头，冲着裁缝房，又高喝一声："请板凳！"

正在院子里练功的学生们被尚小云的吼声吓住了，不由自主停下练功，看着尚小云，也疑惑地看着裁缝房。这时，徐荣奎慢吞吞地走出来。然后，他自己端过长条凳。所谓"请板凳"，相当于"家法伺候"。徐荣奎知道，这顿打，是免不了的了。他老老实实地趴在长条凳上，等着挨打。尚小云也不多说什么，举起木板，狠狠地打下去。打徐荣奎，尚小云是心疼的，他等着徐荣奎告饶。但是，倔强的徐荣奎咬着牙挺着，不求饶，也不流泪。尚小云的满腔愤怒中，有了些许伤心。

有一句话，人们常常挂在嘴边，那就是"爱之深，恨之切"。尚小云对徐荣奎，是疼爱的，也就不能容忍他的骄傲、他的桀骜不驯。

师徒俩矛盾激化，是因为徐荣奎倒嗓。在徐荣奎倒嗓之初，徐荣奎的父亲很担心儿子的艺术前途。尚小云安慰说："徐先生，您放心，就是他出科以后，嗓子如若还是倒不过来，反正我这儿有'大班儿'（指的是重庆社）呢，也搁得下他，不成问题。"似乎是为了让徐父更放心，尚小云又保证说："有我吃的，就一定有他吃的。"徐父这才放了心，走到哪里都直夸："尚老板有情有义。"

⊙荣春社学生剧照

进入8月，荣春社照例演出中秋应节戏《唐王游月宫》。在这出戏里，尚长春饰吴刚，孙荣蕙饰嫦娥，徐荣奎饰唐王。演出效果奇佳，几乎场场爆满。于是，就一直演下去，演到10月。由于长期疲劳，正值倒嗓期的徐荣奎的嗓子终于支撑不住了。最后一场，徐荣奎的唐王的几段高腔实在唱不上去。“徐迷”们一度为徐荣奎天壤之别的嗓子难过得几乎要落泪，直叹：昔日雄风，而今安在？台下的倒彩声此起彼伏，使徐荣奎倍受打击。

尚小云是知道徐荣奎正处于倒嗓期的，对他唱不了高腔，应该是能够理解的。但是，戏院里的嘘声和倒彩声，对他有太大的刺激，使他一时失去了理智，也就顾不得倒嗓不倒嗓这样的客观情况了，气得直跳脚。更火上浇油的是，与徐荣奎同台的孙荣蕙，可能是心理上受了徐荣奎的影响，竟突然也唱不出高音来了！观众更加哄闹起来。尚小云认为，这都是徐荣奎惹的祸，更加怒不可遏。

两人下场，来到后台。尚小云劈头就问徐荣奎："你是怎么搞的？"

徐荣奎心中正憋着气，居然也不顾尊师重道之理，硬邦邦地顶了一句："难道师傅您不知道我是怎么搞的吗？"他的言下之意是，我倒嗓，你又不是不知道。

尚小云又责备道："那也不能连高腔都唱不上去了吧。"

徐荣奎仍然很不客气："就是唱不上去！您让我有什么办法？"

尚小云最痛恨学生顶撞老师、弟子背叛师傅。在他的思想深处，不是没有中国儒家师道尊严、长幼尊卑之类的等级思想。对于他这样一个出生、成长于封建社会，只受过传统文化教育的人来说，有这样的思想，是不足为奇的。所以，一直以来，他对于梨园界徒弟与师傅反目之类的事情，总是深恶痛绝、义愤填膺。多数情况下，他是站在师傅一边，指责徒弟的。比如：

兼任荣春社教习的著名老生李洪春退出永春社时，他的弟子宋遇春没有选择与师傅共同进退，仍然留在永春社，甚至有取代李洪春的意图。有一天，永春社贴出演出戏目《过五关》，戏迷们发现，戏里的长老角色，原先一直是由李洪春担当的，如今，换成了宋遇春。消息传到李洪春那里，他气得不得了，在尚小云面前大发牢骚，说什么收徒收不好，收个白眼狼。尚小云也是师傅，自然很能理解李洪春的心情。他一方面极力劝慰李洪春，让他放宽心，想开些，一方面决定施计教训教训宋遇春。

永春社演出《过五关》那天，正巧是尚小云的生日。宋遇春登门道贺，然后就要走。尚小云知道他急着上戏院，晚上有《过五关》的演出。于是，他故意拉着宋遇春，说："你先别走，我这儿新做了行头，你给掌掌眼。"在宋遇春面前，尚小云是梨园长辈。宋遇春也不好执意要走，只好跟着尚小云到书房。

尚小云不急不忙地先打开一只大箱子，让宋遇春"掌眼"，然后，又打开另一只大箱子，再让宋遇春“掌眼”。就这样，一只箱子又一只箱子地打开，拿出一件又一件的新行头，让宋遇春“眼”不暇接。尚小云一边欣赏着，一边解释着，硬生生地拖过了演出时间。可怜把个宋遇春憋得、急的，几乎要五内俱焚！尚小云看看时间差不多了，这才放人。宋遇春赶到戏院，《过五关》早就演过了，他的那个角色也被换了人。他这才明白，尚小云是故意的。事后，尚小云又找宋遇春晓之以理。最终，宋遇春也脱离了永春社。

对别人的徒弟的所谓“大不敬”行为，尚小云都如此不能容忍，何况是自己的徒弟。在他看来，徒弟顶撞师傅，也是大不敬。平时，他待徐荣奎如亲子，疼他宠他栽培他，所以，徐荣奎的态度，也就更让他伤心，更让他动怒。不过，他没有即刻发火，因为当时还在戏院后台。回到荣春社以后，他才将结在心中的郁闷倾泻而出，大骂徐荣奎。师傅骂徒弟，总不外乎忘恩负义之类。在气头上，他宣布：由杨荣环、李甫春顶替孙荣蕙、徐荣奎，孙、徐二人编入后队。所谓“后队”，相当于“二线”。编入后队，意味着他二人由一线主力演员沦落为二线后备演员。他们的宿舍也由荣春社总院搬到了南院。

惩罚徐荣奎，尚小云的心情并不因此舒坦，反而更加憋屈，对办科班有了心灰意冷之感。他常常发牢骚说：“提拔徒弟，真是太没有意思了。”夫人王蕊芳一向善良大度，她是维护徐荣奎的：“荣奎也是情非得已，嗓子倒不过来，他也苦啊。你又何必和一个小孩子一般见识呢。”见夫人没有向着自己，反而站在徐荣奎一边，尚小云更气了，口头禅又冒了出来：“大不了，不干了！”

于是，有关尚小云欲转让荣春社的消息，就四下流传开来。

地位的落差，使天性倔强的徐荣奎感觉自尊心受到极大伤害。他悄无声息地走了，离开了荣春社。有一天晚上，尚小云演出《青城十九侠》，刚一亮相，台下就有人喝倒彩。有人说，喝倒彩的就是徐荣奎。隔了几天，尚小云获悉，天乐戏院贴出海报，上面写着：“荣春社出科高材生、尚小云的得意高足徐荣奎，于×日演出拿手好戏××。”

尚小云将徐荣奎编入后队的本意，不过是想以此方式惩罚一下他对师傅的不敬，也想乘此机会让他养嗓。但是，他没有明说暗示，这番苦心，徐荣奎怎么能够理解？相反，这种方式激怒了徐荣奎，使他产生了尚小云已经决定抛弃他的错觉。之前，尚小云答应过徐父，即使徐荣奎的嗓子倒不过来，他也会留下他的。然而，事情闹到这个地步，偏偏就是嗓子引起的。因而，在徐荣奎看来，师傅违背了他当初的承诺。他对尚小云，有些埋怨，之后的行为便有些过激。

尚小云由此对徐荣奎彻底失望。不久，荣春社的院墙上，张贴了一份公告，内容是：鉴于徐荣奎在师傅演出时喝倒彩，没有出科却以荣春社出科学生的名义擅自在外演出，这一切行为，违反了社规，因此予以开除，即刻生效。

尽管尚小云口口声声抱怨提拔徒弟真是太没有意思了，但是，他仍然难舍凝结着他心血的荣春社。抱怨也好，将“大不了，不干了”的口头禅挂在嘴上也好，都不过是他宣泄情绪的一种方式而已。他不可能真的有转让荣春社的意图，否则，他也不会卖房卖车，以维持荣春社。

尚小云与徐荣奎的师徒缘分，也并没有因此了断。之后，徐荣奎先到山西太原等地搭班演出，抗战胜利后，自己挑班演出。然后，他去了上海，求教于周信芳、唐韵笙、赵松樵等名家。有一年，他回到北平，来到荣春社，专为探望师傅。正在为学生排练的尚小云听说徐荣奎来了，高兴得几乎晕过去。待他与徐荣奎相见时，真的晕了过去——不是高兴的，而是气的。原来，徐荣奎的打扮非常新潮时髦，留长发，而且还烫了发，着西装，穿皮鞋。在尚小云的印象里，徐荣奎应该还是在荣春社时的朴素装扮：剃光头，穿布褂，所以，他一时不能接受这种形象的徐荣奎。他以为，徐荣奎被纸醉金迷的花花世界迷倒了、学坏了。

徐荣奎早已成年，心智也已成熟，对师傅更多了理解。师傅过去的行为，师傅现在的晕倒，在他看来，都是因为恨铁不成钢，都是在实践着“品行端正走正路”的教育思想。他在被急救苏醒后的尚小云面前，敞开了心扉，令尚小云感慨不已。

新中国成立后，徐荣奎创作演出的《闹朝扑犬》，深得梅兰芳的称赞。梅兰芳对徐荣奎说：“好啊！你这是京派、海派两大流派的合流。”同时，他还在报上撰文，直言徐荣奎是难得的人才，《闹朝扑犬》是难得的好戏。除了《闹朝扑犬》，徐荣奎还创作了《节振国》，也是他的代表作，反响不俗。被鲜花掌声荣誉包围的徐荣奎，总是难忘尚小云对他的教诲。闻知这一切，尚小云真切地感受到，提拔徒弟，不是没有意思，而是太有意义了。

卖房、卖车、卖字画

相对于老牌子的富连成和比传统科班更先进文明的中华戏曲专科学校，荣春社只能算是后起之秀。然而，“荣春社”的发展势头锐不可挡。尽管富连成有叶盛章、叶盛兰等挑大梁，中华戏校有正红透半边天、号召力极强的李玉茹、王金璐等，但是，荣春社的票房却毫不逊于前两者，甚至有时超过他们。因此，在一段时期内，京城科班形成富社、戏校、荣社三足鼎立的局面。

其中原因，首先当归结于尚小云的苦心经营；其次，荣春社的学生构成、主要演出戏目，也都是票房的保证。从学生构成来说，主要有三部分：一、大多数学生为梨园世家子弟。比如，尚长春、尚长麟是尚小云的儿子，时荣章是著名老生演员时慧宝的侄子，贾寿春是名丑演员贾多才的幼子。不论他们自身能力如何，至少他

⊙荣春社学生剧照

们有借先人之名成名的可能。这也是荣春社迅速打出知名度的基础。二、不少学生，如徐荣奎等，是带艺入科，他们本身是有一定演艺基础的。三、普通人家的孩子。他们当中不乏有演艺天赋的佼佼者。

荣春社的演出戏目包括三大类：

一、传统戏。每演传统戏，都遵循惯例，在正式剧目之前，加演《跳加官》、《大团圆》等。这是尚小云始终坚守传统的一种表现。

二、将传统折子戏串接成情节完整的大戏。这类戏大多为群戏，并不注重唱工，而是以火炽热闹为主，以人多取胜。有的时候，一出戏里，连兵带将，加上龙套，足有数十人之多，挤满了舞台。比如，《跳财神》中，财神有60余人；《青石山》中，有马童30余人；《五鬼一条龙》中“凤凰岭”一场戏，也有60个小兵。“不重唱工，只图场面热闹”，这是被不少评论家批评的地方。但是，这能使大多

数学生都有演艺实践的机会。同时，因为这样的演出方式为其他各科班所少见，所以，也能吸引大量喜欢热闹的观众。

三、新编戏，以奇异武侠戏为主。比如，根据《聊斋》中的故事改编的《崔猛》，还有《荒山怪侠》、《奇侠谷云飞》、《十龙探海岛》等。这与尚小云本人的喜好有很大关系。不论外界对这类戏在思想内容上有何评价，尚长春说，至少有三点可取之处：有利于学生基本功训练；情节复杂完整，故事性强；有一定的经济效益。

荣春社在1943年以后又回归传统，以演传统旧剧为主。当时，尚小云发表声明，表示荣春社所有新排本戏，只挑选最精彩的三四出偶尔演之，其余的一律不演，而专演旧剧。他的这个行为，外界一致称好，认为他这是在竭诚维护旧剧，不遗余力地继承传统，更有人称他为继梅兰芳之后的“旧剧又一大功臣”。

有人做过统计，荣春社在十一年间，共在北平、天津演出了京剧361出、昆曲28出，其中老生戏80出、青衣戏64出、花旦戏22出、武旦戏18出、老旦戏10出、武生戏54出、小生戏8出、花脸戏33出、丑角戏25出，另外还有开场戏20出，自编本戏27出。这份数据显示，荣春社的演出实践活动是非常频繁的。

特别值得一提的是，尚小云曾经大胆地为荣春社排演昆曲武戏《庆安澜》、《莲花塘》。说他“大胆”，是因为这两出戏曲子极多、唱工极繁，非常不容易排演。早年，只有著名的三庆班排演过。后来，小荣椿班因为班中有杨小楼、程继先、郭际湘、郭春山、唐春明等，演员阵容相当齐整，也排演过。从此，除了斌庆社排演过其中相对简单的《庆安澜》之外，再无别的科班、戏班完整地连续演出这两出戏。

因而，当荣春社排演这两出戏的消息传出后，戏界都很振奋，也都说“尚绮霞办社勇敢”。还有一个不易排演的原因是，两出戏所需服装道具极多，因而花费甚巨。尚小云却舍得投入，不惜血本。

从这件事上可以看出：一、尚小云对传统剧目有着很强烈的继承和保存的意识；二、越是困难的，他越是有挑战的欲望。这种不忧不惧的精神，也是他的特质。

尚长春这样总结说："荣春社成立以来，演出一直是兴旺的，卖座也很好。由于荣春社的戏有自己的特点，因而那时许多观众看荣春社的戏都长期包票，甚至连一年的戏票都订下了，有时是前头的戏不看，去看后头的大轴戏。总之，荣春社有几年是相当红火的……"①

荣春社既然列为京城三大科班之一，票房一度又不俗，那么，尚小云缘何还要卖房、卖车呢？从什么时候开始，荣春社开始入不敷出的呢？

四大名旦中，有两个人非常热衷于戏曲教育，一是尚小云，一是程砚秋。鼎足三立的三所科班中，荣春社是尚小云的，戏校与程砚秋大有关系。程砚秋是1935年接替焦菊隐新任戏校校长的（由金仲荪代理）。当时，他刚刚从欧洲考察归来，雄心勃勃，不仅将戏校改名为"北平市私立中国高级戏曲职业学校"，更在上任之初就拟定了八年教育计划，准备大干一场。然而，事与愿违。

与尚小云一样，程砚秋为戏校倾注了大量心血；与尚小云自筹资金办学不一样，戏校初建时，经费来源于庚子赔款。随着时局越来越动荡，戏校的经费越来越得不到保障了。程砚秋接手戏校不久，抗战开始了。戏校，也就日渐成为没有人管的"野孩子"，只有程砚秋和金仲荪在坚持着。

为了维持戏校运作，他们四处筹措经费，无奈最后连房租都付不起了。程砚秋把自己在沙滩椅子胡同的一处私人宅邸献出来，作为校舍。然而，这只能解一时燃眉之急，却不是长久之计。更重要的是，维持一所学校，不仅仅是校舍问题。就在这个时候，日伪当

① 尚长春：《尚小云与荣春社》，《京剧谈往录续编》，北京出版社1988年6月版，第38页。

局找上门来，表示愿意接管戏校。程砚秋、金仲荪怎么甘心拱手将戏校交出去？与其交出学校，还不如关闭学校。就这样，维持了十年的戏校，关门解散了。

戏校可以关门，戏校那么多在读的学生该怎么办呢？程砚秋、金仲荪绞尽脑汁，却力不从心。尚小云无意中得知此情，几乎没有犹豫就提出：戏校的学生如果有继续学戏意愿的，可以转入荣春社。无论多少，他敞开大门一律欢迎。于是，荣春社一下子又多了几十张嘴。许多年以后，尚小云在回忆荣春社时，笑着对友人许姬传说："那时，我家廊下经常放着一大堆面粉，可是，二三百张嘴，十来天就吃完了。"[①]由此可见他的负担有多重。

在尚长春回忆有关荣春社的文章中，特别提到从戏校转到荣春社的一个学生，原名叫景永成。他是一个孤儿，也是因生活所迫不得已学了戏。可是，还未熬到出科，戏校就关门了，他也没有地方可去，便入了荣春社。起初，尚小云将他编入荣春社二期"长"字科，后来发现他在花脸行很有前途，便让他直接跳了级，进入荣春社一期"荣"字科，并将其改名为景荣庆。同时，尚小云亲自教他基本功，又安排范宝亭教他花脸戏，更让他参与配演尚派大戏。因此，景荣庆在艺术上进步神速，很快就能挑大梁主演花脸戏了。

尚小云可怜景荣庆是个无所依靠的孤儿，在生活上对他也是格外照顾，甚至将他的婚姻大事记在心里。当时，在荣春社的附近有一间杂货店，店主与尚小云很熟。一来二往，尚小云看中了店主的两个女儿。在与店主相商后，这两个姑娘，一个嫁给了尚长春，一个嫁给了景荣庆。就这样，景荣庆成家立业了。

戏校解散后两年，有一个名为文林社的科班，到浙江温州演出，因经费短缺，居然被困在了温州，回不来了。此时，尚小云正携次子长麟逗留在天津。闻知此讯，他立即与文林社取得联系，给他们

① 许姬传：《尚小云与荣春社——纪念尚小云先生85岁诞辰》，《京剧艺术大师尚小云》，陕西人民出版社1990年4月版，第120页。

寄去路费，又派人到温州，将他们一行接到天津。稍作休整后，他又出资让他们返回北平。从此，文林社的数十名学生，全部并入荣春社。这件事，不仅让文林社感激涕零，梨园中人无不称颂。有人提出为尚小云置颂德匾，但被他婉言谢绝了。

除此之外，志新诚社、稽鼓社也因为无力为继而先后解散，又有不少学生转入荣春社。从这个意义上说，荣春社一度成了“收容所”。就艺术而言，这些学生大多已经学过一段时间的戏，有一定的演艺基础，某种程度上说，是带艺入科。因此，他们的加入，客观上加强了荣春社的演出实力。然而，就管理、生活而言，大批学生涌入，不可避免地为尚小云增添了负担。

这个时候，抗战已经进入到最艰苦的阶段，人们的生活也更加困苦。虽说越是在这个时候，人们越是倾向于逃避现实而沉迷于戏曲之中，但客观上，娱乐业的萧条还是免不了的。尽管荣春社的演出始终未中断，有时也能有盈利，但所有盈利，不足以平衡收支，甚至常常是亏本的。

尚小云也曾想过带荣春社出外跑码头，但是，全国各地都处于抗战之中，又有哪里是世外桃源？因此，荣春社只去过天津两次，一次是在1938年，荣春社正式成立那年的年底；一次是在1943年春天。两次演出都在中国大戏院，而他们之所以能够在此演出，是因为尚小云有该戏院的部分股份。因此，荣春社才有跑码头的机会。

但是，这两次演出的上座率都不高。第一次，很大程度上缘于荣春社新开班，尚没有知名度，虽然有尚小云这块招牌，但演出的毕竟多是稚嫩的学生，对老戏迷们来说，缺乏吸引力。不过，也正是因为它刚刚成立，资金尚足，尚小云的本意也并不指望荣春社即刻就能赚钱，而是以练兵为目的，所以即便上座有限，也无关大局。

第二次，情况有所不同。这时，因为不断地收留别的科班转来的学生，荣春社学生的数量已达顶峰，吃饭都成了问题，更别说置办行头，因此很在乎上座率。然而，战事越来越吃紧，戏院越来越门前冷落车马稀，即便这时的荣春社成熟壮大了很多，又有不少拿手本戏，却无济于事。

在创办荣春社后，尚小云减少了自己在重庆社的营业戏演出。毕竟精力有限，荣春社又需要他亲力亲为，使他分身乏术。然而，每当荣春社的家财就要见底时，他就不得不演出一段时间，以弥补亏空。因此，他还不能结束重庆社而将全部精力放在荣春社上。

1940年6月，尚小云又一次对班社进行改组，改重庆社为福荣社。前一次，尚小云改组戏班，主要是缘于人员的正常流动。有人进，有人出，所以改组也就成为自然。这次改组，多少有些被迫的味道。为什么？因为重庆社之名。在抗战期间，重庆是战时首都，是大后方。因此，对于敌伪来说，不要说首都重庆，就是对重庆这两个字，都很敏感。

当时，荣春社的主要演出根据地是位于大栅栏粮食店街的中和戏院。有一段时期，特务们常到戏院闹事。他们认为尚小云为戏班取名“重庆”，是有意的，是有目的的。殊不知，此名早在抗战前的1931年就确定好了的。然而，他们哪里听得进去这样的解释。有一次，演得好好的，突然就被几声枪响打断了。日本宪兵、汉奸特务拎着枪冲进了戏院，观众一下子就跑光了。尚小云本就是个火爆性子，一看这情势，就急了。好在其他老师、戏院工作人员，还有学生，强拉着他，从后台的一间小窗户里跑了出去，这才避免了一场冲突。

尚小云意识到，重庆社这个名字，是不得不改了。

在新班社福荣社里，除了几位老成员，如尚富霞、范宝亭、慈瑞泉、贾多才、高富远、扎金奎、计艳芬、王凤卿外，又新增了杨盛春、孔盛文、杨春龙、慈永胜、钱富川、孙盛武、罗文奎、李盛芳等。然而，时局不好，“福荣社”在成立之后，直到全国解放，基本上没有创排新戏。因此，即便尚小云有时参加福荣社的演出，但上座情况并不算太好。因此，完全依靠尚小云个人的演出收入，应付有些臃肿的荣春社的庞大开支，确实有些力不从心。

的确，这个时候的“荣春社”，从初创时的十人、十八人，到如今的数百人，增长速度是惊人的。从积极的方面说：

一、“荣春社”为中国京剧培养、储备了众多的艺术人才，意义是非凡的。

二、在大多数科班于动荡的时局中纷纷关门解散后，只有为数不多的几所科班屹立不倒，荣春社是其中之一。与其说是荣春社在坚持，不如说是尚小云在坚持。尚小云这一代艺术家，深受中国传统儒家思想的影响，有成君子之愿。“坚持，乃君子所为”，成为他们为人处事的原则。因而，他的坚持精神，也是值得称道的。

三、荣春社没有经济后盾，没有巨额财富支撑，完全依赖尚小云个人投入。在荣春社运行了一段时间后，他知道维持一个科班，需要热情和毅力，更需要的是资金。但是，他在尚无更多资金储备的情况下，仍然义无反顾地频繁收留其他科班的学生，又进一步显示了他善良厚道的为人、侠义刚毅的个性。

从消极的方面说，人员的过度膨胀，只能加剧科班的困难处境。荣春社筹建于抗战爆发前几个月，成长于抗战时期。可以说，它的生长环境是极度恶劣的。这样一个自负盈亏的自治组织，完全依靠演出维持生存，而演出的成败，不仅仅取决于科班自身，包括演员的艺术能力、剧目创排是否足够新颖等，更有市场因素。一个战争中的市场，与战争中的其他事物一样，是破败的，是溃烂的。

尚小云是智慧的，他应该意识到众多科班关门解散，很大程度上是因为战争早已破坏了市场，但他却因为培养人才的急迫心情，和一向的侠胆义肠，而置严酷的现实于不顾，仍然不断地扩大规模。尽管这个“扩大”，并不是他刻意的。但事实上，时局越来越动荡，环境越来越差，市场越来越萎缩，“荣春社”却越来越庞大。

庞大的荣春社，没有足够强大的市场可以依靠，爬行得愈加艰难，气喘如牛。尚小云的心里，像是被堵上千斤巨石，憋得慌，透不过气来。他是可以逃避的，像中华戏校以及其他科班那样，关门解散了事。但是，以他那样的个性，他做不出来。更重要的是，在他心底，还保有这样一份乐观：“说不定过几十年，舞台生活不知要变到什么样子。我再看着荣春社学生，每天过着快乐而有兴趣的生活，自然地，我也发生无限兴趣。”

所以，他说：“我做事的勇气，被环境支配，更觉热血沸腾，所以抱定苦干到底的精神，或许也有最后成功的一天！……我虽然受了一些苦，我心里总惦念着苦干——努力——兴趣——快乐——成功！”[①]在这样的信念支持下，他选择了继续坚持。为了能够继续坚持，他想尽了办法。

首先，他拼命画了一批画。他素爱画花卉，在他的笔下，常有兰草、灵芝、梅花、松树、菊花、牡丹，有时，他也画山水。他不是专业画家，但因得益于著名画家的亲传，所以，绘画水平还是很不错的。画好后，他拿出去卖。卖画所得，又可以使荣春社支撑一段时间。

其次，他重新粉墨登场。事实上，在荣春社后期，他已经很少亲自登台了。有一次，他与筱翠花合作演出《姑嫂英雄》。在化装间，他很感慨地说：“还不是为了生活！不然的话，快五十岁的人了，四大名旦，都成‘四大老旦’了，谁愿意在台上装着玩！”他说的“生活”，不是他个人的生活，是荣春社的生活。

卖画也好，“在台上装着玩”也好，都只能解一时燃眉之急，不是长久之计。于是，他只有变卖家产，卖房，卖车，卖家具，卖古

① 尚小云：《我对于演剧的感想与兴趣》，《立言画刊》，1938年10月1日。

⊙荣春社学生剧照。

玩字画，甚至卖夫人的首饰。

尚小云卖掉的房子，先后共计七所：宣武门外前铁厂房三所、香炉营头条一所，安定门内棚铺房一所，法通寺东隔壁房一所、宣武门外茶食胡同房一所。其中有一所房子，内有假山、长长的游廊，相当考究，非常气派。卖它的时候，尚小云的心里多少还是有些不舍的。不过，心里算算账，不卖，又是不行的。

隔了一段时间，报上又刊出消息："尚小云家藏珍贵古人书画，全部空运上海标价出售。"事实也确实如此。他将芳信斋中所藏名人字画运至上海，借座宁波同乡会五楼客厅举行展销。其中有吴道子、苏东坡、董其昌、唐伯虎、祝枝山、郑板桥、史可法、郑孝胥、曾国藩、翁同龢、李鸿章、任伯年、慈禧、八大山人等共达72个人的书画作品。

有一位收藏界朋友有一天路遇尚小云，问他："近日可有新收获资赏鉴否？"尚小云笑道："没有了，我自办科班以来，悉力以图，把玩古玩书画之心，都转搁在学生身上了。眼下，我富余五块钱，便给孩子们多置条彩裤；富余十块钱，便添个盔头，只为欣赏孩子们的艺术。”

不过，说“全部”，并不确切。他留下了一部分压箱底的名人字画，其中有两个人的两件作品，他犹豫了很长时间，终因舍不得，又放了回去。一件是一直高悬于芳信斋的原北洋军阀总统徐世昌（号水竹邨人）的一幅山水；一件是载洵（即洵贝勒，笔名疏厂主人）的一幅山水。这两人的画作虽然都谈不上是极品，但他们的特殊身份，特别是载洵，与尚小云交谊深厚，他也视这两幅山水为珍品。

值钱的东西大多卖了。尚小云用这些钱购置服装、道具，添置设备，支付学生衣食住行方面的所有开销和老师们的工资。这一切，都像是无底洞，似乎无论多少钱都无法将其填满。熬了一段时间，尚小云又郁闷起来。王蕊芳回忆说：

“有一天，小云从科班回来，一个劲儿地翻点家里的名贵字画。我一看他那闷闷不乐的样子，知道他准有不顺心的事。问了半天，他才说了一句，‘科班开不出饭来了。’原来为把科班办下去，他要卖掉自己多年搜集来的古玩文物。望着小云默默地收拾字画，我心里真不是滋味。忽然，小云转过身来，两眼直盯着我腕上的镯子，我明白了他的意思，褪下了镯子，摘下了首饰，交给了他。”[①]

在许多人的眼里，尚小云倾家办学的行为，从理论上、道德上说，固然值得钦佩，但是，就一般思维而言，此举是疯癫的，起码对家人是不负责任的。然而，尚小云幸运在于他的夫人识大体、明事理，他从她那里，获得的不仅是理解，更是支持。荣春社兴盛时，她起早贪黑，为学生们缝补衣服、制作戏衣，以其母性的慈爱照顾他们、关爱他们；荣春社遭遇经济危机时，她对尚小云变卖家产，

① 赵晓东：《闻瓜取凉，毁家传艺——王蕊芳谈尚小云的几件事》。

⊙尚小云赠吴素秋条幅（1974年）

甚至动用她的私房首饰，没有怨言。真所谓“创办一科班，忙了一家人”。

尚小云变卖家财办学的义举，感动了很多梨园中人，不少人捐资捐物，著名坤伶须生孟小冬就是其中之一。她登台早，积攒了许多老生行行头，如蟒、靠、箭衣、马褂、靴子、髯口等。她的侄子也在荣春社学戏。当她听说“荣春社”的困难后，将自己珍爱的行头悉数捐给了荣春社，其中大半都是八成新的，尤其是八副髯口，格外珍贵。尚小云很感激地接受了赠予。同行的支持，也更使他坚定了不放弃荣春社的决心。

尽管日子过到了要不断变卖东西的地步，但是，尚家还是有喜事发生的。那就是，尚小云的老幺尚长荣也能登台了。

1940年7月15日夜半时分，尚门又添丁。当天晚上，尚小云领着荣春社的学生在中和戏院演出，散戏后回家不久，三子尚长荣就出生了。他的哭声充沛而有力量，几乎惊天动地。尚长荣回忆说：“当时，父亲的两位老搭档在座。”他们听到孩子不同凡响的哭声，笑着对尚小云说：“得！尚家终于添了一个大花脸。”他们之所以这么说，是因为尚家长子尚长春工武生，次子尚长麟工旦角，就缺一个大花脸。果然被他们说中，日后尚长荣真的成了花脸演员。不过，他初次登台时，并没有唱花脸，而是娃娃生。那是在1945年的

⊙尚小云所绘扇面。

岁末。

按照梨园规矩，每年的腊月初八以后到除夕前这段时间，戏班都要停演。在演完最后一场戏后，戏班都要将行头归箱封存，并分别贴上“封箱大吉”的封条，这被称为“封箱”。来年正月初一，重启戏箱，开始演出，被称为“开箱”。相对而言，戏班更加重视封箱演出，以给观众留下难忘印象，便于下一年有好的营业。所以，戏班在挑选封箱演出的戏目时，都很谨慎。

尚小云选定《四郎探母》这出戏作为荣春社这年的封箱戏，也确定让小儿尚长荣扮演杨宗保。这出戏是传统老戏，取材于旧小说《杨家将全传》（又名《杨家将演义》）。尚小云与余叔岩、王凤卿、王又宸、孟小冬都曾合作过这出戏，主要饰演其中的铁镜公主，只演过一次萧太后，也是为了扩展荣春社的声名。荣春社的学生常排常演这出戏，5岁的尚长荣常常跟着学，对戏里的杨宗保很是崇拜。有一次，尚小云无意中听到长荣尖着嗓子唱了几句杨宗保的戏词，觉得很有味儿，有心让他登台尝试一下。

因为是首次登台，所以对于这次的演出，尚长荣难以忘怀。他回忆道：

我穿上了特制的小箭衣、小虎头靴，手执小马鞭。因为我年龄太小，父亲担心我上台后害怕往回跑，又怕我临时忘词，“巡营”这一场又加了四个大铠。我的个头小，戴着四个大铠上场时，我只是他们的身腰那么高。上台一亮相，台下掌声、笑声连成一片。“大帐”一场，杨宗保进帐见四伯父落座，因为椅子太高，只能由检场的把我抱在椅子上，台下立

刻又是一阵掌声、笑声……[1]

演完后，尚长荣得到了一瓶冰橘子汁作为奖励。既然有奖励，说明他演得好。尚小云的内心却很矛盾，他高兴，尚家又多了一个戏曲继承人；他担忧，在这乱世之中，成为唱戏的，恐怕日后连餬口都难。所以，尚长荣虽然早在5岁时就登台了，却直到1950年10岁时才正式拜师学戏。那个时候，时代已经变迁，一切都趋于安定。尚小云认为，那是个学戏的年代。

说到尚长荣最终确定专工花脸，其中还有一个小故事。当时，尚小云率“尚剧团”全国巡演来到青岛。他的一个弟子吴素秋正巧也在青岛，便去看望老师。尚夫人王蕊芳对吴素秋说：“你三弟（指尚长荣）该学戏了，我们正商量他该学哪行好呢。”尚小云也说：“素秋，也拿个意见吧。”吴素秋几乎是脱口而出：“唱花脸吧。”其实，尚长荣并不爱唱花脸。不过，吴素秋的理由的确充分：“花脸这行缺人，三弟应该接（袁）世海、（裘）盛戎的班，架子、铜锤都唱，戏路子宽。”尚小云觉得她说的在理，再联想到长荣出生时“两个老搭档”的预言，他暗忖：兴许长荣真的就是唱花脸的料呢。

就这样，尚家在有了旦角、有了武生后，又有了一个花脸。京剧中的生旦净末丑，尚氏父子占了三席。

荣春社关门

尚小云以“苦干到底”的无畏精神，实践着他为培养京剧人才“即使把家当摔了，也值得”的宏图大愿。最终，他“摔了”家当，却没有能够苦干到底。他像是一头跋涉在无边沙漠中的骆驼，背负着重责大任的铁沉包袱，艰难往前。他有决心，也有毅力，更有信心走出沙漠走向绿洲。但是，客观现实不以他的意志为转移的巨大

① 陈云发：《吟啸菊坛——大写尚长荣》，复旦大学出版社，2001年1月版，第41页

力量，阻断了他的去路。他无奈地停下了脚步。

因为，时势又变了。好不容易熬过八年抗战，尚小云的心，和所有中国人的心一起，飞了起来。他舒了一口气，以为荣春社的春天就要到来。不料想，内战紧接着就打响了。所有的一切，再度陷于混乱之中。国民党散兵游勇、社会闲杂人等乘机寻衅滋事，破坏捣乱，无所不为。

具体到梨园界，抗战胜利之初，许多久别舞台的艺人以为重获生机，纷纷恢复登台。但是，每当戏院有演出，就总会有人来骚扰。更多的从战场上撤下的伤残士兵心中有怨气，对于“老子在前线打仗，你们在后方吃喝玩乐”的现状心理不平衡，便以打砸抢的方式发泄不满情绪。进戏院，他们不买票，抢占普通观众的座位。观众也有怒气，要理论，要争辩。结果就是双方大打出手，武器就是戏院的桌椅板凳、毛巾茶壶，直打得戏开不了场，打得其他观众跑个精光，打得演员们失了演戏的兴致。

更令艺人们痛恨的是，有的时候，戏，唱到一半，就会被蛮横地叫停，或者因为演员念错了台词，或者台词的内容触动了他们的神经。这个时候，轻则由戏院管事的，或是戏班管事的，费尽口舌，说尽好话，解释上半天；重则被打骂一顿。之后，演员们还不能负气罢演，必须将戏进行到底，否则，将引来更大的灾难。比如，有一次，富连成的学生演《打樱桃》，有一场戏是这样的，一个小书童躺在樱桃树下，念道：“怪哉怪哉真怪哉，树上掉下馅饼来。”正演到这里，台下一声断喝：“停！”随即，几个宪兵冲上舞台，不由分说就将小书童打了一顿。戏，被迫中断了。大家也不知道小书童到底犯了什么错，又不敢问，只能干劝。宪兵质问：“为什么他说树上掉下宪兵来？”原来，他们将“馅饼”听成了“宪兵”。大家恍然，连忙解释，终于平息了这场莫名其妙的风波。

那时候，演员们个个提心吊胆，生怕出岔子而招致横祸。时间长了，谁也受不了。加上环境日趋恶劣，一咬牙，干脆改行。在这样的情况下，荣春社的生存状况也不容乐观。因为老师们走的走，散的散，科班只剩下耿明义和侯瑞春二位先生，因此基本上不教戏了。不过，荣春社的学生仍然在演戏，只是演得少多了。演出地点，也由最初的中和戏院，移到三庆戏院，最后又不得不迁到华北戏院。演出地点的不固定，也直接影响了演出成绩。此时的社会环境，简单地说，就是经济萧条、物价飞涨、怨声载道、民不聊生。

荣春社究竟是在什么时候关门解散的？尚长春回忆说：“1948年，解放军包围北平城。剧场里挤满了国民党伤兵，他们看戏不花钱，还闹事。以后，因为防空，晚上停止供电，演出更无法进行，经济上也就断了来源。此时，考虑到安全问题，以及经济上越来越拮据，只好让学生回家自谋出路。”按照他这样的说法，荣春社是在北平被解放军包围后解散的。这与事实有所出入。准确地说，尚小云

⊙《九曲黄河阵》，尚小云饰碧霄，尚长春饰哪吒

是在北平被围前的几个月，即6月底7月初，关闭荣春社科班的，其中原因，自然与恶劣的社会环境有很大关系。

1948年，大地复苏，春天到来的时候，尚小云的心情没有随之变得温暖起来，他好像仍然生活在冰雪寒气中，冷得瑟瑟发抖。失望，让他感觉不到春暖花开；绝望，让他彻骨寒冷。初夏，外人似乎没有感受到任何征兆，就不得不猛然接受这样一个事实：尚小云的荣春社在华北戏院辍演了。这条消息扑面而来，震动梨园。戏迷们扼腕叹息，因为此时此刻，京城科班就只剩下荣春社了。

在这之前，硕果仅存的三大科班，富连成、鸣春社、荣春社中，富社、鸣社就已经宣告解散了。最先解散的是鸣春社，紧接着是富连成。说起富连成的解散原因，社长叶龙章解释说："1948年，北平解放之前，在国民党反动派践踏下，市面紊乱，百业凋零，食粮困难，戏院停演，科班也停演……我社萧（长华）先生也离去，还有许多老师，如王连平、萧连芳、侯喜瑞等也都到外搭班，各寻出路，富连成社宣告解散。"[①]这段话，也可以用来解释鸣社、荣社的解散原因。

富连成解散时，"韵"字科的学生大部分已经出科，只有"庆"字科的30多名学生才刚入科不久。他们有的各自去投师，有的则加入荣春社。可是，此时的荣春社已自身难保。导致荣春社辍演的直接原因，正如叶龙章所说，是"食粮困难"。也就是说，物价飞涨，食粮表演"三级跳"，压得尚小云不能喘息。

当时，一袋兵船牌面粉涨到245万元，荣春社每日的演出仅仅有10袋面粉的收入。稻米的价格，涨势也不逊色。仅在4月份，就由月初的每斤3.8万元涨到4.5万元。短短两个月，荣春社仅仅亏在食粮一项，就高达两个亿。

如果说食粮问题是荣春社辍演的主要原因的话，那么，次要原因便是科班里的学生有不少被国民党军队抓了壮丁。也难怪，荣春

① 叶龙章：《喜（富）连成科班的始末》，《京剧谈往录》，北京出版社1985年2月版，第25页。

社的学生，多是20岁不到的男孩子，正值当兵扛枪的年龄。军队三天两头来抓壮丁，科班不堪其扰。

尽管如此，倔强的尚小云还是公开表示：不到万不得已的时候，决不轻言放弃凝聚着自己数年心血的荣春社，决不让科班的孩子们流离失所。因此，他宣布，荣春社辍演，是暂时的，只一个星期。待重振旗鼓，当即刻恢复公演。

尚小云的豪情，不只是说说而已。为了学生们不被抓壮丁，尚小云不得不安排学生们在白天各自回家躲避；晚上，悄悄返回，在尚宅后院的一个地窖内练功排戏。同时，他加强阵容、调整人事、稳定人心。

因何调整人事？这就牵涉到荣春社内部不为外人所知的矛盾与不和。正因为是"不为外人所知"，所以，或矛盾或不和，只是可能、传说、揣测。矛盾的关键人物是荣春社总管事善宝臣。尚小云曾经在接受媒体采访的时候，似乎有所指地发牢骚说，有些经他一手提拔的人，也人心大变了。虽然他没有明说，但人们从种种迹象中推测，尚小云说的人，就是善宝臣。

有关善宝臣的不利传言，集中在"钱"的问题上。在荣春社后期，外界有这样的传言：尚、善两家有些不愉快。至于为什么，无人能说得清，但是有一个事实是明摆着的：尚小云不断地卖房产，前后赔进去七所房子；善宝臣却不断置产。这就给外人很大的想象空间。伴随着这样的事实，尚小云虽然没有对外宣布起用孙甫亭为荣春社的新任总管事，但事实上却将许多事情交给他处理。也就是说，他以如此不动声色的方式，部分削减了善宝臣的权力。

他的性子是急的，脾气是大的，但是并不蛮横。他也是细致的、小心的，很顾及面子，不轻易与人撕破脸皮，起大冲突。他又是念及旧情旧恩的人，善宝臣毕竟为荣春社出过大力，做出过不少贡献，有所获有所得，也是理所当然的。

可是矛盾总是掩盖不了，它在适当的气候条件下，总会暴露出来。在尚小云忍痛宣布荣春社暂时辍演之前，某报有一篇这样的报道："荣春社自正月（指1948年）春节以来平均每日卖钱均在三千万元以上，可是主事人报到尚小云那儿总是差着一个相当数字，尚对此自早已有耳闻，他所以隐忍未言，是希望替他办事的人能拿出良心来，可是许久仍然如此，尚始觉悟这个年头儿不是有良心的年头了，这样尚与善宝臣起了摩擦……"

尚小云终于忍无可忍了，决定调整人事。首先，他对善宝臣经手的荣春社账目进行清查，得出其"亏空一亿七千八百多万元"的结论。这个数字，不足黑市的一两金子钱，当然是微乎其微的。但是，事实上呢？不言自明。为此，尚夫人王蕊芳气病，卧倒床榻。尚小云呢，感叹着说："要细谈起来，我得哭三天，可是我们大大小小的，不能说人家要饿死我们，我们就等着饿死呀！"所有人都深切感受到他内心的无比激愤和万般委屈。

也许正是为了不能"等着饿死"，尚小云不能解散荣春社，而只是辍演。他在调整人事的同时，对外宣布，他将只留下45名学生，让其他学生卷铺盖各自回家，又将存放在华北戏院后台的戏箱全部拉了回来，再一声令下，将做"大锅饭"的厨师遣散，将做"大锅饭"的锅台炉灶拆除。他的这一系列行为，在一般人看来，"荣春社"若想在辍演一周后恢复登台，并非易事。

⊙尚小云在长安大戏院演出《虎乳飞仙传》于后台化装所摄

遣散厨师，拆除炉灶，是尚小云在继调整人事后的又一个措施。有人曾经问尚小云，荣春社的学生每天到底有多大的伙食消耗？尚小云说，粮食，每天须用80斤杂合面，25斤白面。按时价来说，约花费一千五百多万元。加上煤火与菜钱等消耗，每天固定消耗超过两千多万，一个月就是六七亿。这实在是一个沉重的包袱。因此，尚小云决定，从此以后，取消伙食。

实际上，尚小云并没有按他事先计划的只留45名学生。他还是舍不得，便改变初衷，不减一个学生。虽然取消伙食，但他许诺会按演出收入分配。一个星期以后，荣春社果然在华北戏院恢复登台。6月24日、25日的戏目，是尚长春、尚长麟演出的《摩登伽女》、《请清兵》。26日的压轴是《崔猛》、大轴是《飞剑斩白龙》。和往常一样，尚小云亲自把场。据报载，几天的上座都还不错。有人说，尚长麟的扮相唱念宛如二十年前的尚小云。更有人说，尚小云父子的叫座能力不分上下。闻听此言，尚小云乐不可支，笑说："看这'一团和气'的样子，也痛快呀。"他话中有话，更有扬眉吐气的自豪。

然而，一团和气并没有维持多久。战火纷飞下，北平岌岌可危。尚小云不得不哀叹：谋事在人，成事在天。即便有十足的无奈、不舍、不忍，他也不得不将维持了十一年半的荣春社关闭。犹如亲自扼断至亲骨肉的生命，他心碎而充满负罪感。但是，他是有理智的。他很清楚，无论如何，有理想有热情有毅力有坚持的那份心，在历

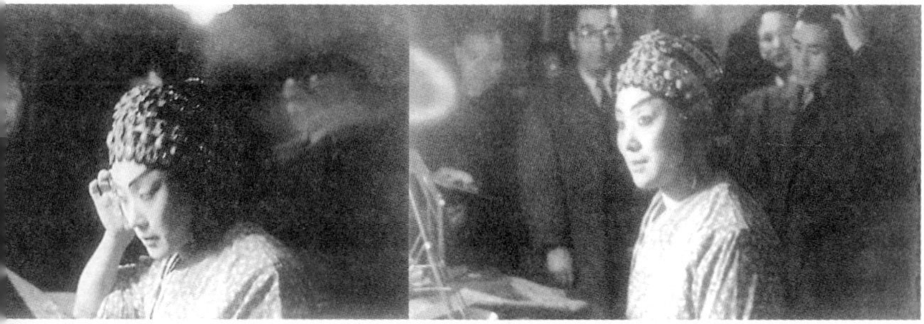

史的巨轮面前，个人只是一粒尘埃，细小脆弱又无力。

7月9日的《戏世界》有这样一则消息：“奚啸伯、毛世荣、富连成、荣春社、鸣春社，都因营业不振（有时只上百余人），只好报散。”它像普通的新闻报道一样，客观得近于冷漠。但是，戏迷们还是从中感受到了一份悲情。更让人唏嘘的是，荣春社关闭并且停止演出后，学生们各谋生路，有的去卖报，有的摆地摊，有的去买卖银元。这些被尚小云立志培养、塑造的京剧后备人才，沦落至此，不得不让人哀叹世事难料、命运多变、历史无情。

北平解放之初，不甘心的尚小云试图召回荣春社的学生恢复演出。但是，面对此时的朝代更迭，正如尚小云曾经感叹过的那样，人心大变。没有多少学生响应他的召唤，前前后后只回来了二三十人。尽管如此，尚小云还是将回来的学生组织起来，重排旧戏，在长安戏院登台。旧戏，又怎能适应改了朝的时代要求？勉强维持了一段时期后，荣春社不得不再次停止了演出，彻底解散。

为了照规矩发给大家遣散费，尚小云不得不将尚家剩下的唯一房产、荣春社总社所在地、尚家一家大小正居住着的椿树下二条的宅子，卖掉了。据说，宅子卖给了梅兰芳。有报纸刊载这样的消息：“四大名旦中，尚小云最穷，房子卖给了梅兰芳。”又据说，卖房子所得，共有四亿五千万元。

然后，他携家带口，租住长安戏院的老板杨守一位于旧刑部街九号的老宅。办了十一年半的荣春社，科班没有给尚小云带来财富，相反却耗尽了他多年演艺生涯积累下来的所有房产。在倾家办学这一点上，不是教育家的尚小云却与教育家的陶行知十分相像，陶行知的办学名言“捧着一颗心来，不带半棵草去”，也正是尚小云的真实写照。

如果以“解放”划分新旧的话，富连成、中华戏校、鸣春社，以及荣春社，存在于国民党统治之下，因此属于旧式科班，而西北戏校则属于新式科班。戏校校长名叫梁华侬，原先是北平城南游艺园的一位花脸演员。北平解放后，梁华侬接受西北军区驻京办事处王震将军的委托，以其个人名义招收学员，组建了梁华侬剧团。之后，剧团更名为西北戏剧学校，梁任校长，李洪春任副校长，教员有刘砚芳、陈丽芳、孙盛文、贾多才、钱富川、杜奎三、霍文元、周子厚、李德棚、李盛荫、陈世鼐等，学生百余人，有的是第二次坐科。

之后，西北戏校被要求改为新疆军区京剧院。这也就意味着，戏校已经不属于民间团体，而属于军队文艺团体了，人员编制也由艺人而升格为文艺兵。因此，所有人员将迁往大西北。离开之前，梁华侬曾经到荣春社，动员学生加入到他们之中，并随他们前往大西北。荣春社二期的“长”字和“喜”字科部分学生，还有一些入科不久的学生，受到鼓舞，参了军，加入到了军区京剧院，去了大西北。这个时候，尚小云明白，荣春社是再难恢复了。于是，他在送走学生之后，又将荣春社十多年以来积累下的服装、道具等低价卖给了军区京剧院。荣春社几轮沉浮、几度沧桑，直到这个时候，才算彻底走到了尽头。

艺术的尚小云，为后人留下了热情火辣，充满浓烈侠义之气的尚派艺术；教育的尚小云，不仅为京剧舞台培养、储备了大量的人才，也为戏曲教育提供了典范。他以“人格、资格、教法、身体、精神、才干、技能和感化力有效地达到预期的育才目标”[①]，因此，说荣春社是戏曲界的一个奇迹，不为过；说它是教育界的一个奇迹，也不为过。尚小云的可贵，也许不是创办科班本身，而是在于为维持科班而表现出的坚持不懈的精神和坚忍不拔的意志。面对困难、身处困境，他从来没有退缩。在荣春社之前，有富连成，有中华戏校；在荣春社之后，有鸣春社，等等，坚持流尽最后一滴汗、最后一滴血的，是尚小云的“荣春社”。

荣春社以其不凡业绩，及其规模之大，存世之久，在五彩斑斓

① 章诒和：《戏剧大师尚小云往事》，《凤凰周刊》2006年第6期，第19页。

的京剧史、京剧教育史上得以留名；尚小云则以他在创办荣春社过程中的义无反顾、不乏悲剧色彩的经历和作为，为这位以唱戏立身的艺术大家的人生增添了浓墨重彩的一笔。

出任梨园公会会长

尚小云拒绝文林社和梨园中人为他置颂德匾的理由是：“我身为梨园公会会长，此乃分内之事，理当如此。”那么，他是何时出任会长的呢？

1942年10月12日，因抗战爆发而停止了多年活动的梨园公会重新开会，到会的梨园代表有142人。大会有一项很重要的议案，就是选举会长。投票结果很快就出来了：尚小云获票最多，共计138票，无可争议地当选为正会长。位居其次的是赵砚奎，当选为副会长。除此之外，尚有数人入选理事，他们是：马连良、程砚秋、谭富英、荀慧生、筱翠花、李万春等。

这次选举可能是自1937年梨园公会被要求改组、选出首届董事后的第一次重新选举。当时，杨小楼和尚小云得票最多，杨为董事长，尚为副董事长。如今，尚小云由“副”转“正”，最主要的原因，自然还是归结于他在梨园中的威望。他性格的刚强、为人的正直、品德的高尚，使他受到同行的一致尊重。他的仗义疏财、侠胆义肠，特别是他倾其所有自助办学，又使他受到众人爱戴。

其次，杨小楼早已于1938年就去世了。1942年2月，四大须生之一的高庆奎去世；6月，四大须生中的又一位言菊朋去世。也是在这年，老生泰斗余叔岩膀胱癌扩散，基本上已退出了舞台。

这个时候，梨园中有显赫声名的，唯有四大名旦。他们四人中，梅兰芳于30年代初就移居上海，后隐居香港，也算是脱离了梨园。程砚秋在抗战初期，也是为维持同业生计，不得不登台，但就在梨

⊙《红鬃烈马大登殿》尚小云饰代战公主

园公会重新开会前，因不堪被敌伪骚扰，一怒之下到青龙山当农民去了。荀慧生呢，也早已减少演出，又将心思用在他的留香饭店。在这种情况下，曾经是梨园公会副董事长的尚小云，几乎是会长不二人选。

或许是因为梨园公会的这次重新开会以及会长、副会长的选举，是在日本人占领期间进行的，在日本宣布投降后的第二个月，梨园公会不得不再次改组。或许也就是因为这个原因，尚小云在改组时，辞去会长一职。实际上，他在会长任上，依据梨园公会的传统，每到岁末年首，都组织赈济同业的义演。更多的时候，他不改自掏腰包接济贫苦同业的习惯。扶助“文林社”，便是其中一例。也就是说，这段时期的梨园公会，仍然只是梨园中人的自治组织，与政治无关。

“与政治无关”的梨园公会，并非拒政治活动于千里之外。但是，它参与的政治活动，是积极的、进步的。其中重要的一次活动，是于1944年12月9日，应“华北广播协会”的邀约，举办了一次“演艺报国运动”的电台直播。

这次电台直播的目的，为的是昂扬战时国民精神。直播内容分成6个部分，首称由梨园公会会长尚小云做“梨园界应有之觉醒”的演讲，接下来，分别是：

张玉英：演讲“勤俭增产做一个模范的主妇”；清唱《三娘教子》。

章遏云：演讲“见义勇为除暴安良”；清唱《十三妹》。

侯玉兰：演讲“祈祷和平”；清唱《荒山泪》。

赵啸澜：演讲“互助友爱同难共苦”；清唱《乾坤福寿镜》。

言慧珠：演讲“从军报国”；清唱《花木兰》。

虽然不能说一次直播就能完全达到“昂扬国民精神”的目的，但至少表达了梨园人士保家卫国的心声，也在一定程度上代表了戏曲艺人们的爱国情怀，其具有的积极意义，显而易见。

改组后，梨园公会称“国剧总会”。虽然尚小云辞去了会长一职，但他为“国剧总会”的成立，还是参与了庆贺演出，与谭小培、筱翠花等合作了《大登殿》。

“国剧总会”之名，之后又数次改名，初为“国剧公会”，后为“京剧公会”。

1946年10月，也就是在尚小云辞去原梨园公会会长一年后，“国剧公会”7日召开大会，选举常务理事及理事长。经过票选，杨宝森得10票，尚小云得8票，方志新得7票，于永利得6票，荀慧生得5票。因此，此五人当选为常务理事。除此，李洪春当选为常务监事。然后，按照程序，由五位理事推举出理事长。最终，尚小云以四票获选。当时，有报道称：“至此，国剧公会此艰巨责任又为尚小云所负。”

在尚小云初为国剧公会理事长时，他对梨园前途是充满乐观的，也是满心希望引领梨园在被战火造成的废墟上重新屹立，并且走上正途而再现辉煌。然而，很快，他就失望了，继而绝望。就社会因素而言，国民政府横征暴敛，苛捐杂税多如牛毛，通货膨胀，物价飞涨。刚刚摆脱了亡国奴生活的老百姓，还未来得及喘口气，就又跌入痛苦深渊。随着内战程度的节节攀升，城内遍布国民党伤兵，他们强吃、强要、强看戏，又打、又骂、又抢掠，社会秩序大乱。在这样一个江河日下、道德沦丧的环境中，梨园行并非真空，受社会环境的影响，艺人道德一泻千里。

当然，公德未丧、良知未泯的艺人也不乏其人，尚小云便是其中之一。他非常看不惯眼前的一切，却自知无法力挽狂澜，他在感慨、悲愤的同时，只有选择逃避——再次辞职。在国剧公会召开的一次例会上，尚小云针对当前的社会混乱局面、梨园混乱现状，狠批了一通。然后，他拿出事先准备好的一张黄纸，当场奋笔疾书，写下“尚小云谢绝梨园”几个字。写完，他将这张黄纸留在会场里，摔门而去。

尚小云辞职后，国剧公会在长达半年的时间里没有理事长。社会形势的逼迫使戏院生意更加萧条。戏院为自救，只好放弃演戏，或改演曲艺，诸如杂耍、笑剧（相当于上海的滑稽剧）等，或改放电影。在这种情况下，京剧演员的生存更加成问题。国剧公会为此召开会员大会，讨论应对措施。会上，大家情绪激动，纷纷表示，自尚小云辞职后，这半年多来无继任人选，理事长一席悬而未决，以致会务推动极为困难。所以，首要解决的是，尽快推举新的理事长。那么，有谁能够接任此职？说来说去，大家还是认为，尚小云最合适。

这个时候，尚小云正在天津。之前，6 月份，他应天津报业公会和新闻记者公会的邀请，到天津参加修建两会会址的筹款义演，在中国大戏院，与筱翠花合作演出一至八本《梅玉配》；然后，他带着两个儿子长春和长麟在上平安戏院演出了一个周期。当时，该戏院的票房是天津所有戏院中最高的，称得上“生意兴隆、财源茂盛”。其中原因，有老店新开、票价平民化、管理有秩序等因素，更重要的便是尚氏父子同台献艺。

起初，尚小云并无意亲自登台，此次，他以锻炼两个儿子为首要。当他发现尚长春的《铁公鸡》不能使戏院满场时，就挂出招牌：“尚小云贴演《四郎探母》”，或者是：“尚小云贴演《摩登伽女》”。这么一来，上座立时有了很大转机。接着，9月份，他与荀慧生为天津劝业小学义演。当时，两大名旦合作，轰动津门。

因此，萧盛萱(萧长华之子)提议，为表示诚意，由国剧公会派人到天津，“请回尚老板”，并让他重新上任，继续担任理事长。如果他执意坚辞不就，那么，国剧公会再推选继任者。对萧盛萱的这个提议，全体会员一致通过。这也可以看得出来，尚小云在梨园行，确有相当的声望。同时，梨园行对他在担任梨园公会会长、国剧公会理事长期间的组织管理工作，也是非常认可的。

无论是梨园公会，还是国剧公会，都是梨园艺人的自治组织。无论是担任会长，还是担任理事长，尚小云始终不忘记自己的职责，是为艺人们谋福利的。比如，有一年，中华戏校的学生李玉茹有意自己组班，邀请曾为程砚秋编剧《锁麟囊》的著名编剧翁偶虹共同参与，名字都起好了，叫“如意社”。经费、人员、戏目、戏院、首演时间等一切都准备得差不多了，没料却横生枝节：梨园公会不承认如意社，理由是“戏校的学生没有正式拜师，不能自行组班”。

此时的梨园公会会长，正是尚小云。平时，他忙于演出和管理荣春社科班，无暇顾及公会日常事务，便将其委托给了副会长赵砚奎。那天，翁偶虹去梨园公会，准备与赵砚奎好好沟通如意社的问题，正巧碰上了尚小云。他俩原就相熟，只是各忙各的，特别是翁偶虹可以说是程砚秋的专职编剧，所以两人来往得不是很多。

看见翁偶虹，尚小云连忙迎上前去，非常热情。他的豪爽个性，使他凡事都不会拐弯抹角，只寒暄了两句，他就直截了当地说，关于如意社的事情，他已经听赵砚奎说了。然后，他回头吩咐赵砚奎："甭说别的，立即批准组织如意社。"翁偶虹准备好的理由就是：我是戏校的老师，戏校的学生都是我的学生，也就算是拜过师，所以戏校的学生组班，是符合规矩的。

未容翁偶虹坦陈他的理由，赵砚奎嘻嘻笑道："老弟，您何必辛苦亲自跑这一趟呢？打发个伙计，通知我一声，不就成了？尚会长说了，谁不知道戏校的学生都是您的学生啊。至于如意社，我这就批准。您愿意明天开锣，我们去捧场。"

翁偶虹没有想到，他未费口舌，事情就这样顺利解决了，当归功于尚小云。于是，他一再向尚小云道谢。尚小云摆了摆手，说："自己人，这算什么？"他说的"自己人"，既包括他与翁偶虹的私人情谊，也含有他们都是梨园界人的意思。尽管他是梨园组织的头儿，但是他从来不自视高于一般艺人。

尚小云虽然很感激梨园公会对他的信任，但是，他没有接受重新上任理事长的请求。这个时候，他对时局、对梨园，有些心灰意冷。所以，他结束在天津的演出后，将长子尚长春送回北平，让他继续随荣春社在华北戏院演出，而他自己，则带着次子尚长麟留在了天津，租了一间房子，每天陪着长麟练功、学戏，还"逼迫"长麟减肥。

原来，长麟这次在上平安戏院演出成绩很不错，嗓子、做工、扮相，都有乃父风范，日后大有可能成为尚派最有实力的继承人。不过，有戏迷认为，长麟也有缺陷，那就是胖了点儿。于是，尚小云用"减食去肥法"监督长麟减肥。所谓"减食"，就是少吃饭。一天之中，他只允许长麟吃两小碗饭。一段时间下来，长麟人倒是瘦了，但也把长麟饿得"眼睛都蓝了"。没有了气力，在舞台上又怎么

⊙《金山寺》中尚小云饰白娘子

能翻飞扑打呢。尚小云觉得这个方法不怎么样，又忙着寻找别的法子了。总之，有一段时期，尚小云过着专心培养儿子的半隐居生活。不过，他的心对梨园还是有所牵挂的。

这年年底，国剧公会二次更名，改称“京剧公会”。随即，京剧公会召开大会，进行换届选举。拒绝重新就任理事长的尚小云，没有参加这次大会。他真的“谢绝梨园”了。新的一届理事会由七人组成：叶龙章、李万春、叶盛章、于永利、白云生、沈玉斌、叶盛长。[①]由叶盛章任会长，沈玉斌任副会长。

尚小云在这个时候退出京剧公会，实际上是非常明智的。改组于非常时期的京剧公会，它的职责也有很大改变，为艺人谋福利不得不退居其次，更主要的工作，是频繁地办理为国民党机关约角演专场戏。比如，京剧公会刚刚成立，就接到北平市政府下达的任务：为欢迎国大代表张道藩组织一场义务戏。

有几位场面认为，艺人靠唱戏吃饭，强迫演义务戏，没道理。于是，演出那天，场面负责人和部分文武场面都罢演。观众有国民党空军、陆军、宪兵十九团、军统和中统特务，还有不少伤兵为主，

① 这份理事会名单，是富连成社长叶龙章在其所著《喜（富）连成科班的始末》中所说。另外，据侯希三在其所著《北京老戏园子》（中国城市出版社1999年12月版）中所说，理事会的七名成员，是叶盛章、沈玉斌、李洪春、萧盛萱、叶盛长、白云生、沈玉才。

其次是陪同张道藩看戏的政界人员。见正戏迟迟开不了场，军人们哪受得了“戏子”给的气，闹开了，不仅纷纷将茶壶茶碗砸向舞台，更把这场义务戏的组织者、京剧公会的会长叶盛章五花大绑起来。有伤兵用拐杖作武器，有的人用汽水瓶作炸弹，打（炸）向叶盛章，若不是外一区刑警队的警察及时赶到，叶盛章的命恐怕都难保。戏院内，一片混乱，张道藩见此情景，自嘲道：“这是欢迎我还是不欢迎我呢？”然后就走了。

事后，有人说，幸好张道藩只是国民党的文职人员——作协主席，若是军界长官，后果将不堪设想。尽管如此，会长叶盛章还是受到了极大刺激，一病不起好几个月。如果不是尚小云辞职得早，倒下的就不是叶盛章了。说尚小云聪明，不在于他逃避得及时，而是他对局势有很清醒的认识。

尚小云担任梨园公会会长，是在抗日战争时期；尚小云担任国剧公会理事长，是在国民党统治时期。于是，在“文革”中，这便成为他的又一个“罪”。尽管他在任期间，主要工作是每年岁末组织赈灾义演，主要服务对象是贫困同业，又尽管他自己和他的荣春社从来没有演出过反抗战的媚敌剧目，相反，他和荣春社的戏，塑造的多是文武兼备而充满侠气正直的人物形象。所以，有人称：“尚绮霞以无人皆备之才，表演各剧，唱念做打舞，无者咸具，允以剑侠各戏，表现吾国古来之英雄，为全国所艳称。”

不可否认，在抗战期间，尚小云没有退出过舞台，没有停止过演出。他没有像梅兰芳那样退避香港蓄须明志，也没有像程砚秋那样退居市郊当农民。但是，他的正义感和民族气节，与他们是一样的。他非但没有自排和帮助荣春社排演媚敌剧目，他甚至坚决拒绝为敌伪演出。比如，当伪“满洲国”成立时，日本人以重金邀聘尚小云前往“首都”新京，参加豪华的登基庆典。对于这样的演出活动，尚小云自然不愿参加，但他知道，硬抗并不明智，于是采取软拒的方式，躲了起来，所有人都找不到他。待“庆典”过了，戏也唱完了，他这才露面。

1935年冬，大汉奸殷汝耕接受日本人的提议，在通县成立了“冀东防共自治政府”，出任委员长。第二年春，为庆祝自己的生日，也为庆祝“自治政府”成立，更为讨得日本主子的欢心，殷汉奸决定举办一个规模大、规格高的堂会戏。首先，他拨款在通县新建了一座大礼堂，然后派人到北平邀约名角儿，号称只要答应去唱一场，立即会有几千大洋入账。这时候，梅兰芳已经不在北平了。北平的名角儿，尚有杨小楼、余叔岩。之前，余叔岩已经辍演，在家收徒教戏；杨小楼以年龄大、身体有病为由拒绝了。有好事之人为邀功请赏，承诺将一定约到尚小云。尚小云拒绝得很干脆：“不去！”

然而，在是非、黑白都颠倒的环境下，民族气节被掩盖，曾经担任过梨园公会会长和国剧公会理事长的历史，却被无限放大，而且以此入罪。更令人可笑又可气的是，在抗战时期，梨园公会一度被划归由日本人主持的“新民会”管辖。于是，以讹传讹，尚小云被移花接木，由梨园公会会长“跃”为新民会会长。同是“会长”性质却南辕北辙。这是尚小云被打倒、被批斗的一个很重要的原因。解放初期，有关部门对尚小云的这段历史调查得很清楚，也作出过正确结论。可当“文革”风暴席卷而来时，这一切又都被推翻了，甚至全都成了“罪”。然而，从那个时代走过来的艺人们和有良知的所有人的心里都有一杆秤，自会掂量，自会有公允的评价。

再排新戏

相对而言，传统旧剧重唱，讲究情节曲折，故事性强。在尚小云看来，若有心发扬国剧，使后辈有真正的艺能和实力，必当以旧剧为基础。所以，他的荣春社竭力排演久已失传、多年未见的老戏，以保先辈遗泽。但是，这并不妨碍他继续创新排戏的尝试。也就是说，他兼顾老戏和新戏："小班"荣春社的学生初入戏门，尚在练基本功阶段，故以演出传统旧剧为主；从维持同业生计、维持荣春社的日常开销的角度出发，"大班"福荣社以演出营业戏为主。这里的"营业戏"，是旧戏、新戏并存。如果只演旧戏，不符合时代要求，不合求新求变的观众口味；如果只演新戏，也会失去念旧的老戏迷。因此，尚小云做到了二者兼顾。

从荣春社创建前的1936年，到荣春社宣布解散的1948年，在这十二年间，尚小云虽然也有不少新戏问世，但是，新戏数目总的趋势是在下降，特别是从20世纪40年代起，他的新戏更加锐减。很显然，这是受到政治气候的影响。在梨园界，这是普遍现象。比如，梅兰芳在20世纪30年代仅排演过两出新戏《抗金兵》和《生死恨》；程砚秋在三四十年代，也只有《亡蜀鉴》、《费宫人》、《锁麟囊》和《女儿心》四部新戏。相比之下，尚小云自排的和为荣春社创排的新戏有十几部，算是比较多的了。这恐怕与他未脱离过舞台，又要维持荣春社有很大关系。

在这段时间，为尚小云编剧新戏的，主要是还珠楼主（1902—1961）。他原名李善基，后名李寿民，祖籍四川长寿县，出身于书香门第，自小在父亲的安排下遍读文史典籍，有比较坚实的中国传统文化基础。9岁时，因能诗词会歌赋而被县衙奖"神童"字匾。既然是神童，情窦就早开。十多岁时，他与一位名叫文珠的姑娘相爱，到16岁时，因家逢巨变而不得不到天津去谋生，两人因此被迫分手，文珠不幸陷落烟花之地。后来，他与富豪之女孙经洵结婚，却并不隐瞒对文珠的相思。孙经洵善解人意，也很同情文珠的遭遇。在李寿民撰写小说《蜀山剑侠传》时，建议他取笔名"还珠楼主"。从此，他以此名闻名于文坛。

民国时期的文坛，有一个现象与尚小云“侠”的性格非常契合，那就是武侠小说的大流行。有人将此大流行贬称为“大泛滥”。据说，此类小说的总字数不下三亿言。它之所以流行或泛滥，是因为它描写的是古人的、神仙的，或者是根本不存在的、虚构的剑士侠客的生活，因此，社会大变革、西方文化的渗入，于它并无太大的影响。更重要的是，在国破家亡而被迫沦为亡国奴的情况下，人们看不到前途，对现实万般无奈，对未来无甚希望。因而，对武侠小说的迷恋，有多种复杂心态，或沉迷于虚幻的武侠世界，跟随剑士侠客行走江湖，以此逃避现实；或寄期望于救世英雄跳出纸本出现在现实之中，救万众于水火。

不论武侠小说，以及由此引申出的“剑仙”小说和神怪小说中所透露出的忠君尊王、等级尊卑、奴性顺从、三纲五常、封建节烈、一夫多妻等多重多层次封建思想，是否在事实上成为统治者麻痹人们、奴化人们的工具，仅就小说本身而言，它们因通俗性，因想象力而占有很大的市场份额，也因此给武侠小说作者带来丰厚利润，更造成大量作者为也能分得一杯羹而跻入此类小说的创作。在武侠小说作者群中，还珠楼主以他创作的《蜀山剑侠传》脱颖而出，成为代表人物之一，被称为民国武侠小说北派四大家之一。又因为他的小说，除了武侠外，还有大量神怪、仙人之类，因此，也被称为荒诞至极的一代奇才。

武侠小说热，自然也波及到戏曲舞台，影响到戏曲剧本的创作。人们已经不满足于纸上谈兵，而希望虚幻人物真实化，江湖世界现实化，于是更愿意在舞台上看到由真人扮演他们心目中的剑客侠士和救世英雄。就尚小云而言，他与还珠楼主合作，是必然的。他侠胆义肠、豪爽仗义，颇有侠士风范。他崇尚“侠”的精神，追求“侠”的境界。尽管他并不喜欢诸如《蜀山剑侠传》中的神、仙、道、妖、魔，以及峨嵋派剑仙、反峨嵋派剑仙等虚幻描绘，但他对

⊙《青城十九侠》尚小云饰吕灵姑

还珠楼主武侠作品中所透露出的侠义情怀，还是很欣赏的。这是他俩能够合作的基础。

对于还珠楼主来说，尚小云的戏，刚健挺拔、潇洒大方、节奏鲜明、铿锵有力，也符合他的性格爱好和欣赏趣味。据还珠楼主的儿子回忆：“每逢尚先生登台献艺，父亲都场场必到。平时，父亲省吃俭用，看尚小云的戏，却不惜高价，非买前排票不可。有时手头宽裕了点儿，就‘包座儿’，干脆一次买下整月的票。”他俩最终走到一块儿，当然缘于对武侠的共同崇拜，以及对于“武戏文唱”和“文戏武唱”的共同认识。

由于还珠楼主几乎每日都去看尚小云的戏，引起了尚小云的注意。有一天散戏后，他将这位“戏迷”约到后台，本想随便聊聊，却发现这人对艺术有独到的见解，对尚派戏更有深刻体会。当时，还珠楼主说：“一般人只知道武戏要文唱，却不知文戏要武唱。其实，它们的道理是一样的，就是讲究动静、冷热、刚柔、急缓的

结合。武戏文唱，可避免过‘火’；文戏武唱，可防止太‘温’。不火不温，入情入理，才是好戏。尚老板的表演，能够做到文戏武唱，确实独到。若是再多排一些可供‘武’唱的文戏，那就更好了。”尚小云终于找到了一位知音，他兴奋极了。从此，两人便开始了合作。

主观因素和客观环境相融合，使得尚小云在这一个时期内的作品，与之前相比，更加充满“侠”的味道。比如，《绿衣女侠》、《青城十九侠》、《虎乳飞仙传》、《三剑客》等。于是，在这些戏里，人们看到的不是现实的反映，少有借古喻今的含义，更没有以戏为武器，暗示些什么，教育些什么，呼吁些什么，呐喊些什么，更多的是单纯的侠客的故事。除此之外，由于还珠楼主的小说极富想象力，神话意味浓厚，又讲究自然风光与神话传奇相融合，所以，尚派戏在“侠”之外，又充满奇幻色彩。

1.《绿衣女侠》

《绿衣女侠》是尚小云在停顿了近一年之后首次推出的新戏。这部戏由还珠楼主编剧。它的故事大意是：南宋时，山东节度使刘豫卖国求荣，不顾女儿刘芳的好言相劝，执意携子刘猊降金，并杀死兖州知府黄守忠，又陷害黄守忠之子黄兴汉，使黄兴汉蒙冤入狱。刘芳同情黄家父子遭遇，施计救走黄兴汉。然后，她与丫环秋香连夜离家出走。路经白龙山时，收服女寨主杨舜华，据山抗金，自号“绿衣女侠”。金遣刘豫父子剿山。刘芳女扮男装出战，却不忍亲手伤害父兄。黄兴汉投奔岳家军，为金将所败。刘芳将之救出。经秋香撮合，刘芳、杨舜华共同嫁给了黄兴汉。洞房中，刘芳据实以告，她就是刘豫之女。黄兴汉大惊，不能容忍娶了仇人之女，欲休妻。刘芳只身下山抗金，却为金兵所困。黄兴汉听秋香所劝，下山相救。夫妻修好，大团圆结局。

⊙《绿衣女侠》，尚小云饰刘芳

很明显，剧中一夫二妻的情节，是残存在编剧头脑中封建落后思想的体现。这部戏的进步意义在于抗金，暗合抗日。尽管此时抗战并没有全面爆发，但是，东三省失陷，华北大平原危在旦夕，日本侵略者的狼子野心已经显露无疑。抗敌，应该是当时最具积极意义的思想。当然，可以想见，这个反映现实的思想，并非还珠楼主刻意追求和力图要表现的，也就是说，并不是他的编剧初衷，只是客观上意外地起到了这样的效果。

从艺术上来说，尚小云在这出戏里，除了尚派戏普遍存在的大段繁重唱腔和激烈武功外，还有几个方面的创新：一、在装扮上，他在女主人公刘芳女扮男装时，摒除通常的小生扮相，而是大胆地戴髯口，使这个人物更有英武气。二、受编剧还珠楼主惯常描绘剑侠形象的影响，尚小云在这出戏中设计了两种剑：刘芳用的是秋风扫落叶剑，杨舜华用的是鸳鸯剑。之外，刘芳用的一种棍，被命名为亮银盘龙棍。从这些剑名、棍名就可以感知这出戏的武侠意味。

20 世纪 60 年代初，尚小云为陕西省戏曲研究院马蓝鱼传授尚派戏，其中就有《绿衣女侠》。当时，他将所穿过的黑平绒戏衣和宝剑亲自送到后台，让马蓝鱼使用。

初演这出戏，是在 1936 年 8 月 10 日，于华乐戏院。与他配戏的有袁世海，饰演刘豫。之外，“重庆社”演员高富远饰刘猊，尚富霞饰黄兴汉，孙盛武饰秋香，范宝亭饰金兀术。

2.《青城十九侠》

还珠楼主的代表作《蜀山剑侠传》从 1932 年就开始连载了，计划撰文一千万字，最终成书时的字数为 350 万言，绝对算得上洋洋洒洒的宏篇巨著了。实际上，它是一个系列，有本传、前传、后传等，约三四十部，其中比较著名的两部，是《蜀山剑侠传》、《青城十九侠》，两者几乎齐名。

对武侠小说的褒贬不一，也使得评论界对《蜀山剑侠传》系列有不同的评价。正方赞其想象力极丰富，浪漫主义浓郁得超越了神魔小说《西游记》。又因为还珠楼主酷爱自然风光，曾遍游名胜古迹，登过峨嵋山、青城山，还向仙峰禅院和尚学过气功，所以，他的作品将名山的雄伟、秀美与奇幻、神秘恰到好处地融为一体。反方的抨击一言以蔽之：荒诞无稽。因此，《青城十九侠》也被认为是荒诞不经之作。

尚小云的新戏《青城十九侠》，是还珠楼主根据其同名小说改编，基本上保留了原汁原味。故事大意？从一张戏单中的宣传说明中可以窥知：

万里关山昆明赴任	十年薪胆苗岭寻仇	星驰电射飞剑传书	白雪红梅深山侍父
红裳侠女独关灵猿	七首真人飞行绝岭	逢狭路命丧月牙铲	痛深仇肠断葬苍山
古刹清修疯仙渡世	空山吊影孝女哭亲	悟玄言寻师大熊岭	通妙谛学剑苦行庵
二淫贼犯案走蛮荒	贤使君怆神怀旧友	贪酒杯巧计赚室人	触灵机慧心识巨寇
忙劲敌妖人炼宝	抱不平双侠受伤	陈小姐还愿烧香	云中燕采花杀命
穷途轻生欣逢侠女	府衙审案喜见遗孤	得真情只身擒淫贼	奉师命七侠下仙山
救淫朋三更行刺	完巨案一女除奸	恶妖道苦炼五毒砂	众仙侠大破都天阵

如果用一句话概括，那就是“明清剑侠轶闻奇情慈孝奥妙无穷”。

1936年10月10日，《青城十九侠》在华乐戏院首演。尚小云饰演的角色名吕灵姑。其他角色由范宝亭饰演吕伟，袁世海饰演毛霸，张云溪饰演雷迅。还有一个不是非常重要的角色，即吕灵姑的师父郑颠仙，原来用的是丑角，由孙盛武饰演。这个人物就是“古刹清修疯仙渡世”中的“疯仙”，个性洒脱因而有些疯癫，高富远扮演这个角色最出彩，最神妙。他能够歪脸歪嘴、口眼歪斜，疯样疯态，表现得恰如其分，又不失其疯中含真、疯中藏智的神韵。

在尚小云创建荣春社科班后，他将这出戏教授给了他的学生，而“郑颠仙”这个人物，他一改由丑行扮演的先例，交给了工老生的学生吴喜玉。可怜吴喜玉怎么也学不会歪嘴斜眼，演完一次，就要被尚小云揍一次。后来，尚小云请高富远专门为吴喜玉讲授这个角色。教了许多次，吴喜玉还是学不像。他哭丧着脸，对高富远说："先生，我实在做不出来！"高富远很无奈，说："你实在做不出来，我也没有法子，只好那样去了。"于是，吴喜玉又是演一次，挨一次打。

尚小云本想对于这个人物有所创新。由老生演员取代丑行演员，饰演一个疯癫角色的创意，的确很新颖。这次尝试的失败，不在于创意本身，而是他选错了演员。有些演员，工此行，能彼行。也许有的老生演员能够演"郑颠仙"这个人物，但是，吴喜玉显然不合适。不管怎么说，尚小云在艺术上勇于大胆尝试，始终有求新求变的意识，这是值得称道的。

3.《北国佳人》

在尚小云的所有作品中，取材于少数民族的有好几部，比如，《相思寨》、《汉明妃》、《摩登伽女》，还有就是《北国佳人》。

《北国佳人》一剧说的是蒙古族上层统治阶级中的忠奸之争，故事大意是：元朝时，奸相莽吉图专权，因索贿不从陷杀忠良大臣鲁布尔达。鲁家中小女名叫小玉，美丽绝伦，因避入猪圈得免。家中遭难时，她已许配给黄人望。小玉在盟叔俞敬棠的帮助下逃至贺兰山下寻找大皇姑相助，正遇大皇姑狩猎，她献出夫家祖传孔雀金甲，大皇姑大喜，认其为义女。在大皇姑的帮助下，小玉终于报了家仇，莽吉图被斩。

《北国佳人》改编自《大公报》记者长江先生所撰写的《贺兰山的四边》中的一部分，取材于塞外蒙古，因此对于服装和布景，都很讲究。为此，尚小云不惜金钱和时间，除遍访少数民族民俗专家外，还多次到名寺雍和宫参观，借鉴藏族的建筑和雕塑。因此，此剧演来十分生动别致。

初演此戏时，是在1937年1月28日，于第一舞台。由尚小云饰演小玉，李宝奎饰小玉义父，尚富霞饰黄人望，范宝亭饰俞敬棠，袁世海饰莽吉图，孙甫亭饰大皇姑，宋遇春饰元朝皇帝，扎金奎饰小玉父亲鲁布尔达。

尚小云饰演的小玉虽为蒙古人，但在剧中前部，着汉装，与普通旦角装扮并无二致；后部着蒙古装。这样的安排，体现了尚小云的独具匠心：如果全剧人物都着蒙古装，语言、行为、布景等方面，也都必须符合蒙古生活习惯，这样一来，会有许多不方便。不过，因此带来的缺憾还是很明显的。比如，在鲁布尔达家中，同为一家人，有人着汉服，有人着蒙服，显然不合适。有的时候，有人行汉礼，有人行蒙礼，也让观众感觉别扭。

就艺术而言，尚小云在唱的方面，仍然是西皮、二黄兼而有之，腔调委婉，余音袅袅；做的方面，避于猪圈时的浑身颤栗、穷途日暮伤悲已极时的悲愤神情、巧遇莽吉图欲举剑杀之的怒目相对等，延续了他动作幅度大、夸张火爆的姿态。“小玉”一角，虽然不是真正意义上的侠女，但她性格中有仇必报的果敢，对恶势力强烈的反抗心理，也具侠女风范。

解放之初的1949年，尚小云将此剧改编后，更名为《墨黛》，重新搬上舞台。这是他在解放后的第一出新戏。

4.《九曲黄河阵》

《九曲黄河阵》取材于《封神演义》中的一段，又名《封神三霄》。故事大意是：殷纣王命闻太师派赵公明去攻打周。周武王兵将战败，姜子牙设草人咒死赵公明。赵公明的三个妹妹琼霄、碧霄、云霄得知长兄惨死，发誓替兄报仇。她们设计摆“黄河阵”，大败周兵将。显然，这又是一个关于侠女的故事。

早年，梅兰芳的祖父梅巧玲排演过这出戏。在他之后，少有旦

⊙《九曲黄河阵》，尚小云饰碧霄

角演出。其中原因，无外乎在于这出戏偏重于武，对一般旦角演员来说不太合适，而这却恰恰是尚小云的强项。

1937年4月17日，尚小云首次在第一舞台，演出了此戏。他饰大姐琼霄，芙蓉草赵桐珊饰老二碧霄，张君秋饰演三妹云霄，王凤卿饰闻太师，宋遇春饰陆压道人，李宝奎饰姜子牙，袁世海饰赵公明，尚长春饰哪吒。

这出戏对于尚小云的意义，已经不限于艺术上的文武并重、唱念俱繁，而在于此时与他合作的演员，更多的是后起之秀，如儿子尚长春、弟子张君秋，以及宋遇春、袁世海等。可以说，尚小云在这个时候，已经有了由单纯的演戏逐步转向戏曲教育的意识，并且开始了实践。提携后辈，便是其中的一种方式。也就在这时，荣春社开始筹建，尚小云又多了一个身份，那就是戏曲教育者。

5.《虎乳飞仙传》

尚小云在这个时期的作品，《虎乳飞仙传》可能是最具传奇色彩的一出戏。它写的是在明朝嘉靖年间，镇江有一个叫高正的人，娶妻胡氏。因婚后数年胡氏未能生养，高正又娶徐氏。胡氏生性淫荡，与管家杜智达有私情。高正的属下、拜把兄弟梅世荣欲往成都任粮道，到高家辞行，不遇高正，被杜管家慢待。梅不满，便在高正回府后如实告知。杜怀恨在心，施计陷害二夫人徐氏与已离开的梅世荣有染。幸有老乳娘救护，徐氏得逃活命。此时，她正有身孕，一路上备尝艰辛，终在路上诞下小儿。徐氏正在哺乳间，有猛虎来，将小儿衔去，徐氏大惊，晕倒，恍惚间，有神人说，此子是武曲星临凡，所以命猛虎哺之，待子长大成人，可替你辨明冤屈。十多年后，小儿长大，一次梦中遇神人相告，知母冤屈。神人还给了他一把银锤。醒后，他果见枕下有一把银锤。后来，经过重重曲折，小儿终于报了仇，还为梅世荣翻了案，并与父亲高正相认，一家人终于团圆。

这出戏虽然谈不上是尚派戏的代表之作，但其中的某些因素，还是具有尚派特点的。比如，非常讲究情节性、故事性，复杂曲折，最终大团圆。

6.《梁红玉》

梅兰芳的梅派戏，雍容华贵、载歌载舞，女主人公多以贵妃、仙女为主；程砚秋的程派戏，悲剧性浓郁，却不乏抗争性，女主人公多以贞女、烈女为主；尚小云的尚派戏，文武并重，充满豪侠气，女主人公多以巾帼英雄和侠女为主。虽然他们各有特点，各有所长，各有偏向，但有一点是共通的，那就是在民族危亡的关头，都有以戏曲为媒介，宣传抗日、鼓舞同胞斗志的强烈意识。这是他们这一代演员思想先进于前辈的主要所在，即都认识到，戏曲，不仅仅是娱乐手段，也是教育工具。因此，梅兰芳创作了《抗金兵》、《生死恨》，程砚秋创作了《亡蜀鉴》、《费宫人》，而尚小云则排演了与《抗金兵》同题材的《梁夫人》。

这出戏取材于《宋史·韩世忠本传》和《说岳全传》中“战金山”一节。尚小云又根据传统折子戏《战金山》改编而成，从“韩世忠出世”、“玉玲珑打虎招亲”演起，包括“朝南海烧香引路”、“托闸投军”、“别家辞玉”、“红玉产子”、“紫阳宫”、“归云涧”、“女勤王”、“金殿大封官”、“韩蕲王湖上骑驴”等，直到“战金山”结束。将一出折子戏，首尾相连，合成一部情节完整、故事曲折的大戏，是尚小云最擅长的。

尚小云一直习惯于这样的创作模式，即有的时候，某些场次完全遵从昆曲的表演方法；有些昆曲折子戏，却以京剧来表演。比如，之前的《汉明妃》后半出“昭君出塞”，现在的《梁夫人》的后半出“战金山”，莫不如此。可以说，这是尚小云的创见，也是“尚派”戏的一个特色。

《抗金兵》、《梁夫人》故事是差不多的，说的都是韩世忠与金兵交战，夫人梁红玉亲执桴鼓助威，最后大败金兵。在当时的社会环境下，以当时的社会认识能力，宋兵大战金兵，无异于爱国主义精神的体现，符合抗日的心理追求。因此，无论是《抗金兵》，还是《梁夫人》，都称得上是应时代之需要的作品。

相对于梅兰芳，尚小云似乎更适合扮演梁红玉。这个角色是巾帼英雄的典范，激烈昂扬，阴柔中更显阳刚。尚小云从意大利籍清宫画家郎世宁画的一幅香妃半身戎装像受到启发，改进了传统女靠，只见他“一身戎装，手舞银枪，呼呼风响。刀光剑影中，气宇轩昂，把激烈的战斗场面和梁红玉不畏强敌、身先士卒、所向披靡的飒爽英姿表现得有声有色，淋漓尽致。”[①]特别是“擂鼓”一节，尚小云不用司鼓，而是亲自动手敲响战鼓，“那阵阵鼓声，疏密有致，起伏大，变化多，时而紧密，时而气势磅礴，或轻轻一点，或单手重锤，将韩世忠与金兵激战的情景烘托出来，也使梁红玉的形象得以充分体现。”[②]

20世纪50年代初，尚小云将《梁夫人》进行了重新整理加工，更名为《梁红玉》。

① 谢美生：《一代名旦尚小云》，《文史精华》2005年5月，第58页。
② 马少波：《刚阳不阿　艺如其人》，《京剧艺术大师尚小云》，陕西人民出版社1990年4月版，第26页。

尚小云是荣春社的老板、管理者和师长。鲜为人知的是，他更是荣春社的编导。在荣春社的学生们逐渐走上舞台并能独立挑大梁后，尚小云请还珠楼主由只为他个人编戏，转向为荣春社的学生们编戏。他自己，也将更多的时间精力由自创新戏，转向为学生编导新戏。比如：

《崔猛》：它是根据《聊斋》中的故事改编而成，由尚小云主创，荣春社的文书执笔。主要是为元宵灯节而作，因此剧中有耍龙灯、耍猴儿等热闹场面。

《荒山怪侠》：看这剧名，便知它是由还珠楼主编剧，由尚小云编排。

《奇侠谷云飞》：又是一个关于“侠”的故事。尚小云从他的一位包头师傅那里听到这个故事后，甚觉新奇，便让这位会说书的师傅在三天之内连续说了三遍，然后他打好腹稿，设计好具体的表演技巧，再口述，由文书执笔。

《一粒金丹》：这是根据传统老戏《十粒金丹》改编而成。剧情不外乎忠孝节义、惩奸除盗。当时有评论认为：“该剧表演忠臣、孝子、节士、义仆之忠义，淫妇恶奴之罪大恶极，观之令人发指，落泪，凄婉动人，颇有裨于世道人心。”在思想上，这是尚小云恪守传统道德的体现；在艺术上，这出戏与一般传统老戏相似，唱、做极其繁重。显然，尚小云欲以此戏训练学生的唱做基本功。

《塞北英烈传》：改编自明史佚闻。与尚派戏《北国佳人》有相似之处，都是以蒙古风情为背景，沙漠、驼羊、雪天、围场、奇异的少数民族服装等，使观众仿佛置身于塞北大漠之中。这出戏，由尚长春饰伊拉布亲王，杨荣环饰福尔达尔公主。

《天河配》：尚小云擅长于旧戏新编，这出戏便是其中之一。

创新一，他加入唐明皇、杨贵妃“乞巧”一折，以昆弋演唱，更显古色古香。

创新二，在“云路”一场，他让三十二个学生饰演仙女，并伴有大段群舞。整个舞台，仙女飘飘，很热闹，很壮观。

创新三，他根据荣春社学生都是小孩子的特点，在舞台上，新增小型积木游戏。比如，在“牛郎织女见面”一场，他安排许多小灯童儿，有的拿着老式的莲花灯，摆出“天下太平”的字样；有的拿着放大了的积木形状的灯，组成各种图案；有的拿着各种鸟搭成的鹊桥。学生们都很愿意演这样的戏，演得开心，演得就好，获彩就多。

创新四，他将剧中人物设计成每角两人，轮流搬演，既达到让大多数学生都有登台实践机会的目的，也能使观众耳目一新。

创新五，他亲自为这出戏设计服装、布景、灯光。在戏单说明书上，有这样的介绍：“新制莲池，鹊桥布景，十色电光，变幻奇巧。”他更有大胆之举，让真牛上台，让活鸟飞翔空中。所以，对于这出戏，有人评价道：“有风流旖旎的表情，有珠圆玉润的唱腔，有鲜艳华贵的服装，有五光十色的布景，有熠耀辉煌的灯彩，有奇美灿烂的鹊桥，有众仙同浴的歌舞，有莫辨人天的气象。”

尽管他有如此诸多的创新，但总的来说，他编导的这出戏，还是恪守传统的。所以，在公演的广告上，他在《天河配》的戏名前，冠以“古本老”三个字，以区别于当时刚刚兴起的彩头化了的“新新新”《天河配》。从中可以发现，尚小云的本意是要保存传统，“传先辈遗型于万一”是他的夙愿。

《梅玉配》：这出戏并非尚小云新排，而是老戏重排，编剧是松茂如。最早演出这出戏的，是王瑶卿。故事大意是：女主人公苏玉莲是一个不谙世故、心地善良的深宫大院里的官家小姐。有一天，她进庙上香，不意丢失手绢，被秀才徐廷梅捡拾。徐廷梅对苏玉莲一见钟情，相思之情被黄婆察悉。黄婆撮合，让徐廷梅充当苏府轿夫，混入苏府，与苏小姐见面，并交还手绢。不料当晚见面后，出了意外，徐廷梅出不去了。苏小姐情急之下，将徐廷梅藏入衣柜。从此，每天开饭时，小姐敲开衣柜门，请徐出来吃饭。吃完后，小姐手一指，道一声："入柜"。徐廷梅就又钻进衣柜中。两人并不多言一句。后来，事情被苏玉莲的嫂子韩翠珠发现。又经过一番周折，终于梅玉配。

从这出戏的故事大意便可知，这出戏与尚派的其他戏有显著的不同，那就是女主角不再是充满反抗斗争性的侠女、烈女或充满爱国情怀的巾帼英雄，而只是一个温文娴静的官家大小姐。苏玉莲这个角色，不但不需要激烈的武功，甚至连唱工、念白都极少。大多数情况下，虽然她与徐廷梅相处一室数日，却碍于男女授受不亲的旧习，彼此并无语言交流，只有动作和眼神。她本是深闺小姐，终日默默无语，生人面前不敢抬头看人；她的闺房大衣柜里，藏着一个大男人，这让她惶恐不安。她一方面担心事情败露，于自己的名誉不利；一方面又担心徐廷梅的安危，这个时候，她对他是有爱慕之情的。因此，她的心态极其复杂。这一切，对演员的表演都有极高的要求。

暂时放下擅长的武功和唱工，尚小云以写意的动作和多变的眼神，着意刻画苏玉莲的心理活动。他低头垂眉，表现苏玉莲的害羞；他以灵动的眼神，表现苏玉莲的可爱；以空洞无神的眼神，表现她的幽怨，以飘忽不定的眼神，表现她的不安；以张皇失措的眼神，表现她的惊恐。观众看尚小云的"苏玉莲"，更多地是感受苏玉莲的心理，体会她的矛盾。

这出戏还有一个特点，是着旗装。因为旗装没有水袖，所以演员会露手露脚。这在当时又是大胆之举。对于尚小云来说，前有《摩登伽女》的经验，《梅玉配》中的所谓大胆，他也就不认为有多么出格。

尚小云最早演出这出戏，是在20世纪30年代中期。当时，他常与芙蓉草合作。他饰演苏玉莲，苏玉莲嫂子一角，总是由芙蓉草

⊙《梅玉配》，尚小云饰苏玉莲

饰演，两人配合得十分默契。后来，芙蓉草南下上海，尚小云再也找不到能与芙蓉草相媲美的“嫂子”的扮演者，于是就不再演这出戏，长达四五年之久。20世纪40年代初，他为了让荣春社的学生学习这出戏，进行改编后重排，邀请筱翠花饰演“嫂子”，由萧长华饰演剧中的“杨先生”。他们先后演出了两次。之后，他将这出戏传授给荣春社的学生，作为荣春社的重头戏。除了尚小云以外，荣春社科班的老师，如王凤卿、筱翠花、萧长华、蔡荣桂、郭春山等也都参与编导，帮助排练。1942年1月5日，在中和戏院，学生们首次公演这出戏，轰动一时。全剧分为四本，分两夜演完。和以往一样，尚小云亲自把场，演出很成功。

在很多时候，尚小云为了抬升荣春社科班的声名，提高上座率，常常亲自登场与学生合演。师生同演一出戏，自然备受观众瞩目。比如：

《黎素娘》：这出戏延续了尚派戏的风格，情节曲折，文武并重，唱、做兼繁。尚小云是当仁不让的主角，与之配戏的除了福荣社的演员王凤卿、尚富霞之外，更多的是荣春社的学生，如徐荣奎、李荣威等。

除了这些戏之外，尚小云在这段时期，为自己、为荣春社，还创排了《三剑客》、《飞侠女》、《九阳钟》、《刘金定》、《兰陵女儿》等新戏，有的是自编，有的是改编。撇开社会环境的影响，他的创作势头依然很高。

有评论认为，尚小云对京剧艺术的贡献，在于以自己的不断实践，改变京剧青衣行着力表现大家闺秀或小家碧玉的贤惠淑德、温良谦恭、三从四德的传统性格特质，有意识展示中国妇女骨子里的坚贞不屈和顽强品质。从艺术上来说，他丰富了青衣行的表现力；从思想上来说，他打破了传统青衣行所着力刻画的传统女性形象，颠覆了对中国妇女的传统道德评价，这是尚派戏的社会价值所在。他所塑造的人物，不限于烈女，而是由“烈”引申开去的侠义和刚健。烈女，更多的是为维护自身贞操和名誉而进行抗争；侠女，更多的是舍生取义。正因为如此，不见尚派戏的悲悲切切、凄凄惨惨，多见尚派戏的热情火辣、开朗奔放。这样的戏能够给予身处逆境中、悲苦中的贫民以生的勇气、活的希望。

尚门弟子

身处“文革”风暴中的尚小云，不怕自己被污蔑，被打倒，被关“牛棚”，不怕戴“旧戏霸”、“封资修黑尖子”的政治帽子，不怕别人喊“打倒尚小云”的口号，也不怕生活由富足、奢华沦落为三只碗、六根筷子。但他有两个“怕”：

一、怕学生以偏激的眼光看待一切，对共产党产生怀疑。对此，他说：“大家平时讲话，总爱把党比作母亲，这很好。但现实生活告诉人们，再慈祥的母亲，也有出差错的地方。延安整风运动和三年困难时期的调整国民经济，很能说明共产党是勇于开展批评与自我批评，能及时纠正缺点和错误的无产阶级政党。因此，不能因为一时出现的政治风波，就对共产党产生怀疑。要相信黎明曙光很快就会到来。”

二、怕学生在非常时期丢掉业务学习，废弃基本功训练。对此，他说：“我敢断言，京剧艺术消失不了，优秀的传统的古典剧目迟早还要重现舞台。”

这两“怕”，是尚小云在孙明珠悄悄去探望他，并给他送去四个鸡蛋的时候，对孙明珠所说。当时，他还对孙明珠说了这样一句话：

"我担心的这两方面，如果被你们丢掉了，那就愧对祖先，愧对人民，愧对时代。"

尚小云没有加入过共产党，不是中共党员，他对政治、对艺术的信心，缘于他对人生的乐观。他从来不是个悲观主义者，这从他创作的数十部戏，虽然并非以喜剧见长，但很少有悲剧，便可见一斑。

在被批斗的日子里，尚小云的职务由陕西省京剧院院长转而成为清洁工。他的清洁范围，是院里的八幢大楼。从此，每天清晨，人们都可以看见老院长佝偻着背，肩膀上扛着大扫把，步履蹒跚地出入于每幢楼。他将大楼清扫干净，然后推着一辆小车，将垃圾清运出去。北方的冷风吹皱了他的脸，让人很难想象他曾经是舞台上婀娜多姿的美娇娘；北方的寒冷冻裂了他的手，让人难以置信那就是曾经柔软百变的莲花指。尽管如此，他的神情却从来没有落寞，没有沮丧，没有悲愤，只有镇定、平和、淡然，似乎多年以来，他就是一个清洁工，而不是驰骋舞台的角儿、名旦。

然而，在不经意间，他的步态，他挥舞扫把的动作，将他"出卖"。那步态，时而碎步，时而垫步，时而搓步，时而快步，时而慢步。"先看一步走，再听一张口"，这是京剧界的一句老话。几十年练就的各种步法，已经渗入骨髓，成为习惯，成为自然。扫把在他的手上，如他曾经舞过的剑，上下翻飞，呼呼生风。那动作，既透出他的手法功夫，也可见他美妙的身段。

一旦四下无人，尚小云便悄悄偷个懒，停下小车，跑几个圆场，以扫把当剑，挥舞几下。那寂静无声的院子，就是他展示的舞台；那一草一木，甚至是空气中的尘埃，就是戏迷，就是观众，每当一阵风过，他就感觉得到它们的喝彩。这感觉使他心满意足。然后，他推着垃圾车，缓步远去。他已经不能重登戏院的舞台，不过，舞台在他的心中。所以，他说："我不练练不行啊，否则会呆坏的。"

孙明珠清楚地记得，1968 年元月的一个早晨，天气严寒，风伴

⊙尚小云在家中为孙明珠说戏

着雪，冷极了。相比被迫远离京剧、远离舞台的尚小云，孙明珠是幸运的，依然能够自由喊嗓、练功。那天，她照例在京剧院的院子里，面对墙壁喊嗓："咦呀——"、"啊呀——"，一遍又一遍。突然，一个声音从身后传来："少喊'咦'，多喊'啊'。"孙明珠明白，京剧旦角用假声发音，"啊"音较难发。能够做这样专业指点的，一定不是一般的人。冷不丁，孙明珠未在意那是谁，只觉得那声音很熟悉。

孙明珠转过身去，只见一个老人推着垃圾车，低着头从她身边走过，他甚至没有抬头看她一眼。留给她的，只是一个饱经风霜的背影。不是别人，正是她的老师、院长尚小云。他穿着一身破旧的蓝色棉衣，脚下穿着黑色的矮胶鞋。风，吹乱了他的白发。小车上，满载着垃圾，他推得有些吃力。早年那个"便装黑绸褂，挽着白袖口"，头发黑亮纹丝不乱，脚蹬麂皮白皮鞋，风采翩翩的一代名旦，留在了剧照里，永远成为了历史。远去的背影，孤独又落寞，孙明珠的眼泪夺眶而出。

都说"梅门弟子遍天下"，而尚门弟子，也可以说遍布大江南北。梅兰芳的弟子，不过百余。拜尚小云为师的，也过百，这还不包括荣春社科班的学生。但相对于梅门弟子，尚门弟子真正继承尚派艺术、唯尚戏为始终的，却寥寥无几。时至今日，梅派戏，甚至是程派戏，荀派戏，都还活跃在戏曲舞台上，而尚派戏的演出却凤毛麟角。传承尚派戏的演员，更令人有后继乏人的担忧和遗憾。

那么，这其中的原因是什么呢？荣春社的学生、尚小云的弟子之一杨荣环也曾拜过梅兰芳，学习过梅派戏。他对这两种流派，有很深的体会。他说："演尚派的戏要比演梅派的戏难得多。演尚派戏，既要有一条高劲的圆亮的好嗓子，还要有勇猛矫健的武打功夫，缺少其中任何一样，便无法演好尚派戏。"

这段话，既解释了尚派何以继承其衣钵者寥寥，也说明了尚小云的特点，以及得以演好尚派戏的要素，那就是：嗓子和武功。既要有一副好嗓子，又要有一身好功夫。尚小云天赋歌喉，又从来没有放弃过练嗓，直到中年以后，他的嗓子还能保持清亮激越，始终保持"革车五千乘，以无道行之"之概；他曾经学过武生，又受过杨小楼的教诲，深受其影响，因而有坚实的武功基础。对于普通旦角来说，天生有副好嗓子，是可能的。但是，能够练就一身与武生媲美的武功，那是不容易的。一般而言，有好嗓子，工旦角；有好武功，工武生，而两者皆佳，才是成其为尚派的基础。

于是，尽管尚门弟子遍天下，但是，真正以演尚派戏而闻名戏界的，不过数人，孙明珠是其中之一。不过，她是尚小云在解放以后收的弟子。在解放前，尚有李砚秀（李万春夫人）、吴素秋、张文琴、董玉苓、梁秀娟等。

酷似尚小云的，是文武双全的李砚秀，不仅仅是相貌，更在于气质。尚派所特有的刚健，一般男旦尚难具备，何况坤旦。尚门弟子中，李砚秀首屈一指，便是其既有旦角的婀娜，更有尚派"入门下马气如虹"的气势。她有一副好歌喉，与尚小云也很相像，高而且亮，如铁笛铜琶。李砚秀之所以能够学尚派而脱颖而出，缘于她曾经学过老生。她9岁开始学老生戏，12岁时忽然就唱不出老生腔了，无奈改学花旦。15岁那年，由李万春介绍，拜尚小云为师，学会了很多尚派戏，如《梅玉配》、《林四娘》、《花蕊夫人》等，深得尚派精髓。

目前已很难考证尚小云究竟是在何时开始收徒的，也就无法确知谁是尚小云的第一个弟子。就现存资料而言，尚小云最早收徒，似乎是在1930年，弟子名张蝶芬。张蝶芬是尚小云早期的得意门生，他认真、刻苦、勤奋好学。尚小云为提携这位大弟子，多次与之合作演出《白蛇传》，他饰白素贞，张蝶芬饰小青。犹如尚门弟子中大多数最终都脱离了尚派一样，张蝶芬后来也离开了尚小云，转学梅派，并与梅兰芳长期合作演出《白蛇传》，日后，他成为梅剧团一员。

在张蝶芬之后，尚小云陆续收雪艳琴、赵啸澜、董慧宝、李世芳、洪效霞、梁秀娟、张继青、张君秋等为弟子。1936年的时候，吴素秋拜尚为师。

长期以来，关于吴素秋，一直流传着这样的说法：她既是尚小云的弟子，也曾拜过荀慧生为师。实际上，这个说法并不确切。准确地说，她只拜过尚小云，并没有拜过荀慧生。当时，她是想拜荀慧生的，她的母亲也认为女儿似乎更适合唱花旦，便向荀慧生提出拜师请求。荀慧生很为难，为难于吴素秋已经拜过尚小云了。他说："既然拜了尚先生，再拜我就不合适了。"不过，他还是很喜欢这个孩子的，也愿意教她花旦技艺。四大名旦之间一向很礼让。他不愿意与尚小云有所冲突，便收吴素秋为义女。这种做法，在当时是很普遍的，正如尚小云收张君秋为徒时，顾及到张君秋还未出师，而收张君秋为义子。

尚小云是在1936年，吴素秋14岁时，收她为弟子的。其实在当时，尚小云也是有所顾虑的。原因是吴素秋曾经是中华戏曲学校的学生。当初她考入戏校时，被排入"玉"字科，改名吴玉蕴，与戏校的"四块玉"侯玉兰、李玉茹、白玉薇同期习艺。吴素秋的母亲吴温如是公认的"梨园三大名妈"之一，人生最大愿望便是让女儿成角儿。据说，闲暇课余，她常请客，遍邀戏校的老师，请求他们多关照。有老师们不厌其烦地特别指点，又有吴素秋自己的勤学苦练，所以进步很快，不久便在"玉"字科学生中崭露头角了。

⊙ 1933年张文琴拜尚小云为师

然而好景不长，因为一次意外，吴素秋退出了戏校。“名妈”吴温如觉得女儿既已投身梨园，也有天分，如果此时半途而废，非常可惜。既然不能在戏校学戏，不如直接拜师。七寻八觅，吴温如领着吴素秋投奔到了尚小云的门下。尚小云在了解了吴素秋的情况后，起初并不敢接收她。当时的戏校校长是金仲荪，而金仲荪曾一度担任程砚秋的专职编剧，与程砚秋颇有交情。戏校隶属中国戏曲音乐院，而院长正是程砚秋，程砚秋同时也是戏校董事会成员。尚小云如果接收从戏校退出来的学生，岂不有与戏校、与金仲荪、与程砚秋作对之嫌？为免程砚秋产生误会，尚小云拒绝了吴温如的请求。

到底不愧为“名妈”，吴温如不死心，一方面三天两头准时到尚宅缠磨王蕊芳，她知道尚夫人心软又善良；一方面动用各种关系，说服金仲荪。双管齐下，效果明显。王蕊芳时不时地在尚小云面前吹吹风；金仲荪最终也承诺，保证程砚秋不会有什么想法。在这种情况下，尚小云才正式收吴素秋为徒。拜师后，一个认真教，一个用功学，天资聪慧的吴素秋很快就能挑大梁唱大轴了。随后，她自己组班松竹社，以“尚小云得意高足”之名驰骋舞台，红遍戏界。1943年，由她主演的《十三妹》还被拍成了戏曲电影。

从这件事中可以发现，尚小云虽然脾气急、火气大，但是为人处事也很细心、很小心，凡事也有细致周全的考虑，而不是随心所欲、我行我素。在艺术上，四大名旦是绝对的竞争对手，但是，他们四人之间从来没有发生过彼此踩踏、互挖墙脚的事情，就连收个徒弟，也要考虑对方的感受。

表面上看，尚小云的确收徒很多，这与程砚秋有所不同。程砚秋对待收徒很谨慎，轻易不松口，他一生收徒不超过十人，其中有两个弟子分别是荀慧生的儿子荀令香、尚小云的儿子尚长麟，而且绝不收女弟子（直到解放后，才在周恩来的劝说下，收江新蓉为徒）。事实上，尚小云收徒并非随随便便、来者不拒，他也是有原则的，仅

有亲朋引荐是不够的，关键是看这个孩子是不是适合吃戏饭，天分够不够，能力行不行。

张文琴能够如愿拜尚小云为师，乃得力于山东济南颐中烟草公司经理伍啸庵的推荐。尚小云与伍啸庵素称莫逆，私谊深厚。有一年，他应邀到济南，在北洋大戏院演出。正巧此时，张文琴也从上海到此演出。演出之余，由伍啸庵引荐，尚小云结识了张文琴，觉得她相貌可人，嗓子也不错，在旦行应有发展前途。在伍啸庵提议“不如就收她为徒”后，就爽快地答应了。不过，在当时，他们没有确定拜师地点和日期。很快，尚小云、张文琴的演期满了，分别离开了济南。尚小云往北，回北平；张文琴南下，回上海。拜师一事，就耽搁了下来。过了不久，上海闻人张啸林寿辰，遍邀各地名角到沪唱堂会，尚小云位列其中。

当张文琴得闻尚小云将到上海，即刻给伍啸庵去信，敦请他与尚小云函商拜师事宜。尚小云接到伍啸庵的信后，连忙给伍啸庵回信，说：“文琴女士拜师一节，既有兄从中介绍，弟无不欢迎，俟弟到申，当与潘君（指潘慕芝，为尚小云多年至友）面为接洽，以副雅意。”

刚刚抵沪，尚小云便与潘慕芝取得联系。随后，张文琴便在潘慕芝的陪同下，到尚小云下榻的沧州饭店拜会尚小云，商定拜师的一切事宜。参加拜师仪式的有潘慕芝、重庆社的赵砚奎、高富远，另外还有上海戏曲评伦界的张肖伧等。拜师地点，假座上海城内静修路萱寿里钱公馆。下午，仪式正式开始。一切程序不逾越老规矩：室内供奉着神位，神位前摆放着鸡、鱼、肉、水果，神位两旁，香烟缭绕、烛光点点。尚小云端坐在师傅席上，张文琴叩头，然后奉上贽敬，红封套上书写着“门徒张文琴敬具”。接着，她再奉上全柬，上书“尚绮霞老师”，下书“门徒张文琴拜具”。另外，张文琴又备衣料六套，以敬老师。

拜师仪式的完备、规矩，显出尚小云不但在表演艺术上以遵从传统为主，在风俗习惯上也恪守梨园传统。

介绍董玉苓拜尚小云为师的，是顺天医院院长董子鹤。董子鹤是董玉苓的伯父。顺天医院是梨园公会的定点医院。因此，董子鹤与梨园界、与梨园公会会长尚小云交往甚密。1945年初夏，董玉苓拜师尚小云之前，已经自组苓剧社，自任社长，挂头牌。在父母去世后，她只身投奔伯父董子鹤，得知董子鹤与尚小云的关系后，萌生拜师念头。尚小云先看了董玉苓的演出，发现她的嗓子很好，认为有发展前途。他对董子鹤说，“这孩子有一条金嗓子。”因此，他允诺收她为徒。7月7日，拜师仪式在前门外取灯胡同的同兴堂饭庄举行，应邀参加仪式的有马连良、荀慧生、金少山、筱翠花、奚啸伯、张君秋、李世芳、毛世来等。

在那个年代，求教名师，真正为学习技艺的只是拜师的一个方面，除此之外，便是以师傅的显赫声名作为照亮自己的光环。董玉苓在拜师后的第二天起，就在开明戏院连演了三天戏，并且挂出了“尚小云徒弟”的名头。第二场开演前，戏院前台管事就在台前向观众郑重宣布：“今天的演出由尚先生亲自为他的爱徒董玉苓把场。”这其实就是以“尚小云”之名，为董玉苓做宣传，表明此时的董玉苓不仅仅是苓社社长，更是尚小云的徒弟了。当然，那场演出，尚小云的确为董玉苓把了场。

这天的戏目是全本《玉堂春》，董玉苓饰苏三，马富禄先扮沈燕林，后饰崇公道。董玉苓的嗓子的确很好，和尚小云相似，都是越唱越亮，越唱气氛越热烈。受到感染，马富禄一时兴起，临场发挥，改了台词。当苏三请求解差崇公道去打听有没有去南京的客商时，马富禄说：“好吧，看在你师傅尚小云的面子上，我给你问问去。”顿时，台下笑声、掌声连成一片。这句被马富禄“篡改”了的台词，客观上却加深了观众对“董玉苓是尚小云徒弟”这样一个事实的认识。

尚小云真正传授技艺给董玉苓，就是在这次演出后，从分析演出《玉堂春》的得失开始的。他对董玉苓说："只有好嗓子还不行，还必须练嘴里的劲头儿，包括吐字和韵味。"然后，他一一讲解。在论及《王宝钏》这出戏时，他示范"跑坡"、"进窑"等身段，甚至连细微之处的表情、眼神，他都不放过。他像对待其他学生、弟子一样，毫无保留，一心要掏干自己的一切。

旧时，有"艺不传人"的习俗，便是因为担心教会了徒弟，饿死了师傅。梨园艺人最痛恨偷戏、抢戏。弟子偷师傅的戏，在长幼尊卑等级分明的旧时代，就更加被视为大逆不道了。虽然进入了新社会，一切都"公有"了，但残存在人们头脑里的旧观念，并不能一朝一夕就清除干净。因此，偷戏，仍然被视为不道德的行为。董玉苓曾经"偷"过尚小云的戏，但是，尚小云却并没有计较。

那是在1953年春天的时候，尚小云带着尚剧团到青岛演出。此时，董玉苓也正在青岛的永安大戏院演出《玉堂春》、《王宝钏》、《乾坤福寿镜》等尚派戏。尚剧团抵达青岛后，董玉苓主动让出永安大戏院，自己迁到位置比较偏远的光陆戏院。当时，尚小云很感激，直夸这个弟子尊师，又知恩图报。

尚剧团在永安大戏院陆续演出了新改编剧《峨嵋酒家》、《墨黛》等。尚小云不知道，在台下有几位观众正在"偷"戏。所谓"偷"，就是记录演出。偷戏的正是董玉苓。她负责记录尚小云的唱、念、做、打；随她一起到青岛演出的郭少衡负责记录舞台总体设计；她的琴师索天靖负责记录文场、武场。就这样，花了四天时间，董玉苓将这两出戏全部记录了下来。接着，她按照记录进行排练。她是尚小云的弟子，学尚派戏，自然了谢诀窍，得心应手。

在结束演出前三天，尚小云突然在报纸上发现这样一则广告："尚小云亲授，董玉苓、郭少衡主演《峨嵋酒家》、《墨黛》近期公演。"看罢，他大吃一惊。在他的脑海中，并没有将这两出新戏传授给外人的记忆。既然如此，董玉苓又怎么能够公然广而告之这样的

⊙ 1945 年董玉苓尚小云合影

消息呢？

正百思不得其解时，董玉苓、郭少衡找上门来，他们是来求教的。尚小云拿过报纸，问："这两出戏，你们已经贴出来了，我是什么时候教过你们的？"董玉苓有些不好意思，不过也实话实说："您在台上演，我们在台下学，这还不是您亲授的吗？"然后，她将他们如何"偷"、又如何加紧排练的据实以告。尚小云非但没有动怒，反而笑而赞道："好好好！做得好！会学习，肯用功。"不但如此，他还表示他将不会立刻离开青岛，而是留下来，等着看他们演出这两出戏。

董玉苓首演《峨嵋酒家》那天，特地给师傅尚小云留了座位。尚小云也果然准时来到戏院，先去了化装间，对董玉苓的扮相做了些指导，然后才到观众席就座。看得出来，他很重视这次演出。在正式演出前，前台主任上台对观众说明："今天晚上演出的《峨嵋酒家》是由尚小云同志亲自为他的爱徒董玉苓排演的。"然后，他邀请尚小云上台与观众见面。尚小云身着灰色中山装，像他当年身着长袍一样，气宇轩昂、神采飞扬。他健步上台，向观众致意，全场掌声如雷。

董玉苓毕竟是学尚派出身，虽然这出戏是"偷"来的，并没有得尚小云亲授，但她演起来，宗的完全是尚派，几无瑕疵。不仅是尚派迷们，就连尚小云自己都看不出破绽。全剧结束，尚小云上台，与演员们共同谢幕，谢了三次，依然不能让经久不息的掌声停歇。最后一次，他独自上台再次谢幕。此时，他的内心充满了感动，不只是因为观众的厚爱，更因为尚派后继有人，中国京剧也后继有人。

尚小云与董玉苓的师生情谊一直延续到70年代。在尚小云于西安被免去一切职务，在家里听候审查结论的时候，有一天，处境也很困难的董玉苓从北京到西安探望恩师，带去了北京天源酱菜和芝麻酱，还给师母带了一条“牡丹牌”香烟。尚小云捧着这些并不贵重的礼物，却感欣慰。他对付出从不求回报，他渴求的是人性中的温暖。这份温暖，给了他无限的精神慰藉。

在中国台湾，尚派传人代表是梁秀娟。她是梁华侬的女儿，自小随母学戏。30年代中期，15岁的梁秀娟拜尚小云为师，并随之学习了《汉明妃》、《玉堂春》等尚派戏。随后，她到上海黄金大戏院演出，因为是尚小云的弟子而大受欢迎，竟连续演了两个月，上座仍然不衰。解放前夕，她随夫定居台湾。虽然离开了京剧的故乡，但她始终没有忘记京剧是国粹。无论是在台湾国立艺专任戏曲教习，还是在该校任国剧科主任，又或者先后应聘中国文化学院、华冈艺术学院任国剧科主任，她都以传承中国传统文化为己任。

70年代初，正当尚小云被剥夺继续从事京剧创作的资格时，梁秀娟在台湾收旦角演员郭小庄为徒，她的目的就是要将尚派艺术传承下去。十多年后，她以近七十高龄拍摄了介绍京剧艺术的电视片，演出了尚派名剧《昭君出塞》。那时，尚小云已经作古。如果他泉下有知，当可以瞑目了。

尚小云授徒，与他在荣春社的教学模式有相似之处，无外乎言传身教、因材施教、鼓励广学博采和创新、注重道德修养、讲究养身等。虽然各人特点不同，但有一个方面是共同的，那就是基本功。无论对哪一个弟子，他最先教他们的便是：四功五法。所谓“四功”，即唱、念、做、打；所谓“五法”，即口法、手法、眼法、身法、步法。在这个基础上，他才根据各自的喜好、专长等教授具体的戏。因此，他的弟子虽然都对尚派戏了然于胸，但演起来，风格却完全不同。

第四章
走进新时代

认识解放军

对于唱戏的尚小云来说，戏，是他的一切。这使他的人生很纯粹，没有杂念，没有野心。他对时局是关心的，但他远离政治。他对时局的关心，是因为他的演艺活动存在于社会之中，不能不受到时局的影响；他远离政治，是因为他天生对政治不感兴趣，又以为身为唱戏的，无论哪朝哪代，无论谁坐天下，戏曲作为娱乐业的一种，它的生命终究不会消亡。也因为如此，唱戏的，永远有戏可唱。在这样的心理状态下，北平解放前后的社会剧烈震荡，在他的眼里，不过就是又一次的朝代更迭。他对政治的不敏感，使他不可能预见到这次时代变迁将是翻天覆地的，与中国历史上以往的政权交替有所不同。

⊙ 20世纪50年代的初尚小云

在北平被解放军包围的时候，尚小云感受到的社会混乱，便是国民党军队在城内的胡作非为。军人们骚扰戏院，强占强看，滋事扰民，殴打演员；军人们也曾骚扰荣春社，强拿强要，断电断水，强抓壮丁。他不知道，这是他们穷途末路的垂死挣扎，这是垂死挣扎的疯狂。他只知道，因为这种疯狂，导致了他的荣春社难以为继，而不得不宣布解散。当他眼睁睁地看着学生们离开荣春社后，迫于生计沦为摆小摊的，做些小买卖，他内心的焦虑，远比对围城的担忧更强烈。

忍耐过后，天终于放晴。终于，1949 年 1 月 20 日，国共双方在北平和平解放的协议上签了字。十天后，解放军进入北平接管防务，国民党傅作义的部队开出城外。北平，未动刀动枪，也没有炮灰的堆积，和平解放了。

社会一旦有稳定的迹象，尚小云急迫做的第一件事，就是恢复荣春社，恢复在长安大戏院的演出。当他发现荣春社的学生，回来得很少，戏，很难演得下去的时候，这才感觉到，时局的变化，不仅仅是共产党打跑了国民党那么简单，天、地、人，都变了。新时代不由分说的拥抱，让他有些猝不及防，有些不知所措。他再一次解散了荣春社，这次，是彻底的、完全的。然后，他设法让自己去适应新时代。适应的前提，便是认识解放军，认识共产党。

其实一开始，解放军就给尚小云留下了很好的印象。北平刚刚解放，解放军未及全部进城的时候，城内防务处于半真空的状态。一些国民党散兵游勇以为有机可乘，四处抢劫，也盯上了尚小云的家。他们以为，尚小云作为一代名旦，家中即使不是金满床、银满堂，也一定大有油水可捞。那一天傍晚，一伙人一窝蜂冲到尚宅，只见大门紧闭，便不由分说，狂敲乱打还猛踹。

谁都知道这样敲别人家门的，必定不是好人。门房透过门缝，看见是一群国民党兵，赶紧加杠加闩，将大门顶死。大兵于是被激怒了。门里的尚家人听见了他们拉枪栓的声音，紧张得大气都不敢出。也就在这时，他们也听到了另外的声音：“不许动！”“举起手来！”然后，一切都归于平静。门房悄悄将大门拉开一条缝，偷眼往外瞧，只看见几个解放军押着那几个国民党兵往远处去的背影。这就是共产党解放军？这是他们第一次近距离地感受解放军，对解放军有了感激之情。

那天，尚小云并不在家，他正在戏院。在戏院门房，他接到儿子尚长麟从家里打来的电话。长麟详细叙述了事情发生经过，最后说：“所以，他们连咱们家的门也没能进，就让解放军给抓住了。”尚长麟的语气中既有心有余悸的紧张，也有压抑不住的兴奋。在他这个只有十几岁的孩子眼里，无所谓共产党、国民党，只有好人和坏蛋。对于他来说，这就是一个现实中的好人抓坏蛋的故事。对于尚小云来说，他只有一个感觉：这就是共产党解放军？这样的对比，太明显了。

事后尚小云才了解到，解放军军管会对此早就有所预料，对滞留在城内的社会名流，包括尚小云，都暗中进行了保护。这就是解放军为何如天降神兵一样来得那么快的原因。素有侠义心肠的尚小云，将解放军所为也视为侠义之举，好感顿生。随后，他专程登门，向解放军表示谢意。

严格说来，这并不是尚小云首次接触共产党，他甚至还意外地帮助过一次共产党。那是在抗战后期，也是在变局前的白色恐怖时期。一向不问政治的尚小云，正一心扑在荣春社的社务上，却发现荣春社的教务长王颉竹总是心神不定，而且时常外出，甚至夜不归宿。他不明白王颉竹到底在干什么，但觉得很奇怪，他并没有多打听，总以为时局不好，荣春社的营业欠佳，已很难维持，他以为，王颉竹不过是为了生计，在荣春社之外又有所奔忙而已。

直到有一天，尚小云正在练功房陪着学生练功，王颉竹匆匆而来，将尚小云拉到一旁，又警惕地四下看了看，这才压低着嗓门说：

"尚老板，我要走了。"

尚小云很不解："走？走到哪儿去？"

王颉竹没有吱声，只是伸出右手，做了一个"八"字形。

尚小云倒吸一口凉气："你是八路？你也参加了八路？这是什么时候的事？"

王颉竹连忙摆手，阻止了尚小云一连串的问题："别问了，来不及了。"

尚小云还是一头雾水："什么事情来不及了？"

王颉竹说："来不及细说了。尚老板，赶紧想法子，帮我弄出城去。"

这下，尚小云明白了。王颉竹这个八路，是遇到麻烦了。他也想起来了，最近一段时间，日伪特务们正在全城范围内搜捕抗日爱国人士，特别是共产党八路军，更是他们重点打击的对象。因此，对于进出城的人盘查得很紧；对于可疑分子，更是宁可错杀。显然，王颉竹出不了城了。

对这样的请求，尚小云很犹豫，并非为了怕担“私通八路”的风险，而是因为他不知道该怎么办。他自认为自己不过是个唱戏的，不与官靠，不与贵亲，没有通天关系，又如何能帮这个忙呢？

王颉竹与尚小云在荣春社共事许多年，他对尚小云的为人是很了解的，否则，他也不会求助于尚小云。他知道豪侠的尚小云会帮他，他也知道重义的尚小云绝不会出卖他。他从尚小云的表情中洞悉尚小云犹豫的本意。于是，他说：

“尚老板，您是名人，只要有您的担保，我就可以大大方方地出城。”

一句“名人”，一句“担保”，提醒了尚小云。刚才他是太紧张了，一时忘了，他可是梨园公会的会长啊。于是，他有办法了。

尚小云的办法，就是以梨园公会会长、荣春社社长的名义，为王颉竹写了一封担保书，担保王颉竹确是荣春社的琴师兼教务长，为了社务，必须出城，到丰台去。随后，他拿出一把京胡，装在布袋里，一起交给了王颉竹。临别前，两人紧握了一下手，互道珍重。尚小云明白，王颉竹此番出城，是以“八路”的身份去参加抗日的，是有极大危险性的；王颉竹明白，尚小云此番帮他出城，是冒了极大风险的。彼此的情谊和信任，都凝聚在两手相握之间。

王颉竹凭着一封担保书和一把京胡，顺利地出了城。

不能说尚小云义助王颉竹是没有政治倾向的，只是他并非倾向于共产党，因为客观地说，此时他对共产党并没有太多的了解，他倾向的是抗日人士。所以说，这个时候，他的政治倾向性很单纯。在他的眼里，反战的、抗日的，就是正义的；反之，就是非正义的。

北平和平解放两个月后的一天，一位解放军干部乘着一辆美式越野吉普车来到旧刑部街9号。他是来找尚小云的，他就是王颉竹。数年未见，尚小云一时间没有认出这位荣春社的老伙伴。相认之后的喜悦，自不必说。

这个时候，尚小云虽然消闲，但内心还是比较苦闷的。他是个闲不住的人，无所事事地待着，让他有种莫名的烦躁。戏，暂时唱不起来了；荣春社，又解散了，他不知道应该干些什么。他虽然能够感受得到新时代的新气象，但他对新政策、新观念、新思想，还有些迷惑，客观地说，他对新政权，还有些惧怕。惧怕的原因，他说“是因为长期受到敌伪、国民党反动宣传的蒙蔽”。曾经的清翰林潘龄皋在解放初期，写过这样一首诗：

解放军未至，蜚语妄宣传，
疑信纵参半，心悸终悬悬。
讵意解放后，所闻殊不然：
行政尚宽大，忧民策安全；
劳动重工业，力田能逢年；
生产日以富，国营日以坚；
目睹得真相，方知前听偏。

尚小云坦然承认，他当时的心情，的确是“疑信纵参半，心悸终悬悬”的。他不是由解放区而来，他是从旧时代走过来的，迷惑、不知所措，是一种真实的心态。他需要有一个适应的过程，他也需要学习。王颉竹的意外来访，让他陡然找到了一扇通往新路的门。

在了解了尚小云的心思后，王颉竹建议他，不妨参加即将为梨园人士举办的戏曲讲习班。在学习之后，在提高觉悟之后，再做打算。尚小云接受了。

参加戏曲讲习班

同为四大名旦，尚小云与梅兰芳、程砚秋相比，在政治地位上，是稍逊一筹的。相对而言，梅、程对“戏曲演员与工人农民一样，都是国家的主人”的新思想，更有切身感受。对于尚小云来说，则不然，需要他慢慢消化。何以这么说呢？

撇开梅兰芳不论，因为北平解放时他尚在上海。仅以尚小云与程砚秋比较，他被重视的程度，似乎不如程砚秋。1949年3月底，周恩来刚刚进北平城，就抽空去西四报子胡同程宅拜访程砚秋。不巧，程砚秋外出，两人失之交臂。也就在当天下午，程砚秋应邀赴北京饭店，参加周恩来主办的招待会，见到了周恩来。当天晚上，他又应邀到中南海怀仁堂，为毛泽东、周恩来等中央首长演出《锁麟囊》。为此，他在日记里这样记道：

“我到怀仁堂演戏，登台之前和下装之后，周恩来先生都要赶到后台来慰问。这时我感动极了，回想在旧社会，像我们这号人，说得好听点是艺人，说得不好听是唱戏的，在一些人的眼中不过是玩具是玩物，在新社会里，中国共产党对我如此尊重，怎么不使我感动呢！”①

这份尊重，尚小云在解放初期，并没有领受到。

紧接着，4月份，世界拥护和平大会在布拉格召开，中国也组建代表团前往出席。代表团成员中，有13名文艺界人士，他们是郭沫若（任团长）、田汉、郑振铎、洪深、徐悲鸿、曹禺、丁玲、萧三、曹靖华、古元、戴爱莲、赵树理、程砚秋。很明显，京剧界代表，只有程砚秋。

首届政协会议召开时，戏曲界代表只有四个人，他们是梅兰芳、程砚秋、周信芳、袁雪芬。梅兰芳当选为全国政协常务委员，并于

① 程永江：《程砚秋史事长编》，北京出版社2000年12月版，第568页。

次日以此身份参加了庆祝中华人民共和国和中央人民政府成立典礼，并观看了阅兵式。

这一切，都预示着，梅兰芳、程砚秋虽然与尚小云一样，都是从旧时代走过来的戏曲艺人，同属于“四大名旦”，但他们的政治地位却比尚小云有更大更快的转变。他们得以参与到政治中去，得以参政议政。因此，梅兰芳发自内心地感慨：“我在旧社会是没有地位的，今天能在国家最高权力机关讨论国家大事，又做了中央机构的领导人，这是我们戏曲界空前未有的事情，也是我的祖先们和我自己都梦想不到的事情。”

当然，这样的比较只是相对的，纵向来看，尚小云还是能够很明显地感受到，作为一个在旧社会被歧视的“戏子”，社会地位有了很大提高。这种转变，是前所未有的。比如，7月，首届文代会在北平召开，尚小云和梅兰芳、程砚秋等作为代表，出席了会议。

接着，尚小云又作为北平市各界人民代表会议的代表，参与建国前北平市的文化、风气的社会改造。有一天在会上，叶剑英对代表们宣布，当天晚上要在全城采取行动取缔娼妓。他问：“你们拥护不拥护？”尚小云等代表们当然都很兴奋地表示拥护。不过，他们的心里也在犯嘀咕，也在怀疑：真的能做到吗？会不会只是雷声大、雨点小？令大家惊讶的是，一夜之间，大规模的行动之后，妓馆真的都被关闭了，娼妓真的都被抓了起来。这样的说到做到，这样的办事效率，尚小云对共产党，陡然有了新认识，也更增添了好感。

在这种情况下，尚小云参加戏曲讲习班的学习，便是心甘情愿的、主动积极的，没有被作为教育、改造的对象而有委屈之感，更没有不满。

仅就北平戏曲界而言，在解放初期，有京剧、评剧、曲艺等戏曲艺人两千多人，大小班社五十多个。长期以来，因为戏曲形式的传统，戏曲剧目中又大量充斥着传统的内容和思想，因此一直被视为落后的、封建的代表。每逢社会变革，戏曲总是首当其冲，被列为必须改造的对象。同样的，戏曲艺人，便被列为必须教育的对象。

在北平解放后、中央人民政府正式成立前，北平一度处于军事管制期。北平戏曲界由军管会文化接管委员会文艺部旧剧处负责接管领导。他们对戏班和从业人员进行了重新登记，以便统一管理。军管期过后，旧剧处划归华北文化艺术工作委员会。华北地区的戏改工作，由该委员会负责。北平市的旧剧改革工作，则转由北平市文化工作委员会下属的旧剧科负责。

举办戏曲讲习班，是旧剧科开始改造旧剧、旧艺人工作的第一步。正如北平市文委负责人李伯钊在总结讲习班的成果时所说："作为戏曲改进运动的展开，是在创办戏曲讲习班之后逐渐发展起来的。"当时，讲习班的目的是"对艺人进行广泛的政治、艺术改革等启蒙教育"。从 1949 年 8 月到 1950 年 3 月，共举办了三期讲习班，每期两个月，共有三千多人参加。尚小云、尚长春、尚长麟父子都参与其中。

关于尚小云参加的是哪一期讲习班，目前有不同的说法。

第一种说法：尚小云参加是第一期学习班。这种说法的来源，是一份名单。有资料显示，参加第一期讲习班的京剧演员，有"李少春、叶盛章、裘盛戎、孙甫亭、云燕铭、李宗义、叶盛长、杨荣环、徐东明、徐东来、孙盛武、李金泉、王少楼、宋德珠、萧盛萱、孙荣蕙、杜近芳、王吟秋、马长礼、徐和才、于世文等"。据此，有人以为，尚小云父子并没有参加这一期的学习，而只参加了第二期的学习。实际上，参加首期讲习班学习的，共有 502 人，其中京剧演员有 246 人之多。这份名单没有将尚小云父子列入其中，是有可能的。换句话说，尚小云父子实际上参加了第一期讲习班的学习。

说尚小云参加了第一期讲习班的学习，最可靠的来源，便是尚长春的回忆。他说："北京解放后，马彦祥、田汉、马少波、方华、杨少宣等同志成立了戏曲改进委员会，组织我们艺人办起了讲习班，我们是头一批学员。”

“戏曲改进委员会”成立于1949年7月，“戏曲讲习班”第一期正式开班，是在1949年8月8日。这样说来，尚长春所说，当不会有误。

第二种说法：尚小云参加的是第二期学习班。

准确地说，第一、二期的学习班，尚小云父子都参加了。看得出来，尚小云对共产党政权的文艺思想是急于了解的，对残存在自己脑海里的封建思想，也是急于要清除的。他以这样反复学习的方式，让自己尽快跟上新形势，适应新时代的要求。因为他始终渴望着有朝一日恢复登台。

讲习班的目的，决定了讲习班的授课内容，它分成两个部分，政治的、艺术的。政治上，包括革命人生观、政治修养、新旧社会艺人的不同社会地位、人民当家作主、阶级思想和觉悟等；艺术上，包括旧剧改革、推陈出新、为工农兵服务等。具体教材有：毛泽东的《在延安文艺座谈会上的讲话》、《中国革命和中国共产党》、《社会发展史》等，还有各种报告，如欧阳予倩的《关于改造京剧的商榷》，田汉的《艺人的道路》，杨绍萱的《谈旧剧改革问题》，周信芳的《往日今朝大不同》，马少波的《戏曲的前途》，王亚平的《旧艺人换脑筋》，阿甲的《学习革命的道路改造业务》，洪深的《导演的作用》等。看得出来，负责讲习班授课的，大多数是来自于解放区的文艺干部。

尚小云惊奇地发现，解放区早在1948年11月就着手为入城后的戏曲改革做准备了。在那月的23日，《人民日报》发表了《有计划有步骤地进行旧剧改革工作》的社论和一些讨论文章，列举了有害的、无害的旧剧，探讨了旧剧中的妖魔神鬼、才子佳人、帝王将相，以及其他的封建迷信问题。

这一切，无论是政治思想、艺术思想，还是解放区的旧剧改革实践，都让尚小云感觉既新鲜又神奇，他似乎看到了完全不同于以往的全新世界，也不由自主地反省自己过去演过的戏。很难说短短两期的讲习班学习能够让尚小云的思想有一个大跨度的转变，但至少让他对新文艺思想有了些感性认识。这对他随后的艺术实践，不能不说有一定的影响。

成立尚小云剧团

在首届文代会开幕前，即1949年6月26日，周恩来在中南海约见了周扬、田汉、马少波等人，就戏曲改革进行了交流。他们建议中央应该成立戏曲改革的领导机构，以领导全国各地的戏曲改革，同时成立研究、实验机构。成立“实验机构”的原因，恐怕是当时戏曲究竟应该如何改，谁也不完全清楚。他们的这个建议，得到毛泽东的赞同。文代会后，全国戏剧工作者协会和全国文学工作者协会[①]同时成立。

剧协主席是田汉。这之后，他又发起成立了“中国戏曲改进会，与梅兰芳、周扬、阿英、欧阳予倩、周信芳等31人担任筹备委员。朱德亲自为改进会书题了“开展平剧改革运动”。

另外，中共中央决定成立中华全国戏曲改革委员会筹备委员会，欧阳予倩任主任。建国典礼后次日，中华全国戏曲改革委员会正式成立，因为欧阳予倩调任中央戏剧学院院长，而由田汉任主任，杨绍萱、马彦祥任副主任，马少波任秘书长。中国戏曲改进会被纳入到“中华全国戏曲改革委员会”之中。

10月底11月初，中央人民政府文化部设立戏曲改进局。中华全国戏曲改革委员会又被并入其中。换句话说，戏曲改进局是在中华全国戏曲改革委员会的基础上成立的，实际上是中华全国戏曲改

① 全国戏剧工作者协会于1953年更名为中国戏剧家协会。全国文学工作者协会后来更名为中国作家协会。

革委员会的另外一个新名称。田汉的主任头衔改为局长，杨绍萱、马彦祥也自然转为副局长，马少波仍然为秘书长。马少波这样回忆道："为了名实相副，经中央文教委员会批准，10月底，中华全国戏曲改革委员会改称文化部戏曲改进局，领导人及工作任务仍旧。"

中国戏曲改进会——中华全国戏曲改革委员会——文化部戏曲改进局。在1949年7月到11月这短短的几个月里，有关戏曲改革的机构名称，改了又改，换了又换，似乎很复杂，其实很简单，都是为了一个目的：改革旧戏曲。但是，如何改，即便是戏曲改进局（简称"戏改局"），也未给出具体的、可操作的方案，而只是在大的指导方向上、总的原则指导下，布置了几条笼统的任务，即：

制定戏曲工作政策；

进行戏曲剧目和演出情况的调查研究；

拟定全国上演戏曲剧目和审定标准；

组织力量整理、改编、创作戏曲剧目；

团结、改造、关心戏曲艺人，培养新生力量；

改革戏曲班社制度。

用一句话概括，戏改，就是"改戏"、"改人"、"改制"（简称"三改"）。

也许就是因为这几项任务的过于原则，所以，这个时期的戏改工作，一定程度上出现了一些偏差。比如，在改戏方面，由于只列举了哪些旧戏有害，至于哪些有益、哪些无害，并没有提出判断"害"和"益"的标准。这就使执行者感到茫然。同时，大家都知道封建的是有害的，那么，何为"封建的"，也没有严格界限。妖魔鬼怪，固然是落后的，神话戏，就一定全是封建的吗？比如《六月雪》、《白蛇传》等，显然就算不上宣扬封建迷信。

谁都想贯彻执行"推陈出新"，但是，何为"陈"，何为"新"，如何"推陈"，如何"出新"，人们的思想一片混乱。于是，改戏，在逐渐演变之后，成了"禁戏"，而且大刀阔斧。有的地方甚至喊出了

“两三年内消灭旧剧毒素”的豪言壮语。很快，戏改后，旧戏剩不下几部了。

在这种情况下，1950年7月，文化部邀请著名戏曲家、戏剧专家、历史学家和戏曲工作负责干部，组成了以周扬为主任委员的全国戏曲改革工作的最高顾问机构：文化部戏曲改进委员会（简称“戏改委”）。委员共有43人，他们是：周扬、田汉、欧阳予倩、洪深、杨绍萱、马彦祥、李伯钊、赵树理、阿英、蒴伯赞、老舍、艾青、曹禺、马少波、阿甲、刘芝明、李纶、马健翎、张梦庚、王亚平、伊兵、郑振铎、周贻白、焦菊隐、王瑶卿、尚和玉、萧长华、王凤卿、马德成、梅兰芳、周信芳、程砚秋、尚小云、荀慧生、谭小培、金仲仁、鲍吉祥、高百岁、袁雪芬、刘南薇、龚啸岚、韩世昌、连阔如。

戏改委的任务是：一、审定戏曲改进局所提出的修改与改编的剧本；二、对戏曲改进工作的计划、政策及有关事项向中央文化部提出建议。

尚小云入选戏改委委员，预示着他开始参与戏改的建议和指导工作。就他个人而言，他其实早在1949年年底，就已经着手从事戏改实践了。看得出来，虽然他只在讲习班学习了两个月（这个时候，他刚刚完成第一期的学习），对新文艺思想还谈不上有深刻的认识和理解，但是，显然，他是乐于接受的，对戏改工作是赞成的。这是他不保守而善于接受新鲜事物的个性体现。

⊙1956年9月，北京市京剧工作者联合会代表大会召开。尚小云当选为联合会主席（右起：马连良、梅兰芳、尚小云）

第一期讲习班结束后，尚小云召集家人，就往后的路如何走，进行了商量。时局变了，朝代换了，现在怎么办？戏，还演不演了？不演戏，靠演戏吃饭的尚家，又能靠什么吃饭？吃饭，是最现实的问题。眼下，有三个方面的实际情况，是尚小云必须面对的：一、荣春社早已解散，也很难恢复，不仅是人员问题，也有旧式科班显然不能适应新时代要求的因素；二、仅仅是为了生存，戏，还是要演的，只不过是一个演什么、如何演的问题；三、经过讲习班的学习，对新文艺思想有了一定的了解，既然要演戏，就必须要有一个全新的面貌。

无论如何，对新时代的认识，是决定尚家人往何处去的关键。尚小云对家人说的一番话，很能体现他当时的心态："这些日子以来，我一直在想着一件事，就是我们这些从旧社会过来的艺人往哪儿奔。新中国马上就要成立了，前些时，我参加叶剑英主任召集的北平各界代表会议。叶主任说，今天晚上要在全城采取行动取缔娼妓……共产党说话算数，我们应该为国家做事。怎么做？当然是干老本行，演戏。"看得出来，此时，他的"演戏"意识，已不再是为挣钱吃饭那么单纯，而增加了"为国家做事"的内涵。

最终，全家人的讨论结果是，科班是不能再办了。为了演戏，需要重新组建一个与旧式戏班，如协庆社、重庆社、福荣社不同性质的剧团。

1949 年 11 月，尚小云剧团成立。在京剧界，尚小云是比较早的一个改组旧式戏班、以个人名义组建私人剧团的演员。比如，程砚秋在解放前夕的戏班，名秋声社，相当于尚小云的福荣社，但是，秋声社一直保留到1953年才改为程砚秋剧团。尚小云虽然在解放初期的政治地位，不如程砚秋，却并不妨碍他思想意识的急速转变。也看得出来，他对新时代的适应，主观上很努力。

尚小云还有一个"早"，便是解放以后最早一个编排新编历史剧的京剧演员。在延续编排新剧方面，尚小云是超越梅兰芳与程砚秋的。梅兰芳在解放以后直到1961年去世，程砚秋在解放以后直到

1958年去世，都只有一部新戏问世，分别是《穆桂英挂帅》和《英台抗婚》。尚小云呢，解放以后新创作的、新改编的戏，有七部之多。

这一方面说明，他的创作意识浓烈，创作势头旺盛，也表明他对京剧艺术，有切实的喜好和热爱；另一方面也说明，梅兰芳等因为政治地位的大幅度提高，使他们身不由己地参与到政治生活中去，而难有更多的时间和精力从事艺术创作。从这个角度上说，政治角色的担当，客观上阻碍了他们个人的艺术发展，尚小云因为没有更多的牵绊，反而在艺术上可以继续有所作为。

创编《墨黛》

尚小云剧团的成员有54人，除了尚氏父子和尚富霞外，还有李鸣盛、白家麟、李春恒、方英培、贾松龄、崔熹云、张韵斌、钮荣亮、张荣玉、侯长清、马连贯、刘喜泉、赵和春、杨维森、田荣芳、钮淮华等。剧团团长，自然是尚小云。从这份也许并不完整的名单中可以发现，与解放之前的协庆社、重庆社、福荣社相比，剧团成员中少了耳熟能详的名字，也就是说，少了公认的名角儿，更多了陌生的新人，其中钮荣亮、张荣玉、刘喜泉等，都曾经是荣春社的学生。

11月，也就是在尚小云参加了为期两个月的首期戏曲讲习班之后，尚小云剧团的第一部大戏就问世了。这个“率先”，让戏界内外为之震惊。要知道，这时，开国大典刚刚落幕，新中国之帆刚刚扬起，许多人的思想还处于混沌之中，茫然不知所措，在观望，在等待。在这种情况下，尚小云却不左顾右盼、瞻前顾后，也不患得患失，而是抛弃空泛的言语，以行动表现他的艺术主张和对新文艺政策的支持。

这第一部大戏，就是《墨黛》改编自30年代的《北国佳人》。《北

⊙《墨黛》中，尚小云饰墨黛

国佳人》的编剧是还珠楼主，而《墨黛》的作者，是戏曲剧作家吴幻荪。

尚小云之所以改编《北国佳人》为《墨黛》，作为他在新中国成立后的第一出戏，不能不说有政治方面的原因。在开国大典前，一向以看戏作为学习方式的尚小云，看了许多来自于延安解放区的华北平剧研究院演出的进步戏，有新编历史故事剧《中山狼》、《进长安》，以及以京剧形式反映现实的《四劝》等，这一切，对他有很大启发，不限于艺术上的，也有政治上的。他发现，与传统剧目不同，这些新戏，渗透了编创者表现现实、反映现实的思想，更多的是将戏作为宣传新民主主义革命思想的教育宣传的工具。那么，新中国成立初期的革命思想是什么呢？是反封建，反压迫，人民群众当家作主。

在对旧有的尚派戏进行过滤筛选后，尚小云选中了改编《北国佳人》。《墨黛》的故事大意是：奸相莽吉图贪赃枉法，结党营私，且性好渔色，受害良民不可胜计。御史鲁文达是个正直爱民的清官，素不与莽同流合污。文达有一女名墨黛，不但貌美，且深通文墨。莽垂涎已久，多方谋求而不得，竟以私通外邦之罪将鲁文达害死，并将其全家问斩，只留墨黛以便达其私欲。墨黛闻风，逃奔至俞敬棠衙署躲避。莽寻墨黛不获，连夜到各处搜查，幸赖俞敬棠与衙役设计掩护，墨黛始免于难。俞赠金使其逃脱，不幸逃至郊外又遇劫道人，将墨黛财物劫去，并逼与成亲。墨黛再逃，误坠枯井之中，天明有卖豆腐老者金昌及女行经此处，将其救出，同回豆腐店中。莽寻墨黛不获，又命人四处挑选美女以供其玩乐，于豆腐店中将墨黛抢去。太行山寨主东方叟与鲁文达曾结义兄弟，闻鲁家被害，遂下山查访，巧遇墨黛被抢，将墨黛救回，然后日传武艺给墨黛。最后，东方叟、墨黛乔装成渔民下山，杀死莽吉图，为民除了害。

显然，《墨黛》与《北国佳人》相比，虽然在故事内容上有相似

之处，但侧重点有所不同。《北国佳人》侧重于蒙古上层统治阶级的忠奸之争，侧重于女主人公小玉报家仇、报私仇。小玉最终之所以能够报了仇，利用的又是大皇姑的权势。所以，小玉虽然具有侠女风范，但却并不是真正意义上的胜利者，真正的胜利者，是与奸相相对的另一方权势。《墨黛》则偏向于对自由婚姻的维护，对强迫婚姻的反抗，这很符合建国初期的反封建婚姻现实。同时，这出戏更强调下层贫民自身对恶势力的反抗，墨黛、东方叟都是这样的典型，他们不倚重权势，不攀附富贵，仅凭个人的能力反抗压迫，打垮恶势力。

《墨黛》的变化，主要体现在思想意识上，从艺术上来说，它仍然秉承了尚派戏情节紧凑动人、唱做繁重、火炽紧张的特点，剧评家林努生在《看〈墨黛〉》一文中这样介绍道：

> 尚小云饰墨黛，出场时唱“每日里侍严亲雕鞍驰骋，绣鸳鸯和孔雀妙手神针”，清亮圆润，简直是一字一珠，太好了，可惜也太少了。避难逃亡，“走雪”一场，水袖作“燕子飞”、“燕子钻天”，美妙极了。乔装下山杀奸相时，身挑水桶，塌着身子，以急促的步伐奔走（行话叫编辫子），可以看出他的极深厚的武功根底，而身段的刚健婀娜，扮相的清丽，眉目的传神，都表现出他千锤百炼后的高度的艺术成就。

这出戏里的“搜府”一场，是尚小云从西安易俗社编排的《美人换马》一剧中移植过来的。易俗社，依尚小云的说法，是“戏曲界的一位老大哥”，它创建于民国初年。1931年，“易俗社”第一次到北平演出。尚小云几乎每天都去看他们演的戏，特别爱看王天民主演的《蝴蝶杯“洞房”》、《少华山》、《美人换马》等。每次演出前，他都要到后台，很热心地为演员们化装。他与易俗社的情缘，由此建立。当时，王天民在北平新排《颐和园》，写的是八国联军骚扰北京时，赛金花利用她和联军将领瓦德西的关系，保护贫民安全的故事。赛金花这个人物，所着服装，自然不能是古装，而应当是洋装。正好这个时候，尚小云刚刚演出新戏《摩登伽女》，戏里的服装很适合王天民的要求。尚小云不但慷慨地贡献出自己的全套行头，更在演出前亲自为王天民扮戏。

《颐和园》首演，是在东安市场的吉祥戏院。开演前，来了一位风姿绰约的老年妇女，很优雅地走进第三号包厢。她的出现，立刻引得全场骚动。原来，她就是赛金花。台上，王天民一身《摩登伽女》的行头扮着赛金花；台下，有人问赛金花，戏里演的是不是真的？赛金花笑了笑说："那是内幕的事，外人是不会知道的。戏的表演，是对我的鼓励和表扬，其实我是没有那么大的力量的。"其实，戏里赛金花的故事是否真实可信并不重要，现实中的赛金花亲自观看描写她的故事的戏，已是梨园佳话。

给尚小云留下深刻印象的，让他近二十年来都难以忘怀的，并不是《颐和园》，而是《美人换马》中紧张激烈、扣人心魄的"搜府"一场戏。当他排演《墨黛》，也需要"搜府"时，很自然地将留存在记忆里的《美人换马》中的"搜府"拉了出来。这是他借鉴别人优秀剧目中精彩表演的一个典型。

《墨黛》公演后，受到广泛赞许，在北京连续演出了39场，卖座始终不衰。戏曲界同行更是由衷地感叹："尚先生跑到我们前头去了。"这句话，不仅仅是针对尚小云率先创排出符合新形势的新戏，也包括他对舞台上一些不合时宜的东西进行的改革。人们在观看《墨黛》这部新戏的同时，也看到了一个全新的舞台。比如，他取消了检场、饮场[①]。在对舞台装置的改革方面，他废除了沿用已久的

① 检场，即搬置桌椅、拿递道具、喷放彩火、扔垫子、协助演员换装等，负责做这些事的人，被称为"检场人"。检场人虽然属于后台服务人员，但在演员表演时，也时常出现在舞台上。

饮场，是指演员在舞台演出中，由检场人或跟包的递送茶水，当场饮用的习俗。

"守旧"，使用新式大幕，同时在舞台一侧隔以薄纱，将乐队与舞台隔开，伴奏人员透过薄纱可以看到舞台上演员的表演，而观众却看不见乐队，避免了干扰。

其实，尚小云在组建尚小云剧团时，就已经有意识地摒弃了一些旧戏班的陈规旧俗，比如，取消"官中行头""私房行头"、"官中场面""私房场面"之类。即便是团长尚小云本人，也与剧团里所有的演员共同使用行头，共同使用化装间，在一起化装、换装等。剧团开始演出后，挣到的钱，尚小云全部用来买白面，然后存着。平时，包括尚小云在内的所有演员，都不挣钱。直到年关，他才按人头分配白面，无论是主要演员，还是龙套演员每人一份，没有区别。

这固然有尚小云的头脑里少有等级观念的因素，更主要的，还是他在讲习班的学习后，接受到了诸如劳动人民才是国家的主人、新中国人人平等之类的新观念。不论他此时是否真正地理解这样的观念，至少，他能够接受，也愿意接受，并且付诸于实践。就在不久之前的解放前，他还是名角儿、头牌，享受着超越于常人的待遇，谁都以为那是理所当然的，甚至连他自己也没有觉得不妥。这样的差别待遇在一瞬间被打破，尚小云却又很自然地接受了，毫无不适应，也就毫无怨言。他对新时代的适应能力，令人惊异。

正因为如此，也使得他对解放初期风起云涌的戏改工作，能够很快地理解和适应，并积极支持。在《墨黛》之后，直到1953年，他又连续创排了《夜归》、《太原双雄》、《平阳公主》、《血溅梨花阁》、《峨嵋酒家》和《洪宣娇》。其间，他还对不少旧戏进行了整理改编。

《洪宣娇》事件

在尚小云与其他42人组成文化部戏曲改进委员会后，戏改委对全国的戏改工作中的戏曲剧目制定了审定标准，有的要求加以修改，

⊙尚小云在《洪宣娇》中饰洪宣娇

有的则予以停演，比如，"宣扬麻醉与恐吓人民的封建奴隶道德与迷信的"、"宣传淫毒奸杀的"、"有丑化和侮辱劳动人民的语言和动作的"等等。对此，尚小云个人也有自己的看法。他认为："京剧在现在，旧有剧本已觉得不够应用，观众迫切需要新的有教育意义的东西……旧剧剧本里面，传抄讹误的部分不少，这也是改旧工作中的一环，还待好好地改。"

从他的这段话中可以窥见，他在解放初期对戏改工作的积极支持和响应，不是为迎合形势的做作，而是发自肺腑的真情实感的流露，是他多年以来舞台艺术实践积累而成的切实感受。所以，他又说："现在人民政府大力帮助艺人提高文化水准，这就再好没有了，再不会像我们学戏时那样苦，再不会闹出把'项伯'念成'顶伯'一类的笑话了。"

所以，他对戏改的态度，是积极的。他明确表示："我站在一个人民演员的立场，当趁自己精力还未衰退之时，把过去从前辈艺人学习来的一点艺术，结合目前实际情况与需要，尽量来努力改旧和创新的工作。"

在当时戏改的大氛围下，在尚小云内心对戏改有真实的认识和理解之下，在"改旧"方面，他连续整理改编了不少荣春社曾经演过的旧戏，有《十二金钱镖》、《武松》、全部《钟馗》等。《十二金钱镖》由昆曲《千里驹》改编而来，原来的故事大意是：刘瑾诳骗正德皇帝到泉林寺烧香，图谋篡位，后来官兵将泉林寺凶僧铲除。改编后的《十二金钱镖》，故事是英雄侠女替地方铲除恶霸、为人民立了功除了害。

在原先的《武松》中，潘金莲总是被刻划画淫妇，却淡化了她的"淫"与西门庆有钱、有势、威逼利诱和王婆耍刁、耍巧、从中勾引等因素有很大关系。基于这样的认识，尚小云对这出戏进行了删改，特别删去了"戏叔"一场。他觉得：对于一个被侮辱被损害的人，不必那么强调夸大她下贱好淫。还有一个地方，他也认为不合理，就是小花脸（武大）照例抓哏，有一句词："我这个毒药我不喝也得喝，我要是不死，他们怎么唱下去？"他觉得，这种抓哏格调不高，也最容易破坏剧情气氛。于是，他改为在武大吃药时，感到药味不对，苦得实在难以下咽，但他为了治病，又不得不勉强喝下去。

全部《钟馗》，尚小云并没有直接参与演出，而是由尚长春饰演钟馗，尚长麟在前半部饰演柳凤仙，在后半部饰演钟馗的妹妹。它的剧情，在尚剧团全国巡演时的演出说明书上，这样介绍道：

"钟馗者，即世人所谓判是也，如画图中所画的恨蝠来迟，五鬼闹判，及端阳节所挂的镇宅朱砂判。但是，世人不知其来历始末，今本团将其一生事迹表演尽致，原钟馗乃一白面书生，进京赴试，误入鬼窟，得病变容，面貌改丑，即今图上所绘之形容也。唐王见其貌丑，贬去状元。钟馗撞死后宰门，杜平将其尸成殓。钟馗感其恩德，将妹许之，即是钟馗嫁妹。本团增益首尾，使观众得知其始末也。"

显然，这出戏虽然故事性很强，但立意不高，更欠缺思想性，而且充满鬼怪神灵，迷信色彩浓重。起初，尚小云对这出戏进行了大幅度修改，尚剧团在演出这场戏时，他亲自把场。但后来在文化部明确禁演的26出不太健康的戏目中，全部《钟馗》还是难逃厄运，被列了进去，尚剧团也从此就不再演了。

除了改旧，尚小云更多的是"创新"。他说："戏改的工作，要大家来搞，演员们一般都学得旧有的技艺，只要文化水准够了，改旧的、创新的，大家都可以多尽一些力气，多创一点成绩……这一切的工作都很艰巨，希望大家共同来努力，多拿出有意义的戏和优良的表演来给观众看。"

在创新方面，《墨黛》是典型。《夜归》的创作模式，与《墨黛》相似，也是由旧戏改编而来。被改编的，就是荣春社时代编排的《黎素娘》。它的故事，又与《峨嵋酒家》相似，都是铲除豪绅恶霸、为民除害、伸张正义的故事，充满抗争性，激烈又侠气。这既延续了尚派戏文武并重的特点，也与当时"历史是由人民主宰"的思想相契合，具有现实意义。

其实，最符合主流社会思想的，是《太原双雄》和《洪宣娇》。为何这么说呢？早在1944年1月，毛泽东曾就新平剧《逼上梁山》写信给作者杨绍萱、齐燕铭，信中说："……历史是人民创造的，但在旧戏舞台上（在一切离开人民的旧文学旧艺术上）人民却成了渣滓，由老爷太太少爷小姐们统治着舞台。这种历史的颠倒，现在由你们再颠倒过来，恢复了历史的面目，从此旧剧开了新生面。"

因为毛泽东的肯定，《逼上梁山》成为当时戏改的典范。正如毛泽东所说：它"是旧剧革命的划时期的开端"。接着，又一出"水浒戏"《三打祝家庄》应运而生。也就是说，反映农民运动、描写农民反抗斗争的戏，成为主流。

毛泽东的这段话，是针对具体的《逼上梁山》而言的，在抗战接近尾声的40年代中期，的确很有气势，很鼓舞人心，对旧剧改革也很有积极的指导意义。但是，如果将此话理解为旧戏舞台上，人民"都"成了渣滓，"都"由老爷太太少爷小姐统治着舞台，而描写老爷太太少爷小姐的戏，"都"是历史的颠倒，就不客观了，极端了。然而，在解放初期的戏改工作中，由于人们对何为"陈"、何为"新"、茫然不清，他们急迫需要一个航标灯、一个参照物，于是，《逼上梁山》、《三打祝家庄》等反映农民运动的戏，又被推到了前台而作为戏改的典型。

当时，农民运动被主流思想所推崇所赞许，表现农民运动的戏曲自然也就成为主流。尚小云的《太原双雄》和《洪宣娇》都属于此列。

严格说来，《太原双雄》并非尚小云为自己，而是为两个儿子尚长春、尚长麟编创的，说的是农民起义首领黄巢的部将班番浪和孟觉海如何被迫害、如何反抗的故事。尚长春饰演班番浪。与尚长春合作，饰演孟觉海的，有时是李鸣盛，有时是赵和春。尚长麟有时饰班番浪的妻子，有时饰另外一个旦角韩凤英。尚小云曾经客串过孟觉海的母亲。在技巧上，尚小云为这出戏设计了许多新颖的唱腔，又因为这是出武生戏，所以，更侧重武打。尚小云又因此编排了许多高难度的武打动作和比较夸张的身段，突出主人公的英武气质。

真正属于尚小云本人的新戏，是《洪宣娇》。它是根据荣春社排演过的《太平天国》一剧改编而来。洪宣娇这个人物，自清末以来，在民间一直有关于她的传说。说她是太平天国首领洪秀全的妹妹、太平天国将领之一的萧朝贵的妻子、太平天国的女将、巾帼英雄。既然是巾帼英雄，所以她骁勇善战，令清军闻风丧胆。据历史学家分析，萧朝贵的妻子是广西人，本姓黄，后改名杨云娇。洪秀全发动农民运动初期，曾经与杨云娇结为义兄妹。杨云娇在起义军中的确声名赫赫。在太平天国运动席卷中国大地时，有关太平天国的故事层出不穷，其中就有关于杨云娇的传说。传到后来，杨云娇变成了洪宣娇。

尽管洪宣娇这个人物是否真的在历史上存在过不得而知，但她已经成为一个理想的化身，一个巾帼英雄的代表。对于尚小云来说，这样的人物，是他最擅长表现的，英气、侠气、豪气，充满斗争性。同时，通过这个人物，他实际上又从侧面表现了农民运动。

应该说，相对于《墨黛》，《洪宣娇》这出戏，更适应解放初期的政治气候和戏改的戏曲环境。因此，尚小云从创意开始，就对它倾注了很多的心血。为了这出戏，他自掏腰包置办了全新的行头。此时，已是1950年，尚小云实足已经50岁了，但他却以与他的年龄不相符合的昂扬精神、豪迈气魄，精神异常振奋地投身于对这部新编历史剧的创作。他的本意，以此作为对戏改的支持，也试图作为他艺术创作再度步入辉煌的标志。但是，结果却令他失望。

《洪宣娇》编排好以后发生的事，有人撰文这样评论道：

要演出了，却迟迟得不到上级批准。后来，戏还是演了，但没有取得成功。而真正让他感到不满的，还不是戏演得不好，而是管他的那些干部的态度。好像尚小云不再是角儿，什么事儿，包括戏里的事儿都不听取他的意见。与获得更多尊重、更多荣誉的梅（兰芳）、程（砚秋）相比，极具个性的尚小云更多地体味到粗暴、草率和冷落。他也是四大名旦，论人品、讲功夫，自己哪一点差了？“志高如鲁连，德高如闵骞，依本分只落得人轻贱”。尚小云吞不下这口气，终于离开北京，一怒而去。这一去，就是三年。三年后回到北京，他住在校场六条一个有六七个房间的小院。这房子在那时不过是北京中等以下人家的住所，与尚家从前住的椿树下二条的宅院，简直无法相比。这一挪动，似乎已是对他未来命运的预示。好在，尚小云安之若素。[1]

当时的北京文化主管机关在日后的一份工作汇报中，证实了其中的部分说法。报告中称：“我们对尚小云尊重不够，没有协助他把演出（指《洪宣娇》）作为重点，反而态度比较粗率……”

关于《洪宣娇》，有几点需要说明：

一、表现农民起义的大戏，是主流，这是客观事实，以太平天国为背景的《洪宣娇》属于此列，理应被重视、被扶持，被作为戏改的代表剧目。事实上，《洪宣娇》确实“迟迟得不到上级批准”，原因是在这出戏的结尾渲染了太平天国运动的失败。从编剧的本意上

① 章诒和：《戏剧大师尚小云往事》，《凤凰周刊》2006年第6期，第20页。

⊙《峨嵋酒家》，尚小云饰谢小玉

说，一个失败了的悲剧性结尾，更能显现洪宣娇这个人物的悲情命运。无论是编剧还是尚小云本人都没有意识到，在开国的礼炮声、庆贺的欢呼声仍然回荡在神州大地的时候，描写太平天国的失败，显然与建国气氛不协调，不合乎政治的环境。换句话说，如果这出戏以金田起义、以太平天国势如破竹直捣大清腹地为主要描述内容，应该会有完全不一样的结局。

对于尚小云来说，他不是这出戏的编剧，他只是一个演员，虽然他也参与编排，但他排演这出戏的思想很单纯，那就是塑造又一个巾帼英雄罢了。在他的演艺生涯中，就他的理解，一出戏，无外乎一个故事，几个典型环境中的典型人物。尽管戏中也会有教育、引导的功能，但在50年代初期的时候，他还不能很透彻地了解，戏，其实也是政治。他不是政界中人，又对政治不感兴趣，不可能有较高的政治敏感度。也正因为此，他决定排演《洪宣娇》，会觉得这出戏符合当时政治形势，但要说他是为了迎合当时的政治形势，就不大可能是实情了。

二、《洪宣娇》这出戏最终没有能够公演，并非“演了，没有成功”。这是尚小云第一次真实地感受到政治对于戏的强力控制。对此，他有困惑，也有所醒悟。因为《洪宣娇》终究未能见天日，所以称得上是“事件”。

三、在所获得的政治荣誉方面，也许尚小云的确稍逊于梅兰芳、程砚秋，但是，在建国初期敏感的政治环境下，梅兰芳曾因为“失言”而遭到猛烈批评，也与尚小云一样，遭遇过不公正待遇。

事情发生在《洪宣娇》之前。当时，梅兰芳到天津演出，接受《进步日报》记者张颂甲的采访。在戏改的大背景下，采访的内容自然不离戏改。梅兰芳兴致很高地畅所欲言，说：“京剧改革又岂是一桩轻而易举的事！……因为京剧是一种古典艺术，有几千年的传统。因此，我们修改起来，就更显得慎重些……俗话说，‘移步换形’，今天的戏剧改革工作却要做到‘移步’而不‘换形’。”此言一出，即刻哗然一片，有人甚至上纲上线，说他在宣扬改良主义、阻碍京剧的彻底改革。梅兰芳险些被批评声浪吞没，他反复做检查，不断“修正”自己的观念，终于变调为“移步必然要换形”。

从这个角度说，尚小云并不比梅兰芳更多体味到粗暴和草率。他俩有此遭遇的原因，其实都是一样的，那就是身为对艺术有崇高追求的艺术家，对政治的疏离造成的不够敏感，也因为他们思想的单纯，不可避免地忽略了政治有的时候是相当厉害的。所以，如果他的确“吞不下一口气”，或者“一怒而去”，并非因为如此，更多地还是因为《洪宣娇》遭受的不公正待遇。反过来说，在梅兰芳的“移步不换形”的言论遭到猛烈批判之后不久，尚小云的《洪宣娇》没有被获准公演，便是可以理解的了。它们都成为特殊政治环境下的牺牲品。

倾注了尚小云大量心血的《洪宣娇》，就这样悄无声息地淹没在戏改大潮之中，没有溅起浪花。从此以后，直到1959年，尚小云再也没有一部新戏问世。在编新戏方面，可以说不再有所作为，不是他不想，他不愿，他不能，而是客观环境的限制，以及现实的无情所带给他的不解和失望。“一怒而去”，也许并不确切，但是，他的确很郁闷，很伤心。他不得不为自己重新选择了一条路：走。这个“走”，不是逃避，不是归隐。一直以来，他是一个以唱戏为生的人，最适合他的，也只有唱戏了。于是，长达八年的全国巡演，在《洪宣娇》之后，开始了。

八年巡演

先后两期的戏曲讲习班的学习，给予尚小云的，是思想认识上的急剧转变。体现在艺术上，他了解了戏改的必要、戏改的内容、戏改所要达到的目的。之后，他率先贯彻实践，创排了《墨黛》等数部新戏，又革除舞台旧习、戏班陋俗。对于从旧时代走过来的艺人，更重要的其实还不是戏改本身，而是政治意识的转换和增强。讲习班的主要任务就是打破艺人的“糊涂思想”，使他们明确新旧社会不同的地位、不同的任务，和戏曲为工农兵服务的方针。于是，毛泽东《在延安文艺座谈会上的讲话》，是讲习班最主要的课程。

早在讲习班开班之前的第一届文代会上，中共中央副主席周恩来的政治报告中、郭沫若题为《为建设新中国的人民文艺而奋斗》的大会总结报告中、茅盾和周扬分别总结国统区和解放区革命文艺运动的报告中，都涉及到了“文艺为谁服务”的问题，都强调“文艺工作者要学习，要改造思想，要与新社会的主人——工农兵相结合，要接受毛主席的指示，创造为人民服务的文艺”。尚小云虽然没有直接参加会议，直接聆听这些报告，但在各大媒体连篇累牍的宣传中，他还是自觉不自觉地感受到了。

如果说，尚小云之前对“与工农兵相结合”、“为人民服务”之类的思想观念，有些云里雾里的话，那么，在讲习班认真学习了《讲话》后，他的思想日渐清晰起来，对“我们的文艺工作者一定要把立足点移过来，一定要在深入工农兵群众、深入实际斗争的过程中，在学习马克思主义和学习社会的过程中，逐渐地移过来，移到工农兵这方面来，移到无产阶级这方面来”的含意有了些认识和理解。这份认识和理解，是基于他自己数十年的舞台生涯和人生经历，在经过新旧两重天、前后不同遭际的比较后，总结出来的。

在讲习班小组讨论会上发言时，尚小云多次表态说：“我经历了清末和民国两个时期，没有一个王朝和政党瞧得起我们这些靠登台献艺谋生的旧戏子。我虽小有名声，闯荡江湖，但终究是不准上祖坟、不准祭祖先的‘下九流’。共产党和毛主席把我们称为为人

⊙ 20世纪50年代初尚小云在天津

民服务的'文艺工作者'，肯定我们是革命阵营的一分子，这不仅仅是个称呼不同的问题，而是我们政治地位发生根本变化的重要标志。我们既是国家的主人，就得拿出主人的样子，听党的话，跟党走，坚持为工农兵服务，为工农兵演出。"

应该说，这番话并非虚应之言。尚小云和梅兰芳这一代的戏曲演员，随着时代的不断进步，他们比前辈艺人有更先进文明的思想意识，他们不再甘心属于"下九流"，不屈从"戏子"之类的带有侮辱嘲弄意味的称呼。争取戏曲艺人与常人平等的权利和地位，是他们始终的奋斗目标，所以他们洁身自好，他们进行戏曲改良，他们创作更有思想又反映现实的作品，梅兰芳更将中国京剧传播到海外，等等，都是他们为抬升戏曲演员的社会地位所做的努力。解放后，他们陡然发现，他们的身份，不再仅仅是唱戏的——尽管尚小云从不认为身为唱戏的是耻辱，但客观上的确有歧视的成分——而一跃成为"文艺工作者"，甚至是"人民艺术家"，也是"国家的主人"。这样的变化，不能不让他们生发出扬眉吐气的自豪感，也让他们对新社会有亲切之感。

对于戏曲艺术，尚小云有过自己的梦想，有过奋斗和向上的热情，有过成功和失败，有过欢乐和痛苦，唯有一个问题，实事求是地说，他没有想到过，那就是，戏曲（文艺）为谁服务？按他自己所说，"那时候，只不过是凭着自己对于戏曲事业的一股热情，学着、演着和教着，恰像一个人在迷雾里走着，走着，摔倒了，爬起来再走。可是，要往哪里去，自己也不知道。"

经过政治的洗礼，他第一次懂得了，原来，在一切问题之中，为什么人服务的问题，是一个根本问题；他也明白了，革命的文艺，是必须为工农兵服务，为政治服务的。在纪念《在延安文艺座谈会上的讲话》发表20周年的时候，尚小云在一篇题为《真理的道路》的文章中，这样写道：

> 今天看来，那时所演过的戏，虽然有的是好的，但有的不正是为反动统治阶级所利用、所欢迎的么？我那渴望改进戏曲教育工作的理想，不是终于破灭了么？由于不忍见同行们的疾苦而力行那种解囊相赠、个人救济的努力，又何尝有一丝一毫改变了一般艺人们'老境堪怜，身后萧条'的遭遇？——不，只凭一时对事业的热情是不行的。离开党的领导，离开无产阶级革命的胜利，离开劳苦大众的彻底翻身和社会制度的彻底改革，这一切都是枉费心机。为了革命的胜利，为了社会主义建设的胜利，文艺事业就必须为革命的主力和建设社会主义的主力，也就是最广大的人民群众——工农兵服务，为社会主义的政治服务。对于一个文艺工作者，难道还有比这更崇高、更光辉的任务吗？

梅兰芳曾经说，当他明确了文艺应该首先为工农兵服务的方向后，自觉自己的艺术生命才找到了真正的归宿。尚小云呢，也是如此，他说："我的心里，这才逐渐豁亮起来，才开始找到了一条真理的道路，才真正开始了有意义、有价值的艺术生活。"[①]这个"有意义、有价值的艺术生活"，便是指为工农兵服务。

尚小云贯彻"为工农兵服务"文艺方针的方式，便是率尚剧团做全国巡演。从1950年八月开始，直到1958年底，在长达8年的时间里，他的足迹遍布18个省的大小城镇、农村、工厂、部队，无论是正规的剧场、礼堂，还是临时搭建起来的席棚，甚至土台子、露天广场，都是他为工农兵服务的场所。

尽管对于这个时候的唱戏演出，尚小云说已“不再受个人名利的驱使，而有了崇高的目的”，但不可否认的是，生存问题，仍然是他和尚剧团不得不面临的现实问题。在戏改中的“改制”尚未进入实际操作阶段，旧时延续下来的班社，如程砚秋的秋声社，以及新剧团，如尚小云的尚小云剧团等，尚未转为国营时，他们仍然属于自负盈亏的私人团体。这也就意味着，他们不得不继续以唱戏演出来养家餬口、来维持自己和班社（剧团）的生存。

尚小云八年巡演，所到过的地方，以及演出时间，难以准确计数，粗略统计：

1950年8月，从北京出发，到天津、济南、青岛、南京等，直到年底。

1951年年初，离开南京，到镇江、扬州、苏州、上海，又回到南京。再由南京出发，到徐州、郑州、伊春、鹤岗、西安等。

1952年春，到南昌、无锡、河北南宫县、石家庄、徐州、营口、大连等。

1953年5月，直到年底，到大连、沈阳、哈尔滨、佳木斯、伊春、青岛、石家庄、德州等，历时两百多天。

1954年3月到9月，到石家庄、德州、安阳、鞍山、抚顺、天津等，历时两百多天。

1955年6月到年底，到天津、秦皇岛、济南、烟台、大连、本溪、苏州、上海、南京、武汉等，历时两百多天。

1956年，到南京、无锡、上海、嘉兴、杭州、镇江等，历时二百四十多天。

1957年，到唐山、济南、济宁、滕县、兖州、洛阳、西安、太

① 尚小云：《做一名自强不息的战士》，《陕西日报》1962年8月13日第三版。

原、大同、张家口、宣化、呼和浩特等，历时将近两百天。

1958年，到兰州、西宁、成都、万县、宜昌、沙市、武汉、黄石、九江、南昌、株洲、长沙、汉口等，历时二百七十多天。

如此多的城市，如此长的时间，令人惊诧，也令人感叹，感叹于他“为工农兵服务”的意识如此强烈，他的艺术生命之火如此旺盛。梅兰芳为贯彻“为工农兵服务”的方针，按照他自己的说法，曾“到过京、津、沪、汉与几个工业区如石家庄、无锡及东北八个城市，参加了鞍钢三大工程的开工典礼，同时，还光荣地参加了赴朝慰问中国人民志愿军和朝鲜人民军的工作，后来，又到华南慰问中国人民解放军。”相比梅兰芳，尚小云的足迹更加广阔。

早在30年代中后期，也就是在创建荣春社之后，尚小云的侧重点就由单纯的演出实践逐渐向戏曲教育倾斜，他将大部分精力放在了荣春社，遂渐减少他自己的演出。从主观上说，他自觉随着年龄增长、体形变化，已经不太适合在舞台上扮小姑娘或小媳妇了。他不是曾经对老搭档筱翠花说过“要不是为了生活，五十岁的人了……谁愿意在台上装着玩”嘛，那时，他不过四十多岁而已，却已经有淡出舞台的念头和举动了。

如今，他真的有50岁了，到1958年的时候，他已经将近六十了，不但恢复了登台，而且以如此大规模、长时间的方式，驰骋舞台，仅仅是“为了生活”吗？显然不完全是。他所说的一段话，也许可以用来解释他何以焕发了艺术青春、爆发出前所未有的艺术热情的原因：

“在全国各地演出中，我看到从南到北，从东到西，到处都涌现着工农兵群众激动人心的英雄事迹，到处都有祖国建设日新月异的巨大成就，到处都可以体会到党对戏曲事业的亲切关怀。在百花齐放、百家争鸣和推陈出新的方针指导下，戏曲艺术欣欣向荣。”

尚小云说这段话时，是在1962年，也许这个时候的戏曲艺术，的确“欣欣向荣”，但是在他开始全国巡演时，戏曲界因为“戏改”，一度走向歧路，比如，改戏出了偏差，几乎成为禁戏的代名词。以京剧为例，虽然文化主管部门将禁演的戏由原先的50多部降为12部，并明确了哪类戏可以在修改后上演，但各地方的文化部门在执行时，总是担心有漏网之鱼而犯政治错误，便宁愿“错杀”。禁戏的结果，不仅使传统戏曲曲目大幅度减少，更使以唱戏为生的艺人的生活陷于困顿。在“戏改”中的“改人”部分，又偏重对艺人政治思想的改造，而忽略对他们演艺条件和生存生活的关注和爱护。

在这种情况下，尚小云全国巡演的意义，就不仅仅是为工农兵服务了，而更多了现实的、具体的意义：一、对于传统戏曲曲目的展演，实际上是在一定程度上继续弘扬中国传统文化。二、“尚小云剧团”作为自负盈亏的私人剧团，依靠演出维持生计。全国巡演的结果，使剧团成员都有戏可唱，有戏可演。相对于其他无戏可演而陷于生活困境的艺人，他们没有生存之虞、生活之忧。

八年的全国巡演，尚小云所到之处，面对的虽然是不同的观众，但受欢迎的程度却是相同的。在天津时，尚剧团连续演出了三个月，天天客满，特别是武打的戏，最受欢迎。青岛的观众偏爱唱做并重的戏，尚剧团便主要演出《汉明妃》、《墨黛》等。当时，一个只能容纳两千人的戏院，被挤进了近三千观众。在周村演出时，戏院戏票是不对号的，只分站票和坐票两种，每天距离开演前几个小时，两千多观众就已经将戏院挤满。观众中还有不少从百里外赶过来看戏的农民。尽管尚小云并不排除为了生活而巡演，但他在热爱戏曲的观众渴望期盼的热情之下，单纯为艺术而演戏的意识更加强烈。

在不到一年时间里，尚剧团从北方到南方，从城市到乡村，吸引了30万以上的观众。因此，有人将尚剧团称之为“京剧改革工作

1951年尚小云在扬州与苏北文联、
苏北实验京剧团同仁合影

的一支生力军”。

1.在南京，当选戏改委副主任

巡演期间，尚小云曾四次到南京，其中最重要的是前两次。第一次到南京，是1951年的春天，演出地点在中华剧场。在尚剧团抵达南京之前，《新华日报》连续刊出醒目广告：特请全国驰名四大名旦之一尚小云亲自把场，尚和玉亲传、沈富贵高足、李桂春教导、尚小云长子尚长春；程砚秋高足、荀慧生弟子、筱翠花亲传、尚小云次子尚长麟以及顾荣长、钮荣亮、赵和春、郑万年、尚富霞、田荣芬等生、旦、净、丑各名家登台献艺。

南京观众闻风而动，纷纷抢购戏票。剧场为使更多的人能买到票，规定一人只能买一张。但“黑市”还是出现了，票价被炒到原价的二三倍。尚小云闻讯，一面痛恨“黄牛”的行为，一面又为南京观众的热情而感动。他与剧场经理协商，希望设法制止炒票，以免渴望看戏的观众吃亏。同时他又决定增加演出场次，以缓解戏票的紧张。他对全团演职员说：“一定要对得起南京观众，此番演出，不休礼拜，大家就辛苦一下。”那次，尚剧团在南京逗留了31天，尚小云他们整整演了30天。虽然场场爆满，但尚小云仍然坚持大众化票价，即每张票分别是旧币3000元、5000元、6500元、8000元。

临别前十天，尚小云决定亲自登台以谢观众。他在《新华日报》上刊出一则启事：“敬启者，小儿长春、长麟自出演中华剧场以来，深蒙各界诸君热烈欢迎，云情高谊，铭感五中，今为酬谢各界诸君爱护起见，特由小云献技几天，以作临别纪念。谨向各界诸君致敬礼！尚小云谨启”在这则启事的旁边，是中华剧场的广告词：“望眼欲穿，尚小云出演了！”

4月18日的夜场，是尚剧团在南京演出的最后一场。那天的戏码，是尚小云父子合作的《东方夫人》、《金山寺》，然后是尚小云和芙蓉草合作的《断桥》，最后是反串戏《八蜡庙》，尚小云反串黄天霸。其间，剧场还特请尚小云幼子、年仅11岁的尚长荣串演了一出《御果园》。那晚的演出持续了四个小时，台上台下热情高涨，气氛活跃。演出结束后，观众们都有享受了一顿豪门盛宴的感觉，迟迟不愿离去。尚小云多次谢幕，又反复拱手致意，人们这才渐渐散去。

也许就是因为尚小云在南京的演出中所表现出的高尚艺德，当然还有高超绝妙的演技，以及他在京剧界令人敬仰的地位，两个月以后，南京人把信任给了他——在南京市文联第二次代表会上，尚小云被聘任为南京市戏曲改进委员会副主任（兼任）。不久，他又被增补为市文联常委委员。也许正是南京观众对尚剧团所表现出的欢迎态度，以及对尚派戏的喜爱与理解，使尚小云乐于接受南京人的礼聘。

在第二次到南京之前，尚小云曾巡演至上海。在上海，他结识了皇后大戏院的经理张敬寿。张敬寿曾经是金少山的朋友，为金少山唱红上海滩出了不少力。从金少山那里，张敬寿早已耳闻尚小云的大名，只可惜一直未得见面。金少山去世后，张敬寿不仅积极唁电哀悼，更给予金家人以经济上的资助。当梅兰芳为金少山办后事而举办义务戏时，张敬寿的夫人亲自登台。因为金少山，尚小云与张敬寿便有了共同的话题，相谈甚欢，成了好朋友。

结束上海的演出，尚小云应张敬寿的邀请到苏州观光。他对苏州的美食、小桥流水、精致庭院，非常着迷。当时，他住在张敬寿的公馆里。这是一幢欧派别墅式花园洋房，掩隐在丛丛绿色之中，有一种世外桃源的安祥和宁静。尚小云乐不思蜀，竟然萌生出在南方安家的念头。他虽然是北方人，又成长于北方，性格中也有北方汉子的豪爽，但在某些方面，他却有南方气质，比如，他的口味偏甜，爱吃甜食，这就让他对南方有特殊的好感。更重要的，他想在南方安家，是为了在江浙一带演出，生活上更方便些。当然，也不排除他在《洪宣娇》事件后对北京有了一丝失望，从而产生离开北京的念头。

临离开苏州前，尚小云委托张敬寿帮他找寻合适的居所。恐怕连他自己都未能想到，他没能在苏州落脚，倒是意外地在南京安了家。当他第二次到南京演出的时候，经当地文艺界朋友的介绍，他携妻带子搬进了坐落于马路街复成新村的原国民党兵团司令邱清泉的别墅。

这座别墅是一幢两层花园洋房，占地面积很大。尚小云之所以选择这样一个住所，一是身份的需要。此时，他是戏改委副主任，也因此为了工作便利。二、从他个人的角度，他需要这样的住所，为他的二子尚长麟举行婚礼。

就在尚长麟新婚后不久，尚剧团发生变故，不得不进行重新改组。

原来，在第二次到南京之前，尚小云曾率团到上海演出。演出很轰动，有人提议，尚氏两兄弟（长春、长麟）完全可以自行组班独挑大梁，而没有必要永远依附于尚小云的羽翼之下。听到这样的话，兄弟俩一方面为自己的艺术能够得到认可，很高兴，一方面对自己的光辉始终被四大名旦之一的父亲所遮盖而心生不甘。这个时候，他们身边的伙伴、朋友、老搭档也极力鼓动他们：何不趁此机会，脱离尚小云的庇护，自成一体，就以尚长春、尚长麟之名，而不是以“尚小云之子”之名，开创一番新天地。两人动心了。

其实，这样的提议和鼓动并不错，尚氏两兄弟萌生独立门户的想法，不但没有什么不妥，反而可以说是他俩有志气的表现。应该说，他们背倚“尚小云”这棵大树，可以很轻松地名利双收，但他们却主动放弃这样的有利条件，有勇气自谋生路，这不是一般名伶子弟所能做到的。

然而，尚小云却有万般不忍，千般不舍。他是从旧时代走过来

⊙巡回演出中尚小云和观众在一起。

的人，自知独创天下的艰难。虽然此时已是新时代，但对他来说，毕竟是陌生的，对京剧今后往何处去，他也并未看得很清楚。他爱子心切，当然希望儿子们的路能走得稳妥一些，避免走弯路、走歧路。反过来又想，他也实在没有理由将孩子们拴在身边，成长，终究是需要付出代价的，谁都知道温室里难成参天大树。他原先是打算等孩子们翅膀硬了，再让他们单飞的，可如今，面对孩子们的坚决态度，他明白，他不得不提前放手了，让他们在风雨中强壮翅膀吧。

一番思想斗争之后，尚小云同意了两兄弟的建议：将原尚剧团分成大、小两部分，大团仍称“尚小云剧团”，由尚小云负责管理；小团新命名“宁京剧团”（因为是在南京成立的，所以取名“宁”），属于尚氏两兄弟。“新宁”虽然由尚剧团分出，但它完全独立，包括管理上的、经济上的、艺术上的，都将与尚剧团无关。就这样，尚氏两兄弟实现了真正意义上的独立和自由。

分开前，尚小云留给两个儿子这样一番忠告：“你们弟兄俩在台上是逐渐成熟了，但是翅膀还不硬，你们哪儿都能去演，就是不要去上海演，起码暂时不要去。将来，等你们功成名就了，再去就不怕了。”这是他的经验之谈。

2.在上海，又见黄金荣

解放前，尚小云最后一次到上海演出，是在1937年“七七”事变”前夕。当时，他率重庆社在黄金大戏院演出了一个月。这个戏院是黄金荣于1930年创办的，位于金陵中路1号西藏南路口，规模不大，有座位1575个。创办初期，以放电影为主，后来成为京剧的演出场所，周信芳、李玉茹等都曾长期在此演出。对于那次演出，尚小云记忆犹新，因为就在即将结束演出时，抗战爆发了。他们在混乱局势中匆匆北返。从此，他再也没有机会到过上海。

解放后，尚小云第一次到上海演出，是在1951年5月，应天蟾舞台的邀请。巧的是，他1917年平生第一次赴沪演出，接受的就是天蟾舞台的邀请。因为如此，上海各界对尚小云剧团莅临沪上、对尚小云在阔别十四年之后再度抵沪，很关注，各大媒体的宣传攻势也很猛烈。当他还未及到达时，头十场的戏票就已被一抢而空。正式开演后，剧场门口日日挤满了欲一睹名旦风采的戏迷，剧场工作人员不得不天天关闭铁门，以防观众拥入。

历时十四年的沧桑人生，如今重返上海，尚小云中心自然别有一番滋味。他在天蟾舞台演唱，也故地重游，在黄金大戏院门前漫步，品味着时代变迁对个人的影响。他穿过马路，来到黄金大戏院对面的一个叫做钧培里的弄堂，在一座旧式公馆前停下脚步。他揌响门铃，在一个瘦老头的带领下，走进铁门，又穿过门厅，来到客厅。随他一同前往的三个儿子，并不知道父亲即将拜访的人到底是谁，只是默默地跟着，默默着听着父亲和瘦老头的对话：

瘦老头："黄先生知道尚先生到了上海，很想去拜访，又觉不妥，犹豫间，错过了，倒让尚先生您亲自跑这一趟，黄先生的心里，有些过意不去呢。"

尚小云："哪里，哪里，还是应该由我上门拜会黄先生的。"

在客厅里，刚刚落座，从里屋走出一位中等身材的老头。与之前的瘦老头相比，这个老头明显白胖了许多。尚小云赶紧又站了起来。两人面对面，抱拳致意。

胖老头："尚先生，好久不见了。您还是那么精神，那么气度不凡。"

尚小云："黄先生太客气了，您老气色也不错。"

然后，尚小云将三个儿子一一介绍给胖老头。三个孩子礼节性地鞠躬示意，随父亲称呼胖老头为"黄先生"。

直到出了黄家门，尚小云才告诉他们："他就是上海滩大名鼎鼎的黄金荣。"

尚小云此次赴沪，当然不是为了重游故地、拜访旧友。将上海作为全国巡演中的一站，是一个方面，更重要的是，他有意趁此机会让两个儿子尚长春、尚长麟亮相上海舞台，不仅让他们得到锻炼，也为扩展他俩的名声。那么，他为什么会选择上海，作为培养儿子们的舞台呢？他曾经这样对孩子们说：

"上海的舞台与北京不一样。上海的观众很懂戏，也很会挑戏里的毛病。北京唱红了的人，在上海不一定能走红，只有在上海舞台唱红了的人，才算真正走红。所以，你们演出时，要特别小心，千万不能麻痹大意。"

这段话里的某些观念，在当时看来，还是比较陈旧的，比如，"只有在上海唱红了，才算真正走红。"这样的说法，在解放前的梨园界，是真理。所以，京角儿纷纷南下。尚小云从1917年开始，在二十年间，曾经十二次赴沪演出。有一段时间，几乎每年必到一次上海。然而，在"文艺为工农兵服务"的大背景下，唱戏，就不应该是为了一个"红"字。

这也可以看出，尚小云虽然历经两次戏曲讲习班的学习，虽然拥护戏曲改革，但是，他在某些方面的思维模式，与新时代还是有些距离。这个时候，他的尚剧团已经响应戏改号召，取消了头牌制、名角制，废除了灯光、布景、乐器等完全以主角为转移的所谓"不良倾向"，注重艺术的整体性、集体制，强调全体成员的智慧，但在他的内心深处，却依然保有"唱红"这么一个传统艺人的基本艺术追求。其实，这才是他的真实心理。

也正因为此，他在两个儿子分离出去成立新宁京剧团时，才苦口婆心地教诲他们不要轻易到上海演出。实际上，他忽略了这样一个事实：这已经不是一个明星制、名角制，也不是追求个人“红”的时代了。

除了有培养长春、长麟的强烈意识以外，尚小云也有心栽培老三尚长荣。早在尚长荣 5 岁首次登台时，尚小云对是否也让这个尚家老幺子承父业，颇费踌躇。在那样一个动荡的年代，他的犹豫，是正常的反应。解放初期，他虽然对未来并没有确切预期，但至少对当前的时局和戏曲环境，是充满信心的。于是，在他全国巡演途经青岛时，遵从弟子吴素秋的建议，让长荣拜花脸名家陈富瑞为师。陈富瑞与尚富霞同属富连成“富”字科学生，也曾与尚小云配过戏，与尚家还沾点亲，尚长荣管他叫二舅。

此番到上海，尚小云一方面在长春、长麟演出时亲自把场，一方面也带着长荣一起演出。有一天散戏后，久居上海的老朋友芙蓉草来到后台，与尚小云叙旧，在提到尚长荣时，他直夸，这孩子，花脸唱得有模有样，在这个行当，定有发展前途。然后，他提议，既然有意让他继续走花脸的路，只拜过陈富瑞一个老师显然不够，应该在上海再行拜师。尚小云也深以为是。

于是，由芙蓉草牵线，尚小云又让尚长荣拜花脸演员李克昌为师。当时，尚家父子住在一品香饭店。拜师仪式后的第二天，李克昌就亲自到一品香，为长荣授课。他原来是天津的著名票友，专工花脸，后来下海后，到上海被黄金大戏院聘为基本演员。花脸剧目《刺王僚》是他的拿手戏。他传授给尚长荣的第一出戏，便是《刺王僚》。他对长荣要求甚严，这也是尚小云对他的唯一要求。尚长荣幼功扎实，就得益于李克昌。

让尚长荣拜师李克昌这样的名师兼严师，是尚小云此次在上海

⊙尚小云率剧团巡回演出戏单

演出最大的收获。看得出来，全国巡演对于他来说，又多了一个意义，那就是引领三个儿子沿着他的足迹，继续艺术的道路。

尚小云在上海的演出，还有一件事值得一说。这个时候，抗美援朝战争激战正酣。在国内，各行各业都在保家卫国的誓言中，以各种各样的方式进行声援。京剧界向来在为社会尽责任尽义务方面不落人后，纷纷演出义务戏，为前线将士捐钱捐物。尚小云自然也是积极分子，他在天蟾舞台总共演了四十天，其中有几场戏，完全是义务性质的。他献出拿手戏《汉明妃》和《乾坤福寿镜》，然后将所得收入全部捐了出去。解放前，尚小云演过的义务戏不计其数。此次义务戏，却令尚小云感觉与以往不同：过去是为救济同业、救济灾民，而今却是在为国家尽义务。

3.在东北，被志愿军伤员“拦截”

在尚小云剧团一拆为二，分成“尚小云剧团”和“新宁京剧团”后，尚长春、尚长麟率新宁京剧团继续他们的巡演，首站去了西安。这是尚家与西安的第一次结缘。尚小云则率尚剧团返回北京。因为人员不可避免地发生变动，尚小云不得不对剧团进行重组，除了保留原团员，包括他的三子尚长荣外，又吸纳了新团员，其中之一，便是与他有过多次合作的筱翠花。

新组建的尚剧团经过短暂休整后，重新起程，先到徐州、郑州一带。这个期间，因为有筱翠花的加盟，尚剧团的演出戏码都很硬，有筱翠花的拿手花旦戏《一匹布》、《荷珠配》、《小过年》、《打刀》、《锔大缸》等，更精彩的当然要属尚小云与筱翠花合作的《梅玉配》、全本《十三妹》等。

尚剧团被拆分，对于尚小云来说，还有一个很重要的后果：在拆分前，尚剧团的主要演员是尚氏兄弟，所到各地的演出戏码也以他俩为主，尚小云其实已经淡出舞台，而将主要精力放在培养儿子们的身上；拆分后，也就意味着尚剧团少了“头牌”，需要尚小云自己挑大梁了（此时，尚长荣才十来岁，无法挂头牌）。客观上逼着尚小云重披戏衣，再度驰骋舞台。

随后，尚剧团来到东北。尚小云全国巡演期间，也多次抵达东北，到过其中的伊春、鹤岗、抚顺、营口、大连、沈阳、哈尔滨、鞍山、本溪等。

尚小云最先抵达的东北城市，是伊春和鹤岗。但是，尚剧团的演出并非在伊春、鹤岗城区，而是在地处偏远的中苏交界地的伊春林业局和鹤岗林业局。因为地处偏远，所以，尽管这里有林业工人两万多人，但却从来没有文艺团体到这里演出过。在林业局向尚小云剧团发出邀请时，本也不敢抱太大的希望。在他们的想象中，尚小云在解放前是四大名旦之一；在解放后，是全国戏改委委员之一，声名显赫，地位崇高。他们因此担心，尚小云是否愿意不顾气候、生活环境的差异屈尊前来；他们也忧虑，尚小云是否能吃得了苦。

这个时候虽然只是九月天，但在伊春、鹤岗，却已经冰封大地，气温只有零下15度。尚小云的行为打破了林业局的担心、忧虑。他在接到邀请后，立即改变了到其他大城市演出的计划，决定先往东北。早在20年代，他曾经到过奉天（沈阳），领教过东北的寒冷，但那次演出，他是应奉系军阀张作霖的邀请去唱堂会戏，因此生活条件、演出待遇都很好。这次到伊春、鹤岗之前，他虽然也做好了抵抗严寒的准备，但那里的寒冷，以及生活条件的恶劣，还是远远超过了他的想象。尽管如此，他还是一副乐天派的模样。

关于住，尚小云的尚剧团与林业职工一样，住的是四面透风的简易工棚。晚上睡觉，连棉袄棉裤也不敢脱，却还是常常被冻醒。

关于吃，他们一样只能吃玉米、高粱米。林业局过意不去，为优待剧团成员，尽可能地去捕捉黑熊、野猪、山鸡等野味，给他们改善伙食。

关于交通，两个林业局点多线长，却没有能将他们直接送过去的交通工具。有的时候，需要到某个演出地点，连正常的路都没有，必须翻越山岭。这个时候，所有的演出道具和戏箱，不得不靠人力手抬肩扛。于是，演员们变身成了苦力。到了演出地点，身份又转换成了演员。其中的苦，是可以想见的。

关于演出，无论哪个点的演出舞台，都是用帐篷围起的土台子。“舞台”上，用汽灯照明；台下，是一堆堆的篝火。每堆篝火旁，都围着一圈圈的观众。观众以篝火取暖，演员们就没有那么舒服了。穿戏服，他们必须脱掉棉袄。尽管后台用作化装的简易化装室里烧着木炭火，但褪去棉袄后，他们还是被冻得瑟瑟发抖，连描眉画眼的化装笔都无法抓牢。

就在这样的环境下，尚小云率尚剧团坚持完成了二十多天的演出任务。在这些日子里，剧团中百分之八十多的成员都因难抵严寒而患过感冒，还有十几个人被冻坏了手脚。尚小云无病无伤，他体格健壮，是其中一个原因，另外，他自知他作为团长万万不能倒下，剧团在很大程度上得依靠他的意志力支撑着。在精神上，他不断地鼓励团员；在生活上，他也时时处处关心着、爱护着。对于林业局的万千职工而言，他们看到的不仅是尚小云和尚剧团精彩的表演，也领略到他们顽强的毅力和坚持不懈的精神。

一年以后，尚小云又一次到东北演出。1952 年 12 月，尚剧团

⊙1953年尚小云在佳木斯与当地京剧院全体演员合影

先到营口，结束演出后转战大连。当时，尚小云乘小车先往大连接洽演出事宜，剧团大部分成员携戏箱道具紧随其后。在他们途经大石桥时，被当地一所志愿军医院的几百名伤兵截住了。原来，他们听说尚小云剧团正在这一带演出，很想看，更想目睹名旦风采。但是，他们又得知，尚剧团并不会在大石桥停留，而是直接由营口去往大连。他们以为错过了恐怕以后再难有这样的机会，情急之下，便不顾一切将尚剧团拦了下来，非要让剧团为他们也演出几场。

剧团成员再三解释，说大连戏院的海报都已贴出去了，戏票也已经都售出了，不能在此停留，否则会失信于大连观众，而且也会给剧团带来很大的经济损失。可是，激动的伤病员们哪能听得进剧团的解释？个别偏激的伤员认为剧团的人是在找借口推托，目的就是不愿意为他们服务。有些悲观的伤员甚至认为，自己在前线打仗

流血牺牲，回国后理应得到照顾，如今只是想看个戏，这样的愿望都得不到满足。在他们看来，剧团对他们太不尊重。于是，他们的情绪便有些失控，坚持不让剧团离开。一方要走，一方硬是拦着不让，事情一下子就僵住了。

已经抵达大连的尚小云闻讯后，即刻又返回大石桥。他对伤病员保证道："你们的要求我答应，在此免费公演三天，一切经济损失，由剧团负担。"就这一句话，立即平息了伤病员们已经升腾的怒火。他们疯狂地鼓掌，时间长达数分钟，激动得难以言表。先前他们也激动，那是因为心中有怨；现时的激动，则是因为尚小云的大度、宽容和真诚相待。

接着，尚剧团马不停蹄直奔大连，然后又到沈阳、哈尔滨。当他们抵达佳木斯时，时间已是1953年8月。在尚小云还在哈尔滨时，佳木斯市市长赵云鹏特别派市京剧团团长娄顺吉专程赴哈，邀请尚剧团。当得悉尚小云允诺完成在哈尔滨的演出任务即刻到佳木斯的消息后，在佳木斯市政府政务会上，赵云鹏宣布组成"尚小云剧团演出工作委员会"，他自己亲任主任委员，副主任委员由市委宣传部部长张岩担任，其他委员有市政府文教科的白郁波、市文联的高山、市政府战勤科的黄长林、市评剧团团长王树祥、市政府文教科的李寿发、市长办公室秘书张轼军，以及娄顺吉。看得出来，这是个高规格的工作委员会。显然，佳木斯市对尚剧团来此演出极为重视。

不仅如此，尚小云在佳演出期间，市政府将市里仅有的两辆汽车派给尚剧团使用，一辆是市政府的美式吉普车，由市公安局用以负责对尚小云和尚剧团的安全警卫；一辆是电业局的小轿车，专门用作尚小云的代步工具，市政府还特别派给尚小云一名司机。这位司机很有意思，他很爱惜这辆车，又因为它是尚小云的"专车"，所以对这辆车格外小心谨慎。因为轿车在当时是稀罕物，停在哪儿都很显眼。好奇的孩子们不仅要细细地瞧，更忍不住伸手要摸。车子反复被摸来摸去，司机不高兴了。他在车上安装了一套放电装置，只要有人触摸车子，便立即会被电流击打一下。当然，电压并不高，不会致人伤害。这么一来，安全了，却意外地让尚小云受了一次惊吓。那天，散戏后恰逢大雨，尚小云走出戏院后，急忙奔到车旁，当时司机却不在。尚小云一拉车门，被电了一下，忍不住惊叫一声。

尚小云将佳木斯市政府对尚剧团的盛情接待看作是对文艺的重视，并为此而感动。临行前，他特别拜会了市委书记苏醒和市长赵云鹏，真诚感谢道："我走遍全国，看到贵市领导如此重视文艺，实在令人感动。"尚剧团下榻的机关旅馆设备简陋，甚至没有洗澡间。对此，委员会很有些过意不去。但是，尚小云却毫不在乎地说："一切以演出为重。"正式开演后，他唱的第一出戏，就是尚派名剧《汉明妃》。

尚小云到佳木斯演出，先后发生过几个很有意思的小故事。

一、当时，尚小云是乘船由哈尔滨到佳木斯的。在码头，不知什么原因，尚小云正在船上的消息被泄露了出去，正在装卸货物的码头工人派代表和船上工作人员联系，希望能见尚小云一面。工作人员不同意，说是这会打扰尚小云。工人们却一再坚持。当尚小云得知这个情况后，立即披上外衣，走出客舱，来到甲板上，微笑着与工人们一一打过招呼。之后，天色突变，下起了雨。与尚小云见过了面的工人们却依然干劲十足，冒雨将货物装卸完毕，轮船起航竟比预定开船时间提前了五分钟。

二、尚剧团在佳木斯的演出地点，是当地最大的剧场佳朋舞台。工作委员会早就预料到将会出现一票难求的状况，便作出决定，废止一切"点头票"、"招待票"，并在平安电影院一侧另辟一处售票点。无论是佳朋舞台的售票点，还是平安电影院的售票点，那段期间，日日都有排长队购票的景象。为了能买到票，戏迷们往往在前一天的夜里就自带小板凳开始排队了。次日凌晨5点，售票窗口正式售票。好不容易买到了票，他们还得到佳朋舞台排第二次队，等候入场，一直要等到晚上开戏前。两个队排下来，基本上需要一天一夜。这就牵涉到吃饭问题。一些精明的商贩将生意做到了戏迷们的眼皮子底下。也不知为什么，生意最好的，是卖烧鸡的。于是，排队、买烧鸡、看尚戏，成为那个时候佳木斯市民的一种生活方式。

尚小云与佳木斯的缘分，并未因他演出的结束而了结。五年以后，他的长子尚长春来到佳木斯，加入佳木斯京剧团。

1954年7月，尚小云率尚剧团到东北抚顺老虎台煤矿演出。与伊春、鹤岗林业局一样，老虎台煤矿也因地处深山之中，交通不便，多年以来，几乎没有文艺剧团到过这里。矿工们就连看场电影，也要跑到数十公里以外的城区。尚小云在接到邀请后，随即表示："无论条件如何差，生活如何苦，我们都要为矿工同志们演出，绝无二言。"在演出前半个多月，老虎台煤矿最大的新闻就是：尚小云和尚小云剧团就要来演出了。这个消息让矿工们日日处于亢奋之中，对即将的演出充满期待。他们每天的话题，都是谈论尚小云和尚派戏；他们每天要做的事，就是呼朋唤友抢购戏票。

终于，尚小云来了！他刚刚踏上这块黑土地，就强烈地感受到矿工们的热情。戏票，早已一售而空。他听说，这些平时省吃俭用的矿工们，不惜拿出积攒多时的压箱底钱，只是为了看他演的一场戏。他还听说，矿上流传着这样一种说法："看尚小云的戏，在矿区比过大年还热闹。"还有一句顺口溜，更令他感动："宁可旷三勤，要看尚小云。"尚小云笑言："旷三勤可不好，影响了生产，可是我尚小云的罪过啊。"为了报答矿工们的热情，尚小云不但特意选取了一些唱做并重的尚派代表剧目献给矿工们，还别出心裁，让矿工们点唱。被点最多的，是《汉明妃》。因此，这出戏，尚小云唱得最卖力。

因为东北特有的严寒气候，使尚小云的东北演出环境最恶劣、条件最差、生活最苦。也正因为如此，也更显他的敬业精神，以及“不计较环境好坏、不计较观众多少、不计较票房价值高低”的境界和品质。

4.在河北南宫县，饱受家乡人民的情暖之心

尚小云说过这样一句话：“现在国家建设正在发展，我们也应该到工厂、农村去为人民服务，让广大观众能看到我们的戏。”因此，尚剧团全国巡演的足迹，不限大城市，不挑大剧场，林地、矿山、工厂、农村都留下了他的身影。说到农村，给尚小云留下最深印象的，当然要属他的家乡，河北南宫县。

关于尚小云的出生地，目前有两种说法，一说北京，一说南宫。实际上，南宫只是他的祖籍。他第一次踏上家乡的土地，是在1953年夏天，全国巡演途中。其实，在他自己的巡演计划中，起初并没有南宫。当时，他正在河北石家庄演出。有一天，尚剧团办公室的工作人员告诉他，南宫县来了几个人，带着县政府、奚啸伯和杨荣环的介绍信，特地赶来请他回家乡演出。

最先提出邀请尚小云回家乡演出创意的，是南宫县县长刘志明。他以为，提升南宫的文化品位，丰富南宫人的文化生活，不能没有尚小云和他的尚派戏。在南宫人的心里，尚小云不仅是名闻遐迩的四大名旦之一，也是老乡。他们自然早就盼望着尚小云能回家乡，为家乡人演唱。县里其他领导对刘志明的提议都很支持。于是，县工商联副主任谢振寰、秘书李云峰和人民戏院经理于耀庭三个人被委托负责与尚小云接洽联系。

三人首先找到正在南宫演出的石家庄地区京剧团的奚啸伯，请他帮忙。奚啸伯是四大须生之一，年轻时曾受过尚小云的提携，对尚小云一直心存感激。他与谢振寰、李云峰、于耀庭都很熟，对他们的请求自然满口应允，当即就给尚小云写了一封信。次日，他们

带着信准备上北京。当他们在衡水转车时，意外得知尚小云的弟子杨荣环正在此地演出。于是，他们又找到杨荣环，这才知道，尚小云其实并不在北京，而在石家庄大众剧场演出。

就这样，他们又来到石家庄，即刻赶到大众剧场，找到尚剧团办公室的工作人员，说明来意。当他们听说尚小云这一年的演出计划都排满了，可能无法分身去南宫时，失望不已。但是，他们又不甘心，便留下了三封介绍信，请工作人员转交给尚小云，并再三恳请，希望能够促成此行。

尽管尚小云从来没有到过南宫，但那里毕竟是他的家乡，有一种情结让他无法拒绝。看完那三封信，他当即表示，推迟到太原的演出，先到衡水，再由衡水到南宫。工作人员得此允诺，赶到谢振寰三人下榻的裕华旅馆，将这个好消息转告给了他们。他们还应尚小云的要求，给三人送去了三张当晚的戏票。尚小云答应得如此爽快，令他们倍感意外，也万分惊喜。

晚上散戏后，尚小云备酒招待三位老乡。他见到他们，说的第一句话就是："我是南宫人，多年没回去了，正打算回老家看看，你们来得正好，给了我探亲的机会。"随后，他们就演出事宜进行了商谈。

自然地，谢振寰他们询问尚小云有何条件。从他们内心来说，他们担心尚小云所提的条件过高，而南宫县各方面的条件并不好，甚至没有一家像样的演出剧场。对此，他们对尚小云直言相告。尚小云的条件有六项：一、用发电机为舞台发电照明；二、每天准备五十斤冰凌，保存海味；三、找个清静的住处；四、搞好宣传；五、演出收入，尚剧团和剧场8.5∶1.5分成；六、准备拉服装道具的卡车，和两辆到衡水接演员的大轿车。一听这些条件，三人舒了口气，因为都不难办到。尚小云的南宫之行就这样定了下来。

如果说，之前家乡在尚小云的脑海里只是一个符号的话，那么，当他踏上家乡的土地，被围聚在街道两旁用欢声和掌声迎接他的家

⊙ 1957年尚小云在西安五四剧院为马蓝鱼（左二）、李继新（左一）、朱成仁（右一）传授《昭君出塞》

乡人崇敬和热爱时，他真切感受到家乡因为是生命起源地而带给他的真实具体和亲切温馨。因为人太多，道路为之堵塞，尚小云乘坐的轿车实在无法前行。起初，他在车上向大家挥手致意，后来，他干脆下了车，频繁与人握手，花了很长的时间，才步行到工商联机关所在地——他们在南宫演出期间的居住地。

随尚小云一起到南宫的，是尚剧团五十多名演职员，其中有尚小云的女婿、旦角演员任志秋，尚小云的弟子、小生演员尚富霞，尚小云的三子、花脸演员尚长荣，另外还有花旦演员筱翠花、武生演员赵和春、老生演员方应培、旦角演员田荣芬等。尚剧团在南宫九天的演出剧目，有《汉明妃》、《磨房产子》、《墨黛》、《乾坤福寿镜》、《霍小玉》、《桑园会》、《梁红玉》、《打渔杀家》、《虎乳飞仙传》、《峨嵋酒家》、《十三妹》、《打焦赞》等。这些戏目以尚派代表作为主，看得出来，尚小云对在家乡的演出很重视。

至于尚剧团在南宫的演出盛况，仅从戏院门前盖庆居饺子店生意火爆，店主宋庆年、张大新夫妇在这个期间每天上交的税款比原来多一倍，就可见一斑。王庆朝在《尚小云来南宫演出纪实》[1]一文中也有详细记载：

> 当时，南宫县人民戏院设在西大街市场街北端。当中是连椅，两边是长凳，不对号，可容纳1500名观众。可在尚小云演出期间，不仅座无虚席，而且“场无空地”。据当时目睹者说，剧场内不仅有坐票、挤票（如一个连椅坐五个人，一挤就可以坐七八个人）、站票、挂票（即蹲在剧场两厢的窗台上），还有扒票（即扒在人夹缝里，不时央求人家关照关照，站起来看上几眼）。最多时每场观众达3000余人，超过了戏院所设座位的一倍。戏院上午八点开始卖票，但每天凌晨三四点钟就有很多人在戏院售票口排队，买到票后，就到戏院占座，一直等到晚上八点开戏。因此，人们就三五成群、七八搭伙地买票占座，以便互相轮流到街上饭馆吃饭。祥盛饭店的掌柜孙福利，尚小云主演的九场戏他都看了，自己买了票，再花一块钱雇个人占座。足见当时买票之难，看戏不易。尚剧团来演出时正值盛夏，天气炎热，县公安局怕挤场热坏了观众，限制戏院每场卖票数不得超过2000张。但由于观众的强烈要求，公安局的“限令”没有得到执行。当时观众不光是南宫的干部、职工、群众，而且邻县（新河、清河、冀县、广宗、威县、巨鹿、临清等）的干部群众也来抢票看戏。空前的盛况，委实令人叹为观止。

① 载《京剧艺术大师尚小云》，陕西人民出版社1990年4月版，第192页。

最后一天晚上，演出结束后，帷幕落下，观众们不愿离去，掌声、欢呼声响成一片，经久不息。尚小云谢幕四五次，观众仍“岿然不动”，最后尚小云带装清唱了两段，并向观众讲了话。他说：“感谢乡亲们、观众们对我的盛情招待和欢迎！其实鄙人也没有什么高超的艺术造诣，徒有虚名而已，承蒙各界关照，顺利地完成了这次演出任务。来日方长，后会有期，谢谢乡亲们！谢谢观众们！……”尚小云讲话后，抱拳拱手，连连躬身致意，在一片雷鸣般的掌声中退到后台。这时观众才恋恋不舍地走出戏院。

尚小云在南宫只待了不到十天，按他自己的说法，“饱受了乡亲们的情暖之心”。其实，无论是解放前还是解放后，尚小云所到之处，受欢迎的程度与在南宫，不相上下。也就是说，他在南宫演出，有如此的盛况，不足为奇，也非特别。倒是他在南宫演出时的其他一些举动，值得一提。比如，他发现家乡很贫穷，农民收入微薄，心里很不是滋味。即便如此，还是有农民不惜将家养的猪卖掉，就是为了能买上一张戏票。还有威县的一位老农，为了省出钱来买票，自备干粮赶到戏院，可是排了两天的队，都没能如愿。

尚小云为了让更多的贫苦乡人都能买到票、看上戏，决定自降票价。一般来说，他在其他大城市演出时的票价是每张1.8元，最高时可达2.4元，最低不过1.2元，但在南宫。他的票价，甲等为0.5元，乙等0.4元。剧团里有人埋怨他是“自倒牌头”，他却不以为然地说：“艺术是不能用金钱来衡量的。艺术和金钱哪头为重，我认为艺术为重；经济收入与观众需要哪头为重，我认为群众为重。”

不仅如此，尚小云时常免费赠票。那位威县老农，是其中的幸运者，白看了一场尚派名剧《乾坤福寿镜》。尚小云还每天自费给尚家庄买二三十张戏票，分送给邻里乡亲。因为如此，尚剧团虽然有总收入百分之八十五的分成，但真正落入演员口袋里的钱，很少。尚小云又不忍眼见演员们辛苦半天，所得连维持基本生活都不够，便将自己的那份全都分给了其他演员。

在南宫期间，尚小云为一家饺子馆用左手书写了一块匾额“古道热肠”。这个词，用在尚小云自己身上，似乎更合适。他对家乡的奉献，不仅仅是为报答乡亲们对自己的厚爱，也是出自他古道热肠的性情。

5.在山东，客满又客满

尚小云集中一次在山东演出，是在1957年。4月份，他曾给老舍写了一封信。从这封信里，可以了解他在山东演出的具体情况。信中，他这样写道：

> 此次离京后，首赴唐山，当到达时，即有当地民盟市委会、政协市委会、文化局各位首长到站欢迎，热烈一时。又蒙当地政府各领导部门大力支持和各方面的协助，演出颇称顺利。首长们尤甚关怀，时常派人来了解生活情况，同时受到观众们的爱戴，业务很好。在唐山剧场演出七天客满，为了满足观众要求，又移到工人宿舍集中地区的文化宫，续演了四天。在演出期间，赶上了这一次流行病，团里约三十余人都患感冒，所以唐山演毕，休息了一个时期，现在已抵达济南市，亦得到各级首长们的关怀和照顾。在此由本月九日开始演出，第一天在大风大雪中客满，今天已是第八天，每天客满，临时观众都要求加座。在济南市来说，业务可算空前。现在有济宁、滕县、曲阜、兖州各处来人，持有当地政府介绍信，到济南向我团联系演出，并夸：“我们看到《北京文艺》，知道尚先生经常到农村地区演出。”所以观众一致要

求前往。我们决定在济南演毕赴济宁、滕县、兖州各地演出，借以和各地首长们与观众们见面。

事实上也确如尚小云信中所说，在结束济南演出后，他又率尚剧团赴山东济宁、滕县、兖州，然后转去河南洛阳、陕西西安、山西太原、河北张家口、内蒙古呼和浩特等地。在呼和浩特，他特地去拜谒了呼市以南约20多公里以外的昭君墓。站在墓前，他想象着这位古代女子的形象，想象着他在《汉明妃》或《昭君出塞》中所塑造的昭君形象，戏曲将他和历史，以及历史人物心灵沟通，也让他对历史沧桑生出无限感慨。

6.在部队，风雪中演唱

既然是为工农兵服务，自然少不了下部队进行慰问演出。1953年年底，朝鲜战争终于停火。志愿军将陆续撤出朝鲜，返回国内。为慰问尚在朝鲜进行休整的志愿军，中央决定组织一次大规模的赴朝慰问活动。慰问团总团长由贺龙担任，京剧界有梅兰芳、程砚秋、马连良、周信芳等参加了赴朝慰问团。同时，另外又组织了慰问沿海前线人民解放军的代表团，由董必武担任总团团长，尚小云参加了这个代表团，并任总团下设的其中一个分团的副团长，该分团团长是廖承志。严冬时分，尚小云奔赴前线，慰问解放军。

慰问演出一直持续到第二年开春。尚小云又率团到中央直属的几个部队，其中一个抢修丰台线的铁道兵驻扎在山区，没有舞台，没有设备。他就在临时搭建起来的简易土台子上，高唱《金山寺·断桥》。正唱着，天空不作美，下起了大雪，有人劝他暂时不要演了，他却说："你们看，解放军同志排得整整齐齐地来看戏，我们如果停演，怎么能够对得起战士们？"

就这样，他冒着风雪，坚持唱到整场演出结束。下了台，他才

⊙1956年尚小云演出《汉明妃》剧照

发现他的戏衣全都湿透了。第二天，风雪在继续，演出只得移到食堂。因为食堂窄小，为了让所有的战士都能看到演出，他们连续演了两场。当他向部队领导提出加演一场时，首长们很过意不去，他却说了一句令人忍俊不禁的话："只当我前一场的戏演砸了，我再演一场，作为弥补。"

对于尚小云历时八年的全国巡演，老舍在给尚小云的一封回信中，有很恰当的总结和评价。他说尚小云"向来不摆名角架子，所以受群众喜爱"，又说尚小云"演戏向来一丝不苟，真卖力气，所以到处卖满儿，还被要求加座"，还说尚小云"肯到偏僻地方去演出，不怕吃苦，不怕少赚钱，尤所钦佩"。他每到一处，都是当地媒体追逐的目标，报刊上连篇累牍地报道尚剧团的演出盛况，至于赞诗颂词溢美评论，更占据着头版头条。在谈到演出如此成功的原因时，尚小云很诚恳地说："我生平有一个脾气，每逢演出，演坏了我倒不怕，有办法给演好起来，叫听众满意；演好了，卖大满堂，我反而担心，怎样保持这个好？怎样答谢听众的好意？我对我个人，我对这个旅行剧团，都是抱着这样的态度的。"

7.在中南海怀仁堂，遇见周恩来

在这八年间，尚小云除了奔波于全国各地，进行巡演外，在北京，也参加过一些义演、大合作戏，以及几场带有政治任务性质的演出。

最值得一提的义务戏，是朝鲜战争爆发后，为支援抗美援朝捐献飞机大炮，举行了多次义演，尚小云都参加了。1956年11月，他又和荀慧生共同参加了一场为支援埃及人民正义斗争而举行的义演。两大名旦合作了《樊江关》。

那段时期，尚小云参加的带有政治任务性质的演出，有这么几场：

1955年9月，中国人民解放军实行军衔制。朱德、彭德怀、刘伯承、叶剑英、陈毅、贺龙、罗荣桓、聂荣臻、徐向前、林彪十人被毛泽东主席授予元帅军衔和勋章；粟裕、徐海东、黄克诚、陈庚、谭政、萧劲光、张云逸、罗瑞卿、王树声、许光达十人被国务院授予大将军衔和勋章。

随后，在中南海怀仁堂，为庆祝授衔授勋而举办了一次演出晚会。尚小云参加了演出，他针对性地选择了《梁红玉》这个剧目。台上，梁红玉一身戎装，英姿飒爽；台下，元帅和大将们一身戎装，威武挺拔，台上台下，交相辉映，别有一番韵味。台上锣鼓声起，激越昂扬，杀敌声声，震耳欲聋，这一切，勾起了台下元帅大将们对刚刚逝去的戎马生涯亲切而又悲壮的记忆。

1956年8月，为庆祝中国共产党第八次全国代表大会的召开，首都戏曲界于6—9日，举行了三场庆祝演出。据说，这三场演出，尚小云的戏码都是《四郎探母》，饰演其中的萧太后。

也就是在这次演出之后，北京市戏曲工作者联合会成立，其宗旨是团结京剧工作者，包括昆曲和河北梆子演员，进行艺术的研究和改革工作，组织各种学习，提高京剧工作者的政治、文化和艺术水平，同时举办从业人员的福利事业。该联合会的副主任，就是尚小云。为庆祝联合会的成立，9月4—5日，举行了两场大合作戏，尚小云参加了全部演出。

这几场大合作戏，由北京市梨园界主办，演出地点在中山公园音乐堂。那次的演出阵容是解放以后最豪华的，有人甚至称之为“空前绝后”。据说，两场演出的大轴戏，都是《四郎探母》，其中杨四郎一角，先后由五个人饰演，他们是李和曾、谭富英、陈少霖、奚啸伯、马连良；铁镜公主一角，由尚小云的两个弟子张君秋、吴素秋分饰。另外，萧长华饰大国舅，马富禄饰二国舅，李多奎饰佘太君，姜妙香饰杨宗保，尚小云的弟子李砚秀饰四夫人，马盛龙饰杨六郎，而萧太后一角，则由尚小云饰演。

尚小云多次演出《四郎探母》，以饰演其中的铁镜公主为主，而萧太后这个角色，有人说，他一生只演过四次。其实，“四次”这个数字并不确切。准确地说，他饰演萧太后的次数很少。那有限的几次，除了第一次是在荣春社时代以外，后几次，都集中在解放以后的50年代中后期。

这个时期，尚小云之所以只演萧太后，而少演铁镜公主，很大程度上是因为年龄的原因。此时，他已是近六十岁的人了，无论是年龄，还是体形，都不适合演铁镜公主，而更适合演萧太后。这段期间，他演出的萧太后给戏迷们留下了太深的印象，至今仍然有人津津乐道。至于原因，有二：

一、与其他扮演萧太后的演员相比，在表演方式上，尚小云的表演有所不同，有几个方面的创新。首先，第一次演萧太后时，演萧太后比较出名的，是尚小云的老朋友芙蓉草赵桐珊，他的萧太后，无论是上场台步，还是做派，几乎成为萧太后的标志。尚小云与芙蓉草有过多次合作，也唱过《四郎探母》。所以，他演萧太后的最大障碍，就是观众对芙蓉草的先入为主。因此，他不能模仿芙蓉草，必须另有绝活儿，否则难被认可。

于是，他在某些方面精心创新。比如，他在“盗令”一场，先唱“闷帘儿[导板]”：“两国不和常交战”。唱这句导板时，他还有个一波三折的嘎调，高亢又有穿透力。然后起慢长锤，由朝官、宫女前头开路，太后款款上台，接唱[慢板]。结果很不错，观众评价：“尚老板的萧太后虽然没有赵二爷那么多‘事儿’，却有一种特殊的‘份儿’。”

时隔十多年之后，尚小云第二次演萧太后时，一改先唱[导板]的惯常模式，直接起慢长锤，然后接唱[慢板]。说这是他的创新，也不确切。其实这是他借鉴了老四喜班中的龚翠兰的龚派表演方法，又亲自向龚翠兰的学生李宝琴请教过。这样演来，很符合这个人物雍容的身份和干脆利落的性格。

其次，他由原先穿花盆儿底鞋改穿寸底靴。因为他认为萧太后是把持朝政的一国之主，穿花盆儿底鞋不符合她因特殊身份所带给她的坚定刚强的须眉气质。况且，她年事已高，也不适合穿这样的鞋子。

二、尚小云的萧太后，有一股特别的气度。这固然与他擅长从人物性格出发，着重刻画人物心理有关，还有一个原因也不得不承认，那就是他穿的那件“旗蟒”。这件旗蟒，是清宫原物，是他从清室朋友那里借来的。因为是原物，其所透露出的真实的华贵，让尚小云饰演的萧太后，在观众眼里也变得真实起来，气度愈发不凡。当然，并非所有人穿上这件旗蟒，都能演出他那样的气度。这是什么原因呢？自然与各人的气质不同有关。

这一切，都使尚小云饰演的萧太后，受欢迎程度超乎想象。散戏后，马连良感慨地说：“要不是尚先生，准得让今儿这五个四郎和俩公主给‘欺’了。”

紧接着的9月7日，尚小云再演萧太后，而且是在中南海怀仁堂。也就是在这次演出中，他见到了周恩来。周恩来很亲切地将演员们一一引进化装间，交代各人的演出顺序，安排后台的有关事宜。见周恩来忙前忙后的，汗水浸湿衣衫，尚小云很是感慨。他想不到，一国总理对一场演出会如此亲力亲为、周到细致。他小声对身旁的演员说：“今天，总理成了我们的戏提调了。”

散戏后，周恩来又到后台化装间，向尚小云等演员道乏。在与尚小云交谈时，他问他多大年纪了。尚小云回答说：“我五十七了。”周恩来心算了一下，说：“是己亥年生的吧。”接着，他又说：“我是戊戌年生的，咱俩差一岁。”然后，他冲尚小云竖起了大拇指，连声说：“这样的年纪，演得这样好，真是了不起啊。”他又询问了一些工作、生活上的情况，尚小云一一作答。这样的随意交谈，让尚小云不免产生了错觉，他似乎不是在和国家总理谈话，而是在和一

⊙《四郎探母》尚小云饰萧太后

位年龄相仿的老者闲聊，拉家常。这让他感觉很舒服，很轻松。

1958年10月，尚小云在北京饭店又一次见到周恩来。当时，中国人民志愿军总部官兵在志愿军司令杨勇上将和政委王平上将的率领下，从朝鲜回到国内。有关部门在北京饭店举办了欢迎宴会，尚小云也应邀参加。席间，周恩来端着酒杯来到尚小云面前，先向他敬酒，然后鼓动他："怎么样，既然是慰问最可爱的人，来唱一段吧。"从来不喝酒的尚小云，一仰脖，喝干了酒杯里的酒，很爽朗地说："好！就唱一段《梁红玉》里的'擂鼓战金山'吧。"一曲唱罢，引来如雷掌声。宴会气氛也随之达到高潮。

一个月以后，受全国政协的邀请，尚小云在长安戏院再一次演出《梁红玉》。演出中，他不小心一脚踩在地毯的边沿上，滑了一下，没有能够站住，重重地摔了一跤。他没有立即下台，而是爬起来继续演。在观众鼓励、感激、敬佩的久久不息的掌声中，他忍着伤痛，坚持唱完。随即，他被送进了医院。

也就是在这次住院期间，尚小云公开了一个令人惊讶的重大决定：迁居西安。这个决定很突然，事先没有征兆，所以外人很震惊，也很不解，要知道，北京是尚小云的家，尽管他祖籍并非北京，但他生在北京，长在北京，成名在北京，北京是他的根基所在，也算得上是尚家的根。他怎么舍得离开？

第五章
迁居西安

两次西安之行

对于西安，尚小云并不陌生。在全国巡演期间，他曾两次到西安，一次是在1951年12月，一次是在1957年7月。实际上，他早在1949年的时候，就曾被邀请到西安演出。那是在刚刚建国后，陕西西安的商人、戏迷赵清泉来到北京，邀约名角儿前往西安演戏。他的本意是，如果四大名旦都能去，更好，如果不行，能邀请到他们其中的一位，也算完成任务。到京后，他拜会了四大名旦，并且促成四大名旦在王府井中国照像馆着便装合照了几张相片①。

赵清泉未能如愿同时邀请到四大名旦，而只请到程砚秋。程砚秋的夫人果素瑛在《追忆砚秋生平》一文中这样说："因为其中三位各自忙于早已约定的事情，这次西北之行的担子就落在砚秋的肩上。加之砚秋早有西北戏曲调查的酝酿，趁此旅行演出的机会亦可为更大规模的调查作些准备。于是，他就同意率秋声社去西安了。"当年11月，程砚秋起程去西安。

果素瑛所说的"三位"，自然指的是梅兰芳、尚小云、荀慧生。至于她所说的"各自忙于早已约定的事情"，仅就梅兰芳、尚小云而言，的确如此。梅兰芳作为京剧界领军人物，在建国初期，频繁参加政治活动。就在赵清泉到北京邀角的时候，他已经接受了天津文化局局长阿英的邀请，正准备赴天津演出。尚小云呢，此时正在戏曲讲习班学习，一方面又在准备组建尚小云剧团，同时酝酿新剧《墨黛》的创作。客观上，他事务繁忙，无法分身，又劳心劳力，没有更多的精力。不可否认，此时的尚小云，对陕西、对西安，很陌生，心理上有距离。他不知道那是个什么地方，更无法判定京剧在那里会受到怎样的待遇。他有些拿不准。客观原因，主观因素，都使他错过了这次机会。

① 在这之前，四大名旦从未便装合影。唯一的合影是摄于20年代的《四五花洞》剧照。

⊙ 1951年12月，尚小云率团在西安演出之暇游览华清池

可当尚小云第一次踏上西安的土地，却对西安产生了莫名的亲切感。细想，他觉得可能是因为西安与北京其实有太多的相似，它们同样古老，同样是古都，同样有被皇权浸染过的宏大气势和神秘感觉，同样有波澜壮阔的历史。当时，尚剧团其他成员被安排住在关中旅社，而尚小云和尚长荣父子则住进了西京旅馆。著名的“西安事变”就发生在这里，张学良、杨虎城曾被扣押在这里。住在这里，尚小云不免时时回味着历史，体会着历史对人的命运的捉弄。

这次在西安演出，演出地点是西安最好的戏院。这是个老式戏院，舞台很小，场子中间的座位仍然是木头长条凳，好在另外加上了靠背。“雅座”很少，席上有棉垫子。相比长条凳，雅座当然舒适得多，不过是要另外加钱的。除此之外，场子的两边，卖的是“站票”，价钱便宜些。戏院如此简陋，尚小云却仍然感觉很亲切，因为戏院的名字也叫长安戏院。

尽管之前尚小云对西安这个城市并没有太多的了解，但他对陕西的古老剧种秦腔是有一定认识的，而且是很有好感的。他曾经对儿子尚长荣说："秦腔可比京剧古老得多。"他不会忘记，早在30年代，西安的秦腔剧社易俗社曾到北平演出，那时，他看了多场秦腔戏，与秦腔旦角演员王天民结下情谊，曾将《摩登伽女》的戏服借给王天民。就在两年前，他排演《墨黛》时，还曾借鉴过王天民演过的一出戏里的内容呢。

易俗社由老同盟会会员、曾任陕西省咨议局副局长的李桐轩、省修史局修纂孙仁玉等发起，初时，起名"易俗伶学社"，以培养秦腔艺术人才、编演传播秦腔戏为目的。秦腔，创始于明末，兴盛于清代的乾嘉年间，被称为"梆子戏的鼻祖"，所以尚小云才会说它比京剧还要古老。就在尚小云抵达西安前半年，贯彻戏改中改制，易俗社由民营剧团改为国营剧团。为此，时任中共西北局第一书记的习仲勋和西北局统战部部长汪锋等亲临祝贺。

无论是民营时还是国营后，易俗社都拥有陕西地区最出众的编创人员和秦腔演员。剧作家有范紫东、谢迈千、王绍猷、冯述三等。尚小云此次到西安，除了继续传播尚派艺术外，最大收获便是又结交了一批易俗社著名的秦腔演员，除了王天民，还有刘毓忠、宋上华、汤涤俗、苏育民等，以及观看了数部较高艺术水准的秦腔戏《三滴血》、《周仁献嫂》等剧目。

看戏的时候，尚小云突然想起鲁迅给易俗社的题词：古调独弹。他也想到程砚秋曾经说过的一段话："京剧虽然一向有国剧的称号，但是这并不能认为京剧在本质上有什么超过其他各种地方戏剧的特长，不过是比较普遍于多数地方罢了……秦腔，表演的细腻，描画的深刻，功夫的精纯，更是我们从事京剧的所望尘莫及。"想到这些，他对中国戏曲剧种的丰富和博大很是感慨，也为京剧正走向没落而忧心。

此次在西安，尚小云还遭遇了一次虚惊。那天早晨，他刚起床，就听见有人喊："不好了，昨晚这里遭到枪击了。"这个时候，西安才解放不久，时有残余国民党兵和土匪出没。因此，虽然谁都没有亲耳听见枪声，但都没有怀疑它的真实性。尚小云也有些心惊，急忙和大家一起跑过去看，看见了那颗嵌在两块碎玻璃中间的子弹。不过，那颗子弹头上有锈迹，显然不像是新发射的。尚小云正纳闷间，接待他们的负责人闻讯后匆匆赶来，好一番解释。原来，"西安事变"爆发时，蒋介石就住在这间屋子里，这颗子弹是杨虎城的部下开枪时留下的。大家这才吁了口气，便又饶有兴致地将这间房和这颗子弹好好观赏了一番。

到西安，不能不到临潼县的华清池。到华清池，又不能不去泡温泉。可惜的是，因为时值严冬，温泉浴池的更衣室没有取暖设备，非常冷，尚长荣等年轻人身强体壮，不惧严寒，一咬牙也就脱去衣服，跳入温泉池中。尚小云可就不敢这么随心所欲了，他犹豫了一会儿，还是出于保重身体的考虑，放弃了。事后，大家谈起这事，都为他感到遗憾。他笑着对同行的筱翠花说："也许是我与西安有缘，将来肯定还有机会再来，所以这次老天就不让我下水了。"

一句玩笑话，日后却成了真。过了将近六年，尚小云有了第二次到西安的机会。巧的是，这次能够到西安，缘于赵清泉的邀请。这个时候，赵清泉是西安五四剧院的经理，这是当时西安最先进的剧院，不仅市口好，很容易聚集人气，而且剧场能容纳一千多人，还安装了两排吊扇。舞台也比较大，台口很宽敞。虽然在1949年的时候，赵清泉只邀请到程砚秋一个人，却与尚小云结下了情谊。当时，他就和尚小云约定，日后有机会一定会再邀请尚小云去西安，尚小云也答应了。如今果然成行，也算是了却了两人积聚了多年的心愿。

这次到西安，对于尚小云来说，值得纪念的事，主要有三件：

一、在西安收了第一个徒弟，名叫马蓝鱼，当时是陕西戏曲研究院的演员。当马蓝鱼得知尚小云将要到西安演出时，立即向研究院领导请求拜尚小云为师，学习尚派名剧《昭君出塞》。随后，由副院长黄俊耀陪同，马蓝鱼与尚小云见了面。对于拜师学戏，尚小云答应得很爽快，只提了一个要求，他说："《昭君出塞》这出戏是很见功夫的，要学好，就得下一番功夫。"在马蓝鱼作出保证后，在黄副院长的担保下，马蓝鱼有幸成为尚小云在西安的第一个弟子。

在马蓝鱼的记忆里，在教学方面，尚小云耐心诚恳、教而不倦；在为人方面，他谦虚好学，从善如流；在演艺方面，他严肃认真，一丝不苟。

初学尚派戏，马蓝鱼不得要领，一时入不了门，感到难度大，有些畏难。《昭君出塞》中最重要、最著名的"马上身段"，她反复学、反复练，却始终不得法，可越是着急得满头大汗，越是练不好。这时，尚小云启发她："学表演艺术要自己消化，要弄清楚它是什么意思，光发急是不行的。"同时，他将动作分解后，将一招一式毫无保留地一一教授给她，还一遍遍地做着示范，直到她逐渐明白了"上步有度，身行有韵"的道理。

尚小云到西安，是有演出任务的。教学时间，只能放在散戏之后。这时，他已经是近六十的人了，演出任务又繁重，却抓紧一切空余时间，对弟子进行艺术指导。他延续了在荣春社时的教学模式，即不仅传授技术，更注重基本功训练。他的教学方式也很有意思，常在和弟子的聊天中，让弟子于潜移默化中受到教育。这恐怕是受到王瑶卿的影响。他和马蓝鱼聊天，谈一些演员如何对待自己的事业，谈前辈演员如何刻苦磨炼，也谈他的学艺经历。他常讲的一句话是："要想台前卖脆，就得背后受罪。"也就是说，他非常强调下功夫。显然，他的成功，很大程度上，是因为他肯下功夫，肯在背后受罪。

尽管马蓝鱼只是尚小云的弟子，但是，尚小云却在演出前演出后，反过来时时征询马蓝鱼的意见。每次演出开演前两小时，他就到后台化装。这个时候，就已经是马蓝鱼学习的好机会了。她在一旁认真地看，认真地学。常常地，尚小云边化装，边回头问她：“这样可以吗？”“这样化，好看吗？”“胭脂打得重不重？”“戴这朵花好看吗？”他的虚心，让马蓝鱼很感动。他对装扮的细致和讲究，比如彩鞋是否合脚，袜子是否白净等，更让她感叹。

起初，马蓝鱼不敢随便说出她的看法和意见，毕竟她是弟子嘛。但是，相处时间久了，她发现尚老师毫无师长架子，在平易近人方面与普通演员无异。她便大着胆子，将她在台下看到的或听到的意见，毫无保留地提出来。这个时候，尚小云倒像个学生似的，认真地听，觉得有道理的，就频频点头。

可以说，马蓝鱼师从尚小云，学到的不仅仅是一出《昭君出塞》，实际上也学

⊙1959年元月，尚小云等到达西安，在车站受到热烈欢迎

到了如何对待艺术，如何为人。

二、结识了秦腔艺术家马健翎。长期以来，马健翎一直从事秦腔戏的创作。在毛泽东《延安文艺座谈会上的讲话》发表后，"为政治服务"、"为人民服务"成为革命文艺的指导方针，陕西文艺工作者率先响应，提出了编创"新秦腔"的口号。所谓"新"，体现在内容上，更注重刻画解放区热火朝天的大生产运动和正在进行的抗日战争。简单地说，就是反映现实。

马健翎是最早投身于"新秦腔"创作的剧作家之一，连续创作了数十部"新秦腔"，有《血泪仇》、《中国魂》、《一家人》、《好男儿》、《穷人恨》等，其中的《血泪仇》，受到过彭德怀的肯定，他还亲自写信给马健翎，称赞这出戏"为广大贫苦劳动人民、革命战士热烈欢迎，为发动群众组织起来的有力武器"。马健翎因此在1944年被授予"人民艺术家"的称号，他所在的民众剧团获得"特等模范"的荣誉。解放初期，他出任西北大区的文化部副部长，主要负责西北地方戏曲的挖掘、保存和传播工作。

尚小云到西安后不久，马健翎亲自登门拜访，还邀请他到人民大厦剧场，观看由他创作的秦腔戏《游西湖》。之后，尚小云与包括马健翎在内的秦腔同行进行了座谈交流，他还指导《游西湖》作加工提高。令他没有想到的是，60年代，剧作家孟超根据《游西湖》改编的昆剧《李慧娘》，被斥为"鬼戏占领舞台"而遭到批判，成为"文革"爆发的导火索之一。

马健翎与"新秦腔"给予尚小云的影响，在于戏曲如何反映现实。在解放初期的戏改大潮中，涌现出一批现实题材的戏曲作品，但是，戏曲艺术有其特有的规律和程式，这就涉及到传统形式与现实内容如何巧妙融合的问题。这个问题，始终困扰着许多立志改革的戏曲人士，包括梅兰芳、尚小云等人。所以，马健翎的诸如《血泪仇》之类的新秦腔，使尚小云很受启发。

三、这次陪同尚小云到西安的，除了小儿子、尚剧团成员之一的尚长荣，还有夫人王蕊芳。他们去的时候，正值酷暑盛夏。经过长途旅行，本已十分疲惫，又逢炎热天气，体弱的王蕊芳抵达西安当天就病了，症状很似中暑，呕吐伴有高烧。尚小云哪儿也不敢去，和长荣一起看护着王蕊芳，服侍她吃药喝水。一天下来，她的病症没有明显好转。尚小云有些手足无措了，直后悔没有让医生随行。长荣建议让母亲去住院。父子俩正商量着，赵清泉来了。

赵清泉当机立断，说是立机去请医生，而且承诺请的是“西安的医林高手”。果然不一会儿，医生来了。在赵清泉的介绍下，尚小云方知，这位医生是西安智怡医院的院长高智怡。在为王蕊芳诊治前，高智怡和尚小云寒暄了几句，说他也是个戏迷，四大名旦的戏都爱看。50年代初，程砚秋到西安演出时，他一场没落。对于尚小云此次到西安演出，他表示肯定也会去看的。然后，他给王蕊芳看了病，为她打了针，开了药方。

谁都不会想到，王蕊芳的意外病倒，使尚家与高家从此结缘。

尚剧团正式公演后，高智怡和妻女一同去看戏。他的女儿名叫高立骊，日后成为尚长荣的夫人。那天晚上，尚长荣唱的是《铫刚》。

“北京西安一边一半”

两次西安之行，西安这座城，和城里的人，都留在了尚小云的脑海中。

在他于长安戏院演出《梁红玉》而不慎摔伤住院后，前往探视慰问的人流中，也有陕西省的领导，其中有文化局的负责人罗明。实际上，在这之前，罗明就曾亲往尚宅拜访过尚小云，并谈到邀请他到陕西工作的问题。罗明曾担任过中共延安市委统战部部长，有着丰富的与知识分子和党外人士打交道的经验。他出任省文化局负责人之后，很重视引进文化界名流。尚小云曾经两次到西安演出，是他的主要说服对象。当时，陕西省组织了一个上百人参加的大型戏曲团体，由罗明带队，赴北京演出。自然地，除了演出之外，他们也与北京的戏曲界进行座谈交流，客观上拉近了罗明与尚小云之间的距离。

初次提及到陕工作，罗明只是说请尚小云到西安工作一段时间，这个“工作”，包括讲学、指导排戏，“指导”是关键，并非就让尚小云放弃北京的一切，直接调往西安。这个时候的政治背景，是提倡到边疆去，到艰苦的地方去，支援西北建设。从这个角度说，尚小云似乎没有理由拒绝罗明、也就是陕西省的恳请。他本身又是个豪爽的人，心里没有沟沟坎坎，为人直接干脆，加上西安给他留下了不错的印象，所以，他当即就向罗明表示，他很愿意。

除了这一切的原因外，还有其他的因素，潜藏在尚小云的内心深处，恐怕连他自己都没有很清晰地意识到。只有当他细细回味，细致体察比较在北京、到西安的利弊和可能的得失后，他才能感觉得到。

同为四大名旦，尚小云在解放后的政治待遇和受重视程度，是不如梅兰芳和程砚秋的。梅兰芳是首届政协常委、戏改委下属京剧院院长、中国文联副主席、中国戏剧家协会副主席。1951年，中国戏曲研究院成立，梅兰芳是院长，副院长就是程砚秋。梅、程都参加了赴朝慰问团，梅兰芳还是其中的分团团长。两人都是全国人大代表，程砚秋还是全国文联常委、中国戏剧家协会理事会主席团委员。1957年年底，程砚秋更在周恩来、贺龙亲自介绍下，率先加入了中国共产党，成为京剧演员中首位中共党员。

尚小云呢，除了担任中国文联理事外，直到1955年，才有幸担任全国政协北京市委员会常委。第二年，任北京市文联常务理事、北京市京剧工作者联合会副主任。这也就是说，离开人才济济的北京，他可能有更大的发展。纵然没有政治上的因素，仅从艺术上看，他虽然对戏改是毫无保留地支持的，但他毕竟还有许多自己的创见和思想。在北京，这些创见或思想很可能难以转化为实践；陕西，可能会给予他更好的施展才华的空间。

程砚秋在解放后的最初几年，几乎将全部精力放在西北地区的戏曲音乐的调查和考察上，长年奔波于大西北。论及原因，除了他一直都有戏曲研究的追求，又有拯救濒临衰落的京剧艺术的强烈责任感，以及其他政治的、艺术的考虑之外，“总不肯做第二人”，也是原因之一。“第一人”，自然是梅兰芳。这是他的师友陈叔通在写给他的一封信中的一句话，信里还有另外一句话，也很能揭示程砚秋当时远离北京的心理：“能在西北做大王固好。”这句话，放在尚小云身上，似乎也一样合适。

四大名旦之间的友情，的确是存在的，但他们之间始终存在着艺术竞争，也是不可否认的。程砚秋自觉在他之上，总是有梅兰芳；那么，尚小云也会觉得，他的光辉始终被梅兰芳和程砚秋两个人所遮盖。他要冲出去，去开辟一个新天地。既然陕西向他投来了橄榄枝，他自然没有犹豫，就伸手接住了。

当年，程砚秋选择到大西北进行戏曲研究，固然因为西北的地方戏曲剧种丰富，又是解放区新生戏曲力量的发祥地，除此之外，西安当地政府对挖掘地方剧种的重视，以及对戏曲文化的重视，也是原因。如今，陕西省力邀尚小云去西安“指导”工作，目的就是为了当地的文化建设。因为陕西省正在筹建陕西省京剧院，省文化局长鱼讯也诚邀尚小云去西安，共同创立京剧院。

这样看重文化、关注戏曲的地区和领导，不免让尚小云对他们产生好感和信任。这也成为他爽快接受罗明邀请的很重要的一个原因。与此同时，他在给鱼讯局长的一封回信中这样写道：“西北在召唤，古都西安在召唤，三秦人民在召唤，我愿充当陕西省京剧院的创始人。”

⊙ 1961 年尚小云在延安中央大礼堂旧址前

陕西方面得到尚小云的承诺，自然欣喜不已。在尚小云住院期间，罗明等到医院探视时，又一次提到这事，尚小云的答复，仍然很肯定。然而，北京毕竟是尚小云的家，他也是北京戏曲界的骄傲，调他去西安，手续上会顺利吗？何况，尚小云尽管在某些方面不是最受重视的，但他到底还是四大名旦之一，在戏曲界仍不失为一位举足轻重的人物。他的工作安排，也还是需要得到中央批准的。另外，尚小云到陕西后，政治待遇、艺术地位、生活条件等方方面面，也都要慎重对待。这也需要安排、协调。

既然得到了尚小云本人的同意，罗明便马不停蹄地开始了一系列的工作。首先，他代表陕西省政府将调尚小云去西安一事报告中央领导。这个时候，他领队的陕西省戏曲演出团正在北京演出，原西北局书记、时任国务院副总理的习仲勋，中共中央政治局委员、北京市委第一书记、北京市市长彭真等领导先后观看了演出。趁此机会，罗明向他们作了汇报。与此同时，陕西省政府给国务院总理周恩来写了一份工作报告，正式向中央作了请示。

尚小云养好腿伤，出院后不久就又登台了，在吉祥戏院演出《穆桂英》。这场演出，彭真市长和北京市委、市政府的领导和解放军总参谋长罗瑞卿都去看了。戏结束后，领导们到后台慰问演员。在和尚小云交谈时，很自然地谈到赴陕一事。显然，他们对尚小云即将离开北京有些不舍。彭真对尚小云说：

“既然西安的同志要你去，你就去吧，文艺工作者都要服从党和毛主席的号召，到祖国最需要的地方去。你接受组织安排，积极支援西北建设的精神，的确可嘉。不过，西安需要你，北京也需要你，你终究还是我们北京的人。可不可以这样，将来你两头兼顾吧，在北京住半年，在西安住半年，至于户口嘛，暂时不要迁过去。北京的家，也暂时保留着，在北京的工资，也照发。”

这一番话，说得尚小云的心里暖暖的。他当即表示：“我虽然去了西安，但每年还是会回来的，也会再为北京的观众演戏的。”

第一次去西安时，尚小云错过了在华清池泡温泉的机会。当时，他不会想到，日后有一天，他会在西安安家，他尽可以天天去泡温泉。他作出了一个重大决定，他的人生也因此发生转变。从此，除了北京以外，他在西安有了第二个家。起初，他的确没有将户口从北京迁出。后来，在1966年时候，他的户口被造反派们硬性从北京迁出，迁入西安。他彻彻底底地成了陕西人，成了西安人，不论其中是否有无可奈何的成分。北京，是他的出生地，他在那里走红、成名；西安，是他理想的实践地，他在那里重启事业征程，也在那里遭受人格摧残，受尽屈辱。那里，也成为他最终的安息之地。

无偿捐赠

离家前的准备，忙乱而兴奋。因为是举家迁往西安，所以凡是涉及到生活上的问题，不得不做细致而周密的考虑。好在西安方面已经安排好了住处，生活设施，如家具、厨房用品等一应俱全。即便如此，尚家上下还是好一阵忙碌。转眼就到了1959年2月，他们真的要出发了。

4日，首都戏剧界专门为尚小云、尚长荣父子举行了隆重的欢送宴会。在北京的艺术家们都出席了宴会，并向他俩表示祝贺，也对他们无所畏惧，勇于到最艰苦的地方去的精神，表示敬佩。这次宴会，算是以“公家”名义。随后，私人宴请，则让尚小云疲于应付。但从中体会到亲朋好友对自己的情谊，也能感受到他的这次离京赴陕的行为有着怎样的非凡意义。

5日，尚小云携夫人王蕊芳、小儿子尚长荣，以及秘书张静榕、厨师登上了开往西安的火车。文化部、北京市的领导和戏曲界老艺人、新朋友都到车站送行。站台上，人满为患，尚小云频频与人握手告别。此时，他的心中充满感激，也隐隐有些难过和一丝不安。尽管他不是个悲观的人，但离乡背井的现实，还是让他不免有些惆怅，也让他对不确定的未来有些担忧。

那一切的难过、不安、惆怅、担忧，在尚小云踏上西安火车站月台的一瞬间，就被消融了。6日，火车抵达西安火车站。令他大感意外的是，陕西省、西安市的领导们，包括中共陕西省委书记张德生、副书记赵守一、省长赵寿山、西安市市长方仲如、省文化局长鱼讯等，以及当地文艺界的代表、知名人士数百人早已等候在车站。一个简短的欢迎仪式就在月台上举行了。随后，7日，也就是尚小云抵达后的第二天，陕西省宣传部在人民大厦召开了隆重的欢迎大会。省委领导讲话，对尚小云此举给予了高度评价，尚小云也致了答谢辞。

从此，尚小云在西安定居下来，也开始了他新的艺术实践。

尚小云在西安的新家坐落于西安繁华之地的东大街菊花园，具体位于东面的和平路和西面的端履门之间。这里是省文化厅招待所所在地，也是陕西省戏校所在地。尚家所住的房子，是清末民初一位叫张丰慧的将军遗留下来的中式花园洋房，独门独户，房子外观设计很精巧，里面十分宽敞，有四间房间，一个客厅有三十多平方米。尚小云夫妇的卧室位于客厅的西边。屋外还有一个大花园，种满了花草。有了房子，妻子、儿子又在身边，尚小云并没有失去家的不适应感，只是有换了一个住处的感觉而已。

按照彭真市长的要求，尚小云是准备北京、西安两头兼顾，一半北京一半西安的。在临离开北京之前，他也打算于10月前返回北京，参加建国十周年的庆典演出活动。那么，在西安的这最初半年时间里，西安方面给予他的政治待遇、艺术地位，是什么呢？他又都做了哪些事情呢？

在抵达西安当月，尚小云被聘为陕西省戏曲学校的艺术总指导、陕西省剧协常务理事。当年7月，陕西省召开人大和政协会议，会上，尚小云被增选为政协陕西省第二届委员会常务委员。当他为庆祝建国十周年返回北京时，身份是陕西省赴京献礼演出团团长。

其中，省戏校的艺术总指导是他的主要工作。他和长荣几乎天天泡在戏校，为学生们说戏。尚小云更是亲自指导他们排练《汉明妃》、《梁红玉》等尚派名剧，以及《红鬃烈马》等传统剧目。

身为四大名旦之一、尚派创立者，尚小云到西安之初，是不可能不演出的，因为观众的要求十分强烈。然而，尚小云只是携家迁居西安，他的尚剧团并未随他前往，仍然留在北京。于是，首次在西安的演出，为他配演的，是戏校的学生，演出剧目，自然以尚派戏为主。在人大、政协会议期间，应两会代表们和委员们的要求，尚小云也演出了一场。这次，与他合作的，是奚啸伯。演出剧目是传统戏《御碑亭》。

尽管演的是老戏，但尚小云却仍然有所创新。比如，戏中他

⊙《御碑亭》演出结束后尚小云等人谢幕

所扮演的孟月华雨中往御碑亭跑去，当他跑到舞台中央时，突然脚下一滑，摔倒在地。观众不由惊呼起来，以为他是真的摔倒了。此时，他已经是60岁的人了，摔跤的后果显而易见，观众们都担心起来。想不到，只见他一个漂亮的起身，又表演开了。接着，又是脚下一滑，摔倒了。观众们看明白了，原来他并非真的摔跤，而是根

据剧情进行的创新，因为按照传统演法，这里并没有摔跤的动作。但是，他以为，此时的孟月华在雨中急跑，心里又有事，不可能信步闲庭，优哉游哉。这个“滑步”动作，既能表现正在下雨、路面湿滑的天气环境，也能表现孟月华心急如焚、慌慌张张的失态心境。

这段表演，实际上也给在座的戏校学生上了一堂课，给予他们很大的启发，那就是，艺术的

发展，在于不断创新；像尚小云这样的演员，之所以能够称之为艺术家，也在于他们从不满足，总是在不断完善自己，不断进取。这时，他们才深刻地领会了尚小云对他们说的“做到老，学不了，盖上棺材才算了”的涵义。

尚小云坐火车到西安时，随行的只有四个人，加上他自己，不过五个人，他却买了七张火车卧铺票。那多出来的两张铺位，他用来摆放他心爱的艺术珍品，主要包括名人字画和一些古玩。虽然他为维持荣春社，卖掉了不少古董，但他到底还是因为十分珍爱、万分不舍而为自己留下了一部分。其中有四个意大利石雕女像，尤为稀罕和珍贵。它们几乎与真人差不多高，形态各异、栩栩如生：一个浴后正在小憩，安详宁静；一个笼纱含羞，娇媚可人；一个顶罐取奶，一个对镜试帽。当时，尚小云正在天津演出，见到这四个石雕后，爱不释手，虽然卖方要价颇高，但他还是没有犹豫，全部买了下来。

然而，在他抵达西安不过两个月之后，又有惊人之举，他将珍藏了大半辈子的一批名人字画和玉器，共计66件，无条件地捐献给了陕西省博物馆。所捐字画、玉器的目录如下：

（宋）宣和画鹰图条幅　　（宋）赵千里青山绿水图条幅
（元）唐棣飞琼图条幅　　（明）冷谦人物图条幅
（明）金圣叹行书条幅　　（明）海瑞草书条幅
（明）杨继盛行书条幅　　（明）史可法行书条幅
（明）倪元璐行书条幅　　（明）董其昌书法条幅
（明）张瑞图行书条幅　　（明）唐寅荷花图条幅
（明）赵左雪景图条幅　　（明）赵左设色山水图八开条屏
（明）周之冕八哥树林图条幅　　（明）周之冕翎毛花卉图条幅
（明）蓝瑛山水图条幅　　（明）徐渭花卉二乔图条幅
（明）谢时臣山水图条幅　　（明）八大山人草书条幅

(明) 戚继光行书条幅　　(明) 陆治石壁图条幅
(明) 刘珏山水图条幅　　(明) 陈星海秋林读书图条幅
(明) 黄钺岁朝清供图　　(清) 董诰灵岩山图条幅（两件）
(清) 石涛山水图条幅　　(清) 石涛山水图册页12开条
(清) 陈洪绶人物图条幅　　(清) 新罗山人花鸟图条幅
(清) 张崟万松图条幅　　(清) 高其佩观瀑图条幅
(清) 潘恭寿寒江独钓图条幅　　(清) 潘恭寿仿宋山水图条幅
(清) 翁寿如雪景图条幅　　(清) 李永之金山寺景图条幅
(清) 边寿民平安图条幅　　(清) 钱坫篆字条幅
(清) 金农漆书对联　　(清) 邓石如隶书对联
(清) 郑板桥隶书对联　　(清) 徐渭画鹅图
(清) 瑶华道人山水图册页(十二开)　　(清) 瑶华道人山水图册页（大十二开）
(清) 顾见龙李笠翁小像　　(清) 顾见龙圣贤册页（十开）
(清) 吴履仕女小照　　(清) 李觯五松图
(清) 金农达摩像图　　(清) 邓石如隶书条幅
(清) 潘思牧烟雨图　　(清) 李世倬观瀑图
(清) 沈铨桃花树林图条幅　　(清) 黄慎树阴三马图
(清) 黄慎太白饮酒图　　(清) 黄慎梅花图条幅
(清) 顾鹤庆蕉山秋霄图条幅　　(清) 方观承字册页（八开）
(清) 宋葆淳鸳鸯图条幅
王梦白楼台图条幅　　齐白石钟馗图
清御赐折扇两匣（每匣2件）
汉白玉玉圭一件　　汉白玉玉璧一件

这份捐献目录，无论是数量，还是品种，都是惊人的。可以想见，它们是怎样的价值连城。在尚小云为荣春社而不得不变卖家财时，他宁愿卖了七八所房产、一辆汽车，也没有舍得卖掉这批古董，可见他对它们是多么珍爱。当时，他如果卖掉它们，尚家不至于连一所属于自己的房产都没能留下，而不得不租借友人的房子栖身。如今，他却将它们无偿捐了出去，不求任何回报。还是在解放前，有人曾经这样评价尚小云："他始终视金钱如泥沙。"他义助贫困、倾家办学、捐赠字画等行为，都可以印证他的金钱观。对此，自然有人不解，他的理由很简单："积金遗子孙，子孙未必守；积德遗子孙，方可用长久。"

不能不说尚小云此举也受到张伯驹夫妇慨然捐赠文物的影响。当时，时任文化部部长的沈雁冰代表中央文化部为张氏夫妇签发了嘉奖令，用以表彰他们的无私行为。虽然尚小云捐赠字画的行为没有获得如张氏夫妇那样的嘉奖令，但是不可否认，他的行为，一样也是无私的、爱国的。

然而，在1963年的时候，北京市文化主管机关在一份关于尚小云的情况汇报中，却有这样一句话："这几年，他的名利心切……。"一个视金钱"如泥沙"的人，一个将价值连城的艺术珍品悉数捐赠给国家的人，却如何与"名利心切"这样的词联系在一起？仿佛是一出荒诞戏，令人啼笑皆非。

绝唱《双阳公主》

尚小云到西安后的又一件大事，便是排演了新戏《双阳公主》。这是他在时隔数年之后的又一部新戏，也是他演艺生涯中最后一部新戏。尽管建国之后的十年里运动不断，人心一度惶惶，但是在迎来建国十周年的时候，举国上下还是一片欢腾，各界都在以其独有的方式做着庆祝准备。戏曲界，无论是京剧，还是其他剧种，也都纷纷赶排新戏。在这种情况下，梅兰芳排演了他在解放以后唯一的一出新戏《穆桂英挂帅》，尚小云的新戏就是《双阳公主》。

在西安，尚小云除了对戏校进行艺术指导外，也做一些艺术考察和研究。就在决定排演《双阳公主》前，他在省内进行艺术考察时，看了一场由同州梆子剧团演出的《双阳托印》。这让他想起在京剧里也有类似的剧目，剧名叫《珍珠烈火旗》，他和许多京剧前辈都曾演过，只是演的次数不多。

这个时候，他正在为排演一部怎样的戏才能适应建国十周年的气氛而伤脑筋呢。历经十年的新时代洗礼，以及“移步不换形”事件、《洪宣娇》事件，无论是梅兰芳还是尚小云，与以往相比，已不再对政治完全茫然无知，也都有了“文艺要为政治服务”的强烈意识。因此，他们在酝酿排演新戏时，也都清楚地认识到，并不是所有的新戏，都可以用来作为建国十周年庆典剧目。它的故事内容、它的人物形象，都必须与政治气候、节日气氛相协调。

以梅兰芳为例，此时，他刚刚入党，他所要排演的新戏，既要有庆典的喜气，能够表现出新中国蒸蒸日上的局面，也要反映出他对新中国、对共产党由衷热爱的心声。《穆桂英挂帅》里的老年穆桂英，符合他此时的年龄。最重要的是，穆桂英“我不挂帅谁挂帅，我不领兵谁领兵”的豪气，也正能体现梅兰芳老当益壮、老骥伏枥、壮心不已的精神。从客观上说，这出戏的主题固然是表现穆桂英崇高的爱国主义精神，但从侧面也反映出为大局而不计个人得失的品质，这对于刚刚经历过反右斗争的中国人来说，具有极其重要的现实意义。

同样的，尚小云所要排演的新戏，也要有闪耀着主流社会思想的火花，有积极表现时代精神的深刻涵义。《双阳托印》和《珍珠烈火旗》给了他灵感。从思想性来说，这是个爱国主义的题材；从内容上来说，它的故事委婉、曲折、动人，很有戏剧性。于是，尚小云决定在这两出戏的基础上重新改编，以《双阳托印》为主，同时参考《珍珠烈火旗》。应他之约担任编剧的，是原中华戏校毕业的老生演员、陕西省戏校的教员林金培。很快，剧本出来了。经过与尚

⊙《双阳公主》中，尚小云饰双阳公主

小云协商，剧名确定为《双阳公主》。

《双阳公主》以鄯善国的双阳公主和宋朝小将狄青的爱情故事为主线，表现了古代妇女对于婚姻自主的民主理想和人民对于民族团结的积极愿望。显然，它符合上述的选材条件。这出戏的具体故事情节是：宋朝仁宗（赵祯）年间，鄯善国的双阳公主和宋朝大将狄青成亲。狄青被奸臣丁谓陷害。双阳公主一怒之下自立为王，领兵攻打延安关。宋朝元帅杨宗保与之对阵，却屡战屡败，无奈之下，只得调狄青领军至延安关。双阳公主与狄青这对夫妻在战场上得以相见，一番周折后，终于团圆。

很明显，尚小云之所以选择这样一出戏，除了它的爱国思想外，也看中了双阳公主这个人物。她能文能武、英勇果敢，这样一个巾帼英雄的人物形象，是尚小云最擅长塑造的。因为如此，可以想见，这出戏的唱腔、表演也都符合尚派戏特有的激越、火炽、热情奔放，但又不失委婉、柔性的艺术特点。

在唱的方面，他延续了当当作响，既刚劲又婉转的尚派唱法。唱段开头，是一句激越的[西皮倒板]：“抖丝缰催动了桃花战马”，铿锵有力；接着，是一句舒缓的[西皮慢板]：“为驸马冒风霜奔走天涯”，阴郁凄婉；然后，又是一句[西皮流水]：“风萧萧惯长征千里战马，高丛丛峻山岭又无人家。”整个一段唱腔，跌宕起伏，恰如其分地表现了双阳公主忧愤、悲切，却又斗志昂扬的复杂心态，以及刚健又婀娜，英姿又妩媚的性格特征。因此，有评论家这样评论他的唱：“大段唱腔，唱得如起风腾蛟，真力弥满，使台上台下联成一片，能把观众给唱热了……唱得奔流豪放，如天马行空，却又有

‘瞿塘峡口冷烟低，白帝城头月向西’的神韵……”[1]

对于尚派表演风格，有人概括为“热处理”或者是“像一团火”。尚小云在《双阳公主》里的表演，可以说，典型体现了尚派戏的表演风格。双阳公主出场时，他的表演沉着、冷静，以突出她身为鄯善国公主的威严。但是，她的表情又有些沉郁，甚至有些怨恨，因为狄青不辞而别了。稍后，当她得知狄青其实是被陷害、处境正危时，她强作镇静的面部表情完全被内心剧烈的愤恨、担忧、焦虑所替代。这个时候，尚小云的表演夸张有力，动作幅度大。

然后，他的一段“马趟子”表演，以一连串的舞蹈动作，以示策马疾行。只见他手持红色马鞭，两脚生风，急速跑动。在跑动中，他侧身幅度大。有的时候，他低头、弯腰，外加侧身，身子几乎贴到地板上，使观众不由产生疾马飞驰的错觉。当双阳公主与狄青在战场上不期而遇时，尚小云以全身颤抖、两臂摆动的动作，显现双阳公主忽然面对丈夫时的激动不已，却又因为双方此时已成敌我，为彼此对峙而心痛难抑的复杂内心情感。

与其他尚派名剧相似，《双阳公主》里，也有大量的舞蹈、武打。“问樵”一场，载歌载舞，歌止人现；表现急行军时，又有跑场“编辫子”，如蛱蝶穿花，轻盈曼妙；“送行”一场上马的舞蹈，更是精彩之极。他以矫健的步伐飞身上马，哗啦啦抖开丝缰，紧接着一个大圆场，然后策马奔驰。至于武打，也十分出色，一把宝剑在手，或刺或抛，翻飞舞动，变幻多端。

在装扮方面，尚小云的双阳公主，身着黄红色女靠，腰佩垂有红色流苏的宝剑，头戴蝴蝶盔，盔上插着两根长长的雉鸡翎。无论他的动作如何夸张、激烈，却始终能够做到靠旗、飘带、剑穗、长翎，纹丝不乱。在一个“鹞子翻身”的舞蹈之后，靠旗不卷，飘带不缠，剑穗不打结，长翎不折，尽显其深厚功力。

这出戏，是以同州梆子《双阳托印》为基础的，尚小云在改编

① 关未然：《从双阳公主说到尚派》，《戏剧报》1959年第21期。

过程中，非常注重吸取《双阳托印》的精华。比如，《双阳公主》里的“一手掏双翎”亮相，就是从《双阳托印》中吸收而来，化为京剧身段，更化为尚派绝技。

《双阳公主》对于尚小云来说，意义还在于他不仅仅参与剧本的改编、唱腔身段的设计，更亲任该剧导演。因此整出戏，也融入了他的创作思想和观念。当年8月，《双阳公主》在西安首次公演，大受欢迎。陕西省宣传部和省文化厅研究后，决定将此剧作为赴京向国庆十周年献礼演出剧目。

一个多月以后，尚小云以庆祝国庆十周年陕西省赴京献礼演出团团长的身份，率陕西省代表团回到北京，参加建国十周年的庆典演出。在北京工人俱乐部剧场，他公演了《双阳公主》。此时程砚秋已于一年前因病去世，梅兰芳与荀慧生则各有大戏献演。《双阳公主》和梅兰芳的《穆桂英挂帅》、荀慧生重新改编的《荀灌娘》作为三大名旦的三大献礼剧目，备受瞩目。梅兰芳的一段话，也能代表尚小云当时的心声：

“我已经是六十多岁的人，排演新戏不无困难，但是我还是坚决地把这个戏（指《穆桂英挂帅》）排出来，作为向国庆献礼的节目。在这极令人兴奋的日子里，没法止住我激动的心情，我也像戏里的穆桂英那样，抖抖老精神，重新挂帅上阵……荀慧生同志继《金玉奴》之后，又重新整理了《荀灌娘》；尚小云同志改编演出了《双阳公主》。他们也和我的心情一样，这正是全国戏曲艺人的共同心情。”

对于三大名旦赶排新戏，田汉特别作诗一首，题为《浣溪沙》，以示庆贺：

喜看新枝拥巨梅，
将军垂志尽登台，

精神真足起衰颜。
好费钻研承艺统，
更抛心力育英才，
东方行见百花开。

尽管此时的尚小云已年近六十，身材、嗓音都大不如从前，但他有扎实的基本功，又有坚实的武功底子，《双阳公主》又延续了尚派艺术风格，所以，他演来依然得心应手。除此以外，作为献礼剧目，尚小云在展示尚派艺术之外，更将他对党、对祖国的感情融于唱腔和表演之中。因而，观众看到的，不仅仅是一出尚派戏而已，也看到了艺术家的一颗赤子之心。

收徒传艺

尚小云夫人王蕊芳在尚小云去世五周年的时候，曾经说："小云生前曾有一番雄心壮志，要再搞几个戏，再育一批人才，可惜均成未竟之业。"尚小云迁居西安，目的就是为了支援西北地区戏曲事业的建设，排新戏、育人才，是他的主要职责。"成未竟之业"，并不确切，是他对自己有更高要求的表现。实际上，他在西安的工作，成绩是非常显著的，特别是在培养人才方面。他的弟子、学生，不限于京剧，也有秦腔、晋剧、黔剧等十余个剧种。他或者单独指导，或者集体授课，更在各地讲学传艺。简单地说，晚年的他，将主要精力投入到培养戏曲人才的教学工作中。尚派艺术之花，盛开在京剧界，也在其他各剧种中绽放。

这个时期的尚门弟子，主要有马蓝鱼、鲍绮瑜、李翔、孙明珠、胡小凤、牛淑贤、刘秀荣、谢锐青、周百岁等。其中的鲍绮瑜、孙明珠是最得力的尚派传人。

⊙尚小云与弟子马蓝鱼

无论是解放前收徒，办荣春社，还是解放后收学生，在教学上，尚小云一贯重视对徒弟、学生基本功的训练。他给学生们上的第一堂课，往往就是对基本功的认识。比如，他在开始教授鲍绮瑜时，说的第一句话就是："功夫练得扎扎实实，动作才能得心应手；学戏实砍实凿，演戏方能放开手脚。"当秦腔演员马蓝鱼渴求尚小云收她为徒时，他并不立即答应，而是反问："要学就得吃苦，你能受得了吗？"在得到马蓝鱼的肯定答复后，他才收下了她。

尚小云在给孙明珠排练《打青龙》时，有一个动作反复指导排练了八十多次。孙明珠实在受不了了，对尚小云说："老师，我都熟透了，为什么反反复复地练这么多次啊？"尚小云回答说："你就像一张白纸，我怎么画，你就怎么演，必须打牢这个基础，就像造房子一样，根基打得牢，房子才稳固，要不然房子是经不起风吹雨打的。"

周百岁是贵州省文化艺术干部学校（后来的贵州省戏曲学校，今贵州大学艺术学院）京剧班的第一批学生，1960年的时候，被学校选送到西安，师从尚小云学习尚派戏。她学的第一出戏，就是《昭君出塞》。于是，练习跑圆场，成为她最重要的基本功之一。在练习时，她被尚小云要求扎上大靠，跑动时，靠旗只能飘不能动。每次跑圆场，一跑就是几十圈，稍停片刻，又是几十圈，直练到汗湿衣衫。有一天，她在屋顶平台上跑圆场，实在太累了，竟然坐在墙角睡着了，误了文化课的学习，挨了批评。

尚小云得知此事，对其他学生说："误了上文化课，这不好，但我希望你们大家要向她学习，学习她这种苦练的精神，抓紧时间自觉地练功。现在，她的圆场进步最大，这是怎么来的？是每天用汗水把大靠湿透换来的。只有这种苦练，才能学好尚派戏。"

尚小云对学生们要求的严格，是出了名的。在办荣春社的时候，学生们时不时要挨他的板子；解放以后收徒，他不再动手打人了，但严厉依旧。正如他对孙明珠所说："进入学习阶段，我可要严格要求，一点也不马虎，往往恨铁不成钢，显得冷酷无情，就像一个冰罐子。"

孙明珠师从尚小云后，算是真正领教了"冰罐子"的冷。尽管她和同伴们尽力想做好每一个动作，但总是看不到尚小云的笑脸，他板着脸，说得最多的似乎就是："不行！重来！"在冬天，连续练了一段时间后，学生们已经不再感到严寒；再往下练，他们仿佛已经进入了酷夏，热汗横流。孙明珠自认是个佼佼者，但往往在结束训练时，尚小云会态度极为严厉地呵斥她："你不行，差得远，留下继续练！"这个时候，孙明珠的眼泪都要掉下来了，甚至以为尚小云故意和她过不去。其实，尚小云对她的确另眼相看，对她抱的期望高，所以也对她格外严厉。

有一天，孙明珠刚刚起床，就有同学气喘吁吁地跑来，对她大喊："明珠，不好了！院里在大门口出了一张布告，勒令昨晚《水漫金山寺》剧组的演员写检查，而且还特别点到了你。"孙明珠大惊，奔到大门公告栏处，从人缝里挤上前去，在一张新贴上去的布告上，看到由尚小云亲笔签名的布告内容：

查本院学生队《水漫金山寺》剧组成员，在昨晚招待文艺界的演出中，掉“额子”黄场，影响本院声誉，对观众极不负责。主要演员孙明珠骄傲自满，漫不经心，对自己的严重失职行为尚无认识。现勒令该剧组成员，特别是主演孙明珠，写出深刻检查，如不知错改正，以严重违犯纪律论处。

同时，在布告的左上角，挂了一双剪开边帮的绣花鞋。孙明珠顾不得细究挂那么一双绣花鞋的寓意，只为自己犯下的过错、以及失去老师的信任而难过。原来，在前晚的演出前，孙明珠感到头上的“额子”勒得太紧，憋得头昏脑涨，于是就叫一个老师帮她将“额子”松了松。可是在台上演出时，由于“额子”太松，她在翻跟头落地时出了小小的差错。虽然观众并没有察觉，没有“黄场”，更没有喝倒彩，但是尚小云看在眼里，气在心头。在他的演艺生涯里，绝对不能容忍因为演员的过失而在舞台上出差错。

事后，孙明珠主动认了错，尚小云也对她讲了那只绣花鞋的故事。当时，他的一番语重心长的劝导，至今让孙明珠记忆犹新。他说：“作为一个演员，既要有精艺，更要讲艺德。艺德内容很多，但我觉得头等重要的就是向观众负责。一个失去观众的演员，是没有前程的演员。观众好比水，演员好比鱼；没有鱼的水照样淙淙流淌，但离开水的鱼，在干滩上只蹦跶几下子就直愣愣地死了……回过头来，再看看你演《水漫金山寺》的表现，怎么能因感到头痛而松动‘额子’呢？只怕个人头疼，不怕丢掉‘额子’出差错而影响演出质量，这是心中只有自己、没有观众的具体表现……”这一番话，与其说是他在教育孙明珠，不如说是对他自己演艺观念的概括和演艺态度的总结。

对于尚小云的严厉，周百岁也有切身感受。其实，周百岁在西

⊙尚小云弟子鲍绮瑜之《昭君出塞》

安初次见到尚小云的时候，尚小云给她的印象是极为和蔼可亲的。他穿着一身对襟中式衣服，脚蹬一双布鞋，头发花白，但梳理得很整洁。他微笑着和新来的学生打过招呼，很豪爽地说请大家吃西安的名小吃羊肉泡馍。然而，第二天下午，正式授课前，周百岁发现，尚小云其实是一个非常严厉的人。当时，尚小云的秘书张静榕交代说："和先生学戏，有个规矩，那就是学戏时不能坐，必须规规矩矩地站着学，任何人来学戏都必须遵守这个规矩。"然后，尚小云来了，脸上完全没有前一天初见他们时的微笑神情，极其严肃地开始授课。

有一次，学生们随尚小云学习《失子惊疯》。之前，有一个学生因为忘记了几个水袖动作，曾经请教过周百岁。当尚小云又教到这段时，这个学生隔着老远冲周百岁示意，表示她教的和尚老师教的一个样。周百岁收到这个信息，也回做了几个表情，表明她懂得她的意思。没有想到，她俩这一来一去的小动作，被尚小云看个真切，他立即停止说戏，以严厉的目光盯着她们，狠狠地训斥道："我在这里认认真真地给你们说戏，你们这是在搞什么？有学戏的样子没有？不想学戏，就不要到我这里来！"说完，他一转身，走了，将学生们晾在了院子里。这是周百岁第一次真切地感到尚小云的火爆脾气，她被吓住了。其他的学生也都不知所措。一时间，院子里悄无声息，空气似乎都凝固了。

还是尚小云的秘书张静榕出面调停，总算稍稍平息了尚小云的怒气。他这才耐下性子，苦口婆心地教导大家："不是我脾气大，我是为你们着急。你们今天能跟我尚小云学戏靠什么？靠政府、靠组织、靠领导，说来你们就来了，什么都不用你们自己张罗打点，到了有人接，来了有地方住，练功有练功室，有靠，有水袖，有刀枪把子，每天还有我给你们一句唱腔一句唱腔地教，一个身段一个身段地走，这么好的学习环境，我一辈子都没有享受过，我羡慕你们呀，可你们却不知道珍惜。你们知道我们从前想跟师父学戏有多么难吗？你们不知道，这些事，跟你们讲几天几夜也讲不完……”

这一番话其实正好可以用来解释他在解放后何以热爱新社会，拥护新政府。对于像他这样从旧时代走过来的演员来说，新和旧的不同，在于艺人社会地位的急速提升，艺人不再是达官贵人的“玩物”；在于戏曲更多了一层社会意义，而不再是纯粹的娱乐工具；在于无论是戏曲本身，还是艺人，都前所未有地被政府重视、被社会尊重。正因为如此，对于戏曲人才的培养，他也就更加有动力。

停了片刻，他问：“你们有谁读过《三字经》？”见大家都摇头，他接着说：“《三字经》中有这么两句：子不教，父之过；教不严，师之堕。我对每一个来向我学戏的学生都会严格要求，因为我相信中国的一句古训，严师出高徒。我严格、严厉，是希望你们都能成材，将来都能成为艺术家，成为尚派艺术的传人。”

严师的确出高徒，尚小云的高徒孙明珠曾被赞誉为“尚派明珠”，更有人说她是“闪烁着京剧灿烂光辉的明珠”。鲍绮瑜、周百岁等也如尚小云之愿，成为艺术家，成为尚派艺术的传人。

作为陕西省戏曲学校的艺术总指导，尚小云的工作不限于传播尚派京剧艺术，也涉足京剧以外的其他剧种。他的目光，早已超越京剧，而放射到大戏曲之中。他的思想，在于培养新一代戏曲工作者，而不仅仅是京剧传人。

60年代初，尚小云在陕西省文化局举办的戏曲演员训练班上，用三个月的时间传授了水袖、台步等技艺。当时，有来自陕北、陕南、关中等地的64名学员参加了学习，日后，他们将此技艺普及到陕西省各剧团。之后，他应邀赴河北邯郸，为优秀青年戏曲演员讲课，为东风剧团的豫剧演员传艺，又在周恩来、邓颖超的介绍下，收该剧团的演员胡小凤、牛淑贤为弟子，为胡小凤排导《宇宙锋》。随后，他应邀赴山西太原、临汾讲学，将太原晋剧青年演员冀萍、田桂兰、李爱华、王爱爱、肖桂叶，太原市戏曲学校演员张友莲、薛林华、高翠英，临汾蒲剧团演员王秀兰、贾桂林、程玉英，临汾蒲剧青年演员裴爱莲、韩长玲、王希英、贾永爱、陆萍、党中萍、厚月仙、杨翠花、田迎春、梁蕙芳、张玉香，共22人，纳为尚门弟子。他还到过云南昆明，进行讲学传艺，再收弟子30人，其中有云南省京剧团青年演员韩福香、孙定荣等。

值得一提的大规模传艺讲学和收徒，一次是在陕西西安，一次是在山东济南，一次是在贵州贵阳。

1961年12月2日，陕西省宣传部、文化厅组织的“尚小云收徒传艺大会”在西安的人民大厦举行。省委书记章泽、宣传部部长王荣等省、市党政领导都出席了拜师仪式，可见规格之高。这次，尚小云共收了35名徒弟，其中包括三名京剧演员，其他32人，分别来自秦腔、阿宫腔、碗碗腔、弦板腔、郿鄠戏、豫剧、评剧、越剧等九个剧种，隶属西安市、富平县、大荔县、乾县等地11个剧院和剧团，最大的35岁，最小的只有17岁。

仪式上，宣传部副部长方杰、文化局局长鱼讯在发言中，既祝贺尚小云桃李满秦川和尚派艺术在古都长安开花结果，也勉励学生在发扬本剧种优秀艺术风格的基础上，扎扎实实地学习尚小云的表演经验，提高表演水平。自然地，尚小云也讲了话。他说，解放前虽然也收过许多徒弟，但那时感动他的只是师徒之情，而今天，温暖他的心并给他以鼓舞和力量的，“是党和毛主席文艺方针的阳光”。最后，他风趣地说：“收了这么多徒弟，真有些‘好为人师’。不过，我一定要做到不仅‘好为人师’，而且要‘为人好师’，在又红又专的道路上，和学生们共同前进。”同时，他也公开了他的授徒计划：对于三名京剧演员，他将分别传授尚派拿手好戏；对其他32个徒弟，他将在让他们保留各剧种独特风格的原则下，帮助他们加工保留剧目和有重点地排练几折戏，也准备向这批徒弟集体传授他的表演程式、身段等纯技术上的经验，以丰富他们的表演。

1962年11月7日，又一个“尚小云收徒传艺大会”在山东济南举行。主办的是山东省委宣传部和省文化局。在这个大会上，他又收山东地区11个剧种的40个青年演员为弟子，其中有山东省京剧团青年演员刘碧、张玲、高明华等。在拜师仪式前，他在济南举办了一个有八十余人参加的传艺学习班。也就是在这次讲学中，他留下了一份长达10万字的关于戏曲表演的讲稿。

在这份题为《我赴山东教学的讲稿》中，尚小云详细论述了四功（包括唱功、做功、念功、武功）、五法（包括口法、手法、眼法、身法、步法）、水袖和戏曲演员的修养（包括基本功修养，文化修养，绘画，书法修养，观察体验修养，身体保养，尊师修养等），以及《乾坤福寿镜》、《汉明妃》，特别是《失子惊疯》、《昭君出塞》的演出经过。从讲稿的内容可以看出，它涵盖了尚派表演艺术的方方面面，也包含了尚小云五十余年演艺生涯的表演体会。可以说，这样一份记录了尚小云艺术思想和表演经验的讲稿，是对尚派表演艺术的一次全面理论总结。

1963年年初，尚小云又应邀赴贵州和广西讲学。当他抵达贵阳时，全省各州、市、县的京剧、评剧、川剧、越剧、豫剧、湘剧、黔剧、花灯戏等三十多个戏曲团体以及省戏曲学校京剧班、黔剧班的演员、学员等共有103人，聆听了尚小云的讲学传艺。这次，尚小云又收弟子50人，其中有贵州省京剧团的青年演员刘映秋、王秋芳、衡云霞等。

尚小云的这次讲学内容，与《我赴山东教学的讲稿》在内容上有相似之处。有意思的是，他在讲课开始时，首先赠给学员们“三

⊙尚小云弟子周百岁

块牌”，作为见面礼。

第一块牌是“思想解放牌”。他说他拥护党的“推陈出新”的文艺方针，认为旧戏曲必须改革、创新，要开出社会主义的花朵，思想保守就出不了《白蛇传》、《梁红玉》、《十五贯》、《将相和》等优秀改编剧目。这其实正是他在解放初期的思想基础。正因为有这样的认识，所以他支持戏改而积极参与戏改。同时也说明，他自己就是个不守旧、勇于接受新生事物的思想解放的人。

第二块牌是“学习永久牌”。他强调，学习重在持久，不但要学本行当的技艺，也要吸取别的行当的精华；不但要学习戏曲本身，也要从舞台以外的其他艺术门类中收集养料，比如学习绘画、书法，能弹琴、擅下棋等。简单地说，学问无穷，永远学不完。戏曲又是综合性的造型艺术，就更应该多方面的、持久性地学习。为此，他列举程砚秋成名后还天天调嗓、盖叫天成名后还每天练功为例，其实，他自己又何尝不是如此呢。

在尚小云六十多岁的时候，有一次到昆明讲学、演出，住在国际旅行社。旅行社的服务员发现一个很奇怪的现象：尚小云常常外出回来后，不回房间休息，而是一个人躲在会议室里。他进去后不久，就听见从屋里传来咚咚咚急促的脚步声。过了一会儿，尚小云出来了，脸色红润，汗流浃背。好奇心驱使，服务员终于忍不住从门缝向里偷看，看见尚小云先运气凝神，随后便跑起了圆场，越跑越快，越跑越急，粗粗数数，足有几十圈。突然，又见他转过身来，反向跑起来又是几十圈。这下，服务员明白了，他这是在练功呢。原来，尚小云有一个习惯，雷打不动坚持了几十年，无论是在北京还是到外地演出，从不间断，那就是在晚上临睡觉前，一定要跑30个正圆场、30个反圆场。

第三块牌是“工作无敌牌”。他从人生总是磕磕碰碰、不顺心事十之八九这个角度，告诫学员们：要相信勇气是能够战胜一切困难的。他又说，主观上的困难，比如生理条件欠佳，可以取长补短，加以弥补；客观上的困难，比如没有遇到好老师，或者老师教的不好，也可以用自己的勤奋加以克服。

这三件见面礼，不是物质的，是精神的，足以让学员们受益无穷。

这段时期的收徒、讲学，让尚小云的生活紧张而又充实，也让他的心情愉快舒畅。之前，包括解放前的为吃饭而唱戏，到解放后的为工农兵服务而全国巡演，如果用一个字概括，那就是“唱”。他在不断的艺术实践中，实践着他的艺术思想，却从来没有时间和精力将实践上升为理论，这是缺陷，也是遗憾。如今，他通过这样的方式，表面上看是在各地传授技艺，实则是在进行理论总结，这对于保留和延续、发扬和光大作为旦角流派的尚派艺术，当然是极有意义的。

另外一个方面，他在收京剧以外其他剧种演员为徒时，也有意识地从京剧其他流派以及其他剧种中吸取经验和精华，然后为我所用。《双阳公主》的创作，就是他从同州梆子戏中产生的灵感；他还将秦腔剧种的“二流板”唱腔板式运用到京剧的“西皮二流”板式中。当陕西乾县弦板腔剧团到西安演出时，他兴致勃勃地前往观看由著名弦板腔演员刘智民、杨巧言、张小萍演出的《取桂阳》。他参与为演员们化装，然后撰写了《引人入胜的弦板艺术》，探讨了男女同声同调的问题，总结了舞台美术、布景、音乐等方面的经验。总之，在他看来，讲学、授徒，并非是他一味付出和贡献，其实他也有收获。或许，这正印证了他是个真正的“活到老，学到老”的“永久牌”学习型的艺术家。

拍摄电影艺术片

在京剧演员中，有更多机会拍电影的，是梅兰芳，他甚至在中国电影史上都占有一席之地。他虽然不是最早拍电影的人，但却是第一个拍有声电影（《刺虎》）、第一个拍彩色电影（《生死恨》）、第一个拍全景电影（《宝镜》）、第一个拍个人艺术电影纪录片和第一个拍彩色戏曲片（《梅兰芳的舞台艺术》）的人。他也是拍电影最多的戏曲演员，早在1920年的时候，他就拍了他第一部电影《春香闹学》，接着是《天女散花》、《上元夫人》、《廉锦枫》。在他于1961年去世前，还和著名昆曲小生演员俞振飞合作拍摄了《游园惊梦》。

梅兰芳最早拍电影时，目的很简单，那就是能在银幕上看到自己的表演，从而弥补戏曲演员“在舞台上演出，永远看不见自己的戏”的遗憾。但是，艺术纪录片《梅兰芳的舞台艺术》的拍摄，已经不再只是满足他自己对电影的爱好了，而有了更深层次的社会意义和价值。它不但用以总结梅兰芳个人的演艺生涯，更有展示梅派艺术、全面介绍京剧旦角表演艺术、宣传中国传统文化的功能。

起意拍摄《梅兰芳的舞台艺术》的，是中央电影局。导演吴祖光在完成该片的拍摄后，又接受周恩来亲自下达的任务，为程砚秋也拍摄一部纪录片。周恩来不但提议，更参与策划和安排具体拍摄内容。《梅兰芳的舞台艺术》分上下两部，除了介绍梅兰芳的生活外，另外拍摄了梅派的五部戏，即《霸王别姬》、《宇宙锋》、《贵妃醉酒》、《洛神》、《断桥》。在周恩来的直接过问下，《程砚秋的舞台艺术》只选取拍摄程派代表剧目《荒山泪》。

这两部艺术纪录片完成于50年代中后期，那时，尚小云还没有

⊙尚小云在《尚小云舞台艺术》拍摄中试镜

迁居西安，还在全国进行巡演。从他内心来讲，他对梅、程是羡慕的，有谁不希望自己的表演艺术被记录下来，流传后世呢？但是，这样的机会，没有垂青于他。在他到西安以后，受《梅兰芳的舞台艺术》和《程砚秋的舞台艺术》两部艺术纪录片的影响，陕西文化部门也有意为尚小云拍摄一部这样的艺术片。首先，由陕西省文化局向中央文化部递交了申请报告，建议立项。然而，这个时候，自然的、人为的因素造成国家经济处于极度困难之中，尚小云不免有些担心，在这样的情况下，文化部是否会批准拍摄计划。

令他意外的是，1961 年 7 月的一天，陕西省文化局局长鱼讯、副局长罗明、西安电影制片厂导演桑夫一起走进了菊花园尚小云的家。一见面，鱼讯局长就紧握尚小云的手，激动地告诉他，文化部已经下达文件，同意为他拍摄一部艺术纪录片。为此，国家财政拨款一百万元。听到这个消息，尚小云喜不自禁，不仅仅为了梦想终于得以实现，也为他被重视、被尊重。可以想见，此时，他也会为自己当初选择到西安而感到庆幸。陕西方面对戏曲事业的确倾力扶持，对像他这样的艺术家，的确很爱护。

随即，省文化局、西安电影制片厂和尚小云、导演桑夫、艺术顾问崔嵬就拍摄的具体事宜进行商议和研究。最初，桑夫导演提出了两个拍摄方案：

一、拍一出

全剧，相当于程砚秋的《荒山泪》；

二、精选尚派剧目中的精彩片断，合成一辑。

作为尚小云来说，他当然希望能拍全剧，而且不限于一出戏。比如，《摩登伽女》、《乾坤福寿镜》、《汉明妃》、《北国佳人》、《墨黛》、《梁红玉》、《双阳公主》等，他都想将它们完整地记录成影像。但他也知道，这是不可能的，因为经费有限。所以，如果要拍摄全剧的话，他只能选择一部。于是，他将范围缩小到《乾坤福寿镜》、《汉明妃》。但是，无论选择其中的哪一部，舍弃另外一部，都将会留下遗憾。况且，一部戏也难以全面概括尚派艺术特点。

讨论来研究去，时间滑到了秋天。为了最终确定拍摄剧目，省文化局、陕西省京剧团联合组织了一次尚派剧目的演出。尚小云亲自演出了传统老戏《汾河湾》的片断，《汉明妃》、《梁红玉》等戏，则由尚派学生主演。演出结束后，大家畅所欲言。渐渐地，态度明朗起来，倾向于拍摄《乾坤福寿镜》中《失子惊疯》和《汉明妃》中《昭君出塞》的，占了绝大多数。前者，最能显现尚小云深厚的表演功底和水袖功夫；后者，是尚派艺术文戏“武”唱的典型。

剧目确定后，接下来就是演员的选择。若说演出尚派戏，最拿手的，当然是尚在北京的尚小云剧团的演员，他们曾经与尚小云南征北战，合作演出过无数场次，早已深谙尚派戏精髓，彼此也有很深的默契。至于两出戏里的重要角色，如《失子惊疯》里的丫环寿春、金眼豹，《昭君出塞》中的王龙、马童，该由谁来扮演呢？尚小云一时拿不定主意。还是尚长荣爽快，提议请回大哥尚长春、二哥尚长麟。寿春一角，由唱旦角的长麟扮演，最好；马童一角，由唱武生的长春扮演，最佳。至于金眼豹，当然是唱花脸的长荣担当了。

这个时候，尚长春、尚长麟分别是佳木斯京剧团、山东京剧团挑大梁的主要演员。当他们接到父亲邀请参与拍摄《尚小云的舞台艺术》的信后，立即分别给父亲回了信，明确表示他们各自所在的剧团都很支持他们回到西安，助父亲完成拍摄任务，他们自己也将随即动身到西安，全力配合父亲。

接到两个儿子的信，尚小云心中的喜悦甚至超过了拍电影本身。自从50年代初尚剧团被一分为二，长春、长麟率新宁京剧团分出去以后，他们父子已经将近十年没有合作过了。如今，他又可以与三个儿子同时演出了。这样的机会，难得又珍贵，他的高兴与喜悦，是自然的了。

除了尚氏昆仲外，另外加入剧组的，还有尚剧团的老生方英培，在《失子惊疯》里饰演林鹤；中国京剧院的丑角演员、名丑萧长华的儿子萧盛萱在《昭君出塞》中饰演王龙。为了邀请萧盛萱，尚小云特地嘱托尚长荣到北京，面见中国京剧院的阿甲院长，恳请暂调。然后，尚长荣又登门拜访萧长华。无论是阿甲，还是萧长华、萧盛萱，听说是为了拍摄艺术纪录片的事，都满口应允，绝无二话。萧长华更说，什么时候让他去，发个通知就行。

至于尚剧团的演职员们，也都忙开了。尚富霞和剧团协理员萧英频繁往返于北京、西安之间，协调乐队、舞美、音乐、剧务、龙套演员等各方面的事宜。最终确定，琴师由荣春社的毕业生、后来一直为尚小云操琴的李荣岩担任；二胡由梅兰芳的姨父、也曾长期担任梅兰芳琴师的徐兰沅的三儿子徐振林担任。除此，石家庄京剧团奚啸伯的鼓师宋宝林担任司鼓，笛子白宗浩，摄影指导连城，摄影凌宣，美工艾农、王非，音乐编辑李耀东，录音陈于旦，剪辑于莹，化装李恩德，副导演刘斌、宋庆云，照明徐凤文，导演助理姚守岗，特技摄影宋国毅，特技设计孙超德，剧务主任陈新。

在正式拍摄之前，尚小云考虑到京剧唱词中不可避免会有水分的问题，请编剧林金培执笔将所有唱词一一进行了修改，以使其更加精练。然后，又对布景进行了反复推敲。接着，演员试装、试镜、排练、进棚录音（当时拍电影不是同步录音）。从冰封大地一直到春暖花开，终于迎来了正式拍摄的日子。

那个时候，拍摄工作的辛苦、生活的清苦，是可以想见的。筹备阶段正值寒冬，摄影棚里没有取暖设备，即便是尚小云，也没有特殊待遇，和其他演员一起，哆嗦着，在棚里试镜、试装、排练。饮食上，因为经费有限，大家很少见荤，以素食为主，早上三毛钱，中、晚各五毛钱的标准。尚夫人王蕊芳善良，心又软，常常煮些鸡汤之类的送去摄影棚，犒劳大家。她还时常邀请演职员们到家里来，亲自下厨，给他们改善伙食。其实，当时的尚家已不再大富大贵，客观条件限制，她也只能给每个人做一碗炸酱面。

有一次，尚富霞开玩笑，对王蕊芳说："嫂子，您怎么又给我们吃炸酱面啊？"王蕊芳也回了一句玩笑："你不想吃炸酱面了？敢情你肯定去过'老孙家'，吃过羊肉泡馍了。"大家随即起哄，有的说："好呀，尚五叔背着我们，去'偷'吃羊肉泡馍了。"有的说："难怪尚五叔红光满面的呢。"一番七嘴八舌，说得尚富霞红着脸，急急地申辩。大家就在这玩笑中，仿佛嗅到了羊肉泡馍的香气。意念中，似乎已经吃到了羊肉泡馍。

4 月 22 日，正式开拍了。尚小云每天的工作日程是，下午 2 点多开始化装、排练， 7 点左右进棚拍摄，半夜 12 点以后结束当天的拍摄任务。虽然一天的拍摄时间长达几个小时，但实际上却只能拍摄几分钟的内容。很快，天就转暖了，摄影棚里的灯光全部打开时，犹如一只巨大的火炉，烘烤着"全副武装"的演员们。更多的时候，他们化着彩装，穿着厚重的戏服，等着上场，往往一等几个小时。

尚小云仍然没有特殊待遇，一样裹着戏服、戴着假发，耐心地等着。有的时候，他说笑话给大家听，以此消解无聊。他还不时地用扑粉沾去脸上的汗珠，或用甘油涂抹翘起来的假发。这个时候，他甚至不能坐下，因为怕坐皱了戏服，影响了拍摄效果。谁都知道，此时的尚小云，风湿性关节炎正发作着，劳累、辛苦，又总也得不到休息，他的脚就一直肿着，无法消退。

拍过电影，尚小云才知道，戏曲演员在舞台上面对观众演出，和面对摄影机唱戏，是完全不同的概念。在舞台上，演员穿着厚实的戏服，脸上有浓重的油彩，观众离得远，也看不清楚他脸上的皮肤。摄影机却是铁面无情的，它甚至能将演员脸上的细细皱纹暴露得清清楚楚。这对年逾六旬的尚小云来说是个麻烦。他演的是谁？是美丽绝伦的王昭君。试镜时，这个问题一度让他非常苦恼。

令他感到意外的是，在化装师的巧手下，从影像中他的脸上，看不到岁月印刻的痕迹，他似乎就是年轻的王昭君。原来，化装师李恩德在传统戏曲化装的基础上，特别采用了“塑形化妆”的新技术。其他方面，比如镜头切换、镜头跳跃、主观镜头等，都让尚小云感觉神奇，也就很自然地爱上了电影这门新的艺术门类。

不过，当导演一次次喊“停”，一个镜头一遍遍重复时，尚小云不免筋疲力尽、头昏脑涨，因此惹出不少笑话。刚开始实拍时，他相当紧张，在他面前的，毕竟是无人性的机器镜头，而不是会鼓掌会喝彩的观众，他有些不知所措。随着导演一声令下：“开始！”他以他坚实的武功底子，一个箭步冲到摄影机前，也不等事先录好音的录音机发声，他就自顾自地唱了起来。导演连忙喊“停”，他却入了戏，一时刹不住，连续唱了好几句，才终于停下来。

一个返身亮相的镜头，拍了多次，导演总也不满意，不是嫌时间不对，就是怨距离不好。就这样，导演一会儿“开始”，一会儿“停”，尚小云不得不跟着一会儿开始，一会儿停，反反复复。当导演又一次喊“开始”时，被折腾了半天的尚小云突然高喝一声：“咚咚呛！”——他将锣鼓点当作戏词“唱”了出来。于是，在一片笑声中，他又得重来。有次他幽默地对导演说：“你们这里可真是锻炼性格、培养耐心的好地方啊！”

拍摄工作持续了一年，整个过程，艰难单调自不必说，其中也充盈着快乐。尚小云面对困难时所表现出来的坚韧、耐心、乐观和幽默，一直感染着剧组成员。对于他来说，《尚小云的舞台艺术》的拍摄，使他多了一份人生体验，也给了他与三个儿子合作的机会。父子四人同时参与一部电影的拍摄，这在电影界、戏曲界，都是前所未有的；对于中国戏曲来说，这部艺术片记录了尚派表演艺术，凝结了中国传统京剧文化的精华。无论是从个人价值的实现，还是从中国戏曲艺术的传承来说，它的意义，是显而易见而又非凡的。

1963年，该部电影在全国公映。仅仅过了三年，它就被打入冷宫，不见天日达十多年。直到1979年，它才得以恢复上映。为此，陕西省文化局的领导公开这样评价尚小云："尚小云先生是我国有名的京剧表演艺术家，在文化大革命中同样遭受林彪、'四人帮'的迫害……尚小云先生解放以来，积极靠拢党，拥护社会主义，以他精湛的表演艺术为社会主义服务，作出了积极的贡献。"然而，这样的声音，来得太晚，这个时候，尚小云已经去世三年了。他听不到历史对他的公正评价，也再不能重睹他拍摄的人生中唯一一部电影了。

出任陕西京剧院院长

当初，尚小云离开北京去西安，是为了支援西北地区的戏曲建设。正如北京方面所希望的那样，"北京西安一边一半"，他仍然还是尚小云剧团的团长。但是，他迁居西安，客观上也无暇顾及尚剧团的具体事务。这也使得北京市文化机关颇为不满，所以才会在一份报告中这样说："按照我们早先的意思，希望尚小云能把主要精力放在尚剧团，把剧团办好。这几年，他的名利心切，一直没有这样做，即使他到北京来，也无心过问尚剧团。"

有关方面此时的"全国一盘棋"、"山前山后都是人民公社的田"的观念不知到哪儿去了，不仅不体谅年届花甲的尚小云两头兼顾的实

⊙《尚小云舞台艺术》剧组全体成员合影

际困难，而以一句语焉不详的“名利心切”来指责，委实有些不公。

戏改中的“改制”，开始于解放初期，到50年代后期进入高潮。尚小云将福荣社改为尚小云剧团，实际上就是响应改制的号召。尽管解放前的福荣社与解放后的尚小云剧团，在体制上有了一些变化，比如，福荣社是班主制，而尚剧团属于民间职业剧团，是共和制，但是，从性质上来说，尚剧团与福荣社有相似之处，都属于民营。也就是说，自谋生路，自负盈亏。

1956年，在全国范围内兴起的农业合作化、手工业私营工商业社会主义改造，简称公私合营的热潮，也波及到了戏曲界。剧团呼吁由私营改国营，艺人们对“艺人”的身份和称谓感到不满，也要变身为国家干部。正如有一个女演员所说：“我们要求国营，不是向国家要钱，而是希望政府派人帮助我们办好剧团，加强政治学习，有机会参加一些运动，如‘三反’、‘肃反’，以更快地提高我们的思想意识。”也就是说，要求国营，要求成为干部，其实是要求进步的表现。在这种情况下，尚小云剧团向组织上递交了要求国营的申请书。

作为北京市文化行政机关，他们对于剧团国营化，将剧团、艺人纳入统一管理，也是很乐意的。在他们看来，将民间剧团改为国营，无论在政治上，还是在经济上，都有益无害。从政治上说，他们认为，“戏曲和其他文学事业一样，不应成为私人营业性事业，它是一种思想武器。戏曲过去在人民中起过移风易俗、影响人民思想意识的作用，今后还会发挥这种作用，特别是由于戏曲艺术具有受人民喜爱的通俗易懂的形式，因而宣传的力量很大。专业戏曲团体应该成为党和国家领导的国家剧团，使它更好地成为教育人民的工具。”从经济上说，他们觉得，“如果将一部分有保障的剧团改为国营，剧团本身即可以供给管理干部的开支，即可解决干部编制问题。”

北京是京剧的发祥地，在解放前，京剧名家荟萃、京剧班社云集。在50年代，北京的剧团，除了尚小云的尚小云剧团以外，尚有梅兰芳剧团、程砚秋剧团、荀慧生剧团，以及马连良剧团、谭富英剧团、张君秋剧团、裘盛戎剧团、赵燕侠剧团、李少春剧团、李万春剧团等。戏改的时候，在梅、程、尚、荀四大名旦的剧团基础上，成立了北京市京剧团。在谭富英、裘盛戎剧团的基础上，成立了北京市京剧二团。在张君秋剧团的基础上，成立了北京市京剧三团。之后，北京市京剧团分别成立了梅兰芳京剧团、程砚秋京剧团（在程砚秋于1958年3月去世后，改称为北京市青年京剧团）、荀慧生京剧团、尚小云京剧团。

尽管剧团国营化是大趋势，符合整个社会的改制需要，北京的文化行政机关的理由也很充分，但北京市的文化主管部门出于综合考量，并没有立即批准大规模的剧团国营化，而是认为，走合作化道路，更理性更明智，更符合形势的需要。

在这样的思想原则指导下，政府有关部门出面，将部分剧团进行整合、调整：马连良剧团和北京市京剧二团合并，成立了北京京剧团，由马连良任团长，谭富英、裘盛戎任副团长。剧团性质，由民营自助改为民营公助，并配有辅导员，最初由高乐春、张仲杰担任，后增派栗金池、叶德霖协助工作。代表政府参与管理，是辅导员的职责。这便是民营公助与民营自助的最大区别。从此，北京的戏曲团体，形成国营（即梅兰芳任院长的中国京剧院）、民营（即像尚小云剧团这样的民间职业剧团）、民营公助多种经济体制并存的格局。

尚小云剧团和梅兰芳剧团等戏曲团体真正实现国营，是在1959年年底到次年年初。这个时候，尚小云刚刚离开北京去了西安。在国营期间，有关部门又对几大剧团做了一些调整。比如，因为程砚秋已经去世，对于程砚秋剧团的处理，是将程派弟子赵荣琛留下，为了让他继续传承程派艺术。然后将李元春兄妹的北京青年京剧团划归程剧团，仍取“北京青年京剧团”之名，并实现国营。在剧团工作方针上，取文武并重、赵李并重的原则。

又比如，中国京剧院建院时，下设四个演出团：一团的主要演员是李少春、袁世海、叶盛兰、杜近芳等；二团的主要演员是李和曾、张云溪、张春华、云燕铭等；三团的主要演员是李宗义、叶盛兰、李慧芳、王泉奎等；四团原由解放军总政治部京剧团组成，主要演员有李鸣盛等。1958年，为支持少数民族地区的戏曲事业建设，四团划归宁夏，另组成以中国戏曲学校京剧科应届毕业生为主要力量的新四团。这次调整，就是将三团补充到梅兰芳剧团，使梅剧团的力量和阵容有了很大充实。起初，原梅剧团的人认为，“这是党对梅派的重视”。然而，谁都没有意识到，此举却有无穷后患。

各剧团内部的重重矛盾随即显露。以青年剧团为例，国营后，李元春和赵荣琛在以谁为主的问题上争论不休，“赵李并重”的工作方针始终得不到落实。至于梅剧团，也是同样的问题。原梅剧团成员和原中国京剧院三团演员之间的合作也不甚融洽。人员之间的不能协调，实际上是流派之间的不能相融。在一个剧团里，有两个以上的流派，谁主谁辅，就是个很大的问题，而且难以调和。正如梅兰芳剧团中原三团旦角演员李慧芳所说：“梅剧团有（梅）葆玖，何必要我？”武丑叶盛章所说：“在三团还可以有我叶派，到了梅剧团，武丑便无用武之地了。”尽管组织上尽力协调，矛盾未曾激化，但流派与非流派的合作关系无法得到彻底解决。有人因此直言，将三团并入梅剧团的决定，本身就是错的。

尚小云剧团其实并不存在流派之间的矛盾、人员之间的不和。它的问题，关键在于尚小云的不在。按照北京市文化部门的说法，尚剧团其实已经“名存实亡”。这个名存实亡，不仅仅因为尚小云的不在，也包括尚剧团没有实实在在的尚派继承人。比如，尚剧团的童葆苓，唱的却是荀派戏。尚剧团有一次到外地演出，唱的都不是尚派戏，倒是当地的主办剧团唱了两场尚派戏。对此，观众们的意见很大，纷纷呼吁：既然是尚小云京剧团，就应该有尚小云，哪怕有尚派当代的演员或尚派弟子也可以，唱的也应该都是尚派戏。否则，岂不是“用月盛斋的牌子卖凉货”？

因为如此，剧团国营后三年，不得不进行重新整顿。1963年7月，北京市文化部门经慎重研究后，检讨梅、尚、荀、青年四个京剧团所暴露出来的问题，承认“在政治上使我们很被动，业务上不能做到继承和发展，经济上又赔亏，既不能体现党的文艺方针，也失去了工作的意义”，因此，他们觉得，这样的局面不能再维持了，而要采取有效措施，进行彻底整顿。

整顿工作分为两个部分，一是新建制，二是人员重新安排（梅兰芳已去世）。

关于新建制：将梅剧团、尚剧团、青年剧团，以及已经改制的荀剧团（前一年，经申请后，由国营改为集体所有制）的牌子摘下，将此四个团合并成一个团，取名“北京京剧二团”，分成两个演出队，集中各团的骨干力量，建立一个领导核心。原属四个剧团的不动产，如中和排练场、吉祥剧场、中山公园音乐堂、圆恩寺影剧院，或做新团宿舍，或划归北京市属，或由新团使用；原属四个剧团的物资和演出器材，清点造册，上缴、封存，视需要交由新团使用。

关于人员安排：

一、与四大名旦合作过多年的老艺人，能教戏的，安排到戏校教戏；不能教戏的，安排到戏曲研究所；符合退休条件的，退休。

二、对一些在继承流派方面有成就，又有后续发展前途的，如程派的赵荣琛、梅派的梅葆玖等，留在新团；对一些行政业务干部和少数业务人员，分别分配到北京京剧团、实验京剧团、市戏校，以及河北省、天津市、张家口等地剧团；对于其他不能演戏的，或者业务能力比较弱的，动员他们转行。

三、原四个剧团有行政职务的人员，包括团长、副团长、政治协理员等，按人事任免手续将原职务免除。

四、对于最重要的两个人荀慧生、尚小云的工作安排。调荀慧生到北京市戏曲研究所任所长，级别是文艺1级。同时，任命他兼任新组建的北京京剧二团艺委会主任，每月兼薪250元，其夫人张伟君任艺委会委员。

至于尚小云，则由陕西省方面做具体安排。北京市文化局在给陕西省文化局的一份函中，有这样一句话："尚先生留在你省工作……我局已向我市领导汇报，对尚先生的工作，我市不另作其他安排。"与此同时，尚小云的人事档案材料，随函一并移交给了陕西省文化局。这也就意味着，尚小云在"借调"四年之后，将正式由北京调入西安。他不再只是对陕西的戏曲工作进行指导，而成为陕西戏曲工作者之一了。

对此，尚小云的态度是怎样的呢？从他给北京市文化局领导的一封信中，可以感知。在信中，他这样说："……个人完全同意领导意见。(剧团）合并之后，更希望发挥集体智慧，不断提高艺术质量，在政治上真正能够成为全心全意为人民服务的一支文艺队伍……"这个时候，陕西方面正在筹建陕西省京剧院，京剧院筹备处主任正是尚小云。所以可以想见，他对组织上的工作安排的"完全同意"，并非虚言，更不可能是违心之言。

但是，在外人心目中，这样的工作调动，对于尚小云来说，并没有更多的利益上的好处。北京，既是尚小云的家，也是首都，是政治文化中心。西安，只是西北的一个城市而已。尽管陕西方面无论在政治上还是在生活上，给予尚小云的待遇都很优厚，也很实在，然而这毕竟是以离开故土、远离首都作为代价的。这样的代价，在许多人看来，是不值得的。甚至有些人偏激地认为，这不是正常工作调动，而是"发配"。既然如此，尚小云也一定会心存不满，而且

⊙尚小云与陕西地方剧种的青年演员在一起

也不可能甘心。因此，当9月底尚小云拟回京时，北京、西安两地的有关人士，对他“回家”的举动都不免有些紧张。北京方面担心他“来了不走”，西安方面又恐怕他“去了不回”。于是，双方都派人对尚小云回京后的日程安排进行详细了解。

尚小云此次回北京，理由是国庆观礼，顺便探亲访友，也做工作汇报。他在给陕西省委宣传部、组织部、统战部及省政协、省文化局的信函中表示：《尚小云的舞台艺术》一片已近扫尾，趁此空闲，拟回北京参加国庆观礼，并“向首长汇报工作”。临行前，他又分别到以上五个部门向领导们辞行。领导们对他回京后是否还能回陕可能也有些担心，便明确对他说，希望他观礼后，能在10月10日左右返回西安，商量陕西省京剧院建院的具体事宜。更有领导对他明确说了这样一句话：“希望您能在陕西省安家落户。”

不仅如此，就在尚小云准备动身前往火车站前，省委又电话通知尚小云，说他回京后的一切事宜，包括住宿、交通等，都由陕西省负责。事实上，尚小云刚刚走出北京火车站，就被正在北京开会的陕西省文化局电影处处长接到了民族饭店。在这之前，尚小云原打算住在自己在北京的家里的，而且事先还通知了尚剧团，请他们派人做好房屋的清洁工作，并联系好交通工具等。

北京方面也密切关注尚小云回京动向。他们惊讶地发现，尚小云此次返京并非单身一人，不但有夫人随行，而且还托运了许多家具，包括他的戏箱、沙发、地毯，甚至他夫妇在西安的床铺。他这是要干什么？难道是有意将家重新搬回北京？他们更发现，尚小云当初去西安时，他的新油漆的戏箱颜色，与陕西省戏曲学校的戏箱颜色是一样的；这时，他的戏箱颜色，却与尚剧团的戏箱颜色是一样的。这说明什么？有人想当然地以为，戏箱颜色的不同，表示尚小云不同的心情和不同的决心。当他将戏箱颜色油漆得和陕西戏校戏箱一样时，显示他立志为陕西的戏曲事业奉献自己；当他改变戏箱颜色，与尚剧团的戏箱颜色一致时，是否表示他有重返尚剧团、重振尚剧团的意思呢？

然而，各方人士的担忧、紧张、顾虑都是杞人忧天。他们对尚小云行为的关注也是白忙活一场。尚小云非但没有就此留在北京，而且于10月底正式办理了调动手续。有人说，他连户口也迁出了北京，迁到了西安（实际上，据尚小云之子尚长荣回忆，尚家户口是在“文革”期间被强行迁出的）。从此，尚小云不再是“北京西安一边一半”了，西安，成为他的“全部”。不过，北京市文化局领导在给尚小云的一封信中，诚恳表示：“北京市的戏曲工作，需要您协助指导之处很多，希望今后多联系。”尚小云由当初负责对陕西的戏曲工作进行指导，转变为对北京的戏曲工作进行指导了。

当年12月，尚小云当选为陕西省政协第三届委员会常务委员。1964年1月，陕西省京剧院正式成立，尚小云出任首任院长。由他亲自点名，他的老伙伴、解放前的名角儿、有“五大名旦”之一之称的徐碧云出任副院长。北京，就这样离他越来越遥远了。之后他得以重返北京他的“家”，已经是“文革”后期了。说是回家，其实在北京，他已经没有物质意义上的家了。物换星移，人事沧桑，别有一番凄楚在心头，那种隐痛、那种抑郁，挥之不去。

艺术指导京剧现代戏

60年代的政治气候变化多端，对剧团的整顿，以及诸如尚小云由北京调干到西安这样的人事调整，便是其中的表现形式之一，这是人在政治环境中的无可奈何。它对戏曲本身也有很大影响。尽管始于1948年的戏改到1962年时，已经改了十多年，但是，毛泽东对文艺界现状（包括戏曲）仍然非常不满。当年12月12日，他在中共中央宣传部文艺处编印的一份关于上海市委第一书记柯庆施大抓故事会活动和评弹改革的材料上，这样批示道：

> 各种艺术形式——戏剧、曲艺、音乐、美术、舞蹈、电影、诗和文学等等，问题不少，人数很多，社会主义改造在许多部门中，至今收效甚微。许多部门至今还是“死人”统治着。不能低估电影、新诗、民歌、美术、小说的成绩，但其中的问题也不少。至于戏剧等部门，问题就更大了。社会经济基础已经改变了，为这个基础服务的上层建筑之一的艺术部门，至今还是大问题。这需要从调查研究着手，认真地抓起来。
>
> 许多共产党人热心提倡封建主义和资本主义的艺术，却不热心提倡社会主义的艺术，岂非咄咄怪事。

这番言辞尖锐激烈，批评力度很大。简言之，他的不满，在于两个方面：一、许多文艺部门至今还是“死人”统治着；二、共产党人是提倡封建主义、资本主义的艺术，还是提倡社会主义的艺术？其中的一句话，“戏剧等部门，问题更大”，对包括京剧在内的戏曲界，具有相当威力的杀伤力。从京剧来源于封建时代，京剧舞台上充斥着“帝王将相、才子佳人”这个角度出发，京剧似乎的确是被“死人”统治着。因此，“问题更大”，便是自然的了。

在毛泽东“语录”是最高指示的时代背景下，他对文艺界的不满和对戏剧部门的批评，引起的震动，是可想而知的。随即，中央文化部对解放以来的文艺工作，在自我检查和自我反省的基础上，开始大规模地整风。不论毛泽东对文艺界的评价是否公允，“死人统治”这样的定论是否恰当，尽管文艺界人士对此也有很强烈的抵触情绪，但是，由此带来的影响还是不可避免地弥漫开来。

江青和上海第一书记柯庆施趁此机会，大骂文艺界“毒草丛生”，并号召“大写十三年”(即建国以来的十三年)。与此同时，江青紧锣密鼓地进行着她的“京剧革命”。于是，编演现代戏，成为潮流，成为主流。在继话剧、地方戏纷纷编演现代戏之后，京剧界也开始效仿。特别是文化部要求各地编演现代题材的京剧准备参加全国会演的文件下达后，京剧舞台一夜之间改变了“死人统治”的局面，而代之以看似生命力勃发的“活人”新气象。

各地京剧团体积极行动起来，响应党的方针政策，编演了一大批现代戏，其中有《革命自有后来人》、《红灯记》、《芦荡火种》、《奇袭白虎团》、《红嫂》、《节振国》、《黛诺》、《智取威虎山》、《草原英雄小姐妹》，以及中国京剧院的《白毛女》、《林海雪原》；张家口京剧团的《八一风暴》；宜昌市京剧团的《茶山七仙女》；云南京剧院的《多沙阿波》等。到1964年6月，全国京剧现代戏观摩演出大会在北京举行时，现代京剧戏目完全占据了京剧舞台，也将京剧编演现代戏的活动推向了高潮。

就西安文艺而言，也有不少演出单位紧跟形势，演出了一批反映现实生活的新戏，如《年轻的一代》、《迎春花》、《红梅岭》、《蟠桃园》、《赵梦桃》、《三世仇》等。身为陕西省京剧院院长，尚小云不可能不对此有所反应。虽然他对江青“京剧革命”的政治目的是不甚了解的，对全国范围内大规模编演现代京剧的现实背后所隐藏的政治因素，也不可能非常明晰，但是，主张戏曲不断创新，拥护“推陈出新”，是他一贯的艺术思想和艺术追求。就在毛泽东的那篇“批示”之前两个月，尚小云公开发表文章，畅谈他对“推陈出新”文艺方针的认识。在这篇题为《谈谈京剧的推陈出新》的文章中，他这样写道：

> 戏曲艺术的发展过程，实际上就是推陈出新的过程，要没有推陈出新，也就不会有什么发展。以京剧来说，它的形

成只有二百来年的历史，在这二百多年里，它发展到现在这样比较完整的程度。我们试看看前辈成名的演员，不论是生旦净丑，没有一个人是墨守成规而为人所推崇的。不管是程长庚、胡喜禄、龚云甫、余三胜，还是谭鑫培、王瑶卿，或者杨小楼、梅兰芳，他们都是由于对京剧的表演、唱腔或其他方面有所革新独创，才享有盛名的。这说明我们戏曲艺术永远是在向前发展着。

这或许可以作为他并不反对编演现代京剧的思想基础。对于当时普遍存在的"京剧无法也不能表现现实"的说法，他说那"是一种保守落后的懒汉思想"。当然，他也承认：任何比较成熟的戏曲剧种要表现现实，都会遇到传统表演程式和新内容的矛盾问题。因为现代人的言行、穿着和精神面貌，毕竟和古人有很大的不同。戏中的干部，穿上蟒靠边唱边舞，显然是不合适的。但是，这并不妨碍他对创新的坚持。他甚至认为："这就需要我们推陈出新，进行创造。创造当然不这样轻松简单，但我们却不能因为困难而停足不前，因噎废食是要不得的。"由此也可以看出，身为京剧院院长的尚小云，此时的政策水平已相当高了。

对于以传统戏曲表演形式表现现实的京剧剧目，尚小云觉得不是太多，而是太少了。因此，他说："形势逼人，客观上要求我们革命的戏曲工作者，要迈开大步来做推陈出新的工作。我最近也想试以京剧形式推演现代节目，只是自己编不了剧，还得现找本子。但我有这种愿望。我是京剧工作者，我希望京剧在推陈出新方面，做出更多的成绩来。"

在1964年的全国京剧现代戏观摩演出大会上，陕西省京剧院也有一出京剧现代戏参加演出，剧名是《延安军民》，艺术总指导就是尚小云。率团赴京演出的，也是尚小云。又一年，陕西京剧院再排

⊙《延安军民》剧照

京剧现代戏《秦岭长虹》，尚小云参与排、导，并以陕西代表团团长的身份，率团赴兰州参加了西北五省现代戏会演，并以此剧参与第二次全国京剧现代戏观摩演出大会的选拔。这个时候，距离1966年“文革”爆发，已经很近了。

《延安军民》的排演，不能不说是顺应形势之作。这出戏是根据陕西作家杜鹏程发表于1954年、长达36万字的长篇小说《保卫延安》改编而成。这部小说在当时被誉为“建国后的优秀作品之一”。它的故事大意是：西北野战军某连，连长是战斗英雄周大勇。1947年3月，该连由山西奉命奔赴陕北，参加了保卫延安，即保卫党中央、毛泽东的一系列重大战役，其中有延安保卫战、蟠龙大捷、陇东之战、榆林之战、沙家店之战等。之后，他们又主动放弃延安，转战西北，最后又转入大反攻，最终取得胜利。

小说不仅重点刻画了连长周大勇、旅长陈允兴、政委杨克文等解放军高级指挥官的形象，而且第一次全面描写了西北野战军司令员彭德怀在西北战役中的军事思想和作战技巧。小说出版之初，备受热捧，评价甚高，部分章节甚至被选入中学语文课本。但是，仅仅过了五年，形势突变。众所周知，在1959年庐山会议上，彭德怀因一封直言“总路线”、“大跃进”、“人民公社”等运动存在错误的“万言书”，被认为是“反党”言论而遭到批判，因此被撤销了中央政治局委员、国务院副总理兼国防部长等职务。

正因为如此，尚小云改编此小说，很可能会被扣上“为彭德怀翻案”的帽子。一旦戴上这样的帽子，在那样的社会环境下，几乎是致命的。因此，政治风险是显而易见的。在尚小云决定选择这样的题材编排京剧现代戏之前，小说《保卫延安》被查封了。因此，不少关心此事的亲朋纷纷劝说尚小云：还是放弃吧。客观地说，尚小云并非没有担心，只不过，起意编排《保卫延安》的，并不是他尚小云，而是中共陕西省委分管文教的书记舒同。

既然是上级领导的提议，又得到省文化局的认可，难道还会有问题吗？尚小云还是有些犹豫，还是觉得谨慎为好，这不是别的问题，这涉及到的是政治问题。这样的风险，不是敢不敢冒，而是能不能冒的问题。于是，他直接找到时任中共西北局第一书记的刘澜涛，向他请示。刘澜涛说他对小说《保卫延安》被禁的情况是清楚的。但是，他表示：“这本书的主流是写毛主席领导陕北军民的解放斗争，那几个战役都贯彻了毛主席的军事思想。改编成戏时，书中有些内容只要适当作些回避，还是可以搞的。”[①]作为西北局的第一书记，他代表了西北局党组，他的答复，实际上也就表明了西北局党组的态度。

尚小云如释重负。由《保卫延安》改编的京剧现代戏正式上马。其中的周大勇，由尚长荣饰演。为此，尚小云将儿子和其他有关演员派到解放军驻陕某部体验生活。不久，剧本也改编好了。不过，新剧的剧名，又让尚小云颇费踌躇。起初，剧名定为《延安保卫战》。但是，该名与《保卫延安》又有多少区别呢？在小说《保卫延安》被禁之后，《延安保卫战》很容易让人联想到《保卫延安》。讨论来研究去，最后还是上级领导拍了板，最终定名《延安军民》。还是为了与《保卫延安》划清界限，尚长荣饰演的主要人物，由周大勇更名为张志勇。在经过多次修改、七易其稿，在西安首演大获好评之后，《延安军民》作为陕西省京剧代表剧目，赴京参加全国首届京剧现代戏的观摩演出。

① 陈云发：《吟啸菊坛——大写尚长荣》，复旦大学出版社2001年1月版，第201页。

之所以取名《延安军民》，在于这出戏注重情节的典型化，它以青化砭战役为背景，侧重于表现延安军民在共同保卫延安中所透露出的军民情谊和英雄主义精神。在具体表现手法上，《延安军民》作为京剧现代戏，也有创新。比如，尚长荣是花脸演员，然而在某些唱段中，他大胆借鉴老生的唱法，并融合了汉调，使得该戏虽然在内容上是崭新的、现代的，但在唱腔上，又保留了传统。

对包括《延安军民》在内的京剧现代戏的评价，在当年7月的一份《人民日报》上，有这样一段话："这些现代戏内容新、人物新、形式新，强烈地感染了观众。演员们从生活发出，对传统既有继承，又有革新。过去认为比较难以解决的问题，如怎样对待传统程式、韵白、武功和行当等，现在看来大都解决得很好，或作了有益的探索，使人感到新颖而又自然。"

这样的评价，给予尚小云继续领导省京剧院创排京剧现代戏以很大的鼓励。他发自内心地认为："社会主义的戏剧，必须为社会主义革命和社会主义建设服务。京剧，也只有通过演出现代戏，并演好现代戏，才能得到发展，才会为社会主义、为工农民服务得更好。"

也就是在全国京剧现代戏观摩演出期间（该大会开幕于6月5日，闭幕于7月31日），毛泽东于6月27日，在中央宣传部《关于全国文联及所属各协会整风情况的报告》上，又作了重要批示：

这些协会和他们所掌握刊物的大多数（据说有少数几个好的），十五年来，基本上（不是一切人）不执行党的政策，做官当老爷，不去接近工农兵，不去反映社会主义的革命和建设。最近几年，竟然跌到了修正主义的边缘。如不认真改造，势必在将来的某一天，要变成像匈牙利裴多菲俱乐部那样的团体。

在毛泽东于前一年12月的第一个批示公开后，曾有许多人有不满、有不服，甚至还有人幻想着毛泽东在不久的将来，能够修正他对文艺界过于强烈的、有所偏差的指责。在这第二个批示公开后，他们的幻想被彻底摧毁。所有人都发现，相比而言，这次对文艺界批评的措辞，更加强硬。人们也看出来了，此时，在毛泽东的眼里，已经不只是文艺，而是政治的问题了。于是，纵有不满、不服，此时，也噤若寒蝉。至于京剧现代戏的排演，更加轰轰烈烈。

在继全国第一次京剧现代戏观摩演出大会之后，各地区也都纷纷举办这样的观摩演出大会。比如，东北地区的演出大会，于1965年5月20日在沈阳开幕，主要剧目有《红石钟声》、《天天向上》、《雪岭苍松》、《插旗》、《一颗珠》等。几乎与此同时，华东地区的观摩演出大会在上海开幕，主要剧目有《龙江颂》、《南海长城》、《江姐》、《渡江第一船》等。7月3日，华北地区的观摩演出大会在太原举行，主要剧目有《气壮山河》、《红色交通线》、《破浪前进》等。与此同时，中南地区的观摩演出大会在广州开幕，主要剧目有《豹子湾战斗》、《带兵的人》、《苗山颂》、《地下火焰》等。

7月16日，西北地区现代戏观摩演出大会在甘肃兰州开幕。来自青海、宁夏、甘肃、新疆、陕西五个省和兰州部队的六个代表团22个演出单位，演出了35个话剧、歌剧和京剧，以及65个歌舞、说唱节目。其中京剧现代戏，有六出，分别是《杜鹃山》、《天山红花》、《土族儿女》、《草原初春》、《萎拉姑娘》、《秦岭长虹》。陕西省代表团团长就是尚小云。陕西省的京剧现代戏代表作，就是省京剧院的、尚小云直接参与编排与导演的《秦岭长虹》。

《秦岭长虹》改编自小说《在和平的日子里》。该小说作者还是杜鹏程。提议将小说改编成京剧现代戏的，仍然是陕西省委、省文化局。显然，这个时候，尚小云虽然是省京剧院院长，但是，在排演什么戏的问题上，并没有太多的决定权。他清楚地知道，排什么戏，并不仅仅是艺术问题，更是政治问题。所以，执行，是他的唯一选择。担任该戏执笔的，是省京剧院的著名编剧李旭东。

这出戏，是以50年代宝成铁路的修建为背景，“歌颂了新中国的建设者在条件极其简陋、艰苦的情况下修建铁路的革命精神，歌颂了共产党领导下的英勇的人民在短短的时间内所创造的伟大奇迹。”[①]重点塑造了工程处党委书记阎兴（由尚长荣扮演）身先士卒、不畏艰难、团结群众、力克保守主义的正面形象。

1965年4月，《秦岭长虹》在主创人员体验生活的西乡县城进行公开彩排。尚小云陪同中央和陕西省委的有关领导，其中有杨尚昆、舒同，观看了演出。演出结束后，杨尚昆在接见演员们时，对这出戏给予了很高的评价。他认为：“这是一出好戏，是大家响应毛主席的伟大号召，深入生活的结果。”然后，他又鼓励大家：“我们应该大力讴歌工人阶级的伟大功勋和创造精神。”最后，他再次强调：“我认为，这个戏非常好，是第二出《红灯记》。”

随后，《秦岭长虹》赴兰州参加了西北地区现代戏观摩演出，并参与第二次全国京剧现代戏观摩演出的选拔。然而，它最终没有能够成为“第二出《红灯记》”。

尚小云在担任陕西省京剧院院长的短短两年时间内，最突出的成绩，便是创作了《延安军民》和《秦岭长虹》这两出京剧现代戏。因为如此，也使他在创作现代戏方面总结出了几个方面的经验，按照他自己的说法，应该过好三关：

一、思想关。他说：“作为一个革命的文艺战士，首先要有一颗把社会主义革命进行到底的‘红心’。有了为社会主义、为工农兵服务的思想基础，也就懂得了拿什么东西服务更有价值和意义。眼睛

① 陈云发：《吟啸菊坛——大写尚长荣》，复旦大学出版社，2001年1月版，第201页

向前看了，就不会死抱住传统艺术不放，把它看成‘刺猬’怕扎手不敢触动它！……”

二、生活关。传统戏曲剧目，基本上是从前辈艺人口传心授保留下来的，所塑造的人物又多是古人，因此，演员在掌握了京剧表演程式，加上勤学苦练唱工、身段后，都可以应付下来。现代戏则不同，他认为：“在舞台上要塑造工农兵的人物形象，那就要演工像工，演农像农，演兵像兵，这就必须深入生活，付出艰苦的劳动。”

三、技巧关。关于此，尚小云说了这样一句话：“今天演现代戏，内容变了，形式就不可能不变。”这句话与梅兰芳于建国初期所说的、后来遭到猛烈批判的戏改名言“移步不换形”，表面上看，是背道而驰的。当年，梅兰芳在无法承受外界压力的情况下，曾经对

⊙1964年6月，郭沫若等观看《延安军民》演出后与剧组成员合影

自己的这句话做了修正，说："形式与内容不可分割，内容决定形式，'移步必然换形'。"很明显，他的改变，是不得已的违心之论，并非他的真实意思表示。难道说尚小云也认为移步必然换形吗？

纵观梅兰芳近半个世纪的艺术实践，可以推知，梅兰芳所说的"形"，并非哲学意义上的"形式"，而是京剧规律。也就是说，无论内容如何变化，都不能违背京剧规律。尚小云对他的"内容变了，形式不可能不变"的论点，也有他自己的解释："究竟应该怎么变，虽说是'各有巧妙不同'，但首先必须从内容出发。有人说，演现代戏，京剧原有的表演艺术都用不上了，我说不然，离开原有的表演艺术，同样是演不好京剧现代戏的。"

所以，他强调演现代戏仍然必须有真功夫、硬功夫，更不能丢弃京剧的四功、五法。他的所谓的"变"，也就是在牢固掌握京剧传统表演技巧的基础上，"用生活来充实其生命"。显然，尚小云认为可以有条件变的，指的只是通常意义上的"形式"，与梅兰芳"不换形"的"形"并不等同，反而，尚小云的观点与梅兰芳的"移步不换形"有着异曲同工之妙。

梅兰芳的"移步不换形"因何遭批判？因

为“移步必然换形”的论点在当时是主流。像尚小云这样的京剧前辈艺人，并不反对以“创新”之名编排京剧现代戏。尽管他们强调仍然要以传统京剧程式表现现实、反映生活，但是，京剧现代戏的发展方向，还是不以他们的意志为转移而在歧路上越走越远。

对于文化领域，特别是戏曲的现状，尚小云曾经在弟子孙明珠的面前畅谈过他的观点：“建国以来，是有一些内容极不健康、形式也很卑劣的剧目被搬上舞台，这个自然要批判，但大多数古典剧和现代戏，从内容到形式，还是很好的，不能全盘否定。现在把古典剧和表现古典剧的好多传统程式表演统统列入‘横扫’范围，我认为是不对的。须知，京剧和一大批京剧剧目的相继问世，是有悠久历史的，是中华民族光辉灿烂文化的结晶，它有极其强大的生命力和艺术魅力，流传千古，与世永存，是谁也否定不了的。”

然而，在戏改远离纯粹艺术、学术领域而逐步政治化、在过分强调文艺要为政治服务的情况下，京剧舞台由传统剧、新编历史剧、现代剧鼎足而立的局面，逐渐转化成现代戏一统天下。大量传统剧、新编历史剧被作为封建的、落后的、“死人的”而被排斥，甚至被彻底封杀。继而“文革”开始，京剧院、京剧团全面瘫痪；京剧艺人、前辈被打翻在地；全国的京剧，只剩下八个样板戏。这个时候，不仅“移步”了，而且也完全“换形”了。

寂然离世

四大名旦中，程砚秋的年龄最小，却最早去世。1958年，54岁的他因心脏病在北京去世。三年后，“老大”梅兰芳也是因为心脏病去世于北京，享年67岁，年龄也不算大。从自然生命的角度来说，他们的过早离世，是大不幸；但是，正因为如此，他们躲过了“文革”一劫，却又是幸运的。

剩下的两位名旦，荀慧生和尚小云，都不幸地、身不由己地被卷入“文革”风暴。相对而言，尚小云又更不幸一些。1968年12月，荀慧生去世。在那样的政治环境下，他的死，必然很惨。不过好在他只被煎熬了三年。尚小云呢，“文革”十年，他无奈地经历了“文革”全过程，却又没有等到“文革”结束。

一切强加在尚小云身上的“文艺黑线人物”、“反动学术权威”、“戏霸”等罪名，无不荒谬。当北京市委第一书记、北京市长彭真和罗瑞卿、陆定一、杨尚昆被“捆绑”成“反党集团”后，尚小云又多了一个罪名，甚至还牵连到了儿子尚长荣。父子俩被认为是“勾结彭、罗、陆、杨，并受他们的遣派，到西安来从事反党活动的”，实在可笑到令人无话可说。

尚小云被“打倒”了，尚长荣被剥夺了唱戏的权利。他先被派去拉大幕，后又负责打灯光。终于有一天，他被允许上台了，演出革命现代样板戏《智取威虎山》，当然，主角儿杨子荣是轮不到他来演的，他是A角的匪兵、B角的李勇奇。对于视戏为生命的尚家人来说，有戏演，就是全部，哪管他是匪兵还是家丁。最初，每次排练，他都是演匪兵的。可他非常珍惜这个机会，勤学苦练这个角色。后来，不知为什么，他又被批准演李勇奇了。

正式演出那天，尚长荣准时来到解放剧场，忙着化装、准备。工宣队的一位干部来到他的身边，先进行一番革命教育，如“要演好样板戏，学做革命人”之类，然后严肃地通知他：在开演之前，先要开个批斗会。对于批斗会，尚长荣早已司空见惯，一时也没有放在心上。要开，就开吧。可是，这位干部接下来的一句话，几乎让尚长荣憋过气去。他说：“我们要动员全团同志批判尚小云的资产阶级文艺错误思想。”当着儿子的面批斗父亲，在儿子演出前批斗父亲，岂不是人身折磨、人格侮辱？

就在尚长荣的化装桌旁，批判尚小云的批斗会开始了。尚小云被带到尚长荣的面前时，只淡淡地瞥了儿子一眼，然后就将目光移往他处。在尚长荣的眼里，父亲的神情仍然淡定自若，没有慌张、没有惊恐、没有怯懦；气质仍然儒雅大气，没有困窘、没有尴尬、没有狼狈。虽然是个小型批斗会，但批斗的程序却是完整的，一时间，后台充斥着“打倒”“交代”的狂呼海叫。尚小云很平静，尚长荣的内心却激烈震荡，他用“决心”压抑着自己。他想起人们对父亲表演艺术的评价：热处理，像一团火。他也想起父亲对他的告诫：花脸一出来就要有“虎气”，不能“蔫”。于是，他的决心，便是唱好这场戏。批斗会结束了，戏，开演了。尚长荣果然唱得更加卖力，真的像一团火。他不是因为得以恢复登台后的兴奋和狂喜，他是以此为父亲向天地呼冤屈、鸣不平。

1974年夏天，尚小云在白内障延误了治疗、眼疾有恶化趋势的情况下，申请回北京诊治。这个时候，返回北京他的“家”，当然百感交集。

返京之初，他和随行的夫人王蕊芳，以及夫人的姐姐、孩子们的七姨妈王仲芳一起住在长女尚秀琴、女婿任志秋的家。他们一直申请返回位于校场小六条的原来的家，但迟迟没有得到准许。之后，弟子吴素秋将师傅、师娘接到她家居住。

可以称得上是美食家的尚小云，回到北京后，吃的酣畅淋漓的美味，是“炒疙瘩”。早年，做这个最拿手的，是回民饭馆“穆家寨”的穆老太太。她是尚小云在少时认的义母。“炒疙瘩”也是那个时候尚小云最爱吃的食物。这个时候，穆老太太当然已经不在了。纵然尚小云如何一想起炒疙瘩就几乎要流口水，也吃不到了。不过，穆老太太有个女儿，是马连良弟弟马连贵的夫人。她一直知道尚小云对炒疙瘩的偏爱。当她得知尚小云回到北京后，就邀他到家里来，按照母亲当年的做法，亲手为尚小云做了炒疙瘩，外加了几道“穆家寨”的招牌回民菜，有炒掐菜、小锅烧牛肉、炸卷果、素鸡、炸油香等。

那一顿，尚小云吃得那个香啊，无以言表。特别是炒疙瘩，年过七旬白发苍苍的他，像个孩童似的，捧着一个大海碗，吃得狼吞虎咽，吃完抚着圆滚滚的肚皮，感慨道：“我这十几年都没吃过这么好吃的东西了。”“十几年”，不是夸张，是事实。不过，在这十几年里，他肯定吃过比炒疙瘩更精贵更稀有的东西，但是，炒疙瘩让他体会到了家的味道，感受到了人情的温暖。闻讯前来探望的梅兰芳夫人福芝芳坐在饭桌前，看着吃得香甜的尚小云，说：“留神点儿，可别吃得太撑了。”她说话时，是笑着的，但屋里所有人都能感觉到，她的眼泪，在心底横流。他们又何尝不是如此呢？

在随后的一段日子里，尚小云的生理机能衰退很快，精神愈加萎靡。他越来越像一个迟暮的老人，反应不再灵敏，长久地发愣，一声轻响，一声低唤，都能让他心惊。他的眼疾也更重了，又罹患各种疾病。

吴素秋夫妇对尚小云在生活上照料备至，这对他在精神上也是莫大安慰。尚小云过意不去，想着要为弟子减轻些负担，有一天就自己起了个大早，赶去菜场，想用自己的钱买些菜和肉。尚家收入由“文革”初期的每月36元增加到了70元、100元，他在佳木斯京剧团工作的长子尚长春也每月都会寄些生活费给他。这样，他在生活条件上有了很大改善。买肉的队伍很长很长，排了半天的队，终于轮到他了。当被要求出示定量供应的购货本时，他忙不迭掏出来的，却是户口本。肉，没有买成。他无奈地拖着又酸又麻的腿，空手回了家。

被剥夺了一切工作、演戏、教学权利的尚小云，并没有因遭受不公待遇而诅咒一切，他在强忍着人性的恶给他带来磨难的同时，却时时念想着善良的人们。他怀着一颗感恩的心，将曾经帮助过他的、正在帮助他的人，一一记在他随手携带的小本子上，他以此方式时刻提醒自己记住人们的好、社会的善、世界的美。而那些丑恶的、卑劣的，他在潜意识里要把它们彻底忘却。这是他积极乐观开朗的性格所致。他从来不是个悲观的人，他演过的戏，少有悲剧。

在这个小本子上，还有他写的、他抄录的、足以表达他心情的数首诗词：

莲湖[1]昨夜谈往事，身世不堪回首闲话中。
我为江湖六十载，今日朱颜改。
问君能有几多愁，恰似一江春水向东流。

二十年来是与非，一生系得几安危？
莫道浮云终蔽日，严冬过去绽春蕾。

莫道前进无知己，天下无人不识君。
莫道好花容易谢，须知缺月有圆时。

看得出来，尚小云对未来还是充满信心的。这份信心缘于他对邓小平的爱戴，对周恩来的尊敬。在邓小平复出后，有一天，家里来了亲戚，其中有一个小孩子，留着小平头。他将小孩拉到身边，摸了摸小孩的头，说："这真的很像是小号邓副总理啊。"一句话，说得大家大笑，却正好反映出他的心声和企盼。

但是，天不遂人愿。1976年1月，周恩来去世。这个消息，击垮了尚小云，一直支撑着他的精神世界轰然坍塌。他彻底崩溃。他毫不遮掩地大放悲声，以他的"铁嗓钢喉"放声痛哭。然后，昏死过去。被抢救过来后，他又悲从中来，继续痛哭，又一次昏厥。他无法控制自己，他感觉他的信心，也随周恩来飘然而去。

待精神稍稍好转后，尚小云挣扎着爬起来，吩咐家人立即设灵堂祭奠。夫人好心提醒他："上边不准举行悼念活动，我们公开设

① 尚小云在西安的住所所在路段，名"莲湖路"。

灵堂祭奠，倘被他人告发，将会再犯政治错误的。”他一下子就火了，以与他的年龄不相符合的洪亮声调大声说：“党失人杰，国折栋梁，举国上下，一片悲哀。周总理热爱人民，人民离不开周总理，除少数奸佞外，广大群众一定和我们心情一样。谁要阻挠悼念周总理的活动，全国人民拿他问罪！”

周恩来的去世，对尚小云的打击几乎是致命的，他的精神彻底垮了，身体也随之急剧衰弱。3 月的一天，他说有些胃疼，家人给他吃了药，但却始终不见好转。还是尚长荣心细，想着是不是心绞痛呢？于是，家人决定送他住院检查和治疗。平时一向身体健硕的尚小云，从来不肯轻易进医院，这个时候，他却很顺从，他或许知道这次的病，恐怕不那么简单。

进了医院，尚小云即刻被送入重症监护室进行抢救。他休克、痉挛，昏睡了十二天。抢救虽然及时，但是，他的病情还是日渐严重，特别是肾功能，衰竭得很厉害。当他从昏迷中清醒过来后，开始闭尿，腰也疼得厉害。很快，他双目失明。医生向家属解释，他的病已经转化为综合症，最严重的病症是尿毒症。

对于真实病情，家人都瞒着他，他却很清楚自己的状况。他对他们说：“你们也不用瞒我，我已有彻骨生寒的感觉，恐怕过不去了。生老病死这个规律谁也违背不了。”

为尊重尚小云的意愿，1976 年 3 月 15 日，家人和秘书张静榕护送尚小云返回西安，随即入住市第一人民医院，继续接受治疗。尽管尚长荣数次从青岛、上海等地购买医治肾病的贵重药物，但是，尚小云的病情，仍然无法得到控制。

家人没有能够瞒过尚小云的病情，却瞒过了 4 月初发生在天安门的“天安门事件”。这个时候，尚小云在肾功能衰竭的同时，并发心脏病，已卧床不起了。凡有亲朋好友来信慰问，他都嘱咐秘书张静榕：“一一回复。请朋友记住鲁迅先生的名言：伟大的心胸，应该表现出这样的气概——用笑脸迎接悲惨的厄运，用百倍的勇气来应付一切的不幸。”或许这便是他在恶劣环境下，始终信奉“坚持”并一直坚持的力量吧。

4月18日晚上6时，尚小云开始神志不清，随后昏迷，再也没有醒过来。他在这个世界上说的最后一句话是：“惜天不假年，遗恨多多。”凌晨4时许，他满含委屈，带着遗恨，万般无奈地、依依不舍地，走了。他的“遗恨”是什么？不是生命短暂，而是恶势力对他的摧残，是社会没有给予他为人的客观公正的评价，是他终究没有等到天清月明的那一天。

一直陪伴他走完人生路的是夫人王蕊芳、长子尚长春夫妇、次子尚长麟、幼子尚长荣夫妇，还有跟随他多年的秘书张静榕。他们为他换好衣服，用推车将他送出病房，送往太平间。病房走道两侧，早已站满住院病人和他们的家属。他们默默地看着推车缓缓地从身边滑过，无声地为他送行。透过覆盖躯体的白布，他们看得到一代京剧大师昂扬不屈的灵魂。

尾声

尾　声

在尚小云去世前的3月20日，他和张静榕有过一段意味深长的对话。当时，他经过抢救，刚刚恢复意识，神情淡定闲适，有一种死里逃生的超脱。他说：

“这回，得刻块闲章了。”

张静榕接口说：“我有块白寿山，是‘明坑’的，保准您看得上。”

尚小云沉吟片刻，然后自问自答道：“刻些什么呢？就刻‘人间再度’吧。”

张静榕笑着说：“您这是英文说法，我们的说法是，再度人间。”

尚小云笑了笑，随后又沉默不语了。张静榕跟随尚小云多年，很清楚他的心思。当尚小云突然提及“刻块闲章”时，张静榕就已经猜到他的真实想法了。他说：

“我知道，您还惦记着那方石章呢。是不是？等您这回病好了，我立刻去找找看，问问出手没有，如没出手，请他让给您，我再请人刻上‘再度人间’，二者配成一对。如果出手了，我再给您另找一对石章，把两方刻成一阴文一阳文，也配一对，您看这成吗？”

尚小云又笑了，很费力地，但还是很用力地点了点头。

然而，还没有来得及找到那方石章，尚小云就去世了。这或许是他的又一个遗憾吧。张静榕找出他珍藏了三十年的白寿山，请人在上面刻下这样的文字：

尚老小云，一代艺人。伶界祭酒，梨园蜚声。
雅好翰墨，兼擅丹青。酷嗜收藏，鉴赏尤精。
曾见一印，顽伯精品，质文并茂，爱若珍宝。
索价过巨，未能遂心，耿耿于怀，梦寐常萦。
今归道山，遗愿未尽，挚友静榕，嘱雕原印。
以资纪念，藉慰后人。固缀数语，蒙青钦敬。
丁巳嘉平，吴门印人。范九张畴，刻于西秦。

“那方石章”是什么呢？原来，那方石章是块鸡血石，石上是清朝著名书法篆刻家邓石如刻的“仰天祝愿寿百年”七个字。酷爱收藏的尚小云在西安见到这方石章后，立刻就有心买下它。但是，卖家索价太高，他无奈放弃了。当他自知生命之火即将熄灭的时候，又想起了这方石章。其实，他牵挂的并非石章本身，而是石上的那七个字。此时，他感叹着无论是谁，都不能“寿百年”，所以，他希望“人间再度”。这一切，都透露出他对生命的不舍，对人生的眷恋。

尚小云去世后，家人在西安殡仪馆举行了一个简朴的、只有亲属参加的遗体告别仪式。他的人生，最终定格在他的第二故乡西安。

1980年9月，中央文化部决定将尚小云的骨灰由西安迁移到北京八宝山革命公墓，并决定召开隆重的追悼会。说是“追悼会”，实际上是“平反昭雪大会”。

在10月30日于北京八宝山革命公墓举行的追悼会上，除了家属以外，有各界人士近八百人参加。其中有党和国家领导人习仲勋、刘澜涛、王昆仑、赵守一、贺敬之等，以及专程由陕西护送骨灰盒到京的陕西省文化局局长鱼讯等。各界人士送的花圈摆满了追悼厅，送花圈的有邓小平、邓颖超、习仲勋、宋任穷、杨尚昆、彭真、乌兰夫、刘澜涛等中央领导。

邓颖超原来打算亲临追悼会现场的，但在会前，她电话通知她会晚些到，请大家等等她。后来，她又打去电话，很遗憾地表示因为要参加一个紧急会议，不能参加追悼会了。在电话中，她向尚小云的家属表示歉意。

追悼会由周扬主持，文化部副部长周巍峙致悼词。

随后,《人民日报》、中央人民广播电台、中央电视台和各地报刊都报道了尚小云追悼会的消息,对尚小云给予高度评价。其中有这样几段:

“尚小云用他的艺术实践为我国戏曲事业的发展作出了重大贡献。尚小云生前积极从事戏曲改革,经常到基层为群众演出,还把珍藏多年的名人字画献给了国家。他十分重视培养戏曲艺术人才,对学生满腔热情,严格要求,一丝不苟。”

“尚小云数十年如一日,不断探索,努力革新,创造了独具风格的尚派表演艺术。他热爱社会主义,积极执行党的文艺方针,热情培养青年演员,对发展我国的京剧艺术做出了重大贡献。”

在追悼会上,有一位不知名的老人送来一个挽幛,上面写着四个大字:“仗义疏财”,写出了尚小云为人最显著的特点。尚小云的老伙伴、尚长荣的老师、著名花脸演员侯喜瑞拄着拐杖,颤巍巍地,很早就来到了追悼会现场,站在第一排。当宣布开会时,他敲着拐杖,大声说:“好人哪!好人哪!”

那苍凉而有力的声音,久久地在大厅中回荡,激起在场者强烈的共鸣。老人的话虽然朴实,寓意却非常丰富。宝石即便坠入泥淖,也终有放光的时候,因为尘埃不能改变它的品质;好人即便陷于劫难,也终有开泰的一天,因为厄运无损他在人们心中的地位。

尚小云倘若地下有知,闻此评价,一定会含笑九泉的。

《尚小云全传》后记

在继梅兰芳、程砚秋之后，我又穿越时空拜访了尚小云。爱因斯坦的相对论里有一条，当物体以超过光速的速度运动时，时间就会倒流，人在那样的环境下，就可以看到自己的童年。这在常人的思维里是很难想象的，按照现代科学发展的速度，当代的传记作者恐怕不大有机会乘上穿越时光隧道的列车，旅游般地浏览自己的童年，也浏览传主的一生。我们还只能乘坐电力火车，跑到各地去采访健在的人们，到图书馆、档案馆去翻阅横陈的历史。

在着手为写本书做准备中，我曾几次到上海去，其间几番拜访尚小云之子、著名京剧花脸表演艺术家、身为中国剧作家协会主席的尚长荣先生。他性格爽朗，喜欢仰天大笑，对我写尚小云非常支持，谈了乃父许多生活中、艺术上的往事，以及他对父亲的了解与认识。这使我对一代京剧宗师多了层感性的、较为直接的认识。巧的是，那两天尚长荣先生正在天蟾舞台演出上海京剧院的新编历史剧《廉吏于成龙》，邀我们前往观看。剧中有几场人物动作幅度很大，尚先生以年届七十之龄，在舞台上颠扑起跃，而能从容把握与圆满完成动作，令观众席上激起一片惊叹之声。这不仅显示出他功力的深厚，也透露出他对于艺术的执着与认真，还有他在整台戏中表现出的火一般的激情，都使我看到了尚小云的影子。

演出结束后，我们在尚长荣夫人高丽骊老师的引导下，来到后台化装间，向他的演出成功表示祝贺。他与另几位主角正忙着卸装，脸上的油彩尚未洗去，就那么眼睛一眨一眨地与我们说话。我穿过后台的过道，经过一只只“著名”的戏箱，一杆杆的“银样镴枪头”，写着“回避”的长牌，木刻的青鱼等数不清的道具。走在那幽暗的京剧长廊里，我忽然生出一种莫名的感动。

本书是南京市文联签约作品。

作者于秦淮入江口

2008 年 3 月 3 日

(京)新登字 083 号
图书在版编目(CIP)数据
尚小云全传／李伶伶著.—北京：中国青年出版社，2008
ISBN 978-7-5006-8083-3

Ⅰ.尚…　Ⅱ.李…　Ⅲ.尚小云（1900～1980）－传记
Ⅳ.K825.78

中国版本图书馆 CIP 数据核字(2008) 第 028102 号

《尚小云全传》
李伶伶／著

责任编辑　常婷
装帧设计　敬人书籍设计　吕敬人+德浩

中国青年出版社 出版发行　社址 北京东四 12 条 21 号　邮政编码：100708
网址 www.cyp.com.cn
北京顺诚彩色印刷有限公司　　新华书店经销

889 × 1194　1/32　19.25 印张　4 插页　430 千字
2009 年 3 月北京第 1 版　2011 年 6 月北京第 2 次印刷　印数 5,000–7,000 册
定价：70.00 元
本图书如有印装质量问题，请凭购书发票与质检部联系调换
联系电话(010)84047104